KB035562

우루과이라운드

시장 접근 그룹 회의

우루과이라운드

시장 접근 그룹 회의

한국학술정보

| 머리말

우루과이라운드는 국제적 교역 질서를 수립하려는 다각적 무역 교섭으로서, 각국의 보호무역 추세를 보다 완화하고 다자무역체제를 강화하기 위해 출범되었다. 1986년 9월 개시가 선언되었으며, 15개 분야의 교섭을 1990년 말까지 진행하기로 했다. 그러나 각 분야의 중간 교섭이 이루어진 1989년 이후에도 농산물, 지적소유권, 서비스무역, 섬유, 긴급수입제한 등 많은 분야에서 대립하며 1992년이 돼서야 타결에 이를 수 있었다. 한국은 특히 농산물 분야에서 기존 수입 제한 품목 대부분을 개방해야 했기에 큰 경쟁력 하락을 겪었고, 관세와 기술 장벽 완화, 보조금 및 수입 규제 정책의 변화로 제조업 수출입에도 많은 변화가 있었다.

본 총서는 우루과이라운드 협상이 막바지에 다다랐던 1991~1992년 사이 외교부에서 작성한 관련 자료를 담고 있다. 관련 협상의 치열했던 후반기 동향과 관계부처회의, 무역협상위원회 회의, 실무대책회의, 규범 및 제도, 투자회의, 특히나 가장 많은 논란이 있었던 농산물과 서비스 분야 협상 등의 자료를 포함해 총 28권으로 구성되었다. 전체 분량은 약 1만 3천여 쪽에 이른다.

2024년 3월

한국학술정보(주)

| 일러두기

· 본 총서에 실린 자료는 2022년 4월과 2023년 4월에 각각 공개한 외교문서 4,827권, 76만여 쪽 가운데 일부를 발췌한 것이다.

· 각 권의 제목과 순서는 공개된 원본을 최대한 반영하였으나, 주제에 따라 일부는 적절히 변경하였다.

· 원본 자료는 A4 판형에 맞게 축소하거나 원본 비율을 유지한 채 A4 페이지 안에 삽입하였다. 또한 현재 시점에선 공개되지 않아 '공란'이란 표기만 있는 페이지 역시 그대로 실었다.

· 외교부가 공개한 문서 각 권의 첫 페이지에는 '정리 보존 문서 목록'이란 이름으로 기록물 종류, 일자, 명칭, 간단한 내용 등의 정보가 수록되어 있으며, 이를 기준으로 0001번부터 번호가 매겨져 있다. 이는 삭제하지 않고 총서에 그대로 수록하였다.

· 보고서 내용에 관한 더 자세한 정보가 필요하다면, 외교부가 온라인상에 제공하는 『대한민국 외교사료요약집』 1991년과 1992년 자료를 참조할 수 있다.

| 차례

정 리 보 존 문 서 목 록					
기록물종류	일반공문서철	등록번호	2019080048	등록일자	2019-08-07
분류번호	764.51	국가코드		보존기간	영구
명 칭	UR(우루과이라운드) / 시장접근 그룹 회의, 1991. 전2권				
생 산 과	통상기구과	생산년도	1991~1991	담당그룹	다자통상
권 차 명	V.1 1-6월				
내용목차					

0001

원 본

외 무 부

종 별 :

번 호 : GVW-0113 일 시 : 91 0118 1200

수 신 : 장 관(통기,경기원,재무부,농림수산부,상공부)

발 신 : 주 제네바 대사대리

제 목 : UR/ 관세협상 및 시장접근분야 협상

CARLISLE 갓트 사무차장은 1.18 당관 박공사에게 1.28 주간부터 당지에서 동인의 주관아래 양자간 또는 주요국간의 관세협상을 갖도록 할 예정인바 본국으로부터의 협상대표가 참여하여 주도록 요청하여 왔음. 동 협상은 DUNKEL 사무총장의 관세협상 추진 지시에 따라 동인이 미국, 이씨, 일본, 카나다등 주요국을 접촉하여 긍정적 반응을확인하였다고 하는바 약 1주일이상 진행토록 할 것이며 구체적인 협상일정은 추후 별도 통보 예정이라고 함. 한편 USTR 측은 조속한 시일내에 시장접근분야 양자협상을갖도록 아측에 요청하면서 동 양자협상에서는 분야별 무관세 제안의 구체적 논의와비관세분야도 함께 토의할 것을 희망하였음.끝.

(대사대리 박영우-국장)

통상국 경기원 재무부 농수부 상공부

PAGE 1

91.01.19 03:40 FC

외신 1과 통제관

0002

원 본

외 무 부

종 별 :

번 호 : GVW-0131 일 시 : 91 0122 1700

수 신 : 장 관(통기, 재무부, 상공부)

발 신 : 주 제네바 대사 대리

제 목 : UR 시장접근 양자 협상

연: GVW-0113

1. 1.21 갓트 사무국측은 연호 칼라일 사무차장의 구두 통보에 이어 1991.1.28부터 시장접근 분야 양자협의가 재개될 예정임을 통보하면서 시장접근분야 양자 협의를 종결지울수 있도록 충분한기간 동안 각국의 대표단이 당지에 체류하여줄 것을 요청하는 회람을 송부해옴.

2. 상기 갓트측의 요청에 대하여 미국은 워싱톤으로부터의 대표단 파견은 최근의 걸프 사태등으로 불가능하나 당지 USTR 담당관들이 동 기간동안 아국등과 양자협상을 재개하며 자국이 제안해놓고 있는 분야별 무세화를 적극 논의하기를 희망하며 현재까지 미국을 제외하고는 아국과의 양자 협상을 요청하고 있는 국가는 없으나 아국대표의 당지 파견이 확정되면 몇개국이 이를희망할 것으로 사료됨. 한편 미국은 본국으로부터의 협상 대표 파견이 불가능한 형편임에 비추어 분야별 무세화 제안등 그동안 논의 사항에 대한 아국입장을 전달하는 기회가 될것으로 보이며 미측은 현지 담당관이 협상에 참여함에 따라 아국과의 협상일자는 다소 신축적으로 조정이 가능하다는 입장임. 일본, 스웨덴, 호주등은 현시점에서 양자 협상을 재개하여도 실질적진전은 기대하기 어려울 것이나, 협상의 진전을 위한 노력을 기울인다는 입장에서 본국대표의 당지 파견이 긍정적으로 검토되고 있다는 반응임.끝

(대사대리 박영우-국장)

통상국 2차보 재무부 상공부

PAGE 1 91.01.23 10:32 WG

외신 1과 통제관

0003

원 본

외 무 부

종 별 :

번 호 : GVW-0181 일 시 : 91 0125 1500

수 신 : 장관(통기, 재무부,상공부)

발 신 : 주 제네바대사대리

제 목 : UR/ 시장접근분야 양자협상

연: GVW-0131

1.28 주간부터 당지에서 속개 예정인 표제 협상에 미국, EC, 일본, 카나다 등은 본국에서 대표단이 당지에 파견되어 우선 4국(미, EC, 일,카)간 1.31(목) 당지에서 만나는 것으로 알려져 있으며 아국과는 카나다가 1.31. 오후 또는 2.1(금)중으로 양자협상을 갖자고 제의하여 왔고 미국과는 아국 대표단의 당지 도착일자가확정된후 협상일정을 정하기로 하였음.

끝.

(대사대리 박영우-국장)

통상국 2차보 재무부 상공부

PAGE 1

91.01.29 06:30 DA

외신 1과 통제관

0004

분류기호 문서번호	통기 20644-	기 안 용 지 (전화 :)	시 행 상 특별취급	
보존기간	영구·준영구. 10. 5. 3. 1.	장 관		
수 신 처 보존기간		410		
시행일자	1991. 1. 31.			
보조기관 국 장	전결	협조기관		문 서 통 제
심의관				
과 장				
기안책임자	조 현			발 송 인
경 유 수 신 참 조	내부결재	발신명의		
제 목	UR/시장접근분야 양자협상 정부대표 임명			

91.2.4-8간 제네바에서 개최되는 UR/시장접근분야 주요국간 양자협상에 참가할 정부대표를 "정부대표 및 특별사절의 임명과 권한에 관한 법률"에 의거 아래와 같이 임명코자 하오니 재가하여 주시기 바랍니다.

- 아 래 -

1. 회 의 명 : UR/시장접근분야 양자협상

2. 기간 및 장소 : 91.2.4-8, 제네바 // 계 속 ...

0005

1505-25(2-1) 일(1)갑 190㎜×268㎜ 인쇄용지 2급 60g/㎡
85. 9. 9. 승인 "내가아낀 종이 한장 늘어나는 나라살림" 가 40-41 1990. 3. 30

3. 정부 대표

o 재무부 국제관세과 사무관 우주하

o 상공부 국제협력과 사무관 안현호

4. 출장기간 : 91.2.2-10.

5. 소요경비 : 재무부 및 상공부 소관예산.

6. 훈 령 : 별첨. 끝..

0006

1505-25(2-2) 일(1)을
85. 9. 9. 승인 "내가아낀 종이 한장 늘어나는 나라살림"

190mm×268mm 인쇄용지 2급 60g/m²
가 40-41 1990. 3. 15

훈 령(안)

UR/쌍무관세협상 대책

1. 미국의 분야별 관세무세화 제의

- 한·미 통상관계, UR 협상 진전에 대한 적극적인 기여를 고려하여 미국의 입장을 수용하되 우리나라 산업의 경쟁력 수준과 앞으로의 구조조정 가능성을 감안 최대한의 실익을 확보

- 무세화추진 구조가 아직 불명확한 점이 많으며 이씨가 불참할 경우 협상이 타결되지 못할 전망인 바, 미국의 대안이 불분명한 만큼 이씨등 주요국의 입장동향을 면밀히 파악하여 아국이 일방적으로 추가기여하는 상황에 빠지지 않도록 단계적으로 대처

- '91. 2월초 양자협상에서는 구체적인 협의보다는 브랏셀 각료회의이후 국내 업계와의 작업결과의 대강을 밝히는 선에서 대응하고, 협상추진에 필요한 참여조건의 신축성 여부를 타진

(업계와의 협의 중간결과)

o 부분적 참여가 가능한 분야 ..... 철강·전자·건설장비·종이·목재
o 참여가 불가능한 분야 .... 수산물

(업계가 제시하는 무세화 참여조건)

o 무세화참여 요구물품중 우리나라의 국제경쟁력이 현저히 비교우위에 있거나 또는 국내생산이 없는 물품에 대하여는 단계적 인하를 거쳐 무세화. 이 경우도 '94년까지는 우리나라가 현재 자발적으로 시행하고 있는 인하계획을 따르도록 하고 그후 3~5년에 걸쳐 시행

o 관세율 수준이 비교적 높아 구조조정에 이행기간보다 훨씬 더 긴 기간이 필요한 물품에 대하여는 금번 UR에서는 무세화대신에 상당한 수준의 저세율로 인하

o 또한 국내산업에 매우 민감한 물품에 대하여는 무세화의 예외인정

0007

- 추후 이씨의 참여로 무세화협상이 본격적으로 진행되면 EC·미국간 합의된 분야에의 아국의 참여가 필수적일 것이므로 구체협상안을 마련하여 대처

  o 이씨가 참여하게 되면 지금까지의 검토안으로는 협상참여가 어렵다고 판단되므로 추가적인 기여방안을 검토

  o 국내산업여건, 관세율수준 등을 감안 다양한 참여형태 제시

  o 아국의 독자적인 무세화분야(가구, 완구등) 제시

2. 이씨의 관세조화제안

- 섬유는 우리나라의 주 수출품목으로서 동 제안과 같이 이루어질 경우 수출증대 기대효과가 클 것이므로 원칙적으로 수용

  o 섬유류 : 3~4년간 단계적 인하를 조건으로 수용

  o 화섬 SF 및 화섬사류 : 4~5% → 8% 수준으로 조정하여 수용

- 신발류는 우리나라가 세계시장의 주요 수출국이므로 여타국가의 수입관세가 하향균등화(선진국은 10%, 개도국은 30~35%수준)될 경우 우리나라 수출증대 효과가 크게 기대되므로 수용

- 석유화학 및 플라스틱제품은 우리나라가 이들 제품의 기초가 되는 원유를 전량수입하고 있을 뿐만아니라 현재 이들 제품의 국내개발을 진행하고 있는등 그 경쟁력이 매우 취약하므로 수용불가능

0008

3. 주요국과의 품목별 추가인하 협상

- 우리나라에 대하여 추가인하를 요청한 국가와의 관세협상에 있어서는 우리나라가 관세양허계획 · '94년까지의 추가적인 자발적 관세인하 등으로 어느 국가보다도 실질적으로 UR 협상에 많이 기여하고 있다는 사실과 국내업계의 반대를 설명하고 추가인하는 곤란함을 설득

  o 관세양허계획에 의거 이미 UR 관세협상 목표달성

    · 가중평균 인하율 : 33%
    · 양허범위 확 대 : 23% → 83%

  o 자발적인 관세인하예시제에 의거 '94년까지 36%의 추가적인 관세인하

  o '94 평균관세율은 6.2%로서 최고세율 10%의 낮고 균등한 모범적인 관세율 체계 달성

- 우리나라가 관세양허계획상의 양국간 양허균형, 무역관계 등을 고려하여 미국 · 일본 · 호주 · 뉴질랜드 · 이씨 · 핀란드에 요청한 추가관세인하를 이들 국가가 반영하여 줄 것을 요구

- UR 관세협상의 조속한 종결 촉구

0009

재 무 부

국관 22710- 31 503-9297 1991. 1. 31.

수신 외무부장관

참조 통상국장

제목 UR/쌍무관세협상 참석

'91.2.4 - 2.8 스위스 제네바에서 개최될 UR/쌍무관세협상에 참석할 대표를 아래와 같이 추천하오니 필요한 조치를 취하여 주시기 바랍니다.

아 래

가. 참석대표

소속 및 직책(위)	성 명	참석자격	출장기간
국제관세과 행정사무관	우 주 하	UR/쌍무관세협상	'91.2.2-2.10

나. 예산근거 : 관세행정비중 국외여비

첨부 : 1. UR/쌍무관세협상 대책
2. 쌍무관세협상 훈령(안)
3. 여행일정. 끝.

재 무 부 장

재무부차관 전결

0010

UR/쌍무관세협상 대책

《 현 안 과 제 》

1. 미국의 분야별 관세무세화 제의
2. 이씨의 관세조화제안
3. 주요국과의 품목별 추가인하 협상

재 무 부
관 세 국

0011

1. 미국의 분야별 관세무세화 제의

《개 요》

- 미국이 공식적용을 통한 관세인하대신에 분야별 무세화협상을 주장
- 우리나라에 대하여는 수산물, 건설장비, 전자등 6개분야 1,630개 품목에 대하여 참여요구 (수입의 21%, 수출의 20%)
- 우리나라는 브랏셀 각료회의에서 참여검토 용의를 표명하였으며, 미국은 한미경제협의회를 통하여 적극적 참여요구

《업계의견》

- 무세화참여 요구물품중 우리나라의 국제경쟁력이 현저히 비교 우위에 있거나 또는 국내생산이 없는 물품에 대하여는 단계적 인하를 거쳐 무세화. 이 경우도 '94년까지는 우리나라가 현재 자발적으로 시행하고 있는 인하계획을 따르도록 하고 그 이후 3~5년간에 걸쳐 이행

- 관세율 수준이 비교적 높아 구조조정에 필요한 기간이 무세화 이행기간보다 훨씬 더 긴 물품에 대하여는 일시에 무세화하는 대신 금번 UR에서는 상당한 정도의 저세율로 인하.

- 국내산업에 매우 민감한 물품에 대하여는 무세화의 예외인정

요 약

o 부분적 참여가 가능한 분야 ..... 철강 · 전자 · 건설장비 · 종이 · 목재

o 참여가 불가능한 분야 .... 수산물

0012

《협상전망 및 전략》

- UR 협상전망은 걸프사태로 불투명하나, 제네바대표부의 관찰로는 '91.2월초에 관세협상이 속개될 것으로 예상
- 이씨의 참여여부, 타결되지 않을 경우 미국의 대안, 미국입장의 신축성등 주요국의 입장동향을 면밀히 파악하여 단계적으로 대처

《대　　책》

- '91.2월초 양자협상에서는
  - o 아국정부가 적극적 입장에서 업계와 협의하고 있음을 설명
  - o 국내업계와의 작업결과의 대강을 설명
  - o 업계의 설득을 위해서는 참여방식에 신축성이 있어야 한다는 입장을 전달하고 미국의 입장을 타진
  - o 이씨등 주요국가의 입장을 타진
- 추후 이씨의 참여로 무세화협상이 본격적으로 진행되면 이씨ㆍ미국간 합의된 분야에의 아국참여가 필수적일 것이므로 구체협상안을 마련하여 대처
  - o 이씨가 참여하게 되면 지금까지의 검토안으로는 협상참여가 어렵다고 판단되므로 추가적인 기여방안을 검토
  - o 국내산업여건, 관세율수준 등을 감안 다양한 참여형태 제시
  - o 구체적인 대응논리개발
  - o 아국의 독자적인 무세화분야(가구, 완구등) 제시

0013

2. 이씨의 관세조화제안

- 미국의 분야별 관세무세화제의에 대응하여 이씨는 각국별로 관세율의 차이가 큰 섬유 · 신발 · 석유화학 · 플라스틱제품에 대하여 각국의 관세율을 일정수준으로 일치시킬 것을 제안

  o 섬 유(1,266개품목) : 선진국 0~12%, 개도국 0~35%

  o 신 발(49개품목) : 선진국 10%, 개도국 30~35%

  o 석유화학(118개품목) : 0~6.5%
    플라스틱(179개품목)

- 이씨는 미국이 수용곤란한 분야를 자국의 세율수준으로 조화하자는 대안을 제시함으로써, 미국에 대한 협상력을 강화하려는 의도

- 섬유와 신발은 우리나라의 주 수출품목으로서 여타국가의 수입관세가 하향균등화될 경우 우리나라의 수출증대효과가 크게 기대되며 목표관세율이 대부분 아국의 '94년 관세율수준 이상이므로 이를 수용(섬유의 경우는 화섬사에 대한 예외인정을 조건으로 수용)하되,

√ 석유화학 및 플라스틱제품은 우리나라가 이들 제품의 기초가되는 원유를 전량수입하고 있을 뿐만아니라 현재 이들 제품의 국내 개발을 진행하고 있어 그 경쟁력이 매우 취약하므로 수용불가능

0014

3. 주요국과의 품목별 추가인하 협상

- 각국의 최초 관세양허안을 바탕으로 이를 상호개선하기 위하여 이해당사자간 보완적협상 추진
  - o 미국 · EC등 9개국은 우리나라에 대하여 관세의 추가인하를 요구
  - o 우리나라도 양허균형 회복을 위하여 미국 · EC등 6개국에 관세 추가양허 요구

- 우리나라에 대하여 추가인하를 요청한 국가와의 관세협상에 있어서는 우리나라가 관세양허계획 · '94년까지의 추가적인 자발적 관세인하 등으로 어느 국가보다도 실질적으로 UR 협상에 많이 기여하고 있다는 사실과 국내업계의 반대를 설명하고 추가인하는 곤란함을 설득
  - o 관세양허계획에 의거 이미 UR 관세협상 목표달성
    - · 가중평균 인하율 : 33%
    - · 양허범위 확 대 : 23% → 83%
  - o 자발적인 관세인하예시제에 의거 '94년까지 36%의 추가적인 관세인하
  - o '94 평균관세율은 6.2%로서 최고세율 10%의 낮고 균등한 모범적인 관세율체계 달성

- 우리나라가 관세양허계획상의 양국간 양허균형, 무역관계 등을 고려하여 미국 · 일본 · 호주 · 뉴질랜드 · 이씨 · 핀란드에 요청한 추가관세인하를 이들 국가가 반영하여 줄 것을 요구

0015

여 행 일 정

일자	시각	일정
'91. 2. 2 (토)	12:40	서울 발 (KE 913)
	19:30	암스테르담 착
	21:30	암스테르담 발 (SR 795)
	22:45	제네바 착
2. 4 (월)		쌍 무 관 세 협 상
2. 5 (화)		쌍 무 관 세 협 상
2. 6 (수)		쌍 무 관 세 협 상
2. 7 (목)		쌍 무 관 세 협 상
2. 8 (금)		쌍 무 관 세 협 상
2. 9 (토)	11:00	제네바 발 (LH 1855)
	12:15	프랑크푸르트 착
	14:10	프랑크푸르트 발 (KE 916)
2. 10 (일)	10:40	서울 착

대 한 민 국
상 공 부

국 협 28140 - 75 (503 - 9446) 1991. 2. 1

수 신 외무부 장관

제 목 UR/시장접근그룹 협상 참가

'91. 2. 4(월) 부터 2. 8(금)까지 스위스 제네바에서 개최되는 UR/시장 접근그룹 협상에 참가하기 위하여 다음과 같이 출장코자 하오니 정부대표 임명등 필요한 조치를 하여 주시기 바랍니다.

" 다 음 "

1. 출장자 및 출장기간

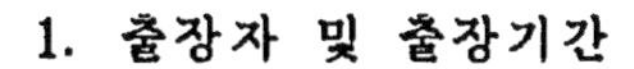

소 속	직 위	성 명	출 장 기 간	비 고
상 공 부	행정사무관	안 현 호	'90. 2. 2 (토) ~ 2. 10(일)	

2. 예산근거 : 상공부 예산

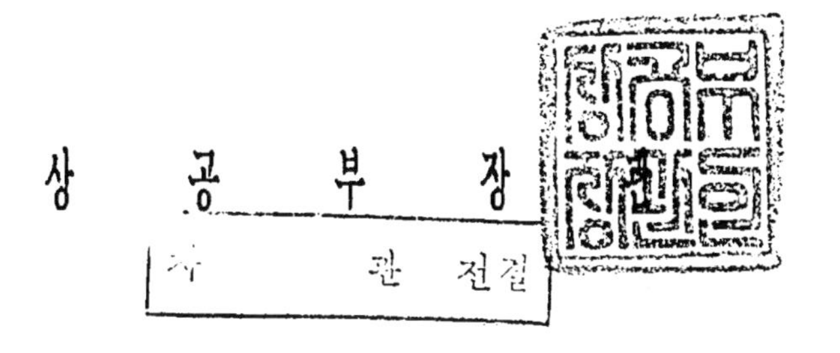

상 공 부 장 관

관 전결

0017

4616 기 안 용 지

분류기호 문서번호	통기20644-	(전화 :)	시 행 상 특별취급	
보존기간	영구 · 준영구. 10. 5. 3. 1.	장 관		
수 신 처 보존기간				
시행일자	1991. 1. 31.			
보조기관 국 장	전결	협조기관		문 서 통 제 (1991. 2. 1)
심의관				
과 장	대결			
기안책임자	조 현			발 송 인 (1991. 2. 1)
경 유 수 신 참 조	상공부, 재무부장관	발신명의		
제 목	UR/시장접근분야 양자협상 정부대표 임명 통보			

1. 91.2.4-8간 제네바에서 개최되는 UR/시장접근분야 주요국간 양자협상에 참가할 정부대표가 "정부대표 및 특별사절의 임명과 권한에 관한 법률"에 의거 아래와 같이 임명되었음을 알려드립니다.

- 아 래 -

가. 회 의 명 : UR/시장접근분야 양자협상

나. 기간 및 장소 : 91.2.4-8, 제네바

// 계 속 ......

0018

1505-25(2-1) 일(1)갑
85. 9. 9. 승인 "내가아낀 종이 한장 늘어나는 나라살림" 190㎜×268㎜ 인쇄용지 2급 60g/㎡ 가 40-41 1990. 3. 30

다. 정부 대표

o 재무부 국제관세과 사무관 우주하

o 상공부 국제협력과 사무관 안현호

라. 출장기간 : 91.2.2-10.

마. 소요경비 : 재무부 및 상공부 소관예산.

2. 출장 결과보고서는 대표단 귀국후 20일 이내 당부로

송부하여 주시기 바랍니다. 끝.

0019

1505-25(2-2) 일(1)을
85. 9. 9.승인
"내가아낀 종이 한장 늘어나는 나라살림"
190㎜×268㎜ 인쇄용지 2급 60g/㎡
가 40-41 1990. 3. 15

분류번호	보존기간

발 신 전 보

번 호 : WGV-0159 910131 1615 AO 종별 :

수 신 : 주 제네바대사대리 대사, 총영사

발 신 : 장 관 (통 기)

제 목 : UR/시장접근분야 양자협상

대 : GVW-0181

1. 2.4-8간 귀지에서 개최되는 UR/시장접근분야 주요국간 관련 양자협상에 참가할 정부대표를 아래와 같이 임명하였으니 귀관 관계관과 함께 참석토록 조치 바람.

   o 재무부 국제관세과 사무관 우주하

   o 상공부 국제협력과 사무관 안현호

2. 상기 시장접근분야 양자협상~~에는 기존 아국입장에 따라 각의 대처바람~~의 각 세부사항별 아국입장은 상기 본부대표단이 지참 예정임. 끝.

(통상국장 김 삼훈)

보 안 통 제	

앙 고 재	91년 1월 31일	통기과	기안자 성 명		과 장	심의관	국 장		차 관	장 관
							전결			

외신과통제

0020

1. EC의 대아국 Request

가. EC의 기본입장

- EC는 아국의 수정양허계획안(관세율 33%인하, 양허범위 23%→83% 확대)를 환영(welcome)하지만, 몬트리올에서 합의한 협상목표를 충분히 달성하기 위해 추가적인 노력을 해주길 희망

나. Request 내용

- 대상품목 : 360개 (공산품)
  - o 양허하지 않은 품목 : 303개
  - o 양허인하율이 낮은 품목 : 57개
- 요청세율 : EC 공식
  - o 기준세율 40% 이상 → 20%로 인하
  - o 기준세율 30%~39% → 인하율 = 50%
  - o 기준세율 30% 미만 → 인하율 = (20+기준세율)%
- 주요품목 : 의료용품, 비료, 플라스틱, 기계류, 철강

다. 아국입장

- 아국은 이미 수정관세양허계획에 의하여 협상목표를 달성하였으며, 관세인하예시제에 의하여 매년 실행세율을 인하하고 있는 바, 요청품목중 90% 이상의 품목들이 '94년에는 요청세율보다 낮은 세율로 예시되고 있어 요청사항은 Binding만 되어있지 않을 뿐이지 이미 실질적으로 반영되어 있는 상황임.
- 특히 아국과 EC의 양허가 균형을 이루고 있는 점을 고려할때 EC의 요청사항 추가반영은 어려움.

0021

2. 아국의 대EC Request

가. 아국의 기본입장

- EC는 관세양허계획제출로 관세율 30% 인하, 양허범위 99.6%→100% 확대하였을 뿐만아니라 공산품 분야에서 양국간 균형이 이루어지고 있음.

  o 주요품목(PSI, SI품목) 양허비교

    - 아국의 대EC 양허 가중평균 인하율:32.0%(19.4%→13.2%)
    - EC의 대아국 양허 가중평균 인하율:32.2%(9.5%→6.4%)

- 따라서, EC의 균등한 저세율수준, 양허균형을 감안하여 아국의 대EC 수출관심품목에 대한 추가관세인하 요청은 EC의 대아국 Request에 대한 전술용

나. 요청품목

- 대상품목 : EC의 양허후 10%초과 고관세(Tariff Peak) 품목 23개 (공산품)
- 요청세율 : 10% (아국의 '94 최고세율 수준)
- 주요품목 : 신발, 양식기, 승용차

다. 아국입장

- EC는 아국의 주요수출품목인 신발류 등에 대하여 고관세를 유지하고 있으므로 아국의 Request에 대한 긍정적 배려요망하지만 대EC 무역흑자를 감안 강력히 주장할 입장이 아님.

0022

o EC의 우리나라에 대한 Request 및 우리나라 입장

품 명	요청사항	우리나라 입장	비 고
전품목	o 정부조달협정 가입 o 수입허가절차 협정 가입 o 수출보조금지원 철폐	o 설명자료로 제출 o " o "	
농산물	o 수입허가 및 수량 제한	o 농산물 그룹에서 논의	
수산물	o 수입허가·철폐	o Offer	
철 강	o 수출용원자재에 대한 관세 감면 o 항만사용료 및 전기 사용료 인하	o 설명자료로 제출 o "	
전 분	o 정부조달 협정 가입 o 복잡한 세관절차 개선 o 원자력법에 의한 제한 철폐	o " o " o "	
전분,소디움 등	o 국영무역에 의한 수입 독점	o "	
전분,섬유류	o 수입 과징금 폐지	o "	
PC 및 단말기	o 국산부품 사용의무 폐지	o "	
전 품 목	o 도소매 유통제한 철폐 o 무역대리점 업계의 오파 확인을 위한 개입 금지 o 무역업 허가제 폐지	o " o " o "	
섬 유 류	o 세관규정에 대한 정보 제공	o "	
타 이 어, 전기기기	o 기술장벽 완화	o "	
의 약 품	o 수입 추천제 폐지	o "	
섬유,의류	o 수입허가 및 수량제한	o "	
실 크	o 수입금지 철폐	o Offer	
원자재, 섬유등	o 수입 보증금 제도 철폐	o "	
원피,구리, 니켈	o 수출규제 철폐	o "	

0023

품 명	요청사항	우리나라 입장	비 고
구 리	o 생산가에 연계한 관세 부과 폐지	o 실명자료로 제출	
미정제의 동	o 이중가격제 폐지	o "	
카 페 트	o 특별소비세 폐지	o "	
글루타민산	o 부가가치세 폐지	o "	
승 용 차	o 각종 과징금 폐지	o "	
자동차부품	o 수출의무 이행폐지	o "	
소 비 재 (승용차 포함)	o 수입억제 캠페인 금지	o "	
승용차, 타일	o 수입 검사제도 개선	o "	
세라믹 원자재	o 관세환급 금지	o "	
전 품 목	o 지적재산권 남용의 시정	o "	

0024

o 우리나라의 EC에 대한 Request 및 EC의 입장

국 별	품 명	요 청 사 항	E C 입장	비 고
EC 공통	신발류	수량제한 철폐		
	철강제품	수량제한 및 기준가격제 폐지	o Offer	
	동과 그 제품	"	"	
	전자레인지	수량제한 철폐	"	
	칼라 TV용 음극선관	"	"	
	전품목	원산지 규정의 명확한 정의요구 및 차별, 독단적인 반덤핑 규정 운용 개선		
	해상운송	서비스 규제 철폐		
영 국	신발류	수량제한 철폐		
	V T R	"	o Offer	
	TV 수상기	"	"	
서 독	가정용 자기 제품	수량제한 철폐		
프랑스	신발류	수량제한 철폐		
	우 산	"	o Offer	
	가정용품	"	"	
	보석류	"	"	
	페로 얼로이	"	"	
	무선전화기	"	"	
	칼라 TV	"		
	TV, 라디오의 부품	"	"	
	선박류	수입허가제 철폐		
	전기.전자 계측기	수량제한 철폐	"	

0025

국 별	품 명	요 청 사 항	E C 입장	비 고
프랑스	축소형 완구	수량제한 철폐	o Offer	
	중량측정기기	수량제한 철폐		
	시계 및 부분품	"		
	전화기	기술장벽 완화		
	팩시밀리	"		
	자동차	"		
	전자제품	"		
이태리	신발류	수량제한 철폐		
	전품목	비자동수입허가 (천만리라 이상 품목) 폐지		
	전기 및 전자 제품	기술장벽 철폐		
	베 아 링	비자동수입허가 철폐		
	전동기, 발전기	수량제한 폐지		
	무선전화기	기술장벽 완화		
	완 구	수량제한 폐지		
	자동차 및 부품	"		
스페인	모조신변 장식용품	수량제한 철폐	o Offer	
	철강제품	"		
	공 구	"	"	
	재 봉 기	"	"	
	영구자석	"	"	
	확 성 기	"	"	
	V C R	"	"	
	칼라 TV	"		
	축 전 기	"	"	

0026

국 별	품 명	요 청 사 항	E C 입장	비 고
스페인	전기회로 기기	수량제한 철폐	o Offer	
	반도체 디바이스	"	"	
	트랙터	"	"	
	자동차	"		
	선 박	"		
	광섬유	"	"	
	안 경	"	"	
	인 형			
벨기에	유무선 전화기	제한적인 판매제도 철폐		
그리스	철강 및 강관 제품	수입허가제 철폐	"	
	가정용 자기제품	수입제한 철폐	"	
	인 형	"	"	
	전품목	외환통제 완화		
	의약품	가격 통제제도 폐지		

EC의 Request 제출시기

90. 2. 15

우리나라의 Request 제출시기

90. 4. 30 (1차)

90. 7. 2 (추가)

양자 협상 일정

1차 90. 6. 12

2차 90. 11. 16

0027

	분류번호	보존기간

발 신 전 보

번 호 : WGV-0179 910206 1119 AO 종별 :

수 신 : 주 제네바 대사. 총영사 주미대사 WUS -0467

발 신 : 장 관 (통기)

제 목 : UR / 관세 협상

1. 주한 미 대사관은 2.6 미국이 기 제안한 6개분야 이외에 비철금속 분야, 특히 정련동(refined copper) 및 조연(unwrought refined lead)을 추가로 무세화 협상의 대상으로 ~~할 것을 아국에 요청하고~~ 하고, 한국이 제한적으로라도 이분야의 무세화 협상에 참여할 것을 ~~추구~~ 요청하여 왔는바, 미국의 동 요청에 관한 non-paper를 별첨 송부하니 참고바람.

2. 기존 6개 분야 및 상기 비철금속 분야의 무세화 제안에 대한 아국 입장은 현재 관련부처 ~~및 본부~~에서 검토 중인바, 귀~~부~~관에서도 관련 정보 입수시 보고바람.

첨 부(fax) : 상기 non-paper. 끝. (통상국장 김삼훈)

보안 통제	

앙 고 재	91년 2월 5일	통기과	기안자 성명		과 장	심의관	국 장		차 관	장 관
			[서명]		[서명]	[서명]	전결			[서명]

외신과통제

0028

FEB 05 '91 14:21 T

P.2

WGT(F)-23
WUS(F)-67 0206 1120

NON-PAPER (WGV-179, WUS-467 첨부물)

- WE WERE DELIGHTED TO HEAR THAT YOUR DISCUSSIONS WITH UNDER SECRETARY OF COMMERCE FARREN AND COUNCIL OF ECONOMIC ADVISORS MEMBER DR. TAYLOR IN MID-JANUARY CONCERNING THE URUGUAY ROUND MARKET ACCESS NEGOTIATIONS WERE VERY CONSTRUCTIVE. WE UNDERSTAND THAT YOU ARE NOW IN THE PROCESS OF DEVELOPING A ZERO FOR ZERO PROPOSAL OF YOUR OWN WHICH WILL BE RESPONSIVE TO A NUMBER OF OUR SECTORAL "ZERO FOR ZERO" INITIATIVES.

- IN ADDITION TO THE SIX SECTORS HIGHLIGHTED BY MR. FARREN AND DR. TAYLOR DURING YOUR DISCUSSIONS (FISH, WOOD PRODUCTS, PAPER PRODUCTS, STEEL, CONSTRUCTION EQUIPMENT AND ELECTRONICS), WE ALSO WOULD LIKE TO UNDERSCORE THE IMPORTANCE THE UNITED STATES ATTACHES TO THE NON-FERROUS METALS ZERO FOR ZERO PROPOSAL.

- WE BELIEVE KOREAN EXPORTERS WOULD STAND TO BENEFIT SUBSTANTIALLY FROM A NON-FERROUS METALS ZERO FOR ZERO AGREEMENT.

- ELIMINATION OF DUTIES ON NON-FERROUS METALS OVERALL WOULD RESULT IN SIGNIFICANT SAVINGS IN DUTIES CURRENTLY BEING CHARGED ON SHIPMENTS OF THESE PRODUCTS FROM KOREA IN OTHER MAJOR MARKETS. U.S. IMPORTS OF NON-FERROUS METALS FROM KOREA CURRENTLY ARE SUBJECT TO DOLS 2.6 MILLION IN DUTIES IN THE U.S. MARKET, DOLS 11.1 MILLION IN JAPAN, DOLS 0.6 MILLION IN THE EC AND DOLS 0.3 MILLION IN AUSTRALIA.

- IN TURN, THE UNITED STATES WOULD EXPECT KOREA'S LIMITED PARTICIPATION IN A NON-FERROUS METALS AGREEMENT. U.S. COPPER AND LEAD PRODUCERS, IN PARTICULAR, VIEW KOREA'S PARTICIPATION AS IMPORTANT TO A SUCCESSFUL "ZERO FOR ZERO" INITIATIVE IN THIS SECTOR. CONSEQUENTLY, LESS THAN FULL PARTICIPATION FROM KOREA IN NON-FERROUS METALS COULD BE ACCEPTABLE. OUR STATISTICS SHOW THAT A ZERO FOR ZERO AGREEMENT ENCOMPASSING COPPER AND LEAD WOULD PAY IMPORTANT DIVIDENDS FOR KOREA IN THE JAPANESE AND U.S. MARKETS, IN PARTICULAR.

- KOREA MAINTAINS VERY LOW TARIFFS ON COPPER ORES AND CONCENTRATES (1 PERCENT APPLIED/5 PERCENT BOUND) TO PROVIDE INEXPENSIVE FEED MATERIAL FOR ITS SMELTERS.

- HOWEVER, KOREAN TARIFFS ON REFINED COPPER -- APPLIED AT 10 PERCENT AND BOUND AT 20 PERCENT -- ARE VERY HIGH. BY JOINING IN THE ZERO FOR ZERO PROPOSAL WITH REGARD TO COPPER PRODUCTS, THE KOREAN GOVERNMENT COULD PROVIDE A SIMILAR COMPETITIVE ADVANTAGE TO DOWNSTREAM PRODUCERS OF COPPER PRODUCTS.

0029

2-1

- KOREAN SEMIFABRICATORS OF COPPER PRODUCTS MUST PAY MORE FOR THEIR INPUTS TO PRODUCTION, AND ARE, THEREFORE, LESS COMPETITIVE, DUE TO THE TARIFF PROTECTION AFFORDED KOREAN PRODUCERS OF REFINED PRODUCTS.

- SIMILARLY, KOREAN CONSUMERS ARE CHARGED MORE THAN NECESSARY FOR COPPER-CONTAINING FINISHED PRODUCTS.

- THE U.S. LEAD INDUSTRY HAS CALLED FOR KOREA'S PARTICIPATION IN THE "ZERO FOR ZERO" INITIATIVE ON LEAD. OUR INDUSTRY HAS PARTICULAR CONCERNS ABOUT KOREA'S TARIFFS ON UNWROUGHT REFINED LEAD.

- AS WITH COPPER, THE HIGH TARIFFS PLACED ON REFINED LEAD CREATE ADDITIONAL COSTS FOR DOWNSTREAM CONSUMERS. IN THE CASE OF LEAD, THIS DETRACTS FROM THE COMPETITIVENESS OF VEHICLE BATTERY MANUFACTURERS (80 PERCENT OF THE END-USE MARKET IN THE UNITED STATES).

- WE LOOK FORWARD TO RECEIVING KOREA'S RESPONSES ON THE U.S. SECTORAL INITIATIVES, AND EXPECT THAT YOUR DELEGASTION IN GENEVA WILL BE PREPARED TO DISCUSS THE DETAILS OF THE PROPOSALS YOU ARE PREPARED TO SUPPORT. WE LOOK FORWARD TO HOLDING THESE DETAILED DISCUSSIONS AND ASK YOU TO GIVE CAREFUL CONSIDERATION TO THE WAY IN WHICH KOREA COULD TAKE PART ALSO IN THE "ZERO FOR ZERO" PROPOSAL ON NON-FERROUS METALS. WE BELIEVE THAT KOREA'S PARTICIPATION, PARTICULARLY ON THE COPPER AND LEAD PORTIONS OF THE INITIATIVE, WILL BE VITAL FOR THE PROPOSAL'S ULTIMATE SUCCESS.

2-2

0030

통(근남)

원 본

외 무 부

종 별 :

번 호 : GVW-0262 일 시 : 91 0208 1530

수 신 : 장 관(통기,경기원,재무부,농림수산부,상공부)

발 신 : 주 제네바 대사대리

제 목 : UR/ 시장접근 분야 한.미 양자 협상

사본: 통1

2.7 당지에서 개최된 USTR 현재 담당관과의 표제 협상 토의결과 아래 보고함. (엄재무관, 강상무관, 김재무관보, 재무부 우사무관, 상공부안사무관 참석)

1. 미국의 신속처리 절차 시한 연장 문제 및 미국과 EC 등과의 협상 동향

- 아국은 미국의 협상시한 연장 가능성 여부 및 2.5-6 양일간 워싱톤에서 개최된 미국, EC 간의협상 내용에 대해 문의함.

- 이에 미국은 협상 시한 연장문제는 멕시코등과의 자유무역협정 체결 문제와 일괄처리될 성질의 것으로서 미의회에서 멕시코와의 자유 무역협정에 회의적인 시각이있고 UR 협상 방향에 대해서도 비판적인 견해가 있어 행정부가 의회로 부터 연장 요청의 승인을 받을수 있을지는 현재 상당히 불확실함. 그러나 2월말까지 구체적이고 확실한 협상 전망이 도출되어 행정부가 의회 설득에 자신이 있는 경우 연장 요청이 가능할 것이라 답변함. 또한 미국은 EC 가 최근 WASHINGTON협의에서 시장접근 분야와 관련하여서 는수산물을 제외한 부문별 무관세 제안에 긍정적관심을 표시하고 있다고 전언하면서 시장접근분야에서는 미국과 EC 간의 이견 해소 뿐만아니라 여타국가의 적극적 참여 확대도 중요함을 언급함.

2. 분야별 무관세문제

- 아국은 브랏셀 각료회의 KUJP UR 협상의 성공적 타결을 위한 정부의 적극적 노력의 일환으로 관련업계와 분야별 무관세 제안에 대한 협의 설득을 벌였으나 당초 예상보다 많은시일이 소요되며, UR 협상의 불투명한 전망등으로 이러한 정부의 노력이 지장을 받고있다고 설명하면서 현재까지의 잠정적인 분야별 진행상황 및 아국 입장을 다음과 같이 설명함.

0 철강분야: 다음주 개최 예정인 다자간 철강협상에서 논의될것이므로 금번 협의에서는 논외로 함.

통상국 2차보 경기원 재무부 농수부 상공부

PAGE 1

91.02.09 09:57 WG

외신 1과 통제관

0031

0 전자.건설장비 분야: 부분적으로 (50 퍼센트 미만)긍정적 반응을 얻고 있으나 참여 용의를 표명한 업계에서도 이행기간, 민감품목 제외등의 조건을 요구하고 있음.

0 종이.목제: 아국의 수출은 미미하고 주로 수입하는 품목들로서 한국이 동 분야에 주요 참여 대상국으로선정된 논리에 의문을 갖고 있음. 특히 목재에 있어서는 가구등 아국 관심품목은 제외되고있는 점을 지적함.

0 수산물: 연근해 어업에 종사하고 있는 영세어민가구들로 인하여 정치적으로 매우 민감한 분야로서 무관세 제안을 받아 들이기 곤란하며 이러한 어려움에도 불구하고 아국은 BOP 협의 결정에따라 이들 품목에 대한 수입제한을 예정대로 자유화 할 것이며 관세도 거의 1/3 정도 인하하는 양허안을 작년에 제출하였음을 설명함.

- 또한 아국은 분야별 무관세 제안과 관련하여 더 좋은 결과 도출을 위해 업계와 협의동노력을 계속할 것이나 현재의 전반적인 UR협상 진전 상황이 불투명함에 따라 동제안참여의 불가피성과 긴급성을 설득하는데 어려움을 느끼고 있음을 언급하면서 다음 사항에 대해 미국측에 문의하고 동 제안 협상의 FRAMEWORK 등이 필요하다는 견해를 전달함.

0 분야별 무관세 제안에의 주요 참가국의 선정기준 (예: 세계 시장점유율등)이 마련되어야하며 이는 협정 체결시 뿐 아니라 향후 FREE RIDER문제에의 대처등을 위하여도 반드시 필요함.

0 참여의 형태, 즉 전품목의 무세화 뿐 아니라 예외 품목 인정 또는 저세율로의 제한적 참여가능 여부

- 이에 대해 미국은 아국에 대해 상기 6개 분야이외에 비철금속 분야중 동과 납에의 참여를 요청하면서 주요 참가국의 선정 LUHF에 대해서는 구체적 수량 기준등을 제시하기는 어려우나 현재의교역 및 생산 규모와 급속한 경제 성장을 달성한 국가의 장래 잠재력을 감안하여 부문별로 다소 신축성 있게 선정하였음. 미국의 경우에도 분야별 무관세, 9개 전체 분야의 수출과수입 (수입: 1,200 억불, 수출: 970 억불)간에 현저한 불균형을 보이고 있는 점을 감안할 경우 주요참가국으로 선정할때 반드시 수출과 수입 간의균형이 절대적으로 요구될수는 없을 것이며 이러한 관점에서 특정 분야의 순수 수입국도 포함된 것으로 안다고 언급하면서 분야별로 상기 질문에 대하여 설명함.

0 종이: 한국 당해 산업의 추세와 고관세를 감안하여 주요 참가국으로 선정하였으며, 참여 형태, 이해기간등에 신축성이 고려될수 있을 것임.

PAGE 2

0032

0 목재: 세율 격차 (TARIFF ESCALATION) 의 해소가 주된 관심사이었으나 이는 한국측의 관세율인하로 많이 확소되었으며, 건축법등과 함께 전반적으로 검토되어야 할 사항임. 여기에도 시행기간.참여형태등에서 신축성이 고려될수있을 것임 가구등은 한국측이 문제를 제기하면 논의할 용의가 있음.

0 수산물 : 관세율 보다는 수입제한의 철폐가주된 관심사이며 한국이 제시한 수산물관세 OFFER 를 높이 평가함.

- 아국은 아국이 동 무세하 제안을 긍정적으로 검토하는 배경에는 이를 통하여 미국으로 부터의 수입확대등으로 양국간 무역수지 균형을 도모코자하는 취지가 있으나 일부 미측으로 부터 제시된품목을 검토한 결과 오히려 기존 입초국으로부터의 수입을 확대시킬 우려도 있는 것으로 저관세조화제안은 미측의 섬유류 최고 세율제안보다도 무역 자유화에 더욱 효과적인 것으로 생각되는바 미측의 이에 대한 견해를 문의함.

0 미국은 섬유 부문에 MFA 철폐와 더불어 관세의 급격한 인하는 정치적으로 곤란하다는 입장을 설명하고 석유화학 부문에 대하여는 종합적인 대안을 준비중이라 답변함.

3. 비관세: 미국의 추가 REQUEST (90.11.19)에기초하여 토의를 진행

- 초코렛 및 과자류에 대한 우리나라의 식품위생검사

0 미국은 이화학 검사를 거친 동일회사 동일제품에 대하여 매 통관시마다 관능검사가 필요한지 여부와 미국제도와 같이 정기적인 SAMPLING 검사로 대체할수 있는지 여부에 대하여 질의

0 이에 아국은 현행 제도하에서 관능검사는 불가피하며 관능검사로 인한 통관지연은 되지않는다고 답변

- 주류 및 과일 쥬스에 대한 수입제한

0 미국은 주류 (H.S: 2207.10, 2207.20, 2208.90) 및기타 과일 쥬스 (H.S: 2209.30) 에 대한 OFFER 를어느협상 분야에서 담당할 것이며 이들 품목에 대한 자유화를 UR 협상 또는 BOP 협의결과에 따른 약속중 어느것에 따라 할것인가에 대하여 질의

0 이에 아국은 이들 품목은 농산물 협상분야에서 다루어지는 것이 아국의 기본입장이며 이들 품목에 대한 자유화는 원칙적으로 BOP 협의결과에 따를 것이나 UR 협상에서도 논의되어 그결과에 영향을 받을수도 있을 것이라 답변함.

- 소나무 재선충으로 인한 목재수입 금지

0 미국은 소나무 재선충이 한국에서 이미 만연되고 있어 이를 이유로 수입금지하는 것은 타당하지않으며, 오직 미국, 도길, 일본 세나라로 부터의 수입을 금지하는 이유는 무엇이며, KILN-DRYING공정을 거친 목재는 수입금지에서 면제되어야한다고함.

0 이에 아국은 소나무 재선충이 '88년 경남지역에서 발생한바 있으나 긴급 방제로 소멸되었으며, 아국의 자료에 따른면 오직 미국, 독일, 일본 3국만이 소나무 재선충이 존재한다고 알고 있음 그러나 다른 나라에서도 소나무 재선충이 발생되었다는 정보가 있으면 금지 대상국을 추가할 것임. 또한 KILN DRYING 공정의 유효성이 확인되면 관계 당국에 좋은 참고 될것인바이에 대한 자료를 아국에 줄것을 요청함.

- 강압 변압기에 대한 규제 해제

0 미국은 강압변압기에 대한 규제 해제 시한인 1991.6.15 이후의 한국의 입장에 대하여 문의한바, 아국은 에너지 효율성을 증대하기 위하여 강압변압기에 대한 규제 필요성 및 내.외국제품 모두에 적용된다는 점을 설명함.

- 전기용품에 대한 엄격한 검사기준

0 미국은 전기용품의 신제품에 대한 형식승인을 할때 신제품을 판정하는 기준은 'TYPE' 에 대한 구체적인 설명 및 이에 대한 구체적인 자료를 요구

0 이에 아국은 신제품을 판정하는 기준인 TYPE은 MODEL 보다 넓은 개념으로 신제품에 대한 형식 승인을 까다롭게 하고 있지 않다는 것을 설명하고 각 제품별 형식 구분에 대한 영문자료가 있으면 미국측에 전달하겠다고 하였음.

- SOFTWARE 에 대한 관세 평가

0 미국은 관세평가 협약의 DECISION 채택의 의무조항이 아닌것을 인정하나 한국의 관세평가 방법이 미국의 소프트웨어 업계에 상당한 부담이되고 있는점을 강조하면서 입장 변경 가능성을 다시 한번 문의하였으며, 현재 실시하고 있는 HI-TECH 품목에 대한 관세 감면도 큰 도움이되지 않은 것을 우려함.

0 이에 한국은 소프트 웨어에 대한 관세 평가방법의 변경 가능성은 없으며, 현재실시하고 있는 HI-TECH 제품에 대한 관세 감면이 미국업계에 큰 도움이 되지 않는다고 하는 것은 시기상조라고 답변함.

4. 차기 회의등

- 미국은 2월말경 예상되는 의회 보고를 위해 2월말까지 참여 가능한 분야별 무관세제안의구체적 내용 및 조건등의 제시를 요구하면서 현상태에서 참여가 어렵다고한 여타 분야도 계속검토하자고 제의하고 차기 회의 일자를 문의함.

- 이에 아국은 아국의 분야별 무관세 참여는 계속적인 정부의 대업계 설득 및 협의를 필요로하는 것이며 전반적인 UR 협상 진전 상황이 불투명한 현 여건에서는 단기간 내에 구체적인 내용 도출이 용이하지 않을 것임을 언급함. 또한 미의회에는 UR의 성공적 타결을 위한 한국정부의 적극적이고 다각적 노력이 잘전달될수 있기를 바란다고 하면서 차기회의는 필요시 언제라도 갖도록 하자고 답변함. 끝

(대사대리 박영우-국장)

0035

UR/시장접근분야 양자협의 결과보고

1991. 2

국 제 협 력 관 실

0036

I. 회의개요

1. 출장기간 및 장소

o '91.2.2 ~ 2.10, 스위스, 제네바

2. 출장자

o 국제협력관실 행정사무관 안현호

3. 일 정

o 미국을 제외한 대부분의 국가는 미국, EC간에 농산물에 대한 타협이 이루어지기 전에는 시장접근 그룹의 양자협의가 별다른 의미가 없다고 판단하여 양자협의를 희망하지 않음

o '91.2.4 : 대책회의 (제네바 대표부)

o '91.2.7 : UR/시장접근분야 한·미 양자협의

o '91.2.8 : GATT/정부조달협정 담당자 면담

II. UR/시장접근분야 한·미 양자협의

1. 분야별 무세화 협상 문제

가. 우리나라는 분야별 무세화 협상에 대한 우리나라 입장 전달내용

(1) 전반

o 한국은 브랏셀 각료회의 이후 UR 협상의 성공적인 타결을 위한 노력의 일환으로 분야별 무세화 협상 참여 의지를 재확인

- 정부는 분야별 무세화 협상에의 적극적인 참여를 위하여 업계와 분야별 무세화 제안에 대한 협의, 설득을 벌였으나 당초 예상보다 많은 시일이 소요되며 UR 협상의 불투명한 전망등으로 이러한 노력이 지장을 받고 있음

o 분야별 무세화 협상을 통한 양국간 이익의 균형이 중요하며 free-rider의 방지를 위하여 동 협상에 대다수 국가의 참여가 필수적임

0037

(2) 분야별 입장

o 철강 : 다음주 개최 예정인 다자간 철강협상에서 논의될 것이므로 금번 협의에서는 논외로 함

o 전자 · 건설장비 : 부분적으로 (50% 미만) 긍정적 반응을 얻고 있으나 참여 용의를 표명한 업계에서도 이행기간, 민감품목 제외등의 조건을 요구하고 있음

o 종이, 목재 : 한국의 수출은 미미하고 주로 수입하는 품목들로서 한국이 동 분야에 주요 참여대상국으로 선정된 논리에 의문을 갖고 있음. 특히 목재에 있어서는 가구등 한국 관심품목은 제외되고 있음

o 수산물 : 연근해 어업에 종사하고 있는 영세어민 가구들로 인하여 정치적으로 매우 민감한 분야로서 무관세 제안을 받아들이기 곤란하며 이러한 어려움에도 불구하고 한국은 BOP 협의 결정에 따라 이들 품목에 대한 수입제한을 예정대로 자유화 할 것이며 관세도 거의 1/3정도 인하하는 양허안을 작년에 제출하였음

나. 분야별 무세화 협상의 framework에 대한 문의내용

o 우리나라가 분야별 무세화 협상을 준비하고 업계를 설득하는데 동 협상의 framework에 대한 미국의 명확한 입장이 필요하다고 하며 다음사항을 문의함
- 분야별 무관세 제안에의 주요 참가국의 선정기준(예:세계 시장점유율등)이 마련되어야 하며 이는 협정 체결시뿐 아니라 향후 free rider 문제에의 대처등을 위하여도 반드시 필요함
- 제한적 참여가능 여부 (제시분야중 예외품목 인정 또는 0세율이 아닌 저세율)
- EC의 관세조화 제안에 대한 미국의 참여 가능성

0038

다. 미국측 입장 및 답변내용

√ (1) 주요 참가국 선정기준

o 주요 참가국의 선정기준에 대해서는 구체적 수량기준등을 제시하기는 어려우나 현재의 교역 및 생산규모와 급속한 경제성장을 달성한 국가의 장래 잠재력을 감안하여 부문별로 다소 신축성 있게 선정

o 주요 참가국을 선정할때 반드시 수출과 수입간의 균형이 절대적으로 요구될 수 없음. 이러한 관점에서 특정분야의 순수입국도 포함됨
- 미국의 경우에도 분야별 무관세, 9개 전체 분야의 수출과 수입 (수입 : 1,200억불, 수출 : 970억불) 간에 현저한 불균형을 보이고 있음

(2) 분야별 미국입장

o 종이 : 한국의 당해 산업의 비약적인 발전 및 고관세를 감안하여 주요 참가국으로 선정하였으며 참여형태, 이행기간 등에 신축성이 고려될 수 있을 것임

o 목재 : 세율격차 (Tariff escalation)의 해소가 주된 관심사였으나 이는 한국측의 관세율 인하로 많이 해소되었으며 건축법등과 함께 전반적으로 검토되어야 할 사항임.
여기에도 시행기간·참여형태 등에서 신축성이 고려될 수 있을 것이며 가구등은 한국측이 문제를 제기하면 미측은 논의할 용의가 있음

o 수산물 : 관세율보다는 수입제한의 철폐가 주된 관심사이며 한국이 제시한 수산물 관세 offer을 높이 평가함

o 철강, 전자, 건설장비 : 한국이 동 분야들의 주요 교역국(major plapper)으로서 동 분야가 무세화될 경우 한국도 많은 이익을 볼 수 있을 것이므로 동 분야에 대한 한국의 참여는 필수적임

0039

(3) 제한적 참여가능 여부

o 참여형태 및 이행기간에 융통성이 있을 것이라고만 하면서 명확한 입장을 표명하지 않음

- 이 부분에 대한 미국의 구체적인 입장이 없는듯함

(4) EC의 관세조화 제안

o 섬유, 신발 : MFA 철폐와 함께 동 분야에 대한 급격한 관세인하는 정치적으로 매우 곤란함

o 석유화학제품 : 기본적으로 참여가능하며 동 분야에 대한 종합적인 제안을 준비하고 있음

0040

Ⅱ. 비관세

o 미국의 추가 Request ('90.11.29)에 기초하여 토의를 진행

1. 초코렛 및 과자류에 대한 우리나라의 식품위생 검사

o 미국은 이화학 검사를 거친 동일회사 동일 제품에 대하여 매 통관시마다 관능검사가 필요한지 여부와 미국제도와 같이 정기적인 sampling 검사로 대체할 수 있는지 여부에 대하여 질의

o 이에 한국은 현행 제도하에서 관능검사는 불가피하며 관능검사로 인한 통관지연은 되지 않는다고 답변

2. 주류 및 과일 쥬스에 대한 수입제한

o 미국은 주류 (H.S : 2207.10, 2207.20, 2208.90) 및 기타 과일쥬스 (H.S : 2209.30)에 대한 offer를 어느 협상 분야에서 담당할 것이며 이들 품목에 대한 자유화를 UR 협상 또는 BOP 협의 결과에 따른 약속중 어느것에 따라 할 것인가에 대하여 질의

√ o 이에 한국은 이들 품목은 농산물 협상 분야에서 다루어지는 것이 아국의 기본입장이며 이들 품목에 대한 자유화는 원칙적으로 BOP 협의 결과에 따를 것이나 UR 협상에서도 논의되어 그 결과에 영향을 받을 수도 있을 것이라 답변

0041

3. 소나무 재선충으로 인한 목재수입금지

o 미국은 소나무 재선충이 한국에서 이미 만연되고 있어 이를 이유로 수입금지하는 것은 타당하지 않으며 오직 미국, 독일, 일본 세나라로 부터의 수입을 금지하는 이유는 무엇이며 Kiln-drying 공정을 거친 목재는 수입금지에서 면제되어야 한다고 함

o 이에 한국은 소나무 재선충이 '88년 경남지역에서 발생한바 있으나 긴급 방제로 소멸되었으며 한국의 자료에 따르면 오직 미국, 독일, 일본 3국만이 소나무 재선충이 존재한다고 알고 있음. 그러나 다른 나라에서도 소나무 재선충이 발생되었다는 정보가 확인되면 금지대상국에 추가될 것임. 또한 Kiln-drying 공정의 유효성이 확인되면 관계당국에 좋은 참고가 될 것인바 이에대한 자료를 한국에 줄 것을 요청함

4. 강압 변압기에 대한 규제해제

o 미국은 강압변압기에 대한 규제 해제 시한인 1991.6.15 이후의 한국의 입장에 대하여 문의한바 한국은 에너지 효율성을 증대하기 위하여 강압 변압기에 대한 규제 필요성 및 내·외국제품 모두에 적용된다는 점을 설명함

5. 전기용품에 대한 엄격한 검사기준

o 미국은 전기용품의 신제품에 대한 형식 승인을 할때 신제품을 판정하는 기준인 'type'에 대한 구체적인 설명 및 이에대한 구체적인 자료를 요구

o 이에 한국은 신제품을 판정하는 기준인 'type'은 'model' 보다 넓은 개념으로 신제품에 대한 형식승인을 까다롭게 하고 있지 않다는 것을 설명하고 각 제품별 형식구분에 대한 영문자료가 있으면 미국측에 전달하겠다고 하였음

0042

6. Software에 대한 관세평가

o 미국은 관세평가 협약의 decision 채택이 의무조항이 아닌 것은 인정하나 한국의 관세평가 방법이 미국의 소프트웨어 업계에 상당한 부담이 되고있는 점을 강조하면서 입장 변경 가능성을 다시한번 문의하였으며 현재 실시하고 있는 Hi-tech 품목에 대한 관세 감면도 큰 도움이 되지 않을 것을 우려함

o 이에 한국은 소프트웨어에 대한 관세평가 방법의 변경 가능성은 당분간 없을 것이며 현재 실시하고 있는 Hi-tech 제품에 대한 관세 감면이 미국 업계에 큰 도움이 되지 않는다고 하는 것은 시기 상조라고 답변함

0043

Ⅲ. GATT/정부조달협정 가입

1. 협정 적용범위 (coverage) 확장 협상 진전상황 및 전망

o 동 협상은 법적으로는 UR 협상과는 별개의 것이나 기본적으로 UR 협상과 연계하여 추진하는 것이 미국, EC의 입장이므로 UR 협상 타결이 불투명한 상태에서 동 협상도 단기간내에 타결되기는 어려운 상황임

- 미국, EC간에 통신분야에 대하여 근본적인 차이를 보이고 있어 동 분야에 대한 합의점 도출이 대단히 어려울 것임

o 현재 확장협상의 양자간 R/O 협상은 전면 중단상태이며 협상 재개를 위한 비공식 접촉도 없는 상태임

- 다만, 정부조달위원회 공식회의가 '91년 3월 중순에 개최될 예정이나 구체적인 일정은 확정되지 않음

2. 쟁점별 주요국 입장

o 협정 적용배재 분야 (Exclusive sectors) 포함 여부가 주된 쟁점이며 서비스 분야중 지방정부에 의한 건설계약분의 포함 여부에 대한 미국, EC와 일본간 입장이 대립하고 있음

가. 협정 적용 배재분야 (Exclusive sectors)

o 통신 : 협상 deadlock의 주된 원인을 제공한 분야임

- EC는 미국의 Bell company 의 포함을 요구하는 반면 미국은 동 회사가 사기업임을 이유로 포함에 반대하고 있음

· 이에 대하여 카나다는 미국 입장을 지지 (카나다에도 Bell company 자회사가 있다고 함)

0044

o 수송 (특히 철도) : 철도의 포함여부에 대한 미국, EC간 대립중임 (EC는 철도의 포함에 소극적임)

o 에너지 : 영국이 포함에 반대하고 있으나 다른 분야에 비해 사소한 문제임

나. 서비스 분야

o 구체적인 서비스분야 포함여부는 오로지 양자협의에 달려 있으며 다른 분야는 그다지 큰 문제가 없으나 건설분야의 지방정부의 계약분의 포함 여부가 문제임

- 미국, EC : 지방정부에 의한 건설계약도 포함되어야 함
- 일 본 : 포함에 반대

다. 기 타

o 대응구매 (offset)에 대하여도 미국, EC와 싱가폴, 홍콩, 이스라엘이 대립하고 있음

3, 우리나라 가입에 대한 각국 입장

o 한국의 가입에 대해 현재까지 여타 가입국은 특별한 관심을 보이지 않고 있으며 다만 미국만이 새로 확장될 협정에 기초한 가입 협상을 요구하고 있는 상황임

0045

Ⅳ. 관찰, 평가 및 건의

1. UR/시장접근 분야

o 미국은 UR 협상 진전을 위한 우리나라의 노력 (농산물에 대한 입장변경, 무세화 협상에의 참여, 서비스 Initial offer list 제출 및 양자협의 참여등)을 긍정적으로 평가하고 있는 것으로 판단됨

- UR/시장접근 분야 양자협의가 작년에 비해 매우 우호적인 분위기에서 진행됨

o 미국이 우리나라 참여를 요구한 6개 분야중 참여를 우선적으로 원하는 분야는 전자, 건설장비, 철강이며 여타 분야의 참여 여부는 융통성이 있는 것으로 판단됨

o 무세화 협상에 대한 EC의 참여는 다음과 같은 이유로 매우 어려울 것으로 판단되며 참여한다면 의약품과 철강분야가 될 것임

- EC 참여국의 산업구조가 상이하여 참여분야에 대한 EC 국가의 conseusus를 도출하는 것이 매우 어려움

- 수산물 분야는 농산물과 같이 정치적으로 민감한 분야로서 참여가 불가능하며 (미국도 인정) 전자 및 건설장비 또한 미국, 일본에 비해 경쟁력이 떨어지며 상대적으로 고관세를 유지하고 있는 품목이 많으므로 참여가 어려울 것으로 예상됨

o 무세화 협상에 EC 참가의 어려움을 고려할때 무세화 협상의 타결 가능성은 비교적 적을 것으로 판단되며 타결되더라도 대상분야가 매우 한정될 것임 (의약품 및 철강분야)

- 만약, EC가 농산물 분야에서 미국에 양보한다면 EC가 무세화 협상에는 결코 참여하지 않을 것이라는 것이 제네바에 지배적인 분위기임

0046

o EC의 관세조화 제안중 석유화학 제품에 대한 타결 가능성이 매우 높으므로 이에대한 우리나라의 대비가 필요함

- 미국, EC의 업계가 동 제안을 기본적으로 지지하고 있으며 일본이 일부 품목의 포함에 반대하고 있으나 조만간 타결될 것으로 보임

- 미국, EC는 우리나라의 참여를 요구하고 있지 않으나 일본이 우리나라의 참여를 강력히 요구하고 있음

o 비관세 분야에 한·미간 협의는 마무리 단계에 있음

- 금번 협의시 자국 Request를 관철하겠다는 의지보다는 특정분야의 정보를 요구하는 경향이었음

2. GATT/정부조달협정 가입

o 우리나라의 정부조달협정 가입추진을 되도록이면 조속히 이루어지는 것이 바람직하다고 판단됨

- 확장협상의 타결전망이 매우 불투명해 짐에 따라 기존 code에 따라 가입국과의 양자협의를 조속히 진행하는 것이 전략적으로 유리하다고 생각됨

o 그러나 기존 code에 따라 협정에 가입한다 하더라도 우리나라의 확장협상 참여가 불가피하므로 이에대한 대비가 가입협상과 같이 이루어져야 함

- 특히 Energy 분야 및 서비스 분야 (특히 건설)의 타결 가능성이 높으므로 이에대한 대비가 필요함

0047

원 본

외 무 부

종 별 :

번 호 : GVW-0358 일 시 : 91 0225 1900

수 신 : 장 관(통기,경기원,재무부,농림수산부,상공부)

발 신 : 주 제네바 대사

제 목 : UR/ 시장접근분야 협상

2.25. DUNKEL 의장 (TNC 의장자격) 주재로 개최된 표제협상 비공식 협의결과 아래보고함. (박공사,엄재무관, 김상무관보 참석)

1. DUNKEL 의장은 의장 발표문 (별첨 참조)을 배포하면서 표제회의의 재개를 선언하고 차기협상은 3.21.개최키로 함.

2. 의장 발표문의 요지

0 현상황하에서 양자간.다수국가간 협상 진행촉구

0 필요시 TNC 회의 또는 모든 참가국간의 비공식 회의등을 통한 협상 결과의 명료성 (TRANSPARENCY) 확보 촉구

0 사무국은 현재까지 협상 결과를 분석한 보고서 작성 예정임.

0 비관세 양허의 철회 또는 수정시 GATT 28 조적용문제, 관세양허의 시행기간등 기술적인 부문에 관한 기술적인 추가 논의 필요성 강조

첨부: 의장 발표문 각 1부.

(GVW(F)-0079). 끝

(대사 박수길-국장)

통상국 2차보 경기원 재무부 농수부 상공부

PAGE 1

91.02.26 08:55 WG

외신 1과 통제관

0048

25.2.91

15.20

GVW(F)-0077 /0225 1P0
GVW-358 첨부

MARKET ACCESS

Monday, 25 February 1991, p.m.

Note for Chairman

1. In his closing remarks at the Brussels Ministerial Meeting, Minister Gros Espiell requested me to pursue intensive consultations with the specific objective of achieving agreements in all the areas of the negotiating programme in which differences remain outstanding. These consultations will, he said, be based on document MTN.TNC/W/35/Rev.1, dated 3 December 1990, including the cover page which refers to the Surveillance Body and the communications which various participants sent to Brussels. He added that I would also take into account the considerable amount of work carried out at the Brussels meeting, although it did not commit any delegation.

2. It was proposed that the results of the market access negotiations are to be annexed to the Uruguay Round (1990) Protocol to the GATT, the draft text of which will be found on pages 7 to 11 of MTN.TNC/W/35/Rev.1. The commentary which precedes this text makes it clear that this protocol will incorporate the results of the negotiations in a number of areas, including natural resource-based products and tropical products. This commentary also expressed the hope that the bilateral market access negotiations would be completed by the end of the Brussels Ministerial Meeting.

3. I do not have to tell you that this hope was not realized. Consultations were held on the text of the draft Protocol in W/35/Rev.1 These revealed that two points in the Protocol remained to be settled.

0049

1P-3-1

These are:

(a) reference to the application of Article XXVIII in cases of modification or withdrawal of non-tariff concessions; and

(b) period of implementation of tariff concessions.

4. Much remains to be done in the market access negotiations but some major political decisions will be required before these are brought to a successful conclusion. It is, nevertheless, my assessment that a lot of technical work still needs to be done.

5. At our next meeting on Thursday, 21 March in the morning, consultations should be hold on the following suggestions:

(a) participants should pursue their bilateral and plurilateral negotiations as vigorously as they can in the present circumstances;

(b) transparency should be achieved by further informal meetings of all participants in the access negotiations as well as meetings of the TNC, as appropriate;

(c) participants should review:

(i) status of bilateral and plurilateral market access negotiations: under this item, delegations should be invited to give oral reports on their bilateral and plurilateral negotiations on market access which they have been holding before, at and since Brussels; it will be recalled that a total of 50 MTN participants have submitted proposals on tariffs and tropical products.

(ii) proposals and offers currently on the table, including in tropical products and NRBPs: this item would provide for the continuation of the process of review and assessment of existing proposals and offers, a process which took place prior to Brussels, separately in the tariff and the tropical products groups. New proposals have been received or existing ones modified (mostly improved) since the process was discontinued in the two groups mentioned above. For these reviews, the secretariat would prepare up-to-date analytical background papers; and

(d) further technical work would also relate to two points left open in the Market Access Protocol, i.e. reference to the application of Article XXVIII in cases of modification or withdrawal of non-tariff concessions; and period of implementation of tariff concessions (most delegations favoured five annual cuts, beginning 1 January 1992, some other delegations requested a longer period).

0051

12-3-1

0385

기 안 용 지

분류기호 문서번호	통기 20644-	(전화 : 720 - 2188)	시 행 상 특별취급	
보존기간	영구. 준영구 10. 5. 3. 1.	장 관		
수 신 처 보존기간				
시행일자	1991. 3.11.			

보조기관			협조기관		문서통제
보조기관	국 장	전 결			검열 1991. 3. 11 문서통제관
보조기관	심의관				
보조기관	과 장				
기안책임자		조 현			발 송 인

경 유 수 신 참 조	주 제네바 대사	발신명의		발송 1991. 3. 11 외무부
제 목	UR / 관세 협상 IRP 수정			

재무부는 최근 활석분(세번 2526.20.0000)의 수입 급증으로

국내업계가 어려움을 겪고 있으며 무역위원회가 '91.2.18 동 품목

관련 국내산업의 피해 긍정 판정을 내림에 따라 관세율 인상을 통한

산업피해 구제 조치를 검토하는 과정에서 동 품목이 아국의 IRP

(1차 제출 90.3, 수정안 제출 90.7)에 포함되어 있는점을 감안,

/뒷면 계속/

0052

IRP의 수정 문제를 포함한 아래사항을 GATT 사무국에 문의, 조사하여

줄것을 요청하여 왔는바, 이를 파악, 보고하여 주시기 바랍니다.

1. IRP의 일반적 성격 (변경 제출 가능 여부등)

2. IRP 상의 품목 내용 변경시 관계국과의 협의 필요 여부

3. 협의 필요시 대상국가 (특히 중국 포함 여부)

4. 바람직한 협의 시기

5. 구체 조치후 협의 가능 여부

6. 양허세율 시행전까지 협의없이 관세 인상 가능 여부

7. 기타 IRP 개정 관련 필요한 조치

첨 부 : 재무부 작성 품목 현황 및 문위사항표 1부. 끝.

0053

대 한 민 국
외 무 부

통기 20644- (720-2188) 1991. 3.11.

수신 주 제네바 대사

제목 UR/관세 협상 IRP 수정

재무부는 최근 활석분(세번 2526.20.0000)의 수입 급증으로 국내 업계가 어려움을 겪고 있으며 무역위원회가 '91.2.18 동 품목 관련 국내 산업의 피해 긍정 판정을 내림에 따라 관세율 인상을 통한 산업피해 구제 조치를 검토하는 과정에서 동 품목이 아국의 IRP(1차 제출 90.3, 수정안 제출 90.7)에 포함되어 있는점을 감안, IRP의 수정 문제를 포함한 아래 사항을 GATT 사무국에 문의, 조사하여 줄것을 요청하여 왔는바, 이를 파악, 보고하여 주시기 바랍니다.

1. IRP의 일반적 성격(변경 제출 가능 여부등)
2. IRP 상의 품목 내용 변경시 관계국과의 협의 필요 여부
3. 협의 필요시 대상국가(특히 중국 포함 여부)
4. 바람직한 협의 시기
5. 구제 조치후 협의 가능 여부
6. 양허세율 시행전까지 협의없이 관세 인상 가능 여부
7. 기타 IRP 개정 관련 필요한 조치

첨 부 : 재무부 작성 품목 현황 및 문의사항표 1부. 끝.

외 무 부 장 관

통상국장 전결

0054

재 무 부

국관 22710-87 503-9297 1991. 3. 6.

수신 외무부장관

참조 통상국장

제목 UR/활석분 관세양허

1. 우리나라는 현재 진행중인 UR 협상에서 활석분을 양허대상 품목으로하여 관세양허계획을 제출한 바 있습니다. (동 품목은 UR 관세양허계획상 HS 2526.20.1000 및 2526.20.2000 2개 품목으로 되어 있으나 현재 품목분류변경으로 2526.20.0000 1개 품목으로 통합되었음)

2. 그러나 최근 동 품목의 수입급증으로 인한 국내업계의 어려움으로 인하여 상공부 무역위원회는 '91.2.18 피해긍정판정을 내린 바 있으며 앞으로 관세율 인상을 통한 산업피해구제 여부도 검토될 것으로 예상됩니다.

3. 이와 관련 제네바대표부로 하여금 동 품목의 양허대상제외시 필요한 절차 등을 별첨과 같이 GATT 사무국에 문의하도록 요청하오니 필요한 조치를 취하여 주시기 바랍니다.

첨부 : 품목현황 및 문의사항 1부. 끝.

재 무 부 장

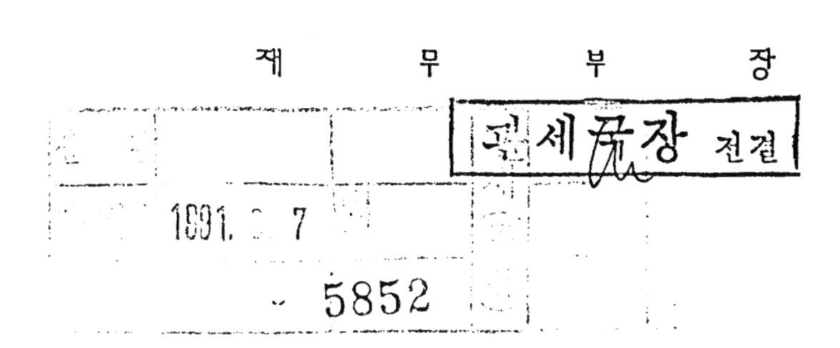

0055

품목현황 및 문의사항

1. 품목 및 양허안 현황

세 번	현행세율	양허세율
2526.20.0000	U 10	10

2. 수입액 현황('90.11월말 현재)

국 가	금 액(천불)	비 율(%)
일 본	328	6.5
대 만	96	1.9
홍 콩	24	0.5
프 랑 스	3	0.1
노르웨이	10	0.2
영 국	1	0.0
미 국	1,466	29.0
중 국	3,092	61.1
기 타	41	0.1
계	5,064	100.0

국내산업피해 조치 계획.

3. 문의사항

가. IRP의 일반적 성격, 우리나라 IRP의 Cover Note와 관련, 관계국과 협의필요 여부

나. 협의 대상국가 및 중국 포함여부

다. 협의시기(UR 협상일정 및 분위기 등과 관련)

라. 먼저 구제조치후 협의 또는 협의후 구제조치 여부

마. 양허세율시행(예: '93.1월)전까지만 협의없이 관세인상 가능여부

바. 기타 필요한 조치

0056

주 제 네 바 대 표 부

제네(경) 20644-263 1991. 3.14

수신 : 외무부장관

참조 : 통상국장,재무부장관

제목 : UR/관세협상 IRP수정 여부 조사 보고.

대 : 통기 20644 - 8385

대호 지시관련 아래보고함.

1. 갓트사무국 견해 (관세협상 담당관 DAVEL)

가. IRP의 일반적 성격(변경 제출 가능 여부등). 내용변경시 관계국과의 협의 필요여부, 협의시 대상국가, 구제조치후 협의 가능 여부등.

0 UR/관세협상에 제출되어 있는 관세양허(안)은 협상의 대상이므로 GATT상의 법적 구속력을 갖지 아니한바 필요시 협상 참가국은 원칙적으로 자국의 안을 변경, 수정, 또는 취소 할수 있으며 이경우 특정품목 수정, 변경으로 인한 이해관계국간의 협의 의무는 발생하지 아니함.

나. 양허 세율 시행전까지 협의 없이 관세인상 가능여부.

협상중에는 언제든지 일방적 관세율 인상이 가능하나, 관세 양허안이 관세의정서의 부속서의일부로 확정된 이후에는 양허세율이 시행되기 전이라 하더라도 일방적 관세 인상이 불가능함.

- 1 -

선 결			결재(공람)		
접수일시	1991. 19	번호		15340	
처리과					

0057

2. 당관의견

0 아국의 관세 양허안은 90.7 에 제출되어 관세협상 그룹에서 그 결과에 대한 평가를 받은바 있고 이를 기초로 미국, EC, 일본등 주요 협상 참가국과 양자협상을 진행하여 대체로 상대국으로 부터 긍정적 평가를 받은 바 있어 현시점에서 동안의 일부를 일방적으로 축소 수정하는 것은 UR협상 전체에 미치는 영향등을 고려, 신중히 대처할 필요가 있음.

0 다만, 국내의 여러 사정상 그 수정의 필요성이 불가피할 경우에는 아국의 대외적 신용도와 관세 양허안의 전체적 가치가 훼손되지 아니하는 범위내 (예, 동등양허 가치 상당의 여타품목 추가 제시등) 에서 검토함이 바람직 할 것으로 사료됨. 끝.

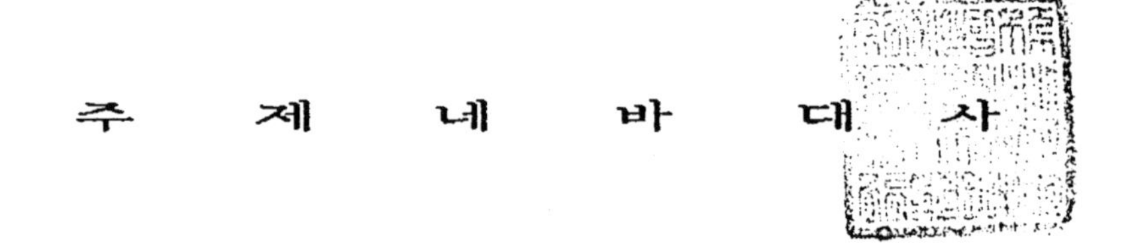

- 2 -

0058

조,송(세계시장)

원 본

외 무 부

종 별 :

번 호 : GVW-0535 일 시 : 91 0322 1900

수 신 : 장 관(통기,경기원,재무부,상공부,농림수산부)

발 신 : 주 제네바 대사

제 목 : UR/ 시장접근분야 주요국 비공식 회의

- 3.21. CARLISLE GATT 사무차장 주재로 당지에서 개최된 표제 협의 논의결과 아래보고함 (본직, 엄재무관, 강상무관,김재무관보참석)

1. 현황 평가 및 향후 협상 진행

- 의장은 다국간, 양자간의 협상진행을 촉구하였으며 미국, EC, 일본등 대부분의 국가가 이를 지지함

- 호주, 칠레등은 많은 국가의 관세 OFFER 에 농산물이 제외 되어있는 점에 대하여, 칠레, 세네갈등은 천연상품의 협상 부진에 불만을 표시함.

- 의장은 천연 산품도 푼타선언에 명시된 목표가 달성될 수 있도록 각국이 노력할 것을 언급함.

2. 기술적 분야의 협상 진행

가. 기술적 분야 협상 진행- 의장은 정치적 결정을 요하지 아니하는 주로 기술적인 부분에 대한 토의를 당분간 진행토록하자고 제의하였으며 그대상으로는 새로운 제출 OFFER의 평가, 비관세 조치의 양허 및 갓트 28조적용, 협상결과 시행기간 및 방식에 대한 논의를 열거하였음.

- 멕시코는 자발적 관세인하등 자유화 조치에 대한 CREDIT 부여 방안을 의제에 추가하자고 제의한바, 페루, 우루과이, 인도등 대부분의 개도국은 이를 지지한 반면 카나다, 미국등은 나라마다 다른 내용에 대한 CREDIT 부여 방안 모색은 기술적으로 용이하지 않을 것임을 언급함.

- 의장은 동 CREDIT 부여 방안을 향후 의제에 추가하면서 모든 참가국이 자발적 자유화 조치에 대한 자료를 조속히 사무국에 제출하여 줄것을 요망함.

나. 비관세 조치 양허 및 갓트 28조 적용

- 알젠틴은 UR 이후의 비관세 조치는 세이프가드등 예외적 경우를 제외하고는 갓트

통상국 2차보 경기원 재무부 농수부 상공부

PAGE 1

91.03.23 09:58 WG

외신 1과 통제관

0059

위반이 될것인바 이를 양허한다는 의미가 명확하지 않다고 지적하였으며, 이집트는 비관세조치에 대한 갓트 28조 적용은 법률적 검토를 필요로한다고 언급하였는바 멕시코, 콜롬비아등 이이를 지지하였고 인도는 이를 정치적 결정을 요하는 사항으로 본다고 발언하였음.

헝가리, 뉴질랜드는 비관세 조치의 갓트 28조 적용문제에 대하여 사무국이 토의 초안을 작성토록 요망함.

3. 사무국의 각국 OFFER 평가 보고관련

- 페루, 아르헨티나등은 현재까지 사무국 평가가 각료 선언에 명시되어 있는 항목중 1/3 인하에 만치중되어 있고 고세율의 완화등 여타 부분이 소홀히 취급된데 불만을 표시한바, 스위스등은 평가시 각료선언에 명시된 모든 요소가 고려 반영됨이 바람직하다는 의견을 개진함.싱가폴은 사무국 평가방법이 자국의 OFFER내용을 왜곡 시키고 있다고 지적함.

- 의장은 각료선언에 명시된 목표들이 가급적 반영되도록 검토하되 새로운 OFFER 에 대한 사무국의 평가 보고를 계속토록 함.

4. 차기회의

- 차기회의는 4.22. 주간의 일자중 개최키로 함.

5. 기타사항

- 호주는 1996년까지 관세율을 86년 기준 74 퍼센트인하한 평균세율 5 퍼센트로 조정한다는 내용을 언급하면서 섬유류 및 신발류는 1995년 까지 모든 수량제한을 철폐하고 관세율도 1996년에 25퍼센트 (최고세율)로 조정될 것임을 언급함.또한 농산물 및 천연산품도 1996년까지 평균세율 5퍼센트가 될것이라 함.끝.

(대사 박수길-국장)

PAGE 2

0060

원 본

외 무 부

종 별 :

번 호 : GVW-0536 일 시 : 91 0322 1900

수 신 : 장 관(통기,재무부,상공부,농림수산부)

발 신 : 주 제네바 대사

제 목 : UR/ 시장접근분야 양자협의(미국)

시장접근분야 주요국 비공식 협의에 앞서 협상전반에 관한 양자간 일반적 의견 교환을 위해 미측의 요청으로 3.21. 당지 U.S.T.R 에서 개최된 표제협의 논의 결과 아래보고 함. (엄재무관, 강상무관, 김재무관보,김상무관보 참석)

1. 일반적 의견 교환- 미측은 자국행정북아 추진하고 있는 FAST TRACKAUTHORITY 연장 문제에 대하여 멕시코와의 자유무역 협정과 관련되어 있어 노동계, 환경보호론자 섬유업계등에서 반대의견이 있음을 전하면서 특정한 협상 시한을 염두에 두고 있지는 않으나 지금부터 6월까지 가능한 제반문제에 대한 이견을 협의, 조정한후, 7월이후에 정치적 결정을 할것이라 함. 또한 미국은 특히 시장접근 분야에서 DUNKEL총장이 제시하는 협상 일정에 따라 동기간중 에는 아직 논의가 되지 않은 미국의 우선 관심 품목, 시행단계 및 분야별 무세화등이 논의될 것임을 언급함.

- 이에 아국은 브랏셀 각료회의 이후 U.R협상의 성공적 타결을 위해 분야별 무세화 참여 가능성등 상당한 노력을 하였으나 여전히 그결과가 불투명한데 우려를 표시하고 FAST TRACK연장 문제가 조속히 성공적으로 타결되어 U.R협상의 본격적 진행이 재개되기 바란다는 의견을 표시하였음.

2. 한.미간 양자협상 문제

- 미측은 1) 아국의 분야별 무세화 참여에 대한 진전 상황, 2) 4월중 양자협상을 개최하여 분야별 무세화의 구체적 논의 (참여조건, 시행기간등 포함) 가능성 여부,

3) 의약품무세화에 대하여 선진국간에는 거의 합의단계에 도달하였으나 미국 업계에서 한국의 장래시장 잠재력을 감안하여 이에 참여할 것을 요망한다는 의사 개진이 있었음.

- 이에대해 아국은

1) 분야별 무세화에 대하여는 지난 2월 양자협상이후 별다른 진전상황을 통보받지

통상국 2차보 재무부 농수부 상공부

PAGE 1 91.03.23 10:12 WG

외신 1과 통제관

0061

못하였으며, 2) 4월중 양자협상 개최 여부에 대하여는 긍정적 의사를 표시하면서 동 양자협상시 최종적인 입장 개진이 가능할지는 의문이나 중간진전 상황, 구체적인 참여 조건등이 논의될수 있을 것이라고 하고

3) 의약품 무세화 참여에 대하여는 미국의 요망사항을 본부에 전달할 것임을 언급함.

- 또한 아국은 분야별 무세화에 대한 EC 의 입장진전 상황을 문의하고 아국도 EC 가 제안한 섬유, 신발류에 대한 관세 조화 방안에 관심이 있음을 언급한바 미국은 지난 2월 EC와의 비공식 양자협의에서 여러가지 건설적인 의견등이 개진되었음을 언급하고 자국도 섬유류에 대한 35 퍼센트 최고세율의 설정방안을 제안해 놓고 있음을 상기 시키면서 한국이 가구, 완구류등에 대한 무세화에 관심이있는 경우 PACKAGE 로 논의 가능하다는 입장임을 표명함.끝.

(대사 박수길-국장)

2, 안

원 본

외 무 부

종 별 :

번 호 : GVW-0537 일 시 : 91 0322 1900

수 신 : 장 관(통기, 경기원, 재무부, 상공부)

발 신 : 주 제네바 대사

제 목 : UR/ 석유화학제품 관세 저율 조화 제안에 대한복수국간 협의

3.21 당지 EC 대표부 주재로 개최된 표제 협의토의 요지를 아래 보고함. (엄재무관 참석)

1. EC 는 HS 8 단위 기준 235 개의 석유화학 제품에 대하여 대체적으로 자국의 현행세율 수준인 0-6.5 퍼센트 이하로 참가국의 최고세율을 정하는 한편 그중 일부 품목에 대하여는 아국, 브라질, 멕시코, 말레이지아, 태국등 개도국의 참여를 요청하는 제안을 설명한후 토의를 요청하였음 (EC 제안 별첨 파편송부예정)

- 대부분의 선진국들 (일본, 카나다, 북구, 스위스,호주, 오지리)는 이에 대한 찬성의견을 표시하였으며, 특히 스웨덴은 민감 품목으로 유보의견을 제시하였던 2개 품목에 대한 유보를 철회하는등 적극적 자세를 보였음.

- 미국은 일부 품목제외 (2910, 3921 및 기타 29, 39 류품목등), 최고 세율이 품목별 상이한점에 대하여 이견을 제기하고 참여국가의 폭을 넓히고 비관세분야도 함께 토의가 되어야 한다고 주장하였음. 특히 3910 실리콘은 자국의 분야별 무관세제안 (전 잘에 포함되어 있는 품목임을 지적함.

- 멕시코, 말레이지아는 자국의 참여가 요청된품목의 선정 기준이 무엇인지 이해가 되지않는다고 발언함.

- 아국은 기 제출한 아국의 UR 관세 OFFER에 EC 제안에 포함된 해당 품목중 상당수에 대해 이미 관세를 약 40 퍼센트 인하하도록 예정되어 있음을 주지시킴.

또한 아국의 이러한 기여에도 불구하고 현행 선진국 세율수준으로 최고 세율 수준을 정하자는 제안은 형평에 어긋난 것임을 지적하고 아국은 대다수의 품목에 대하여 이미 동 제안에 의한선진국 관세인하 보다도 더 많은 기여를 하고있다고 언급함.

- 한편 동회의에 앞서 EC 측을 접촉한 바아국의 참여를 강력히 희망하는 국가는

통상국 2차보 경기원 재무부 상공부

PAGE 1 91.03.23 10:15 WG

외신 1과 통제관

0063

일본이며 일본은 동 제안에 아국의 참여가 필요하다고 EC가 요청한 18개 품목외에 2901, 290250, 290531,290532, 290941 해당 품목에도 아국 참여가 필수적이라고 선진국간 논의시 주장하고 있다고하였음. 끝

(대사 박수길-국장)

PAGE 2

0064

조, 안, 송

원 본

외 무 부

종 별 :

번 호 : GVW-0538 일 시 : 91 0322 1900

수 신 : 장 관(통기,재무부,상공부,농림수산부)

발 신 : 주 제네바 대사

제 목 : UR/ 시장접근 분야 임산물 관세 무세화에 대한 복수국가가난 협의

- 3.22 당지 카나다 대표부주관으로 개최된 표제협의 토의결과 아래 보고함.

1. 제안 설명

- 카나다는 H.S 44 류, 47류, 48류, 49류에 대한 관세를 별첨 자료 LIST A 에 게기된 국가에 대하여는 향후 5년에 걸쳐 철폐하고 비관세 조치의도입을 금지하며, 별첨 자료 LIST B 에 게시된 국가에 대하여는 5-10 년에 걸쳐 관세를 철폐토록하는내용의 자국안을 설명함.

2. 각국의 반응

- 미국, 핀랜드는 이를 지지하며 광범위한 참여를 촉구함.

- 일본은 품목에 따라 상이한 입장을 갖고있으며, 종이류는 이미 자국의 무세화제안에 포함되어 있음을 상기시킴.

- 말레이지아, 인도네시아, 홍콩등은 무세의 BINDING 여부 품목별 선택적 참여가능성, MFN원칙의 적용 여부등에 대해 문의한바 카나다는 무세 BINDING 을 목표로협상을 진행중이며 MFN원칙이 적용될것이고 선택적 참여가능성등은 향후 협상과정에서 논의될수 있을것임을 언급함.

- EC 는 동 품목들이 농산물과 상당히 연계되어 있어 매우 민감한 (DELICATE) 분야로서 최근 자국내의 종이에 대한 반덤핑 부과사례에서 보듯이 이들 품목에 대한 비관세 조치의 철폐문제는 매우 곤란하여, 관세 철폐는 더 더욱 곤란한 문제로서현실적이고 가능한 방안은 이들 품목에 대하여도 구제적 조화 관세율의 도입이 바람직할 것이라함.

- 스웨덴은 동 품목에 대한 먼저 4국간의 합의가 중요한 선결과제임을 지적하면서 이를 위하여 끝까지 무세를 관철시키고자 하는 경직된 입장을 완화할 필요가 있음을 언급함.

통상국 2차보 재무부 농수부 상공부

PAGE 1

91.03.23 10:00 WG

외신 1과 통제관

0065

- 아국은 브랏셀 회의 이후 동 문제를 깊이 검토중이나 아직 최종 결론에 도달하지 못하였으며, 사견임을 전제로 아국이 주로 이들 물품을 수입하고있어 카나다 제안에의 참여에는 어려움이 예상된다 하였음

첨부: 임산물 무세화에 대한 카나다제안 1부 끝

(GVW(F)-103)

(대사 박수길-국장)

GVW(n)-0103 10322 1800
GVW-538

Canadian Delegation
March 20,1991

URUGUAY ROUND - MARKET ACCESS

Forest Products

With the objective of achieving maximum liberalization of international trade in forest products, participants in list "A" below agree to eliminate tariff barriers on products covered by HS chapters 44, 47, 48 and 49 over a five year period in equal annual stages commencing on January 1, 199 .

Participants in list "B" below agree to eliminate their tariffs on products covered by HS chapters 44, 47, 48 and 49 according to the schedule set out in Annex I. Reductions in tariffs shall be in equal annual stages commencing on January 1, 199 .

Participants also agree not to maintain or introduce non tariff measures on imports of the same products except in conformity with the relevant provisions of the General Agreement and the various GATT codes.

Least developed countries which participate in this agreement shall assume obligations consistent with their level of economic development.

The participants agree to establish a Coordinating Committee to monitor the reduction and removal of trade barriers. Participants agree to exchange information on the implementation of this agreement. Any participant may request consultations with any other participant on any action called for under this agreement and such other participant will accord sympathetic consideration to any such request. Following consultations under this provision, if any matter remains unresolved between participants, they shall be free to request regular dispute settlement procedures under the GATT.

The participants also agree to review on an annual basis prospects for accelerating reductions in tariffs.

LIST A

Australia
Austria
Canada
EEC
Finland
Iceland
Korea, Republic of
Japan

0067

UNCLAS / NONCLAS
UZTD 5973
PAGE 4 OF/DE 5

New Zealand
Norway
Sweden
Switzerland
United States

LIST B

Brazil
Cameroun
Chile
Hong Kong
Indonesia
Malaysia
Mexico
Nigeria
Philippines
Singapore
Thailand
Yugoslavia

0068

UNCLAS / NONCLAS
UZTD 5773
PAGE 5 DE/DE 5

ANNEX I

CHAPTER	PRODUCT COVERAGE & STAGING
Chapter 44	Wood and Articles of Wood; Wood Charcoal
4401 - 4406	5 YEARS
4407 - 4413	7 YEARS
4414 - 4421	10 YEARS
Chapter 47	Pulp of Wood or of other Fibrous Cellulosic Material; Waste and Scrap of Paper or Paperboard
4701 - 4707	5 YEARS
Chapter 48	Paper and Paperboard; Articles of Paper Pulp, of Paper or of Paperboard
4801	5 YEARS
4802 - 4812	7 YEARS
4813 - 4823	10 YEARS
Chapter 49	Printed Books, Newspapers, Pictures and other Products of the Printing Industry, Manuscripts, Typescripts and Plans.
4901 - 4911	5 YEARS

0069

/ 97 - 3 - 7

1135

기안용지

분류기호 문서번호	통기 20644-	(전화: 720 - 2188)	시행상 특별취급	
보존기간	영구. 준영구 10. 5. 3. 1.	장 관		
수신처 보존기간				
시행일자	1991. 4. 1.	대결		

보조기관	국장	전결	협조기관		문서통제
	심의관	대결			검열 1991. 4. 01 통제관
	과장				
기안책임자	조 현				발송인

경유 수신 참조	주 제네바 대사	발신명의		발송 1991. 4. 1 외무부
제목	UR/관세협상.아국 입장 송부			

대 : GVW-0536

연 : WGV-0519

연호 UR/시장접근 분야 주요국과의 양자 협상시 송부한 바 있는 UR/관세 협상에 대한 아국 입장을 재검토한, 최근 입장을 별첨 송부하니, 참고하시기 바랍니다.

첨 부 : UR/관세 협상에 대한 아국 입장. 끝.

0070

UR/관세협상에 대한 우리나라 입장

구 분	기 존 입 장	현 재 입 장
1. UR/관세협상 전반에 관한 기본입장	- 몬트리올 관세협상 목표는 세계 100여개국 각료들이 참석하여 결의한 사항이므로 모든 국가가 이를 달성해야 함. o 아직 일부국가가 관세양허계획을 제출하지 않았으며 이미 제출한 국가들 중에서도 상당수 국가들이 관세인하 목표를 준수하지 못했음을 고려할때 관세협상의 최대중점은 모든 참가국들이 인하목표를 준수토록 하는데 두어야 할 것임. - 일부 선진국의 관세양허계획을 보면 개도국 관심품목에 대한 Tariff Peaks가 개선되고 있지 않은 바 모든국가가 Tariff Peaks를 제거하도록 노력하여야 할 것임. - 분야별 관세무세화는 특정분야의 시장접근의 획기적 개선에 기여할 수 있는 제안이라고 평가되지만 우선 다자간 관세협상 목표를 달성한 연후에 고려할 문제이며(현재 미국은 무세화가 이루어질 경우에 목표를 달성하게 됨), 각국마다 산업여건 · 관세율수준 · 민감도가 다르므로 참여를 강요해서는 안될 것임.	* '91.3 현재 기존입장에 변동 없음. - 미국의 Fast Track 연장문제와 관련, 당분간은 본격적 협상이 이루어지지 않을 것임. o 따라서 그동안에는 각국의 주요제안들에 대한 대응 논리개발에 주력 o 협상의 구체적 윤곽이 드러나지 않는 시기이므로 상대국의 요구사항에는 소극적으로 대[illegible]

0071

구 분	기 존 입 장	현 재 입 장
2. 현안과제에 대한 사안별 입장		* '91.3 현재 기존입장에 변동없음.
가. 미국의 분야별 관세 무세화 제의	- 한·미 통상관계, UR 협상 진전에 대한 적극적인 기여를 고려 미국입장을 수용하되, 아국의 산업경쟁력 수준, 장래 구조조정 가능성을 감안 최대한의 실익 확보 노력 - EC등 주요국의 입장동향을 협상 등을 통하여 면밀히 파악한 후 아국이 일방적으로 추가 기여하는 상황에 빠지지 않도록 단계적 대처 - 추후 EC의 참여로 무세화협상이 본격적으로 진행되면 EC·미국간 합의된 분야에의 아국참여가 필수적일 것이므로 구체적인 협상안을 마련하여 대처 o 국내산업여건, 관세율수준 등을 감안 다양한 참여형태제시 o 아국의 독자적인 무세화분야(가구, 완구등) 제시	- 미국은 당초 수산물·전자 등 6개분야에 대하여 참여 요구를 하였으나 금년에 비철금속과 의약품 2개분야를 추가, 모두 8개분야에 대하여 참여요구 o 기존 6개분야에 대하여는 관련부처 및 업계와 협의, 참여가능분야 및 품목과 참여조건 등을 검토중 - '91.2.7 및 3.21 양자협의(제네바)에서 아국의 중간 진행상황을 설명 o 미국은 검토결과의 제시를 요구하고 있으나 EC 등의 반응이 불명확한 단계이므로 아직 이에 응하지 않고 소극적으로 대처 - 철강 다자간 협상의 진전됨에 따라 UR에서도 철강의 무세화요구는 수용가능 o 종전에는 동분야에 있어 특수강에 대한 예외인정을 모색하였으나, 협상동향 및 업계의견을 감안하여 앞으로는 장기 이행기간 확보 주력예정

0072

2

구 분	기 존 입 장	현 재 입 장
나. EC의 관세 조화제안	- 섬유는 아국의 주 수출품목으로서 수출 증대 기대효과가 클 것이므로 원칙적으로 수용 o 섬유류 : 3~4년간 단계적 인하를 조건으로 수용 o 화섬 스테이플섬유 및 화섬사류 : 4~5%→8%수준으로 조정하여 수용 - 신발류는 아국의 주 수출품목으로 여타 국가의 수입관세가 하향균등화(선진국은 10%, 개도국은 30~35%수준)될 경우 수출 증대 효과가 크게 기대되므로 수용 - 석유화학 및 플라스틱제품은 아국이 이들 제품의 기초가 되는 원유를 전량수입하고 있을 뿐만아니라 [illegible] 제품의 국내개발을 진행하고 있는등 그 경쟁력이 매우 취약하므로 수용불가능	- 섬유·신발은 우리나라의 주요수출품목으로서, 특히 미국의 분야별 무세화 제의가 성사되고 우리나라가 참여하게 될 경우 미국에 대하여 섬유·신발에 대한 관세조화제안에 참여하도록 유도
다. 주요국과의 품목별 추가인하 협상	- 아국에 대하여 추가인하를 요청한 국가와의 양자협상에 있어서는 아국의 관세양허계획(IRP)·'94년까지의 추가적인 자발적 관세인하 등으로 실질적으로 UR 협상에 많이 기여하고 있다는 사실과 국내업계의 반대를 설명하고 추가인하는 곤란함을 설득 o 관세양허계획에 의거 이미 UR 관세협상 목표달성 · 가중평균인하율 : 33% · 양허범위확대 : 23%→83%	- 미국의 분야별 무세화제의가 EC의 관세조화제안은 다자간 협상을 통하여 주요국들이 공동인하하는 방식이므로 협상타결에 기여한다는 측면에서 참여가능한 것이나, 양국간의 개별적 추가인하요구는 우리나라가 이미 협상목표를 달성하고 있으므로 수용불가입장 견지

3

0073

구 분	기 존 입 장	현 재 입 장
	o 자발적인 관세인하예시제에 의거 '94년까지 36%의 추가적인 관세인하 o '94평균관세율은 6.2%로서 최고세율 10%의 낮고 균등한 모범적인 관세율체계 달성 - 아국이 관세양허계획상의 양국간 양허균형, 무역관계 등을 고려하여 미국·일본·호주·뉴질랜드·EC·핀랜드에 요청한 추가관세인하를 이들 국가가 반영하여 줄 것을 방어적으로 요구	 - 상대국에 대한 추가인하 요구는 양허균형을 고려하여 제시한 것이므로 양자협상시 계속요구할 필요는 있으나, 상대국도 이미 협상목표를 달성한 상태이므로 give and take 차원에서 신축적으로 대처

4

0074

끝

원 본

외 무 부

종 별 :

번 호 : GVW-0685 일 시 : 91 0415 1830

수 신 : 장 관(통기),재무부,상공부)

발 신 : 주 제네바 대사대리

제 목 : UR/ 관세 협상

- 4.22 - 4.26 당지에서 개최 예정인 표제 협상일정을 별첨 보고함.

첨부: 1. 협상일정

2. EC 의 섬유관세 조화방안.

(GVW(F)-0127). 끝

(대사대리 박영우-국장)

통상국 2차보 재무부 상공부

91.04.16 08:52 WG

외신 1과 통제관

0075

GVW(지)-0127 10415 1830
GVW-0685 관
동기、재무부 상공부 그시나

(첨부 1)

일 시	대 상 분 야	주 관
4. 22(월)		
◦ 오전	의약품 무관세 다국간협의	U.S.T.R
◦ 오후	섬유관세 조화방안 다국간협의	EC
4. 23(화)		
◦ 오후	석유화학제품 관세조화방안 다국간협의	EC
4. 24(수)		
◦ 오전	- 비철금속 무관세 다국간협의	U.S.T.R
◦ 오후	- 건설장비 무관세 다국간협의	U.S.T.R
	- 한.미 양자협상	U.S.T.R
4. 26(금)		
◦ 오전	- UR/시장접근분야 비공식협의	GATT
	- 수산물 무관세 다국간협의	U.S.T.R

0076

5-1

(첨부2:)

URUGUAY ROUND - MARKET ACCESS

EUROPEAN COMMUNITY PROPOSAL FOR THE TEXTILES SECTOR

- Recognising the need to provide meaningful and equitable Market Access for textiles products,

- noting that substantial tariff disparities presently exist between Contracting Parties,

- desirous to establish a mutually supportive harmonization of those tariffs in conformity with the objectives set out in Montreal (MTR),

- mindful that all textiles importing and exporting countries should actively contribute to a liberalization of the textiles sector, taking into account the provisions of different levels of duty rates according to individual stages of development.

I. TARIFFS :

It is proposed that all Contracting Parties involved in textiles trade agree to harmonize their tariffs for this sector according to the following table :

Product coverage	Advanced Countries Duty Rates not higher than	Other Countries Duty Rates to range between :
Raw materials	0 %	0 - 5 %
Slightly Processed	2 %	6 - 8 %
Yarns and Man-Made Fibres		
- not put up for retail sale	4 %	10 - 12.5 %
- put up for retail sale	5 %	10 - 12.5 %
Fabrics	8 %	15 - 20 %
Made-Up Articles	12 %	30 - 35 %

0077

5-2

2. Non-tariff measures

It is understood that, parallel to the harmonization of duties, all non-tariff barriers to trade in textile products shall bhe progressively eliminated, in particular with regard to :

- quantitative restrictions
- import licensing procedures
- quantitative restrictions and taxes on the export of raw materials
- standards, including labelling, marking and safety provisions

It is recognized that some developing countries may need a longer period for the implementation of such an agreement. Flexibility can be considered in order to take account of these needs, provided that there is a binding commitment by all Parties to achieve the above results.

0078

ʃ—3

50.01 to 50.03

51.01 to 51.04.

52.01
52.02

53.01 to 53.05

SLIGHTLY PROCESSED

51.05
52.03

YARNS + M. MADE FIBRES

50.04 to 50.06

51.06 to 51.10

52.04 to 52.07

53.06 to 53.08

54.01 to 54.06

55.01 to 55.11

56.01
56.02
56.04
56.05

FABRICS

50.07

51.11 to 51.13

52.08 to 52.12

53.09 to 53.10

54.07 to 54.08

55.12 to 55.16

56.02
56.03
56.06 to 56.09

57.01 to 57.05

5-4

0079

58.01 to 58.11

59.01 to 59.11

60.01 to 60.02

MADE-UP ARTICLES

Chapter 61

Chapter 62

Chapter 63

0080

TOTAL P.05

16608

기 안 용 지

분류기호 문서번호	통기 20644-	(전화: 720 - 2188)	시 행 상 특별취급	
보조기간	영구. 준영구 10. 5. 3. 1.	장 관		
수 신 처 보존기간				
시행일자	1991. 4.16.			

보조기관	국 장	전 결	협조기관		문서통제
	심의관				1991. 4. 17 통제관
	과 장	대결			
기안책임자		조 현			발 송 인

경 유 수 신 참 조	재무부장관, 상공부장관	발신명의		발송 1991. 4. 17 외무부
제 목	정부대표 임명 통보			

1. '91.4월중 아래 일정으로 개최되는 UR/주요국간 관세 협상 및 UR/시장접근 분야 협상에 참가할 정부대표가 "정부대표 및 특별사절의 임명과 권한에 관한 법률"에 의거, 아래와 같이 임명되었음을 통보합니다.

- 아 래 -

/뒷면 계속/

0081

가. 회의명, 회의기간 및 장소

o UR/주요국간 관세협상(무세화 관련):4.22-26, 제네바

o UR/시장접근 분야 협상 : 4.23-25, 제네바

나. 정부대표

o 재무부 국제관세과장 강정영

o 상공부 산업정책과 사무관 김병섭

o 주 제네바 대표부 관계관

다. 출장기간

o 재무부 강정영 과장 : 4.20-28

o 상공부 김병섭 사무관 : 4.19-28

라. 소요예산 : 소관부처 예산

2. 상세 출장보고서는 귀국후 20일이내에 당부로 제출하여

주시기 바랍니다. 끝.

0082

주 일 대 사 관

일본(농)1176-3752 1991. 4. 15.

수신 : 외무부장관(통상기구과장)

참조 : 농림수산부장관(국제협력담당관), 산림청장(수출진흥과장)

제목 : 임산물관세 상호철폐에 관한의견

연 : 일본(농)1176 - 2935(91. 3. 18)

대 : 수출27613 - 1902(91. 3. 29)

표제관련, 주재국의 입장은 다음과 같으며, 구체적인 내용은 별첨자료를 참고하시기 바랍니다.

1. 임산물에 관한 관세철폐는 다음이유와 같이 부적절하고 불공평한 조치라고 생각되어 수용할 수 없다는 것임.

가. 일본의 임업,임산업은 영세한 경영규모등 국제적으로 볼때 불리한 조건아래서 어려운 상태에 있고

나. 임산물이 자원으로 활용되기에는 많은문제를 가지고 있는 산품이기 때문임.

다. 임산물에 관한문제가 일반공산물과는 달라 그것을 생산하는 임업,임산업이 지구환경의 보전에 관한 삼림보전등에 중대한 역할을 하고 있기때문임.

/ 계 속 /

선 결			결재(공람)		
접수일시	1991. 4 17	번호		22023	
처리과					

0083

2. 따라서 일본은 임산물의 관세인하교섭에는 긍정적으로 대처한다는 방침으로 임하고 있으며, 개별관세의 협의에는 언제든지 성실히 응할용의가 있다는 것임.

첨부 : 임산물관세 상호철폐에 관한입장 일.영문 각 1부. 끝.

주 일 대

0084

（１）我が国としては、林産物について関税撤廃を行うことは、次の理由により不適切不公平な措置と考えるので受け入れられない。

（イ）第一に我が国の林業・林産業は零細な経営規模等国際的に見て不利な条件のもとで、厳しい経営状況にある。

我が国は、８７年、８８年の２度にわたり合板、ＳＰＦ製材等の関税率を大幅に引き下げたところであり、この様な関税引下げや急速な円高等の結果木材製品の輸入量は急増（８９年には８６年に比べ、ドルベースで３．２倍）し、木材自給率は２７％に低下している。

このような中で我が国の林業・林産業は、零細な産業構造に加え、木材価格の低迷、製品形態での木材輸入の増加等により長期にわたって不振を続けており、林産物関税の撤廃を行うことは、厳しい経営環境にある我が国の林業・林産業に大きな打撃を与え、ひいては森林の荒廃をもたらし、国土保全等の公益的機能の発揮、林業・林産業に依存する山村地域の振興に重大な障害をもたらすものである。

（ロ）第二に林産物が資源アクセスに重大な問題を抱えた産品であることである。

本提案の主唱者である米国、加をはじめ多くの輸出国において環境保全、木材産業の振興、雇用の維持等を理由にした原材料である丸太の輸出規制が行われている。

我が国は環境保全のために伐採制限を行うことには反対しないが、一旦伐採された丸太については外国からのアクセスのみが制限されているのであり、その結果、産地国（輸出国）の加工業者は低価格に維持された原材料を入手できる反面、消費国（輸入国）の加工業者は相対的に価格の高い丸太の購入を強いられている。このため　林産物の市場を各国に提供している我が国をはじめ輸入国においては、競争力を強化された安価な製品が多量に輸入される状況になっており、現行関税下においてもアンフェアな状況に置かれていると考えている。このような中で、輸出規制を放置したまま、市場アクセス分野のみガット上合法的に認められている関税を取り除くという措置を提案するのは不公平なアプローチである。

（ハ）第三に林産物の貿易問題が一般工業品と異なり、それを生産する林業・林産業が地球環境の保全に関わる森林保全などに重要な役割を果たしていることである。

原材料の輸出規制という問題をひとまず置いて、関税だけについて考えても、林業・林産業は産地の崩壊、水害等の防止等の国土・環境保全、山村と地域社会の維持との農業と類似した経済的でない社会的その他の重要

0085

な役割を果たしており、これら非経済的側面への配慮が必要である。

また、林産物について森林の減少・劣化と貿易との関連が問題視されている側面もあるところであり、森林保全の観点からも貿易を論ずる必要がある。

従って、これらの産業の生産物である林産物の関税について一般工業品と同列にして、その撤廃を論ずることはできない。

（2）我が国は、林産物の関税引下げ交渉には、前向きに対処するという方針で臨んでいるところであり、個別関税の話合いについては、いつでも誠実に応じる用意がある。

しかしながら、以上に述べた理由から林産物関税の相互撤廃案に輸出国が固執されることは、ギリギリの国内調整を行いながら林産物関税引下げに積極的に貢献していこうとする我が国の努力を無にし、交渉の進展を遅らせることにもなりかねないので、是非見直してもらいたい。

0086

1. Japan cannot accept the zero-zero option proposal to eliminate the tariffs on wood products because we believe it to be inappropriate and unfair for the following reasons:

(1) First, our forestry and forest products industry are experiencing severe conditions due to the uncompetitive situation stemming from our small scale operations, etc.

Japan reduced the tariffs on plywood and SPF lumber and other wood products by a significant amount in 1987 and 1988. This reduction coupled with the rapid appreciation of the yen have brought about a dramatic increase in imports of wood products (Japan's imports of processed wood products in 1989 was 3.2 times more than the amount imported in 1986 on a dollar basis), and as a result, the self-suffiency ratio of wood was 27 percent in 1989.

Under these circumstances, the Japanese forestry and forest products industry have been in a slump for a long period of time because of its small scale industrial structure, low prices for wood products and increased imports of processed wood products

The elimination of the tariffs on wood products would have the effect of further damaging the Japanese forestry and forest products industry and would also result in damaging our forests which could pose a severe problem for the conservation of land and development of mountainous areas.

(2) Secondly, forest products are products which have great difficulty in gaining access to resources.

Many exporting countries, such as the United States and Canada, the proponents of the zero-zero option, are enforcing log export restrictions for the purpose of environmental conservation, development of the forest products industry and maintenance of employment.

Japan does not oppose restrictions on cutting trees for conservational purposes, however Japan considers restricted access to the felled logs only from abroad to be unfair. With this restriction, the wood processing industry in the supplying countries (exporting countries) can get low-priced raw logs, while the wood processing industry in the consuming countries (importing countries) are forced to buy high-priced logs. As a result, in importing countries like Japan, which provide the market for forest products to other countries, the vast amount of low-priced processed products with strengthened

0087

competitiveness are imported, and Japan considers this to be unfair even under the present tariff schedule.

Under these circumstances, proposing the elimination of tariffs, which is legitimate in the GATT, while leaving the export restriction as is, is an unfair approach.

(3) Thirdly, unlike other manufacturing industries, the forestry and forest products industry play very important roles in the conservation of forests which contributes to the conservation of the global environment.

Aside from the export restriction of logs, when we consider a tariff, we have to think about the crucial non-economic and social roles of the forestry and forest products industry which include the conservation of land and environment and maintenance of rural areas.

Recently there has been a controversy regarding the linkage between the trade of forest products and the deterioration of forests. In this context, when you argue about the trade of forest products, you have to take into account the conservation of forests. Accordingly, you cannot treat forest products as a general industrial good and argue for the elimination of tariffs on forest products.

2. Japan is participating in the negotiations of tariffs on forest products with a policy of responding positively and we are always prepared to deal with the proposal on specific tariffs. However, we would like the exporting countries to consider the withdrawal of the zero-zero option, because that option would neglect our utmost efforts to reduce tariffs after domestically adjusting to this situation and might delay the negotiations.

0088

분류기호 문서번호	통기 20644-	기 안 용 지 (전화: 720 - 2188)	시 행 상 특별취급	
보조기간	영구. 준영구 10. 5. 3. 1.	장 관		
수 신 처 보존기간				
시행일자	1991. 4.16.			

보조기관	국 장	전 결	협조기관		문 서 통 제
	심의관				
	과 장				
기안책임자		조 현			발 송 인

경 유 수 신 참 조	건 의	발신명의		
제 목	정부대표 임명			

'91.4월중 아래 일정으로 개최되는 UR/주요국간 관세 협상 및 UR/시장접근 분야 협상에 참가할 정부대표를 "정부대표 및 특별사절의 임명과 권한에 관한 법률"에 의거, 아래와 같이 임명할 것을 건의하오니 재가하여 주시기 바랍니다.

- 아 래 -

/뒷면 계속/

0089

1. 회의명, 회의기간 및 장소

o UR/주요국간 관세협상(무세화 관련) : 4.22-26, 제네바

o UR/시장접근 분야 협상 : 4.23-25, 제네바

2. 정부대표

o 재무부 국제관세과장 강정영

o 상공부 산업정책과 사무관 김병섭

o 주 제네바 대표부 관계관

3. 출장기간

o 재무부 강정영 과장 : 4.20-28

o 상공부 김병섭 사무관 : 4.19-28

4. 소요예산 : 소관부처 예산

5. 훈 령

가. UR/주요국간 관세협상

o 분야별 관세 무세화 제의에 대한 아국 입장 제시

- 수산물 : 영세어민보호상 전반적 무세화 불가능

/뒷면 계속/

0090

- 건설장비.전자 : 참여조건에 따라 일부 품목에
  대한 무세화 가능
- 종이.목재 : 제한적 참여 가능
- 철강 : 별도 철강 협상에서 논의
- 비철금속 및 의약품 : 참가 조건 검토중

o 일부 전자제품을 아국의 무세화 요구 품목으로 제시

o 섬유,신발류에 대한 관세 조화 제안에의 참여 요구

나. UR/시장접근 협상

o 관세인하 이행방안

- 브랏셀 각료회의시 의견접근된 5년간 단계별
  이행안에 동의

o 시장접근 분야 의정서상의 관세.비관세 통합 여부

- 아국의 잔존 수입규제 조치를 감안, 관세와
  비관세의 통합규율은 그 성격상 기술적 어려움이
  매우 클것을 지적, 비관세 조치의 양허를 통한
  엄격한 기속에 반대 입장 견지. 끝.

0091

재 무 부

국관 22710-142 (503-9297) 1991. 4. 12
수신 수신처 참조
제목 UR 협상 및 철강다자간 협상 참석

'91.4.22 주간 스위스 제네바에서 개최될 UR/한미 양자 관세협상, UR/시장접근분야 회의 및 철강다자간협상에 참석할 대표를 아래와 같이 추천하오니 조치를 취하여 주시기 바랍니다.

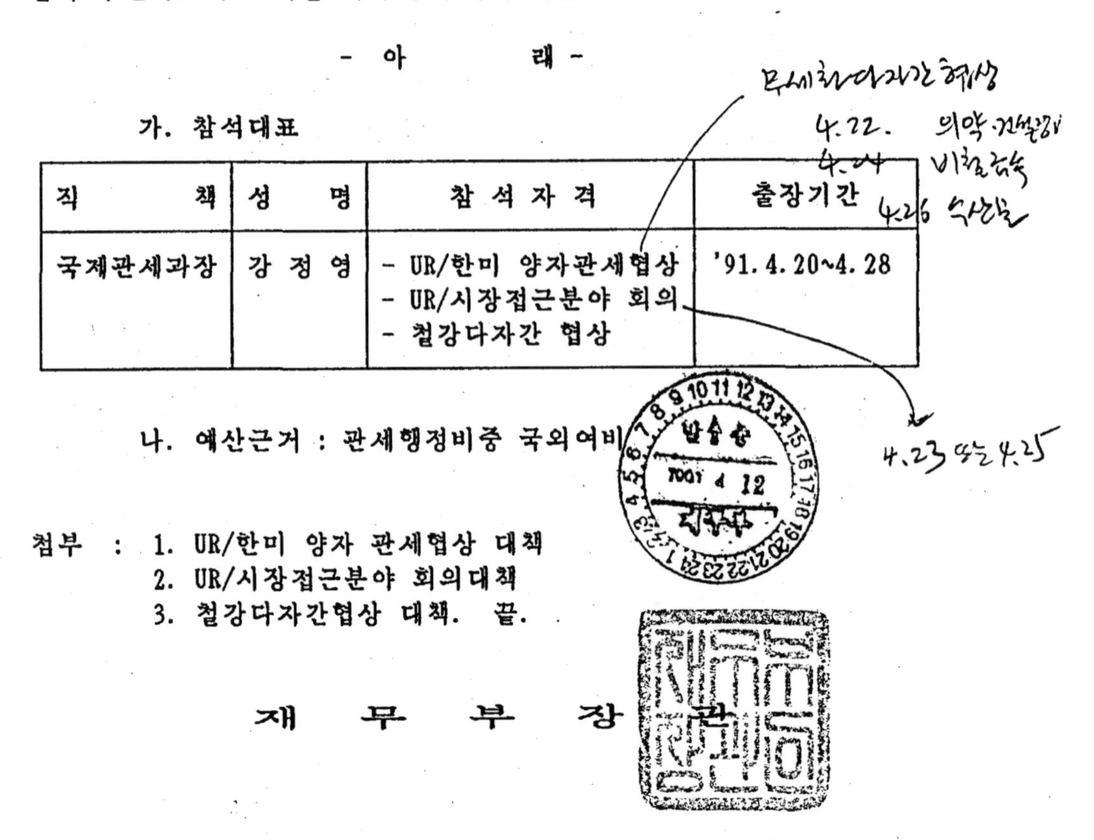

- 아 래 -

가. 참석대표

직 책	성 명	참 석 자 격	출장기간
국제관세과장	강 정 영	- UR/한미 양자관세협상 - UR/시장접근분야 회의 - 철강다자간 협상	'91.4.20~4.28

나. 예산근거 : 관세행정비중 국외여비

첨부 : 1. UR/한미 양자 관세협상 대책
2. UR/시장접근분야 회의대책
3. 철강다자간협상 대책. 끝.

재 무 부 장 관

수신처 : 외무부장관(통상국장), 상공부장관(국제협력관)

0092

UR/한·미 양자간 관세협상 대책

1. 협상개요

- 일시 및 장소 : '91.4.22 ~ 26, 스위스 제네바
- 아 국 대 표 : 제네바대표부 재무관
  국제관세과장
  상공부 산업담당사무관

2. 분야별 관세무세화

가. 협상경과

- 미국은 '90.10 이후 우리나라에 대하여 건설장비 · 전자 · 수산물 등 8개분야(비철금속 · 의약품은 최근 참여제의) 1,742개 품목에 대해 무세화에 적극참여 요구
- 아국은 참여불가 입장을 견지하다가 브랏셀 각료회의에서 참여 의사 표명
- '91.2 한미 양자협의시에는 기본입장만 제시

나. 관계부처 · 업계입장

- 수 산 물 : 영세어민과 직접관련이 되어 무세화가 불가능함.
- 나머지 분야 : 경쟁력이 있는 품목에 대해 제한적으로 무세화 참여가능
- 무세화 이행기간이 장기적인 경우 추가품목도 제시가능

0093

다. 협상전망 및 전략

- 미의회의 Fast Track 승인이 있고난 이후인 '91.6월경에 본격적인 협상개시 예상
  - o Fast Track 의회승인도 쉽지만은 않을 전망임.
- EC의 동향, 미국의 자세등 협상대상국의 동향을 면밀히 파악하면서 신축적이고 단계적으로 대처
  - o 1단계 : 개괄적 입장만 표명
  - o 2단계 : 구체협상안(무세화 가능품목) 제시

라. 금차 회의대책

(1) 일반적인 사항

- Fast Track 미의회 승인전망 문의
- 아국정부가 무세화 추진을 위해 업계와의 협의등 적극적인 노력을 하고 있음을 표명
- 무세화의 성공적인 추진을 위하여는 Free-rider 문제에 대한 검토 및 참여형태의 신축성이 요구됨을 언급

(2) 무세화분야별 입장제시

- 수산물
  - o 영세어민보호 등으로 정치적으로 매우 민감한 품목으로 전반적인 무세화가 불가능함.
  - o 많은 품목이 양허되어 있고(68%) BOP 졸업에 따른 수입자유화 예시계획에 의해 일부품목은 수입제한이 완화되고 있음.

0094

- 건설장비 · 전자

  o 무세화 요구품목의 20%정도는 무세화 가능

  o 사실상 건설장비는 28%, 전자제품은 33% 무세화 가능하다는 업계의 의견이나 협상전략상 보수적인 의견으로 제시

  o 참여조건에 따라 추가적으로 무세화 가능품목이 있을 것으로 추정됨을 언급

- 종이 · 목재

  o 수입일방 품목으로서 무세화에 따른 영향이 클 것으로 예상되어 매우 제한적으 로 참여 가능함.

- 철 강 : 별도 협상 계획임.

(3) 아국의 무세화요구 분야 및 품목 제시

- 무세화대상 전자분야에 아국 관심품목인 일부 전자제품이 포함되지 않은데 대해 업계가 불만을 표시하고 있음을 언급

- 미국측 반응을 보아 추후에 구체적 제시여부 검토

(4) 섬유 · 신발류에 대해서는 관세조화제안에의 참여 요구

- 섬유 · 신발류는 미측입장에서는 매우 민감하여 무세화요구는 현실적으로 불가능

- 대신 EC의 관세조화(Tariff Harmonization)제안에 미측이 참여토록 권고

  o 이경우 약 35%인 미국의 현행관세율이 10% 정도로 인하됨.

0095

UR 시장접근분야 회의 대책

1. 협상경과

- 49개국이 관세인하계획 제출, 협상진행
- '90.10부터 의정서(protocol)작성 문제 토의
  - o '90.11 사무국이 의정서 초안 제시
- '91.3.21 GATT 사무차장 주재 회의
  - o 당분간 정치적 결정을 요하지 않는 기술적인 부분에 대한 토의를 하기로 함.

2. 금차회의 대응방안

가. 관세인하 이행방안

- 브랏셀 각료회의시 의견접근이된 바와 같이 5년 Staging에 동의
  - o UR 협상이 지연되고 있는 상황에서 협상성과를 조기에 거둔다는 측면 강조

나. 특정품목에 대한 장기적 관세인하

- 아국은 기 제출 Offer에서 민감품목을 양허대상에서 제외하였으므로 특별한 문제점은 없음.
- 향후 농산물 및 무세화 협상결과 등을 감안, 특정품목의 예외적 장기시행 필요성이 있음.

다. 의정서의 관세·비관세 통합여부

- 아국은 수입규제조치가 아직 많이 남아있으므로 비관세조치의 양허를 통한 엄격한 기속은 바람직하지 않음.
- 관세와 비관세의 통합규율에는 그 성격상 기술적 어려움이 매우 클 것임을 지적

0096

상 공 부

산정 28010- 815 (500-2420) '91. 4. 15

수신 외무부장관

제목 UR 시장접근그룹회의 및 한미 양자협상 참가

'91.4.22(월)부터 4.26(금)까지 스위스제네바에서 개최되는 표제회의에 참가하기 위하여 다음과 같이 출장코자 하오니 정부대표 임명등 필요한 조치를 하여 주시기 바랍니다.

* 다 음 *

1. 출장기간 : '91. 4. 19 - 4. 28 (10일간)
2. 출 장 지 : 스위스 제네바
3. 출 장 자 : 산업정책국 산업정책과 행정사무관 김 병 섭
4. 소요예산 : 상공부 예산. 끝.

상 공 부 장

0097

	분류번호	보존기간

발 신 전 보

번 호 : WGV-0488 910417 1042 DF 종별 : 암호화

수 신 : 주 제네바 대사. 총영사 대리 (사본 : 박대사)

발 신 : 장 관 (통 기)

제 목 : UR/시장접근 분야 협상 및 무세화 협상

4.22 주간에 귀지에서 개최되는 표제회의에 참가할 정부대표가 아래 임명 되었으니 귀관 관계관과 함께 참석토록 조치바람.

1. 정부대표(본부) 및 출장기간
   - 재무부 국제관세과장 강정영 (4.20-28)
   - 상공부 산업정책과 사무관 김병섭 (4.19-28)

2. 훈 령 (세부지침은 본부대표가 지참 예정)

   가. UR/주요국간 관세협상

   o 분야별 관세 무세화 제의에 대한 아국 입장 제시
   - 수산물 : 영세어민보호상 전반적 무세화 불가능
   - 건설장비, 전자 : 참여조건에 따라 일부 품목에 대한 무세화 가능
   - 종이.목재 : 제한적 참여 가능
   - 철강 : 별도 철강 협상에서 논의
   - 비철금속 및 의약품 : 참가 조건 검토중

   o 일부 전자제품을 아국의 무세화 요구 품목으로 제시

   o 섬유, 신발류에 대한 관세 조화 제안에의 참여 요구

보안 통제	

앙 고 재	91년 4월 16일	통기 과	기안자 성명		과 장	심의관	국 장		차 관	장 관
			조현				전결			

외신과통제

0098

나. UR/시장접근 협상

o 관세인하 이행방안

- 브랏셀 각료회의시 의견 접근된 5년간 단계별 이행안에 동의

o 시장접근 분야 의정서상의 관세.비관세 통합 여부

- 아국의 잔존 수입규제 조치를 감안, 관세와 비관세의 통합규율은 그 성격상 기술적 어려움이 매우 클 것을 지적, 비관세 조치의 양허를 통한 엄격한 기속에 반애 입장 견지. 끝.

(통상국장 김 삼 훈)

0099

원 본

외 무 부

종 별 :

번 호 : GVW-0725 일 시 : 91 0419 1830

수 신 : 장 관(통기,재무부,농림수산부,상공부,수산청)

발 신 : 주 제네바 대사대리

제 목 : UR/ 관세협상

1. UR/ 시장접근분야 주요국 비공식 회의

0 4.26(금) 개최예정인 표제회의에서는 아래사항이 토의될 예정임.

(1) 양자협상, 복수국가간 협상등의 진전상황에 대한 전반적 보고

(2) 비관세조치의 28조 적용문제

- 사무국이 작성한 초안을 중심으로 토의 예정

(3) 시행단계

(4) 자발적 자유화조치 및 BINDING 에 대한 CREDIT부여 방안

- 사무국이 각국의 자발적 자유화조치 LIST 를작성 배포예정

(5) 새로운 OFFER 에 대한 평가

- 칠레, 콜롬비아, 코스타리카, 말레이지아, OTUHV의신규 OFFER

- 이씨, 미국의 수정 OFFER

2. 수산물 무세화에 대한 한.미간 의견교환

0 미국측은 4.26(금) 오전에 개최예정인 수산물무세화를 위한 복수국가간 협의 이전에 아국과 양자간의 의견교환을 요청한 바 접촉결과 아래와 같음

(김재무관보 참석)

- 미국측은 수산물 무세화의 자국제안에 아국의 참여를 재차 요청하면서 EC. 일본이 반대입장을 견지하고 있으나 무세화내용 전체를 PACKAGE 로 다루고자하는 미국의 접근방식에 진지하게 응하고있으며 특히 EC, 일본이 수산물에 고관세 (EC:18-22 서센트, 일본: 8 퍼센트 수준)를 유지하고있어 이들 품목에 대한 무관세가 달성되는 경우 아국에게도 크게 유리할 것임을 강조하는 한편 아국의 수산물 보조금제도에 대한 연자국에서 무역 왜곡효과 유무등을 분석하고 있음을 진언함.

- 이에 아측은 아국이 이미 32퍼센트 이상 인하하는 수산물 관세 OFFER 를 제출

통상국 2차보 재무부 농수부 상공부 수산청

PAGE 1

91.04.20 10:37 WG

외신 1과 통제관

0100

하였고 비관세부문에 대하여도 B.O.P 협의과정에 따라 92년부터 시작되는 제 2차 수입자유화 3개년 예시계획에서 잔존수입 제한 수산물의 60 퍼센트 이상이 수입자유화 될것인바, 수입자유화와 동시에 관세의 무세추진은 곤란함을 설명함.끝

(대사대리 박영우-국장)

원 본

외 무 부

종 별 :

번 호 : USW-1882 일 시 : 91 0419 1747

수 신 : 장 관(통일,통기, 기협, 수산청)

발 신 : 주미대사

제 목 : 수산물 교역 관련국 회의

4.18 당지 상무부 수산청 PRUDENCE FOX 무역과장은 당관 수산관과의 면담을 요청,4.26. 제네바에서 개최 예정인 수산물 교역 관련 UR 협상에 관하여 다음요지로 미국측 입장을 설명하고 이를 본국에 전달, 금번회의시 우리측 의 적극적인 협조를 요청해왔는바, 동회의 참가 아측 입장정립에 참고하시기 바람.

1. 미국측은 작년 10월 동일한 내용의 회의를 가진데 이어 금년 4월 회의개최를위하여 약 20개 수산물 교역국들에게 제네바 소재 대표부를 통하여 초청장을 전달함.

2. 동회의를 개최하는 미측 입장은 이미 알려진바와같이 수산물에 대한 관세, 정부지원 및 비관세 장벽의 단계적 철폐를 위해서 관련국들이 장기적 계획 (기한은 없으나 착수년도 부터 약10년을 상정)에 합의하고 이를 실현시켜 나가고자하는 것이며(ZERO FOR ZERO PROPOSAL) 각국의 불가피한 국내 사정등으로 그러한 장벽 제거가곤 란한 품목의 예외를 인정함.(미국의 경우도 약 110개 품목중 참치등 8-10 개 품목은 불가)

3. 미국의 이러한 제안에 대해 일본, EC 가부정적이며 카나다, 놀웨이,아이스랜드, NZ 호주등이 지지하고 있다고 하면서 한국에 대해서도구체적인 사안에 대해서가 아니라 미국의 전반적 취지에 긍정적으로 협력해 달라는 요지의 요청을함.

4. 참고로 미측이 본국에서 파견하는 대표는 수산청의 무역과장보 TOM BILLY 와 BRUCE NORMAN 임

(공사 손명현-국장)

통상국 2차보 미주국 경제국 청와대 수산청

PAGE 1 91.04.21 00:35 FO

외신 1과 통제관

0102

UR 관세무세화 및 관세조화협상 참석보고

I. 개 요

1. 기 간 : '91. 4. 22 (월) ~ 4. 26 (금)

2. 장 소 : 제네바 GATT 본부, USTR 대표부 및 EC 대표부

3. 아국대표

   ° 제네바 대표부 재무관 엄 낙 용

   ° 재무부 국제관세과장 강 정 영

   ° 산업정책과 행정사무관 김 병 섭

II. 협상참가의 배경

1. 분야별 관세무세화(Zero-for-zero proposals)

   ° UR 시장접근그룹의 관세협상 진행과는 별도로 '90.10 이후 미국이 우리나라에 대하여 건설장비.전자,철강,비철금속,목재,종이,의약품,수산물등 8개분야 (비철금속,의약품은 최근 참여제의)의 무세화협상 참여 요구

   ° 아국은 참가불가 입장을 견지하다가 '90.12 브랏셀 각료회의에서 참여의사를 표명하고 그 이후 한.미 양자협의등을 통하여 긍정적 검토용의 표명

0103

ㅇ 아국의 분야별 입장(우리부 관련품목)

- 건설장비 및 전자 : 미국제의품목의 20% 정도 무세화 가능

  (사실상 건설장비는 28%, 전자제품은 33% 무세화 가능한 것으로 파악되나 협상전략상 보수적 의견제시)

- 종이.목재 : 수입 일방품목으로서 무세화의 영향이 클 것으로 예상되어 제한적으로 참여

- 비철금속 : 광석.스크랩등 up-stream 분야에 제한적으로 참여

< 무세화 제의내용 >

(HS 10단위 기준)

분 야	전체품목수(A)	제의품목수(B)	B/A
목 재	207	196	94.6
종 이	221	221	100.0
철 강	418	285	68.2
건설장비	220	118	53.8
전기.전자	1,038	532	51.2
비철금속(동.납)	112	112	100.0
계	2,216	1,464	66.1

2. 관세조화제안(Tariff Harmonization)

ㅇ 각 국별로 관세율의 차이가 큰 섬유,신발,석유화학,플라스틱 등 분야의 시장 접근을 실질적으로 균등하게 개선하기 위하여 각국의 관세율을 일정수준으로 일치시키자는 EC의 제안

ㅇ 브랏셀 각료회의시 EC 주관 회의가 개최되었으나 아국은 입장표명 유보

0104

ㅇ '91.3 석유화학,플라스틱분야 관련 다자간 협의를 가졌으나 선진국 세율수준으로 최고세율을 설정함은 형평에 어긋난 것임을 지적

ㅇ 아국의 분야별 입장(우리부 관련품목)

- 섬유 : 수용가능
  (3~4년간 단계적 인하조건, 단 섬유사는 8%로 조정)

- 신발 : 수용가능

- 석유화학 : 국내개발 진행중으로 수용불가능

- 플라스틱 : 기술적으로 초기상태에 있어 수용불가능

< 관세조화 제의내용 >

분 야	대상품목	목 표 관 세 율		
섬 유	50~63류		선진국	개도국
	(1,266개품목)	ㅇ Raw Materials	0	0~5
		ㅇ Slightly Processed	2	6~8
		ㅇ Yarns & Man-made Fibres		
		-소매용이외의 것	4	10~12.5
		-소매용의 것	5	10~12.5
		ㅇ Fabrics	8	15~20
		ㅇ Made-up Articles	12	30~35
신 발	64류 (49개품목)	선진국 : 10% 개도국 : 30~35%		
석유화학 플라스틱	29,39류 일부 (397개품목)	품목별로 0~6.5%		

* 아국은 선진국으로 분류될 것으로 예상

0105

III. 금번 협상경과

1. 한미 양자협상(4.24. 오후, GATT 본부)

가. 일반사항

ㅇ 미측 발언요지

- UR의 성공적 타결을 위해 한국의 적극참여 요망
- Big package(9개분야 모두)로 참여가 바람직하고 이것이 결국 한국에 이익이 될 것임
- Brussel회의 이후 5개월이 지났는 바, 모호한 입장(Ambiguous signal)을 계속 보일 것이 아니라 구체적 입장표명 촉구
- 무세화에 있어 여타 아시아지역 개도국에 대한 leading role 당부

ㅇ 아국 발언요지

- 미측입장을 이해하며, 미.EC간 입장 대립에 있어 한국의 지지를 바라는 것으로 알고 있음
- 한국경제가 과대평가되고 최근 무역적자폭이 확대되고 있는 점에 대하여 양해바람
- 한국정부의 업계에 대한 설득노력으로 전자.건설장비분야에서 부분적 참여가능
- 기본적으로 수출입이 균형적인 분야에 한하여 참여할 것임을 부언

나. 분야별 무세화

ㅇ 미측 주장

- 의약품 : 한국은 미국의 9번째 시장으로 미업계의 관심이 큼. 계속 참석요망

0106

- 종이.목재.수산물 : 무세화 Package 차원에서 참여요망
  (어느 분야에서 득이 있으면 다른 분야에서 실이 있음)
  종이.목재와 섬유는 산업분포상 미국의 같은 지역에
  위치하여 한국의 불참시 미의회의 압력으로 섬유부문에
  불이익을 끼칠 우려가 있음을 시사

ㅇ 아국답변

- 의약품 : 사실상 의약품 생산이 거의 없는 바, 참여할 필요성이 있는지
  의문 표시
- 종이.목재.수산물 : 수입 일방품목으로 참여에 어려움 있음

다. 기타사항

ㅇ 미국은 무세화 전분야에 대해 개방적 자세견지(keep in open mind)를 요망
  하고 한국정치인들이 넓은 안목(more broad aspects)을 가지기를 희망

ㅇ 이에 대하여 아국은 현재 협상에 적극 참여하고 있음을 설명하고 교역이익에
  침해가 되지 않는 범위에서 미국에 협력할 것임을 언급

2. 무세화 다국간 협상

가. 의약품(4.22 오전, USTR주관) [보사부소관]

ㅇ 주요 토의내용 : 매우 세부적인 사항이 논의되고 있으며 무세화 대상
  품목에 대한 협의 진행중임
ㅇ 아국입장 : 의약품 산업발전정도로 보아 참여의사가 없음을 표명. 아국이
  참여하지 않아 문제가 있는 품목이 있다면 알려주기 바람
ㅇ 전 망 : 무세화분야중 가장 먼저 타결예정

0107

나. 비철금속(4.24 오전, USTR 주관)

ㅇ 미국은 참여국을 A그룹과 B그룹으로 나눔

- A그룹 : 비철금속 전분야(HS 26, 74~81)에서 관세.비관세조치 철폐

- B그룹 : 경쟁력이 있는 특정분야에만 참여

(한국은 B그룹으로 분류되어 있으며 미국은 동,납에 대하여 아국의 참여요구)

ㅇ 아국은 미국시장에의 수출실적(미측통계)이 미미한데도 참여를 요구받는데 의문을 표시하자 미국은 미업계의 의사를 반영한 것이라고 답변

ㅇ 무세화 대상품목이 확대됨

ㅇ 무세화 기간은 UR의 일반적 Staging 기간에 따름

다. 건설장비(4.24 오후, USTR 주관)

ㅇ 참여국가를 A그룹(전품목 참여)과 B그룹(부분적 참여)으로 나눔(한국은 A그룹)

ㅇ 관세.비관세 장벽 모두 철폐

- 관세는 매년 1/3씩 인하하여 3년만에 무세화

- 현행세율이 15%이상인 경우 매년 20%씩 5년만에 무세화

ㅇ 아국의 미국시장 점유율이 1%미만(0.77%)인데도 A그룹으로 분류한 이유를 묻자 미국은 아국의 생산 Capacity를 고려하였다고 답변

라. 종이.목재(4.25 오전, 카나다 대표부 주관)

ㅇ A그룹과 B그룹으로 구분(한국은 A그룹)

- A그룹 : 5년내 무세화

- B그룹 : 특정품목에 대한 장기적 무세화기간 허용

0108

마. 수산물(4.26 오후, USTR 주관) [농림수산부 소관]

ㅇ 4.19 (금) 아국은 미측에 대해 수산물 분야에 있어 아국이 기히 32%이상 인하하는 양허계획이 되어 있고, BOP 수입자유화 계획에 따라 수산물의 60%이상이 수입자유화될 것임을 설명하고

ㅇ 수입자유화와 관세무세화의 동시 실시는 어려움이 있음을 설명

ㅇ 미측은 일본.EC가 고관세를 유지하고 있어 무세화의 경우 아국에도 유리할 것임을 설득하고, 아국의 수산물 보조금제도의 무역왜곡효과를 분석중임을 언급

ㅇ 4.26 다자간회의는 시장접근분야와 회의가 겹처 불참

3. 관세조화 다국간 협상

가. 섬유류 관세조화(4.22 오후, EC 주관)

ㅇ 주요 토의내용

- 미국을 제외한 대부분의 국가가 관심표명
  . 미국은 자국의 관세협상 방식(R/O방식)과 다르고, 섬유류 35% Ceiling Binding을 제안하였음을 상기시킴
- 비관세 장벽폐지.무세화기간 및 선.개도국 구분문제에 관한 논의
  . 개도국일지라도 양질의 섬유제품을 수출하는 국가는 선진국그룹으로 분류 (EC의견)

ㅇ 아국대표 발언내용

- EC안 지지
- 주요 교역국인 선진국의 참여가 필수적임
  (미국의 참여를 간접적으로 촉구한 것임)

0109

ㅇ 전망

- 미국의 수용을 기대하기 어려워 타결가능성은 적으며 EC가 농산물 분야에 대비, 미국에 대한 협상 leverage로 활용

- EC는 각국 관심분야에 대한 제안을 수용할 뜻을 비치면서 많은 나라의 참여를 유도할 전망

나. 석유화학제품 관세조화(4.23 오후, EC 조화)

ㅇ 주요 토의내용

- 대부분의 선진국이 광범위한 참여촉구

- 미국 : Down stream 제품도 포함 요망

- EC

. 개도국은 EC가 수입하고 있는 품목에 꼭 참여 필요

. 참여하지 않을 경우 동 제안의 수정이 있을 것임 (free-rider 품목제외 추정)

ㅇ 아국발언

- 종전입장에 변화없음

- 참여를 요구받은 17개 품목은 현재 검토중임

IV. 대책방향

가. 기본방향

ㅇ 미국이 무세화제안을 강력히 추진하고 있고 아국의 적극적 참여를 촉구하고 있어 이에 대한 전략수립이 긴요한 것으로 판단됨

0110

(1안)

- 현재까지와 같이 구체적인 입장보다는 우회적으로 아국입장 표명하다가 협상 종반기에 참여 불가능 분야에 대한 분명한 의사 표명

ㅇ 일부분야(전자. 건설장비)에 부분적 참여가능 ㅇ 여타분야는 수입일방품목(종이. 목재. 비철금속)으로 참여에 어려움이 있음 ㅇ 기본적으로 수출입규모에 있어 balance가 되는 분야에 참여고려

(2안)

- 이단계에서 무세화 참여가능 및 불가능분야에 대한 구체적인 입장을 밝혀 미국이 아국입장을 분명히 파악하도록 하는 방안

참여 가능분야와 참여 불가능한 분야를 미국에 미리 알려주고 참여 가능분야에 대하여도 구체적인 품목을 제시

(검토의견)

- 현지 재무관은 (1안) 권고,

- 6월 협상까지는 (1안)에 따라 협상에 임하되 협상진전상황에 따라서는 (2안)을 택하며, 한.미 양자간 협의를 통하여 한국입장의 이해를 촉구하는 방향으로 추진

0111

나. 업종별 현황 분석

ㅇ 협상의 타결여부는 미-EC간의 절충여하에 따라 결정될 것이나 아국이 참여국에 포함된 상태로 협상이 타결되면 해당산업에 대한 무세화의 영향은 막대할 것임

ㅇ 현 시점에서는 일단 협상의 타결을 전제로 무세화가 제의된 업종별로 경쟁력 현황과 국내산업에의 파급효과를 분석하는 작업이 필요
- 이를 토대로 단기적으로 6월협상에서 아국의 협상참여여부와 국별 grouping에 대한 의견제시시 객관적 자료로 활용
- 장기적으로 협상타결후 해당산업의 대응방안 수립을 위한 기초자료로 활용

ㅇ 작업계획
- 기간 : 6월 협상시한에 맞춰 5월중순까지 완료
- 작업방법 : 무역협회, KOTRA, KIET 등 실무진과 공동 작업

0112

원 본

외 무 부

종 별 :

번 호 : GVW-0741 일 시 : 91 0423 1900

수 신 : 장 관(통기,경기원,재무부,상공부,보사부)

발 신 : 주 제네바 대사대리

제 목 : UR/ 시장접근분야 주요국협의(의약품 무세화 및섬유제품관세화)

4.22. 오전 당지 USTR 에서 개최된 의약품무세화 협의 및 동일오후 이씨 주최로개최된섬유류 관세조화 협의에서 각각 논의된 내용을아래 보고함.

(엄재무관,재무부 강과장, 상공부 김사무관참석)

1. 의약품 무세화

가. 미국,이씨,일본,오지리,카나다,스위스 및 북구3국이 참석하여 토의를 진행하였으며 아국은 옵저버로 초청하였다는 미측의 언급이 있었음

나. 참석국가들은 그동안 여러차례의 협의를 거쳐매우 세부적인 사항에 관한 논의를 진행시키고있었는바 지난 3.5. 해당국의 주요의약품제조업체들이 스위스 츄리히에서 모임을 갖고대상품목의 잠정리스트를 작성제시하였음(회의참석자 지참예정)

다. 해당국가들간에 합의된 내용은갓트양허세율에 포함토록 하는 이외에신개발품목에 대한 적용, 잠정합의에 의한 조기적용등에 대한 토의가 있었음.

라. 아측은 아국의 의약품산업 발전 정도등에비추어 동 의약품 무관세 협상에 참여할 뜻이없으며 만약 아국이 참여하지 않음에 따라특정품목의 무임승차등 문제가 우려된다면 이는별도로 검토토록 하겠다고 하고 아측이 차후부터는 동협의에 참석할의사가 없음을 언급하였음.미측은 아국은 초청한것이 한국이 큰시장으로 중요하며 추후 에도 계속 옵저버로 참석하여줄 것을희망하였음.

2. 섬유류 관세조화

가. 먼전 이씨측이 동제안의 배경과 내용을 설명하였는바 스위스,일본,스웨덴,홍콩,터키,태국,말레이지아등이 대체적인 지지를 표시하였고 카나다는 수산물등 자국관심 품목의 협상타결과 연계할 의사표시및 광범위한 참여가 중요하다고 하였음. 미국은이씨의 제안이 자국의 관세협상방식 및 섬유류 CEILING

통상국 2차보 보사부 경기원 재무부 상공부

PAGE 1

91.04.24 08:55 FN

외신 1과 통제관

0113

RATE 양허등 자국제안과 상이하 다는지적을하고 소극적 입장을 표시하였음

나. 개도국 대우 문제와 관련하여 인도,말레시아,파키스탄등은 선진국과 기타국가의 구별기준에 대하여 질문하였고 이집트, 페루등은개도국에 대한 상호주의 부적용을 ,방글라데쉬는 최빈국에 대한 특별고려를 각각언급하였음. 이씨는 선진국으로 분류되지 않는 일부개도국 중에도 섬유산업에 관한한 선진국수준의 경쟁력을 갖춘 국가들도 있으나 이는차후에 논의될 사항이라고 답변함.

다. 미국,일본,홍콩,인도등은 동 제안과 UR협상 특히 시장접근 및 섬유협상과의관계에대하여 질문하였는바 이씨측은 동제안의합의결과는 UR 의 일부로써 해당분야협상결과에 각각 반영될 것이라고 설명하였음

라. 이씨측이 제시한 세율수준의 선정기준에대하여 수개국이 질문이 있었는바 이씨측은 현재각국의 세율수준을 고려하여 책정한 것이라고답변하였으며 현재 각국의세율구조를 반영하여다소간의 TARIFF ESCALATION 의 내용이 되었다고설명함.마. 이씨는 비관세 장벽으로 수량제한, 수입허가등뿐아니라 수출규제, 상표부착등을 모두 포함하여자유화 대상으로 하였다고 설명하고 시행기간등은점진적으로 목표에 접근하되섬유분야의민감성을 충분히 고려하여야 할것이라고 언급함.

바. 아국은 기본적으로 이씨의 제안에 지지를표시하고 아국의 이미 관세 OFFER 에 많은 기여를 약속하였으나 추가적인 협상 용의가 있음과 아울러 주요교역국인 선진국의 참여가 절대적으로 필요하다고 발언하였음

3. 관찰 및 평가

가. 의약품 무세화 협상은 관심국가의 기업들간의 합의로 급속히 진행되고 있으며 분야별 무관세 협상중 가장 타결 전망이 큰분야로보여짐. 한편 미국의 의약품 업계등이 아국의 참여에 관심을 가지고 있다고 하나 현재로서 여타국가들의 아국의 참여를 강력히 요구할 것으로는보이지 않음

나. 섬유관세조화협상은 미국이 동제안에 응하기어렵다는 입장을 감안할때 많은협상참여국들이 이를 선호하더라도 실현될 가능성에관하여는 대부분 회의적인 시각임. 한편 이씨는동협상의 부수적인 효과로서 다른 협상참여국들의의견을 모아 미국에압력을 가함으로써 자국이농산물협상에서 겪고있는 어려움에 대한협상력을 제고할 생각을 갖고 있을 가능성도있으나 동협상이 그러한 효과를 나타낼수있을지는 불투명하다고 보여짐.끝

(대사대리 박영우-국장)

PAGE 2

0114

원 본

외 무 부

종 별 :

번 호 : GVW-0763 일 시 : 91 0425 0930

수 신 : 장관(통기,경기원,재무부,상공부)

발 신 : 주제네바대사대리

제 목 : UR/ 시장접근분야 주요국협의(석유화학제품 관세조항)

0 4.23.오후 이씨 주최로 개최된 석유화학 제품 관세조화 방안의 협의결과 아래보고 함(재무부강과장, 김재무관보, 상공부 김사무관 참석)

- 이씨가 그간 각국의 입장 진전 상황등을 문의한바 스위스는 석유화학제품에대한 자국의 관세율현황, 29류 일부 품목에 부과하고 있는 재정관세 대상품목(1991.6.2에 내국세로의 통합여부에 대한 국민투표 실시 계획이라함)의제외, 종량세에 대한 종가세로의 환산을 위한 관세조화세율 계산방법등을 수록한 자국의안을 배포하고 이를 설명함(스위스안: 본부대표 지참 예정)

- 카나다,스웨덴,일본,핀란드,노르웨이,오지리등은 자국의 기본 입장을 반복 설명하면서 광범위한 참여를 촉구함.

- 미국은 워싱톤에서 구체적으로 내용에 대해계속 검토중이므로 아직 최종적 입장을 개진할 단계가 아님을 전제하면서 지난회의에서 제기한

(1) 품목 COVERAGE 의 확대 가능성

(2) 비관세 조치의 포함 가능성을 재차 거론함.

- 태국은 이미 자국이 제시한 관세 OFFER 에서29류. 31류 등에 대하여 일부는 30퍼센트 이상관세를 인하하였음을 설명하고 추가적인 관세인하를 수반하는 이씨안에회의적 입장을표명함.

- 아국은 지난 회의 이후 아국입장에 변화가없으며 참여를 요청받은 17개 품목에대하여는 현재 검토중임을 언급함.

- 이씨는 특정 품목에 대하여는아국,태국,브라질등 개도국의 참여가 불가피함을재차 언급하고, 미국이 질의한 품목 COVERAGE 확대문제(29류의 전반적 포함)는 일부품목이농산물 및 환경문제와 관련 되어있어 부득이 제외할 수 밖에 없으며 비관세조치 포함 문제는 업계에서 일부국이 유지하고 있는

통상국 [illegible] 차관 2차보 구주국 경제국 청와대 안기부 경기원
재무부 상공부

PAGE 1 91.04.25 19:25 CV

외신 1과 통제관

0115

이중가격제도(DOUBLE PRICING)에 관심이 있긴하나 기본적으로 갓트 분쟁해결 절차를 통하여 다루어 질수 있을것임을 설명함.

- 또한 이씨는 차기회의에서는 스위스안을 토의 예정이라 하면서 스위스와 같은서면 제안이 제시되기를 촉구함.끝

(대사대리 박영우-국장)

PAGE 2

0116

원 본

외 무 부

종 별 :

번 호 : GVW-0768 일 시 : 91 0425 1700

수 신 : 장관(통기,경기원,재무부,상공부,동자부)

발 신 : 주 제네바 대사대리

제 목 : UR/ 시장접근 분야 주요국 협의(비철금속 무세화)

4.24 오전 U.S.T.R. 주최로 개최된 비철금속무세화를 위한 복수국가간 협의 내용 아래보고함.(김재무관보, 상공부 김사무관 참석)

가. 미국의 새로운 제안(본부 대표 지참 예정)설명

- 미국은 상기 분야 무세화에 관한 새로운제안을 배포하고 이를 설명함.

0 품목 OCVERAGE: 26 류, 74-81 류

0 비관세 조치 철폐 포함

0 무세이행기간: 시장접근 의정서에 의함.

0 A 군 국가(호주,카나다, 이씨, 일본, 뉴질랜드,미국): 상기 내용대로 시행

0 B 군국가(브라질, 칠레, 한국, 멕시코,베네주엘라): 미국이 양자간 접촉에서 기 요청한특정분야에 대해 관세, 비관세 철폐

나. 각국의 의견

- 이씨는 미국안에 자국의 민감한 품목이 다수포함되어 있고 비관세 조치는 달리다루어져야 함을 지적하면서 자국이 대상 품목, 참가국가 및 무세화가 아닌 관세 추가 인하 방안에 대한 전반적인 안을 준비중이며 이를 다음 회의 이전에 제시할 것임을 언급함.

- 카나다, 일본, 호주등은 미국안을 지지하면서 광범한 참여를 촉구함.

- 노르웨이, 스웨덴, 필랜드등 북구 제국은 자국이 COUNTRY LIST 에서 제외 되어 있어 무임승차 가능성을 문의하고 B 군 국가에 미국이요청했다는 특정 분야의 TRANSPARENCY 제고방안을 요청함.

- 브라질은 무세화의 협상에 전반적으로 부정적이라는 자국의 입장을 반복 설명함

- 아국은 동분야에의 참여 요청을 최근에 받았으므로 아국의 구체적 입장을 표명할 계제가 아님을 설명하면서 미국이 배포한 1989 년도 미국시장으로의 각국 수출 실적

통상국 2차보 경기원 재무부 상공부 동자부

91.04.27 15:08 CO

외신 1과 통제관

0117

통계에 의하면 아국이 게재되어 있지 않음에도 불구하고 아국이 B 군국가에 포함된 근거를 요청함.

- 미국은 이씨가 준비중이라는 안에 관심을 표명하면서 대상품목, 참여국가등에대해 의견이있으면 다음 회의 이전에 이를 서면 제출하여 줄것을 요청하고 금번 회의 종결함.

다. 관찰

- 회의 종료후 미국과의 개별 접촉에서 미국은 한국의 대미 수출액이 미미하여자국의 PARER에는 한국이 게재되지 않으나 동과 납에 대해서는 미국의 업계가 한국의 참여를 요청하고있음을 설명함.

- 미국의 안에 언급된 B 군 국가에 개별적으로 요청한 특정분야 참여(CERTAINSUBSECTORS) 와 관련하여 아국에 이미 요청한 동과납이 이에 해당되는지를 질문한 바 미국은 그렇다고 답변하고 동과 납이 아국의 참여를 요청하는 전부임을 확인함.

- 이씨는 4.22(월) 4국간 회의에서 자국이 시장접근 분야 전반에 대해 무세가 아닌 추가관세 인하 방안(관세조화 방안 포함)을 조만간 제시할 것을 언급한 것으로 알려지고 있으며, 금번협의에서도 표면적으로는 타협적 자세를 보이고있으나(NOT NEGATIVE) 내면적으로 미국의 무세화제안에 대한 대안을 공식화 할 움직임으로파악되며, 4.26(금) 시장접근 분야 주요국 비공식협의 이후 속개될 것으로 예상되는 4국간회의에 서 이에 관한 논의가 있을 것으로 보임.끝(대사대리 박영우-국장)

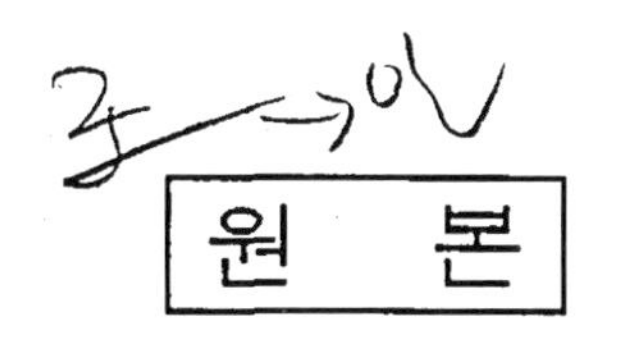

외 무 부

종 별 :

번 호 : GVW-0769 일 시 : 91 0425 1700

수 신 : 장 관(통기,경기원,재무부,상공부)

발 신 : 주 제네바 대사대리

제 목 : UR/ 시장접근분야 주요국 협의(건설장비무세화)

4.24 오후 U.S.T.R. 주최로 개최된 비철금속 무세화를 위한 복수국가간 협의 내용아래보고함. (재무부 강과장, 김재무관보, 상공부김사무관 참석)

가. 미국의 새로운 제안 (본부대표 지참 예정)

- 미국은 상기 분야 무세화에 관한 새로운 제안을 배포하고 이를 설명함.

0 품목 COVERAGE: 브랏셀회의 이후협의 과정에서 개진된 각국의 의견을 참작하여 농기계등이 포함된 대상물품의 일부 확대조정과 디젤엔진의 추가

0 비관세 조치의 철폐

0 무세 이행기간

(1) A 군 국가 (호주, 오지리, 카나다, 이씨, 일본, 한국, 노르웨이, 스웨덴, 스위스, 미국): 3년에 걸쳐 모든 대상 품목의 관세를 균등인하 하여 무세 달성

(2) B 군국가 (인도네시아, 멕시코, 말레이지아, 핀랜드, 필리핀, 싱가폴, 태국): 일부 부문 (양자협상을 통해 요청)에 대해서만 무세

(3) 15 퍼센트 이상의 관세에 대해서는 5년간에 걸쳐 무세 달성

- 특히 미국은 A, B 군으로 국별 분류시 생산 및 교역량이 고려되었음을 설명하면서 한국 및 핀랜드의 경우에는 생산 능력을 고려하여 각각 LIST A 및 LIST B 에 분류되었음을 강조함.

나. 각국의 의견

- EC 는 금일 오전 비철금속 무세화를 위한 복수국가간 협의시 개진된 자국의 입장을 반복하고 대상 품목, 참가국가등에 대하여 추후재론하기를 희망함.

- 일본, 카나다는 미국안에의 지지를 표명하였으며, 특히 일본은 A 군 및 B 군으로의 국별 분류배경과 15퍼센트를 기준으로 한 시행기간의 차등화에 대한 추가 설명을 요청함.

통상국 2차보 경기원 재무부 상공부

PAGE 1

91.04.26 09:19 WG

외신 1과 통제관

0119

- 스위스는 주로 수입에 의존하는 일부 품목에 대하여는 그 참여에 어려움이 있음을 설명하고 미국이 추가 제의한 디젤엔진이 건설장비용에 어떻게 한정하여 무세화를 달성할수 있는지 의문을 표시하였으며, 시행기간에 있어서도 시장접근 의정서에서 논의 되고 있는 기간보다 단기간이 되어야 하는데 의문을 제기하였음.

- 스웨덴은 품목 COVERAGE 및 참여국가에 일부 이견이 있음을 설명하고 운송기계에 있어서도 건설용에 한정하여 무세화 하기에는 기술적 어려움이 있을 것임을 지적하면서 자국관심 품목을 추가할 권리를 유보한다는 발언이있었음.

- 아국은 일부 품목에 대하여는 관심이 있으나 여타 일부 품목에 대하여는 어려움이 있음을 전제하면서 국별 분류에 대한 일본의 견해에 동조를 표시하고 아국은 미국이 제시한 통계를 기준으로 미국시장 점유률면에서 볼때 아국점유율이 가장적음을 들어 국별 분류에 유보의사를 표명함.

- 미국은 답변을 통하여 대상물품이 광범위하므로 세분하여 분석하면 특정 물품은 특정국가가 절대우위의 시정 점유율을 차지하고 있는 사례등이 추가적으로 감안되었음을 설명하고 15 퍼센트이상의 고세율은 비교적 장기간인 5년이 적절할 것으로 판단하 였다고 함.

- 또한 미국은 스위스 및 스웨덴이 제기한 디젤엔진, 운송기계등에 대한 건설장비용에 한정하는 기술적 인 검토 결과를 차기 회의에서 설명할 것이라 하고 금번회의 종료함. 끝

(대사대리 박영우-국장)

PAGE 2

0120

원 본

외 무 부

종 별 :

번 호 : GVW-0778 일 시 : 91 0426 1100

수 신 : 장 관(통기,경기원,재무부,농림수산부,상공부)

발 신 : 주 제네바 대사대리

제 목 : UR/ 시장접근분야 복수 국가간 협의

(목재,종이분야 무세화)

4.25(목) 오전 당지 카나다다 대표부에서 개최된 표제협의 내용 아래 보고함.

(김재무관보, 상공부 김사무국 참석)

가. 카나다의 제안(본부대표 지참 예정) 설명

- A 군국가 (호주, 오지리, 카나다, 이씨, 핀란드, 아이슬랜드, 일본, 한국, 뉴질랜드, 노르웨이, 스웨덴, 스위스, 미국): 44류, 47류, 48류 및 49 류의 물품에 대해 5년간에 걸쳐 관세 무세화 달성

- B 군국가 (브라질, 카메룬, 칠레, 홍콩, 인도네시아, 멕시코, 나이제리아, 필리핀, 싱가폴, 태국, 유고): 5-10년간에 걸쳐 관세 무세화 달성

- 비관세 조치의 철폐

- 운영위원회 설치 운영

나. 각국의 의견

- 미국은 전폭 지지함

- 일본은 44류를 제외한 종이류 (44-49류)에 참여의사 표명

- 스위스, 스웨덴, 호주는 일부 분야에 관심 표명

- 이씨와 오지리는 대상품목, 운영위원회 설치운영에 유보의사 표명

- 뉴질랜드는 원칙적으로 지지하나 국내에서 아직협의중임을 설명

- 태국, 말레이지아, 유고등은 일부 참여가능 의사표명.끝

(대사대리 박영우-국장)

통상국 2차보 경기원 재무부 농수부 상공부

PAGE 1

91.04.27 13:02 WG

외신 1과 통제관

0121

조 기안

원 본

외 무 부

종 별 :

번 호 : GVW-0788　　　　　　　　일 시 : 91 0429 1800

수 신 : 장 관(통기,경기원,재무부,농림수산부,상공부)

발 신 : 주제네바대사

제 목 : UR/ 시장접근분야 주요국 비공식협의

- 4.26(금) 오전 DUNKEL 갓트사무총장 사회로 개최된 표제협의 토의 내용 아래보고함(엄재무관, 재무부 강과장, 김재무관보참석)

1. 협상진전 상황에 대한 각국의 입장

- 미국은 분야별 무세화를 통한 실질적 시장접근개선을 촉구하면서 그동안 양자간 복수국가간 빈번한 접촉을 통하여 상당부문에 걸친 진전이있다고 하였음. 특히 의약품분야에서는 거의합의 단계에 도달하였고 여타분야에 대해서도 각국이 폭 넓게 참여하여 모든 부문이 PACKAGE 로 이루어지지를 희망하였음. 섬유부문에서는 이씨의관세율조화 방안 제의에 대하여 자국이 이미 동분야에 35 퍼센트의 최고세율 설정방안을 제시하고 있음을 상기시킴. 또한 미국은 6월중에 기술적인 사항에 대한 집중적인 토의가 이루어져 7월말까지 정치적 결정을 요하는 몇몇분야를 제외한 모든 부문에 대한 합 의가 이루어져야 함을강조함.

- 이씨는 TRAIFF PECK 및 TARIFF ESCALATION 완화를 위하여 자국이 제안한 (1) 섬유, (2)석유화학제품 및, (3) 신발류에 대한 관세조화방안 실현을 촉구함.,

- 일본, 카나다는 일부개도국이 OFFER 가 불만족스럽다고 하고 분야별 무세화를포함한 제반 쟁점이 참가국의 교역이익이 고루 반영되는 선에서 PACKAGE 로 다루어지지를 희망하였음.

- 호주, 오지리, 스위스, 스웨덴등은 분야별 무세화는 그원칙에 이의는 없으나 그 성격은 어디까지나 시장접근 개선을 위한 보조적인 목표이지 주된 목표가 아님을 언급함.

- 칠레, 페루, 콜롬비아, 나이제리아, 멕시코,알젠틴등은 열대산품, 천연산품,농산물등에서의 협상부진에 실망을 표시하고 이들 부문에 대한 참가국의 OFFER 개선 없 이는 자국의 OFFER 개선이 어려울 것임을 언급하고 분야별 무세화에

통상국　차관　2차보　구주국　경기원　재무부　농수부　상공부

91.04.30　05:48 FD

외신 1과　통제관

0122

반대 의견을 개진 함.

- 말레이지아,태국,필리핀등은 현재의 자국 OFFER가 자국의 발전정도를 감안한 최선의 것임을 설명하고 농산물 수출국가에 대한 시장접근개선이 없다는데 실망을 표시 하였음

- 아국은 현재까지의 협상 진전상황에 실망과우려를 표시하고 각국이 협상을 촉진시키기 위해 최선의 노력을 다할것을 촉구하였음. 아국은 여타 어느 참가국의 OFFER보 다도 큰 기여를 내용으로하는 OFFER 를 이미 제시하였으며 그외에도 큰 기여를 내용으 로 하는 OFFER 를 이미 제시하였으며 그외에도 여러가지 실질적인 자유화 조치를 취하였음을 상기시켰음. 또한 아국은 분야별 접근 방법을 통한 추가관세 인하가능성을 검토 할 용의가 있으나 이는 어디까지나 시장접근 개선을 위한 보조적 접근방법이 되어야함을 강조함

- 이에 의장은 구체적인 시한은 아니나 7월말까지 집중적인 협상을 진행하여 구체적인 결과가 있어야 함을 강조하고 이때까지는 섬유,농산물등에서도 상당한 진전이기대된다 하였음

2. 비관세 조치의 28조 적용문제

- 의장은 사무국이 작성한 검토초안(본부대표 지참예정)을 설명함

0 사무국 검토초안 유지

(1) 28조의 규정은 비관세 조치의 재협상시 그적용 가능성을 배재하지 않음

(2) 실제로 과거에도 SCHEDULE 에 포함된 비관세조치의 운용시 활용된 예가 있음.(많은 과거의 예를 수록)

- 동 사무국 초안에 대하여

0 인도는 28조는 관세양허시에만 적용되는 조항으로서 그 근거로 INR 등은 관세에 한정된 개념임을 들고, N.T.B. 는 보상시 그영향을 계산할 수 없으며 수출제한 조치도 해제할 경우 어떻게 보상될 수 있을지등의 많은 문제가 내포되고 있음을 지적하여 반대함.

0 칠레, 페루,멕시코는 N.T.B. 는 이미 11조 규정에서 그사용이 금지되고 있고 18조 및 19조등에서 사용의 정당성이 확보되므로 이미 SECURITY 가 확보되어 있으며만약 28조의 BINDING 개념을 도입한다면 상기 18조 등과 관련하여 GATT 규정 전체의성격을 훼손할 가능성이 있음을 지적함.

0 일본도 I.N.R 개념등과 관련하여 기술적인 문제를 지적하고 신중한 검토를 요청

함

0 미국은 사무국 초안을 전폭적으로 지지하였으며 일부국이 제시한 기술적인 문제가 원칙을 훼손하지 말아야 할것을 언급함.

0 이씨,호주,스웨덴,카나다,뉴질랜드등 대부분의 선진국은 사무국 초안을 지지하였음

- 이에 의장은 사무국안에 의견이 있는 경우 5월17일까지 서면으로 의견을 제시하면 이를 다음회의에 토의할 수 있을 것이라함.

3. 이행기간

- 뉴질랜드는 5년을 주장하였고, 미국은 일반적으로 5년이 합리적이며, 특정부문에 대한 다소 장기간의 이행기간에 대하여 그간 양자 협상과정에서 논의해 보았으나특별한 의견을 발견하지 못하였고, 열대산품에 대한 조기시행 문제에 대하여도 브랏셀회의 시까지 의견합의가 안되었던 분야로서 특정부문에 한정적으로 고려 가능하나 일반적 원칙으로 채택하는데는 반대하였음

- 페루, 콜롬비아등은 열대산품에 대한조기시행을 촉구하였음

- 인도는 시행문제는 정치적 결정을 요하는 문제로서 동 회의에서 토의될 성질의 것이 아님을 지적함

- 아국은 가능한 조기 시행이 바람직하나 특정분야에 대해서는 다소의 장기간 시행기간 부여가 바람직하다는 입장을 표명함

4. CREDIT 및 RECOGNITION 부여 방안

- 멕시코, 아르헨티나, 볼리비아,콜롬비아,코스타리카,이집트,인도네시아,자마이카,말레이지아,모로코,니카라과,파키스탄,페루,필리핀,루마니아,우루과이,베네주엘라,유고,나이지리아등 19개 국으로부터 공동제안이 있었으며 멕시코가 이를 제안 설명 함

0 공동제안 요지

(1) RECOGNITION(자발적 자유화 조치로 부터발생)을 받아야 할 국가로 부터의 물품에 대해서는 몬트리올 목표의 완전 적용(FULLAPPLICATION) 과 관세인하의 즉시 시 행

(IMMEDIATE IMPLEMENTATION)

(2) 1986.6 이후 철폐된 N.T.B. 를 TARIFFICATION하여 이를 기여로 인정

(3) BINDING 을 크게 확대한 국가(LARGEPROPORTION) 는 새로운 관세 OFFER

제시의무면제등

- 이에 대하여 미국,이씨,일본,스위스,카나다,스웨덴등 대부분의 선진국은 한결같이

0 자발적인 것과 BINDING 된것은 다르며

0 어떤수준, 어느 범위까지 어느 정도의 기여로 보아야 하는 등의 어려움이 있으며,

0 U.R. 전체에 영향을 미치는 사안으로서 동 회의에서 다루기가 부적절하다는 이유를 들어 유보적인 입장을 표명함

- 의장은 차기회의에 재론키로 함

5. 차기회의 일정

- 미국, 이씨의 수정안, 콜롬비아등 5개국 관세양허안에 대한 평가는 차기회의에 하기로 함.

- 차기회의는 신임 의장인 MR. DENIS 와참가국간 협의 결정키로 함.끝

(대사 박수길-국장)

원 본

외 무 부

종 별 :

번 호 : GVW-0918 일 시 : 91 0521 1800

수 신 : 장관(통기,경기원,재무부,상공부,농림수산부)

발 신 : 주 제네바 대사

제 목 : UR/ 시장접근 협상 그룹

당관 엄재무관은 5.21 갓트 SCHRODDER 관세국장을 접촉하여 UR 협상 전반 및시장접근 협상과 관련하여 의견 교환을 하였는바, 요지 아래 보고함.

1. 동국장은 갓트 DUNKEL 사무총장이 5.31 신임협상 그룹 의장들을 제네바에 소집하여 향후 협상진행 계획 (STRATEGIC PLANNING) 을 수립할 예정이라하며, 이에 따라 6.10 경부터는 모든 협상그룹 활동이 본격적으로 개시될 것으로 전망된다고 하였음. 또한 시장접근 그룹의 신임DENIS 의장은 갓트에 정통하고 매우 적극적인 인물로 많은 역활이 기대된다고 평가함. DENIS의장은 6.10 부터 아국등 주요국가와 연쇄적인협의를 가질 것이라함. 이와 관련하여 본부 대표의 파견이 바람직한 경우에는 별도건의 위계임.

2. 시장접근 그룹에 있어 분야별 무관세 제안등 미국과 이씨의 대립 상태는 현재로서 뚜렷한 타결점이 보이지 않음. 다만 이씨의 입장은 농산물을 다른 협상과 연계하여 양보할 것으로는 생각되지 않으며 이씨 주요국가 (독일,이태리등)의 관심사항인 섬유류 협상에서의 미국의 양보(TARIFF TEAK 인하등) 가 있으면 미국의 분야별 무관세 제안을 혹 제한적으로 수용할 움직임을 보일 가능성이 있을수 있다고함. 다만미국으로 서는 MFA 협상과 섬유관세인하를 동시에 수용하기가 매우 어려울 것이라고하였음.

3. SCHRODDER 사무국장은 금번 정년퇴직으로 오는 7월말까지 갓트에 근무하며, 후임은 현재 연수국장으로 있는 MR. CAMPEAS (우루과이)로 내정되었음. 또한 현재 관세국 소관인 보조금및 반덤핑 업무등은 관세국에서 신설되는 갓트규정국(GATT RULES DIVISION) 으로 이관될 것이며, 동 국장에는 현재 관세국 참사관인 MR.WOZNOWSKI 가 내정되었다고함. 끝

(대사 박수길-국장)

통상국 2차보 경기원 재무부 농수부 상공부

PAGE 1 91.05.22 06:47 DN

외신 1과 통제관

0126

+ 안

재 무 부

국관 22710-212 503-9297 1991. 5. 27.

수신 외무부장관

참조 통상국장

제목 UR 관세협상 참석보고서 송부

1. 통기 20644-16608, -17695 와 관련입니다.

2. 표제협상 관련 당부대표의 참석보고서 및 관련자료를 별첨과 같이 송부합니다.

첨부 : 1. UR 관세협상 참석보고서 1부.

2. 건설장비 및 비철금속 무세화 관련자료 각 1부. 끝.

재 무 부 장 관

국제관세과장 전결

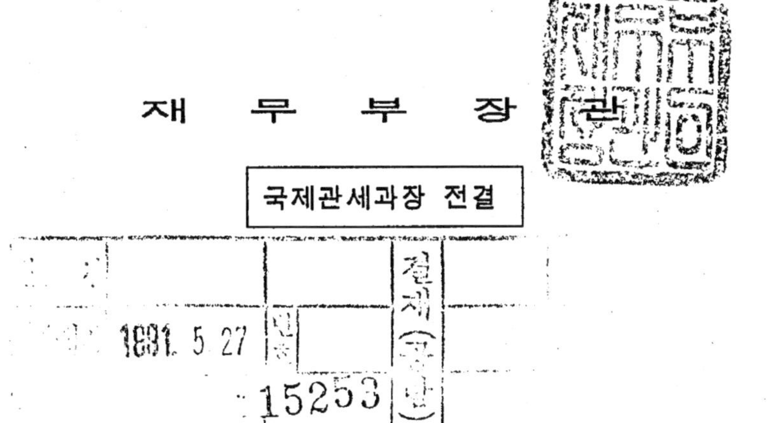

0127

UR 관세협상 참석 보고

1. 일시 · 장소 · 아국대표

- '91.4.22 ~ 4.26, 제네바
- 제네바 재무관 엄낙용, 국제관세과장 강정영

2. 관세무세화 협상

가. 한·미 양자회의

	미측 요구사항	아국 답변 요지
일반사항	- 8개분야 무세화에 모두 참여 요망 - 무세화에 대한 구체적 입장 표명 요구 - 아시아지역 개도국에 대한 leading role 요구	- 한국경제가 과대평가되고 최근 무역적자폭이 확대되고 있음. - 전자 · 건설장비에 부분적 참여가능 - 기본적으로 수·출입 규모가 균형되는 분야에 참여 가능
의 약 품	- 한국은 미국의 9번째 시장으로서 계속 참여 요망	- 의약품 생산이 미미한 바 참여 필요성에 의문표시
종이 목재 수산물	- 무세화 Package 차원에서 참여 요망 - 아국의 수산물 보조금 제도의 무역왜곡효과 분석중	- 수입 일방품목으로 참여에 어려움 있음. - 수산물 BOP 자유화계획에 의거 수산물의 60%이상 94년까지 자유화. 수입자유화와 동시에 무세화는 어려움.

0128

나. 다자간 회의

(1) 의약품

- 세부적인 사항이 논의되고 있고 무세화 분야중 가장 먼저 타결예상

- 아국은 참여 의사가 없음을 표명

(2) 비철금속

- 비철금속중 동 · 납(112개 품목)에 참여요구

- 아국은 미국시장에 수출실적이 없는데 참여 요구받은데 의문 제기

(3) 건설장비

- 전품목 참여 요구받음.

- 아국의 미국시장 점유율이 1%미만인데 전품목 참여요구에 이의 제기 → 미국은 아국의 생산능력을 고려하였다고 함.

(4) 종이 · 목재

- 전품목 참여요구

- 아국으로서는 수입 일방품목으로 참여에 어려움.

(5) 수산물

- 한 · 미 양자협의로 대체하고 다자회의 불참

(6) 철강은 별도협상을 하였고,

전자는 금차회의에 별도 토의가 없었음.

0129

3. E C 관세조화 협상

가. 배 경

- 미국의 무세화 주장 및 농산물 협상에 대한 대응 카드로 EC가 제안하여 관심 선진국 및 개도국의 호응을 기대하는 실정임.

나. 섬유류 관세조화

- 미국은 참여 불가능한 분야

- 일본도 관심표명

- 아국 및 개도국도 전폭지지

다. 석유화학제품 관세조화

- 대부분의 선진국이 호응

- 아국은 17개 품목 참여 요구 받음.

4. U R 시장접근회의

가. U R 협상 계획

- 미국 및 GATT 사무총장은 7월말까지 기술적문제를 타결하고, 8월 이후 중요잇슈에 대한 정치적타결 기대

나. U R 협상결과 이행기간

- 5년원칙

- 특수분야(농산물, 일부 무세화분야)는 장기이행기간 허용 가능성이 있음.

0130

다. 양허에 대한 Credit 부여 방안

- 개도국이 주창
- 선진국은 무관심내지 관망하는 자세

라. 비관세 양허의 GATT 조항적용

- GATT 및 미국 : GATT 조항 적용이 당연
- 여타국 : 기술적인 문제 추가검토 필요

5. 다자간 철강무세화 협상

가. 협상개요

- '91.4.22 ~ 4.25 (제네바)
- 참 가 국 : 한 · 미 · 일 · EC 등 18개국
- 한국대표 : 상공부 국제협력관(추준석)
  재무부 국제관세과장

나. 주요 토의내용

(1) 무세화 기간

- 합의는 이루지 못함.
- 한국은 10년동안 비례적 관세인하 주장
- 무세화기간을 10년으로 할 가능성은 있으나 각국이 방법론에 차이가 있음.

0131

(2) 반덤핑 남용규제

- 미국이 받아들이기 어려운 입장

(3) 보조금 · 상계관세

- 미국 국내법에 의한 상계조치도 가능하다는 입장

(4) 분쟁해결절차 등에 있어 미국을 제외한 여타국은 GATT 절차에 따라야 한다는 입장

다. 차기회의 일정 : '91.6.3 ~ 6.8

0132

건설장비 (product coverage)

Uruguay Round Market Access

Construction Equipment

Product Coverage

Participants agree to eliminate tariffs and nontariff barriers pertaining to products in the construction equipment sector as set forth in the attached list. The product list was prepared with participants' known positions in mind; however, the United States remains open to expanding or refining the product coverage based upon views received from participants. The goal is to achieve a comprehensive sectoral agreement.

Nontariff Measures

Participants agree not to maintain or introduce nontariff measures on imports of the products in the construction equipment sector, except in conformity with the relevant provisions of the General Agreement and the various GATT codes. It is anticipated that specific nontariff measures of concern to participants will be addressed bilaterally between the relevant countries.

Staging of Concessions

Participating countries agree to reduce their tariffs to zero on the products included within this initiative within three years of the implementation of the Uruguay Round agreement. Participants on List A below agree to eliminate tariffs on all of the products concerned in three equal stages of 33.3 percent over this time period. Participants on List B agree to eliminate tariffs on selected products in this sector, as requested bilaterally by other participants in the sectoral undertaking.

In cases where tariffs applying to products in the sector are greater than 15 percent ad valorem, a longer period for staging the elimination of the tariff, such as in five equal stages of 20 percent over five years, is proposed.

Country Participation

List A:

Australia
Austria
Canada
European Community
Japan
Korea
Norway
Sweden
Switzerland
United States

List B:

Indonesia
Mexico
Malaysia
Finland
Philippines
Singapore
Thailand

0133

Construction Equipment

Major Suppliers to U.S. Market
($000's, 1989)

Country	Trade	Share of U.S. Market
EC	1,729,949	32.63
Canada	1,297,658	24.48
Japan	1,214,463	22.91
Mexico	435,359	8.21
Sweden	118,568	2.24
Brazil	112,523	2.12
Taiwan	88,215	1.66
Switzerland	49,336	0.93
Philippines	47,507	0.90
Korea	40,691	0.77
Subtotal	5,134,269	96.85
Total	5,301,273	100.00
Total U.S. Exports	7,734,731	
Balance	2,433,458	

CONSTRUCTION EQUIPMENT ZERO-ZERO INITIATIVE

The United States has hosted two plurilateral meetings on the Construction Equipment Zero-Zero Initiative. Delegations will recall that the United States received various comments on product coverage. One delegation suggested that diesel engines not be included in the Initiative. Another delegation suggested the inclusion of additional products including agricultural machinery, tractors and parts thereof. Finally, some delegations found the product coverage to be random.

In an effort to be responsive to delegations' comments, the United States has reviewed the Construction Equipment Initiative and modified the product coverage (see attachment). The United States believes that this proposed product coverage is more comprehensive and is responsive to all delegations' interests.

The United States encourages delegations to review expeditiously the proposed modifications and communicate any comments or questions to us. The United States proposes to convene a plurilateral meeting next week to discuss the comments we have received. We will notify you directly when a meeting time has been set.

0135

CONSTRUCTION EQUIPMENT ZERO-ZERO INITIATIVE: PRODUCT COVERAGE

HS 8425 Pulley tackle and hoists other than skip hoists; winches and capstans; jacks

(Entire 4-digit category.)

HS 8426 Derricks; cranes, including cable cranes, mobile lifting frames, straddles carriers and works trucks fitted with a crane:

(Entire 4-digit category.)

HS 8427 Fork-lift trucks; other works trucks fitted with lifting or handling equipment:

(Entire 4-digit category.)

HS 8428 Other lifting, handling, loading or unloading machinery (for example, elevators, escalators, conveyors, teleferics):

(Only HS 8428.90 - Other machinery.)

HS 8429 Self-propelled bulldozers, angledozers, graders, levelers, scrapers, mechanical shovels, excavators, shovel loaders, tamping machines and road rollers:

(Entire 4-digit category.)

HS 8430 Other moving, grading leveling, scraping, excavating, tamping, compacting, extracting or boring machinery, for earth, minerals or ores; pile-drivers and pile-excavators; snowplows and snowblowers:

(Entire 4-digit category except:
- HS 8430.41 - Other boring or sinking machinery: self-propelled.
- HS 8430.49 - Other boring or sinking machinery: other.)

0136

HS 8431 Parts suitable for use solely or principally with the machinery of headings 84.25 to 84.30:

(Entire 4-digit category except:
HS 8431.31 - Of passenger or freight elevators other than continuous-action, skip hoists or escalators.
HS 8431.43 - Parts for boring or sinking machinery of sub-heading 8430.41 or 8430.49.)

HS 8432 Agricultural, horticultural or forestry machinery for soil preparation or cultivation; lawn or sports-ground rollers; parts thereof:

(Entire 4-digit category.)

HS 8433 Harvesting or threshing machinery, including straw or fodder balers; grass or hay mowers; machines for cleaning, sorting or grading eggs; fruit or other agricultural produce, other than machinery of heading 8437; parts thereof:

(Entire 4-digit category except:
HS 8433.60 - Machines for cleaning, sorting or grading eggs, fruit or other agricultural produce.)

HS 8474 Machinery for sorting, screening, separating, washing, crushing, grinding, mixing or kneading earth, stone, ores or other mineral substances, in solid (including powder or paste) form; machinery for agglomerating, shaping or molding solid mineral fuels, ceramic paste, unhardened cements, plastering materials or other mineral products in powder or paste form; machines for forming foundry molds of sand; parts thereof:

(Entire 4-digit category.)

HS 8479 Machines and mechanical appliances having individual functions, not specified or included elsewhere in this chapter; parts thereof:

(Only: HS 8479.10 - Machinery for public works, building or the like.)

0137

HS 8701 Tractors (other than tractors of heading 8709):

(Only: HS 8701.30 - Track-laying tractors.
HS 8701.90 - Other.)

HS 8704 Motor Vehicles for the transport of goods:

(Only:HS 8704.10 - Dumpers designed for off-highway use)

HS 8708 (Only:HS 8708.31x - Brakes and servo-brakes and parts thereof: Mounted brake linings: for tractors only.
HS 8708.39x - Brakes and servo-brakes and parts thereof: Other than mounted brake linings: for tractors only.
HS 8708.50x - Drive axles with differential, whether or not provided with other transmission components: for tractors only.
HS 8708.60x - Non-driving axles and parts thereof: for tractors only.
HS 8708.70x - Road wheels and parts and accessories thereof: for tractors only.
HS 8708.80x - Suspension shock absorbers: for tractors only.
HS 8708.91x - Radiators: for tractors only.
HS 8708.92x - Mufflers and exhaust pipes: for tractors only.
HS 8708.93x - Clutches and parts thereof: for tractors only.
HS 8708.94x - Steering wheels, steering columns and steering boxes: for tractors only.
HS 8708.99x - Other parts and accessories of headings 8701 to 8705: for tractors only.)

8708991010

Note: The "x" which follows the HS numbers between 8708.31 and 8708.99 means that an x-out is being proposed, covering only the designated parts for tractors in HS heading 8708.

0138

Construction Equipment Zero-Zero

Proposed Additions to Product Coverage

Diesel Engines

8407 Spark-ignition reciprocating or rotary internal combustion piston engines

(Only HS 8407.34 - of cylinder capacity exceeding 1,000 cc)

8408 Compression-ignition internal combustion piston engines

(entire category)

8409 Parts suitable for use solely or principally with the engines of heading 8407 or 8408

(Only HS 8409.91 - suitable for use solely or principally with spark-ignition internal combustion piston engines for marine propulsion engines; and HS 8409.99 - other parts for marine propulsion engines)

8411 (Only HS 8411.81 - of a power not exceeding 5,000 kW other than for aircraft; and HS 8411.82 - of a power exceeding 5,000 kW other than for aircraft)

0139

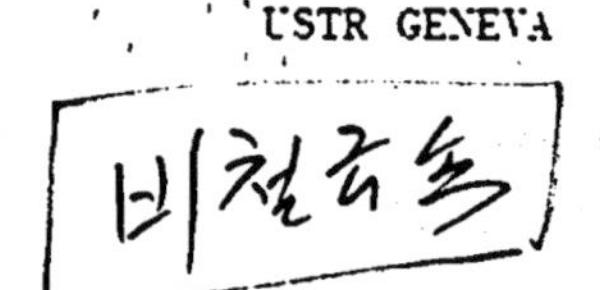

Uruguay Round Market Access

Non-ferrous Metals

Product Coverage

Participants on List A below agree to eliminate tariffs and nontariff barriers on products in HS Chapters 26 and 74-81. Participants on List B agree to eliminate tariffs and nontariff barriers on certain subsectors where they are internationally competitive. The United States has requested such actions bilaterally of these countries.

Nontariff Measures

Participants agree not to maintain or introduce nontariff measures on imports of the products except in conformity with the relevant provisions of the General Agreement and the various GATT codes. Specific nontariff measures of concern to participants will be addressed bilaterally between the relevant countries. Certain nontariff measures such as export subsidies and dual-pricing have been identified as particularly problematic in this sector, and may be handled in the appropriate rules-based Uruguay Round negotiating groups.

Staging of Concessions

Participating countries agree to reduce tariffs to zero in accordance with the general staging rules called for in the market access protocol.

Country Participation

List A:

Australia
Canada
European Community
Japan
New Zealand
United States

List B:

Brazil
Chile
Korea
Mexico
Venezuela

0140

Non-Ferrous Metals

Major Suppliers to U.S. Market
($000's, 1989)

Country	Trade	Share of U.S. Market
Canada	5,532,905	46.13
EC	1,320,027	11.01
Mexico	500,543	4.17
Japan	474,137	3.95
Brazil	455,889	3.80
Australia	422,501	3.52
Norway	389,950	3.25
Chile	384,353	3.20
Venezuela	302,313	2.52
South Africa	233,168	1.94
Taiwan	229,533	1.91
Peru	140,353	1.17
Jamaica	108,881	0.91
Guinea	108,359	0.90
Finland	75,846	0.63
Subtotal	10,678,758	89.03
Total	11,994,780	100.00
Total U.S. Exports	8,265,906	
Balance	(3,728,874)	

0141

기 안 용 지

분류기호 문서번호	통기 20644-	(전화: 720 - 2188)	시 행 상 특별취급	
보존기간	영구. 준영구 10. 5. 3. 1.	장 관		
수 신 처 보존기간				
시행일자	1991. 6. 5.			

보조기관			협조기관		문 서 통 제
	국 장	전 결			
	심의관				
	과 장				
기안책임자		안 성 국			발 송 인

경 유 수 신 참 조	내부결재	발신명의		
제 목	UR/시장접근 분야 협상 정부대표 임명			

91.6.10-14간 제네바에서 개최되는 UR/시장접근 분야 협상에 참가할 정부대표를 "정부대표 및 특별사절의 임명과 권한에 관한 법률"에 의거 아래와 같이 임명코자 하오니 재가하여 주시기 바랍니다.

- 아 래 -

1. 회 의 명 : UR/시장접근 분야 협상

- 1 -

0142

2. 기간 및 장소 : 91.6.10-14, 제네바

3. 정부대표

o 재무부 국제관세과 과장 강정영

국제관세과 사무관 차진석

o 상공부 국제협력과 사무관 윤동섭

4. 출장기간 : 1991. 6. 8-16

5. 소요경비 : 재무부 및 상공부 소관예산

6. 훈 령(안)

가. 무세화 협상

o 시장접근 분야의 핵심쟁점인 무세화 협상에 관하여는 우선적으로 미국의 입장과 아국에 대한 무세화 요구의 강도를 면밀히 파악하고 주요 협상국인 EC.일본의 입장도 파악함.

o 협상 분위기에 따라 필요한 경우 별첨 분야별
무세화에 대한 아국 입장에 의거 무세화 분야별로
종전보다 구체적인 아국 입장 제시

나. 관세 조화 협상

o 관세 조화 제안 협상은 현재 타결 가능성은
불투명하지만 동 제안 수락에 따르는 부담이 비교적
작으므로 협상 동향에 따라 신축적으로 대처함.

다. 비관세, 천연자원, 열대산품 협상

o 별첨에 의거 대처

라. 본 훈령사항 이외의 경미한 사항에 대하여는 협상
분위기에 맞춰 적의 대처하되, 중요사항에 대하여는
본부에 청훈하여 처리함.

첨 부 : UR 시장접근 분야 협상 세부입장 1부. 끝.

- 3 -

0144

상 공 부

국 협 28140 - 221 (2396) 1991. 6. 4

수 신 외무부 장관

제 목 UR 시장접근 분야 회의 참석

'91. 6. 10(월) ~ 6. 14(금)간 스위스 제네바에서 개최되는 UR 시장접근분야 회의에 참가하기 위하여 다음과 같이 출장코자 하오니 정부대표 임명등 필요한 조치를 하여 주시기 바랍니다.

" 다 음 "

1. 출장개요

직 위	성 명	출 장 기 간	출 장 목 적
국제협력과 행정사무관	윤 동 섭	'91.6.7 (금) ~ 6.16 (일)	UR시장접근분야 회의 참석

2. 예산 근거 : 상공부 예산

첨 부 : 아국입장 1부. 끝.

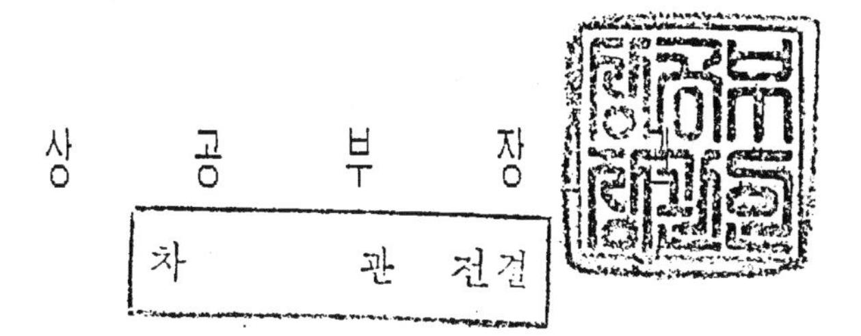

0145

시장접근분야 비공식회의 협상자료 (91. 6. 10 - 14)

1991. 6

상 공 부

0146

* 시장접근분야 협상 및 회의 개요 *

o '91.4.25 TNC 회의시 기존 15개 협상그룹을 7개로 조정, 시장접근 4개 분야 통합 공식화

- 관세 · 비관세 · 천원자연 및 열대산품 → 시장접근

- 시장접근 그룹의장 : G. Denis (카나다)

o '90.7 TNC 회의시 4개 분야의 합동회의를 개최키로 합의한 이후 사실상 통합하여 논의를 진행

o 최근 비공식회의는 91.4.22 ~ 26 제네바에서 개최

- 관세의 무세화를 중심으로 하여 한미간 양자 협의 및 다자간 협의를 진행

- 미국 등이 무세화 제안을 강력히 추진하면서 아국의 적극적 참여를 요구

o 금번 비공식 회의는 91.6.10 ~ 14 제네바에서 개최될 예정

- 주요국들간의 양자 협의 및 다자간 협의 등 연쇄 접촉을 통하여 주요쟁점 사항에 대한 의견접근을 시도할 것으로 보임

- 특히 지난번 회의때 논의가 별로 안되었던 비관세 분야에 대해서도 본격적인 토의가 이루어질 것으로 보임

0147

I. 관 세

1. 진행상황

가. Offer 제출 현황

o 56개국이 관세양허계획 제출

o 우리나라는 농산물을 제외한 공산품 ('90.7) 및 수산물 ('90.11)에 대하여 Offer 제출

- 공산품 ┌ 양허범위 : 23% → 83%
  └ 인 하 율 : 33%

- 수산물 ┌ 양허범위 : 5% → 67%
  └ 인 하 율 : 32%

나. Request 교환 및 협상 현황

o 대 아국 추가인하 요구

- 미국 · EC · 일본 등 20개국

o 아국의 대 상대국 추가인하 요구

- 미국 · EC · 일본 · 호주 · 뉴질랜드 · 핀란드 등 6개국

o 협상현황

- 각국이 Offer 제출 이후 협상을 하였으나 별다른 진전은 없음
- 미국이 제안한 분야별 무세화제의의 성사여부가 협상의 가장 큰 쟁점으로 남아 있음
- 그 밖에 EC가 제안하고 있는 관세조화 제안에 관하여도 논의가 진행중임

2. 분야별 관세무세화 협상

가. 진행상황

o 개 요

- 미국은 우리나라에 8개 분야에 대한 무세화 참여요구

0148

- 대상분야 : 건설장비, 전자, 수산물, 비철금속(동 · 납), 종이, 철강, 목재,
- '90 무역액 기준 무세화 대상품목 비중

┌ 수출 : 19.2% (125억불 상당)
└ 수입 : 22.9% (160억불 상당)

o 협상현황

- '91.4 개최된 한 · 미 양자협의 및 무세화관련 다자간 회의에서도 미국은 우리나라의 참여를 강력히 촉구
- 이에 대하여 아측은 최근의 무역적자확대 등을 설명하고 그간의 관계부처 의견에 따라 전자 및 건설장비에 대하여 부분적 참여가 가능할 것임을 언급
- 대상분야중 의약품에 관하여는 이미 각국간 원칙적 합의하에 세부적 사항을 논의 중이며, 철강은 UR과 별도로 진행중인 철강다자간 협상을 통하여 무세화에 의견접근이 이루어지고 있음

나. 아국 입장

o 현재까지의 입장

- 관계부처 의견에따라 매우 한정된 품목을 무세화 가능품목으로 제시하거나 무세화 가능품목이 전혀 없는 분야도 있음
  . 수산물, 의약품 : 무세화불가
  . 종이, 건설장비, 전자, 목재, 비철금속 : 일부가능
  . 철강 : 전면적 무세화

o 협상대책

- 관세무세화 협상은 현재로서는 그 성사여부가 불투명한 바, 금번회의에서 주요국의 입장을 면밀히 파악하되, 무세화협상이 적극추진되는 경우 현재와 같은 소극적인 협상안으로는 협상이 거의 불가능한 실정
  . 협상진전에 따라서는 불가피하게 전 분야에 참여할 가능성에 대비할 필요는 있음

0149

- 현재 소관부처 및 관련업계와 무세화가 가능한 추가품목 검토 진행중
- 검토결과에 따라 산업경쟁력 및 품목별 특성을 고려, 구체적인 협상안을 수립

3. 관세조화제안 협상

가. 진행상황

o 개 요

- EC는 미국의 무세화제의 및 여타부문의 협상과 관련한 대응카드로서 4개 분야에 대한 관세조화를 주장, 협상 추진
- 대상분야 : 섬유, 신발, 석유화학, 플라스틱

o 협상현황

- 섬 유 : 일본 및 개도국이 긍정적 반응
- 신 발 : 최초제안 이후 별다른 논의진전이 없음
- 석유화학·플라스틱 : 대부분 선진국이 호응

나. 아국 입장

o 기본방향

- 동 제안은 EC가 협상전략의 하나로 활용하고 있는 것으로 관측되는 바, 구체적 성사 가능성은 아직 불분명하지만 우리나라 입장에서는 수용에 따르는 부담이 비교적 작으므로 협상동향에 따라 적극적으로 대처 o

o 분야별 대응방안

- 섬유·신발 : 수출 주종분야로서 참여가능
  .. 가급적 미국의 참여가 이루어지도록 협상 분위기 유도
- 석유화학·플라스틱 : 기본적으로 참여곤란
  . 최근 부분적으로 참여요구 받은 18개 품목(HS 10단위 20개 품목)에 대하여는 검토 진행중임

0150

재 무 부

국관 22710-247 503~9297 1991. 6. 5.

수신 외무부장관

참조 통상국장

제목 UR 시장접근분야 협상 참석

'91.6.10~15중 스위스 제네바에서 개최예정인 UR 시장접근분야 협상에 참석할 대표를 아래와 같이 추천하오니 필요한 조치를 취하여 주시기 바랍니다.

- 아 래 -

가. 참석대표

직 책	성 명	참 석 자 격	출장기간
국제관세과장	강 정 영	UR 시장접근분야 회의	'91.6.8~6.16
사무관	차 진 석	"	"

나. 예산근거 : 관세행정비중 국외여비

첨부 : UR 관세협상 대책. 끝.

재 무 부 장 관

0151

기 안 용 지

분류기호 문서번호	통기 20644- 25613	(전화: 720 - 2188)	시 행 상 특별취급	
보존기간	영구. 준영구 10. 5. 3. 1.	장 관		
수 신 처 보존기간				
시행일자	1991. 6. 5.			

보조기관			협조기관		문서통제
	국 장	전 결			검열 1991. 6. 07 통제관
	심의관				
	과 장				
기안책임자		안 성 국			발송인

경 유 수 신 참 조	재무부장관, 상공부장관	발신명의		발송 1991. 6. 7 외무부
제 목	UR/시장접근 분야 협상 정부대표 임명 통보			

1. 91.6.10-14간 제네바에서 개최되는 UR/시장접근 분야 협상에 참가할 정부대표를 "정부대표 및 특별사절의 임명과 권한에 관한 법률"에 의거 아래와 같이 임명 하였음을 통보합니다.

- 아 래 -

가. 회 의 명 : UR/시장접근 분야 협상

- 1 -

0152

나. 기간 및 장소 : 91.6.10-14, 제네바

다. 정부대표

o 재무부 국제관세과 과장 강정영

국제관세과 사무관 차진석

o 상공부 국제협력과 사무관 윤동섭

라. 출장기간 : 1991. 6. 8-16

마. 소요경비 : 재무부 및 상공부 소관예산

2. 회의 결과 보고서는 귀국후 20일이내에 당부로 제출하여 주시기 바랍니다.

첨 부 : 훈령 1부. 끝.

0153

분류번호	보존기간

발 신 전 보

번 호 : WGV-0744 910607 1446 ED 종별 :

수 신 : 주 제네바 대사. 총영사

발 신 : 장 관 (통 기)

제 목 : UR/시장접근 분야 협상

대 : GVW-0906, 1022

1. 6.10-14간 귀지에서 개최되는 UR/시장접근 분야 협상에 참가할 정부대표를 아래와 같이 임명 하였으니 귀관 관계관과 함께 참석토록 조치바람.
   - o 재무부 국제관세과 과장 강정영
   - o 재무부 국제관세과 사무관 차진석
   - o 상공부 국제협력과 사무관 윤동섭

2. 훈령 (세부지침은 본부대표가 지참 예정)

가. 무세화 협상

o 시장접근 분야의 핵심쟁점인 무세화 협상에 관하여는 우선적으로 미국의 입장과 아국에 대한 무세화 요구의 강도를 면밀히 파악하고 주요 협상국인 EC.일본의 입장도 파악함.

o 협상 분위기에 따라 필요한 경우 분야별 무세화에 대한 아국 세부 입장(본부대표 지참)에 의거 무세화 분야별로 종전보다 구체적인 아국 입장 제시

보 안 통 제	

앙 고 재	91년 6월 7일	통기과	기안자 성명		과 장	심의관	국 장		차 관	장 관
			안성국		(서명)	(서명)	전결			(서명)

외신과통제

0154

나. 관세 조화 협상

o 관세 조화 제안 협상은 현재 타결 가능성은 불투명하지만 동 제안 수락에 따르는 부담이 비교적 작으므로 협상 동향에 따라 신축적으로 대처함.

다. 비관세, 천연자원, 열대산품 협상

o 동분야 아국 세부 입장(본부대표 지참)에 의거 대처

라. 본 훈령사항 이외의 경미한 사항에 대하여는 협상 분위기에 맞춰 적의 대처하되, 중요사항에 대하여는 본부에 청훈하여 처리함. 끝.

(통상국장 김 삼 훈)

0155

UR 시장접근 분야 협상 세부입장

(1991. 6.10-14)

1991. 6.

외 무 부 통 상 국

0156

UR 관세협상 대책 보고

1. 협상개요

- 일시 및 장소 : '91.6.10 ~ 14, 스위스 제네바
- 아 국 대 표 : 제네바 재무관
  국제관세과장

2. 협상경과

- 관세양허안 제출

  o 우리나라는 농산물을 제외한 공산품 · 수산물에 대해 '90.11 양허안 기제출

    · 관세인하율 : 33% ('86 관세율대비)
    · 양허 범위 : 83% ('88 수입액 기준)

  o GATT로부터 긍정적인 양허안으로 평가받음.

- 분야별 무세화협상

  o '90.10 미국이 제안하여 협상을 주도하고 있음.

  o 아국이 참여요구받은 분야

    · 8개분야 : 철강 · 전자 · 수산물 · 건설장비 · 종이 · 목재 · 비철금속 · 의약품

      → '90 총수입액의 23%(160억불 상당)

  o 미국은 우리나라가 8개 분야 모두의 무세화에 참여하도록 강력히 요구하고 있음.

0157

3. 협상전망

- 향후 관세협상의 핵심은 분야별 무세화협상임.

- 지금까지는 각국이 개괄적인 의견개진만 할 상태임.

- '91.5.24 미의회에서 Fast Track이 승인되어 금차회의에서는 미국의 적극적이고 구체적인 협상추진이 예상됨.

4. 금차회의 대책

가. 무세화 협상

(1) 기본전략

- 우선적으로 미국의 입장변화를 면밀히 파악하고 주요 협상국인 EC · 일본의 협상 자세도 파악
- 협상분위기에 따라 신축적으로 대처하되, 필요한 경우 무세화 분야별로 종전보다 구체적인 아국입장 제시

(2) 분야별 입장의 개괄적 개진

- 미국의 요구내용
  o 무세화대상으로 미국이 경쟁력있는 품목을 선정한 것으로 보임.
  o 분야에 따라서는 아국의 주종수출품목이 포함되지 않은 경우도 있음.

0158

분 야	품 목	이행기간	비 고
수 산 물	수산물 및 동 가공품 20개(278)	UR 타결후 3년	수산물 전품목
건설장비	불도저, 포크리프트, 덤프차등 18개(143)	UR 타결후 3년	건설장비 및 기계류 일부품목(미국 취약 품목 제외)
전 자	자동정보처리기기, 일반전자제품, 반도체, 반도체기기, 의료기기, 통신장비 45개(563)	품목별로 즉시~5년	전자분야 일부품목 을 6개 소그룹으로 분류하여 제시(미국 취약품목 제외)
종 이	펄프, 종이, 책 41개(221)	UR 타결후 5년	종이 전품목
목 재	원목, 제재목, 목제품 21개(193)	UR 타결후 5년	목재 전품목
비철금속	납, 동 25개(112)	UR이행기간 과 동일	비철금속 전품목
의 약 품	비타민등 의약품 10개(224)		의약품 전품목
철 강	보통강, 특수강 36개(285)	0~10년	VRA 대상만 포함

(주) 품목은 HS 4단위 기준, ( )내는 HS 10단위 기준

- 무세화 검토기준

  o 수용가능 : 저세율로서 산업보호 효과가 없는 품목, 수입량이 적은 품목, 주요 수출품목, 국내생산이 없는 원자재등

  o 조건부 수용 : 구조조정에 장기간이 소요되는 품목 등으로서 무세화 이행기간이 장기인 경우 무세화 가능품목

  o 수용불가 : 무세화할 경우 국내산업에 현저한 피해가 우려되는 품목등

0159

(3) 분야별 무세화에 대한 아국입장

(가) 수산물

- 무세화 참여에 어려움 있음.

무세화 불가	영세어민보호, 국내 수산업의 취약성과 정치적으로 매우 민감한 분야 BOP 수입자유화와 동시에 관세무세화는 곤란함. 수산물에 대한 무세화 압력이 클 경우에 대비 냉동연어 및 대구등 일부 무세화 가능품목은 준비하고 있음. o HS 6단위 30개 품목 '90 수입액 12백만불 (전체 수산물 수입의 3.1%)

* 관세율 : 13%('91), 8%('94)

(나) 전 자

- 부분적 무세화 가능

o '90 수입액 1.9억불(전자분야 수입액의 3%)

o 총 60개 품목중 11개(18%)

무세화 가능	타자기, 공기조절기등	11개 (70)
조건부 무세화	계산기, 냉장고등 o '90 수입액 19억불	15개(149)
무세화 불가	의료기기, 반도체장비, 통신장비등 기술수준 미약품목	34개

* 관세율 : 13%('91), 8%('94)

0160

(다) 건설장비

- 부분적으로 무세화가능

o '90 수입액 73백만불(건설장비분야 수입액의 5%)

o 총 18개 품목중 2품목(11%)

무세화 가능	굴착기, 토목공사용 기계류	2개(11)
조건부 무세화	농기계, 크레인, 트랙터부품등 o '90 수입액	5개(66)
무세화 불가	불도저, 트랙터등 o 수입일방품목	11개

* 관세율 : 13%('91), 8%('94)

(라) 종 이

- 부분적으로 무세화가능

o '90 수입액 10.7억불(종이 수입액의 70%)

o 총 41개 품목중 14품목(34%)

무세화 가능	펄프, 인쇄물	14개(50)
조건부 무세화	벽지, 장부등 o '90 수입액 22백만불	8개(29)
무세화 불가	신문용지, 카본지등 o 수입일방품목	9개

* 관세율 : 원자재(2% → '90/'94)
제 품(13%('91) → 8%('94)

0161

(마) 목 재

- 원칙적으로 무세화불가
  o 수입일방품목, 영세독점가보호

조건부 무세화	원목, 목탄등 o 10년내 무세화조건	6개 (72)
무세화 불가	합판, 목제품등	15개(126)

* 관세율 : 원 목(2% → '90/'94)
  반제품(10 → 5%)
  제 품(13 → 8%)

(바) 비철금속

- 부분적으로 무세화가능
  o '90 수입액 4억불(동 · 납 수입액의 38%)
  o 총 25개 품목중 7개(28%)

무세화 가능	동 · 납, 원광석 및 봉 · 관 o 국내생산 불가품목	7개(12)
조건부 무세화	동못 · 연, 기타납제품	5개(27)
무세화 불가	동 · 납 가공품 o 수입일방품목	13개

(사) 의약품

- 원칙적으로 무세화 불가
  o 총 10개품목(HS 10단위 115개 품목)
  o '90 수입액 2.8억불

무세화 불가	o 의약품 산업이 취약하고 향후 주요수출품이 될수 없음. o 무세화분야중 가장 먼저 타결예상 → 아국은 가급적 회의 자체에도 참석하지 않을 방침

(아) 철 강

- 전면적인 무세화
- 별도협상 추진중임.

0162

나. 관세조화제안 협상

- 개 요

o EC는 미국의 무세화제의 및 여타부문의 협상과 관련한 대응 카드로서 4개 분야에 대한 관세조화를 주장, 협상 추진

o 대상분야 : 섬유, 신발, 석유화학, 플라스틱

· 석유화학 · 플라스틱 분야에서는 아국에 대하여 18개 품목 (HS 10단위 20개 품목)에 대하여 참여요구

- 논의현황

o 섬 유 : 일본 및 개도국이 긍정적 반응

o 신 발 : 최초제안 이후 별다른 논의진전이 없음.

o 석유화학 · 플라스틱 : 대부분 선진국이 호응

5. 향후 대처방안

- 금차회의에서 주요 협상대상국이 무세화를 적극 추진하는 경우 관계부처 및 업계와 긴밀히 협의하여 향후 대응방안 수립

- 필요시 아국의 경쟁력 있는 품목을 무세화대상에 추가검토

0163

Ⅱ. 비관세

1. 진행상황

가. Request/Offer List 제출 현황

o Request List 제출

- 아국에 대해 미국, EC, 카나다, 일본등 12개국이 Request 제시
  . 주요내용 : 농산물에 대한 수량제한 및 개별법상의 수입제한 철폐등
- 아국은 EC, 카나다, 호주등 13개국에 Request 제시
  . 주요내용 : 아국 수출 주종품목에 대한 수량제한 및 개술장벽철폐

o Offer List 제출

- 아국에 대해 EC, 호주, 뉴질랜드가 제출
- 아국은 미국, EC, 카나다등 7개국에 Offer List 제출
  . 주요내용 : 현재 수량제한 성격의 수입규제가 없거나 향후 수입규제 가능성이 없는 품목 등을 대상으로 양허

나. 협상현황

- 설명자료 및 양허안제출 등을 통하여 협상은 대체적으로 매듭단계에 있음

o 미측은 전기기기, 목재등 일부 품목에 대해 계속 구체적인 설명 및 답변을 요구중임

o 양허결과 확보방안에 대해서도 각국이 상이한 입장을 보여 향후 협상의 주요 쟁점사항이 될 것임

2. 주요 쟁점사항 및 아국 입장

가. 양허결과 확보방안

o 현 황

- 미국·카나다·호주 : 양허결과의 엄격한 기속 주장

0164

o 아국 입장

- 융통성 등의 확보 측면에서 엄격한 기속에는 반대
- 아국이 이행가능한 품목을 대상으로 O/L 을 제출하였으므로 어떤 형태의 결론도 문제가 없음

나. 비관세 협상 범위에 농산물 포함여부

o 미측 요구사항 : 농산물 비관세조치도 비관세협상에서 논의

o 아국 입장 : 농산물 그룹에서 논의한 후 그 결과를 시장접근 분야에서 수용

다. 초코렛·과자류 식품위생검사제도

o 미측 요구사항 : 검사 대상축소 및 기간단축

o 아국 입장 : 서울·부산·인천세관에 자체 검사시설 설치 ('91) 및 전산망 구축 ('92)으로 기간단축 계획 등을 설명

라. 소나무 재선충을 이유로 한 목재수입금지

o 미측 요구사항

- 한국에도 발생사실 있으므로 규제근거가 될수 없음
- 고열건조처리시 재선충이 구제되므로 수입허용 요구

o 아국 입장

- 목재 수입으로 인한 재선충 병충해 재발우려('88 국내에서의 재선충 병충해는 현재 거의 구제된 상태임)
- 고열건조처리의 구제효과에 대한 세부자료 요청(자료 접수후 안전성 검토 및 재협의)

0165

마. 강압변압기(220V) 사용 전기용품 수입규제

o 미국측 요구사항 : 수입규제 철폐요구

o 아국 입장 : '91.2 수입 전기용품 전체에 대하여 강압변압기 사용 규제 해제

바. 전기기기 관련 신제품 분류기준

o 미측 요구사항

- 제품 batch/model 번호 변경시 신제품으로 간주되어 행하는 검사제도 철폐
- 상호 인증범위 확대
- 아측 검사기관의 신제품 분류기준 자료제출

o 아국 입장

- 아국의 신제품 판정 기중인 "type" 변경은 미국의 신제품 판정기준인 "model" 변경보다 광범위하여 신제품 검사빈도가 상대적으로 적음을 설명
- 아국은 '90 국제전기 인증위원회(IECEE)에 가입한 바 있고, 향후 동기구를 활용하는 인증 대상품목수를 확대 할 예정임
- 신제품 분류기준과 관련, 전기용품 안전관리법을 미측에 송부

사. Software 관세평가

o 미축 요구사항 : Saftware와 Hardware에 대한 분리평가

o 아국 입장

- GATT 관세평가위원회 결정사항에 의하면 Software와 Hardware 분리평가 여부는 각국의 선택 사항임을 확인
- 고도기술관련 Software 등에 대한 아국의 관세감면 조치 설명

0166

Ⅲ. 천연자원

1. 진행상황

o '88.12 몬트리올 각료회의에서 구체적 협상을 조속히 개시하기로 합의 하였으나 자원 보유국과 미 보유국간의 입장 차이로 실질적 진전은 미미함

- 자원 보유국은 천연자원 교역 자유화를 통한 수출 증대 도모에 역점
- 자원 미 보유국은 장기적이고 안정적인 천연자원 공급선 확보에 중점

o 작년 브랏셀 각료회의에서 별다른 언급이나 진전이 없었고 금년들어 시장접근 분야에 통합되어 협상이 추진중임

2. 그간의 논의사항

가. 협상대상 품목

o 미국・카나다・호주 : 임산물, 수산물, 광산물등 기존 3개 분야 이외에 에너지, 건설원자재 등 추가 대상분야의 협상 병행 추진 주장

o 칠레・브라질・자이레등 자원 보유 개도국 : 기존 3개 분야에 한해 우선 협상 추진을 주장

나. 협상의 포괄범위

o 미국・일본・EC : 수입규제 조치뿐만 아니라 2중가격제, 수출제한조치등 수출국의 무역 제한조치도 포함해야 한다고 주장

o 호주・칠레등 자원 보유국 : 수입규제 조치만을 대상으로 하고 수출제한조치는 협상 대상에서 제외해야 한다는 입장

3. 향후 협상전망 및 아국 입장

o 주요 선진국들은 천연자원 협상을 관세, 비관세등 시장접근 분야의 협상 결과를 이행하는 보조적 수단으로 인식하고 있기 때문에 이를 국가들의 무관심속에 협상 진전 부진

- 관세 및 비관세 분야 협상 그룹에 흡수되어 협상이 진행중이고 우리나라는 Offer List 를 관세 및 비관세 그룹에 분리하여 제출한 상태임

0167

Ⅳ. 열대산품

1. 진행상황

o '88.12 몬트리얼 각료회의시 관세 및 비관세장벽의 철폐 및 감축에 합의

o 수출개도국 및 수입선진국간 인하방식 및 대상품목범위 등에 관한 의견대립을 해소하지 못하고 각국의 자발적 Offer 제출로 사실상 품목협상 종결

- Offer 제출국
  . 관세 Offer : 30개국
  . 관세·비관세 Offer(동시제출) : 20개국
- 아국의 Offer 제출내역
  . 관 세 : 관세협상그룹에 제출한 양허계획중 해당품목 발췌, 제출 (고무·원목등 비농산 열대산품 237개 품목)
  . 비관세 : '86이후 수입자유화 실적 및 '91 개방예시품목 자유화실적 통보

2. 향후 협상 전망 및 아국 입장

o 특별한 현안사항은 없으며 품목협상은 사실상 종결

o 향후 개도국 우대원칙에 대한 열대농산물 수출국 우대문제 및 열대산품 협상 결과의 조기이행여부 논의 예상

- 열대산품에 대한 별도 협상 가능성은 희박하며 농산물 협상에서 열대농산물의 TE, 관세 조기감축 등이 다루어질 것으로 전망

o 대응방향

- 아국의 Offer는 현재 실행수준을 반영한 것으로서 조기시행시 특별한 문제는 없음
- 열대농산물의 경우 농산물 협상결과를 수용하되, 국내 농산물과의 경쟁관계등 제요인을 고려하여 대처

0168

AÉROGRAMME

GATT/AIR/3195 7 JUNE 1991

SUBJECT: URUGUAY ROUND NEGOTIATING GROUP ON MARKET ACCESS

1. A MEETING OF THE NEGOTIATING GROUP ON MARKET ACCESS WILL BE HELD ON FRIDAY, 14 JUNE 1991 AT 10 A.M. IN THE CENTRE WILLIAM RAPPARD.

2. THE FOLLOWING ITEMS ARE PROPOSED FOR THE AGENDA:

(A) STOCKTAKING OF THE MARKET ACCESS NEGOTIATIONS.

(B) APPLICATION OF ARTICLE XXVIII TO NON-TARIFF MEASURES.

(C) APPROACH TO GIVE CREDIT FOR BINDINGS AND RECOGNITION FOR LIBERALIZATION MEASURES.

(D) DATE AND AGENDA OF NEXT MEETING.

3. GOVERNMENTS PARTICIPATING IN THE MULTILATERAL TRADE NEGOTIATIONS WHICH WISH TO BE REPRESENTED AT THIS MEETING ARE INVITED TO INFORM ME OF THE NAMES OF THEIR REPRESENTATIVES AS SOON AS POSSIBLE.

A. DUNKEL

91-0803

0169

SENT BY: Director-General, GATT, Tel. address: GATT GENEVA
ENVOYÉ PAR: Directeur général, GATT, Adresse télégraphique: GATT GENÈVE

→차보→이
원본→통상국 인 (인)
→ 통기

상 공 부

국 협 28140 -2270 (2396) 1991. 6. 5

수 신 외무부 장관

제 목 출장기간 변경 통보

1. 국협 28140 - 225 ('91. 5. 30)와 관련입니다.

2. UR 시장접근협상 회의에 참석하는 윤 동섭 사무관의 출장기간이 '91.6.7(금) ~ 16(일)에서 '91.6.9(일) ~ 16(일)로 변경되었기에 통보하오니 필요한 조치를 하여 주시기 바랍니다.

발송 1991 6.05 상공부

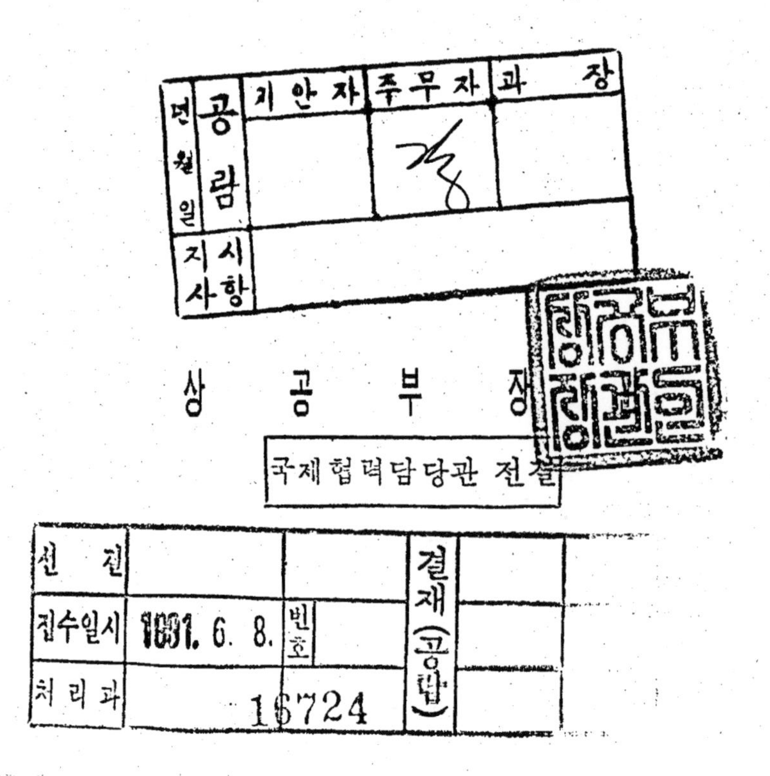

공람	기안자	주무자	과 장
년 월 일			
지시사항			

상 공 부 장

국제협력담당관 전결

선 결			결재(공람)	
접수일시	1991. 6. 8.	번호		
처리과	16724			

0170

원 본

외 무 부

종 별 : 지 급

번 호 : GVW-1060 일 시 : 91 0606 1830

수 신 : 장관(통기,재무부,상공부)

발 신 : 주 제네바 대사

제 목 : UR/ 시장접근 그룹회의 일정

6.6 금일까지 확정된 표제회의 일정 별첨보고함.

첨부: 시장접근 분야 회의 일정 1부 끝

(GVW(F)-194)

(대사 박수길-국장)

통상국 재무부 상공부 2차보

PAGE 1

91.06.07 07:32 DF

외신 1과 통제관

0171

"GUW-1060 첨부"

1

시장접근 분야회의 일정

일 시	회 의 명	주 관	장 소
6.11(화)			
12:30	Denis 의장 아국과 비공식접촉 의견교환	Denis 의장	Room B
6.12(수)			
15:00	한.미 양자협의	미국.한국	Room X
6.13(목)			
10:00	시장접근그룹 비공식회의 (7개국 offer 평가, 열대산품, 천연산품 포함)	Denis 의장	Room D
15:00	시장접근그룹 주요국협의 (공식회의 준비회의)	Denis 의장	Room D
6.14(금)			
10:00	시장접근그룹 공식회의	Denis 의장	Room D
6.17(월)			
10:00	전자 부문 무세화 다국간 협의	U.S.T.R	Room A
15:00	의약품 부문 무세화 다국간 협의	U.S.T.R	Room A
6.18(화)			
10:00	비철금속 부문 무세화 다국간 협의	U.S.T.R	Room A
15:00	건설장비 부문 무세화 다국간 협의	U.S.T.R	Room A
6.19(수)			
15:00	석유화학부문 관세조화방안 다국간협의	EC	Room A
6.20(목)			
10:00	수산물부문 무세화 다국간협의	U.S.T.R	Room A
15:00	섬유부문 관세조화방안 다국간협의	EC	Room E

1 - 1

0172

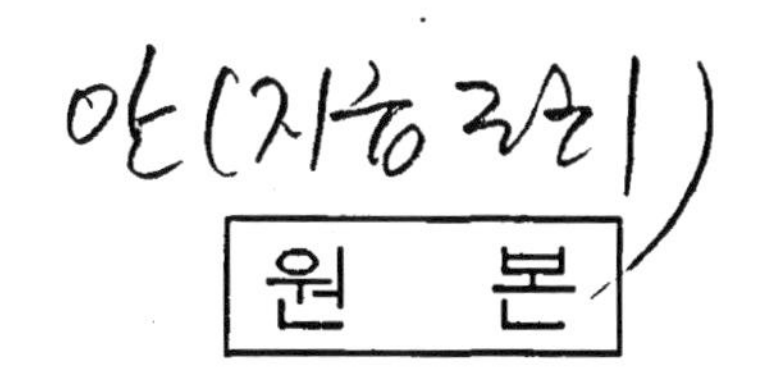

외 무 부

종 별 :

번 호 : GVW-1081 일 시 : 91 0611 1200

수 신 : 장관(통기,재무부)

발 신 : 주 제네바 대사

제 목 : UR/ 시장접근 분야 본부 대표단 출장기간 연장

대: WGV-0744

대호 본부 대표단의 출장기간이 6.10-14 간으로 되어 있으나 별첨 협상 일정과같이 분야별 무관세 협의 및 관세 조화 방안 협의가 6.20까지 계속됨에 따라 본부대표 단중 재무부 국제관세과 강정영 과장의 출장기간을 연장조치하여 줄것을 건의함.

첨부: 협상일정 1부 (GVW(F)-199)

(대사 박수길-국장)

통상국 재무부 2차보

PAGE 1

91.06.11 20:32 DA

외신 1과 통제관

0173

1991-06-11 10:46 KOREAN MISSION GENEVA 2 022 791 0525 P.01

GVW(지)-019A 10611 1200

GVW-1081 관련

시장접근 분야회의 일정

일 시	회 의 명	주 관	장 소
6.11(화)			
12:30	Denis 의장 주재 아국과의 비공식 접촉 의견 교환	Denis 의장	Room B
16:00	한.핀랜드 양자협의		Room X
17:00	한.카나다 양자협의		Room X
6.12(수)			
15:00	한.미 양자협의	미국.한국	Room X
6.13(목)			
10:00	시장접근그룹 비공식회의 (7개국 offer 평가, 열대산품, 천연산품 포함)	Denis 의장	Room D
15:00	시장접근그룹 주요국협의 (공식회의 준비회의)	Denis 의장	Room D
6.14(금)			
10:00	시장접근그룹 공식회의	Denis 의장	Room D
6.17(월)			
10:00	전자 부문 무세화 다국간 협의	U.S.T.R	Room A
15:00	의약품 부문 무세화 다국간 협의	U.S.T.R	Room A
6.18(화)			
10:00	비철금속 부문 무세화 다국간 협의	U.S.T.R	Room A
17:00	건설장비 부문 무세화 다국간 협의	U.S.T.R	Room A
6.19(수)			
15:00	섬유부문 관세조화방안 다국간 협의	E C	Room E
17:30	석유화학부문 관세조화방안 다국간협의	E C	Room A
6.20(목)			
10:00	수산물부문 무세화 다국간협의	U.S.T.R	Room A
17:00	맥주,가구,완구 무세화 다국간협의	U.S.T.R	Room A

0174

1-1

TOTAL P.01

원 본

외 무 부

종 별 :

번 호 : GVW-1086 일 시 : 91 0611 1800

수 신 : 장관(통기,상공부)

발 신 : 주 제네바대사

제 목 : UR/ 시장접근 분야 본부 대표단 출장기간 연장

연: GVW-1081

연호 윤동섭 사무관이 출장기간도 강과장과 함께 조정 조치바람.

끝

(대사 박수길-국장)

통상국 2차보 상공부

PAGE 1

91.06.12 06:50 DA

외신 1과 통제관

0175

전 언 통 신 문

국협 28140-241

수신 외무부장관

발신 상공부장관

제목 UR/시장접근분야 출장기간 연장

1. 국협28140-225(91.6.4.)와 관련입니다.

2. 스위스 제네바에서 개최되는 UR/시장접근분야 출장기간이 변경되어 다음과 같이 통보하니 조치를 취하여 주시기 바랍니다.

- 다 음 -

1. 출 장 자 : 국제협력관실 행정사무관 윤동섭

2. 회의기간
   - o 당초 : 91.6.11(화)-14(금)
   - o 변경 : 91.6.11(화)-20(목)

3. 출장기간
   - o 당초 : 91.6.9(일)-16(일)
   - o 변경 : 91.6.9(일)-22(토)

통화시간 : 6.14. 14:50

수 신 자 : 이 금 선

송 화 자 : 노 인환

0176

11

외 무 부

종 별 :

번 호 : GVW-1090 일 시 : 91 0612 1130

수 신 : 장관(통기,경기원,재무부,상공부,농림수산부)

발 신 : 주 제네바 대사

제 목 : UR/ 시장접근 협상 그룹 의장과의 협의

DENIS 의장은 최근 시장접근 협상 그룹의장직을 담당후 동 협상의 진전 상황 및협상애로 요인을 파악하고 주요 협상 참여국의 관심사항 및 협상의 원활한 진행을 위한의견등을 청취할 목적으로 주요국과의 협의를 연쇄적으로 갖고 있음.

이의 일환으로 본직은 6.11 DENIS 의장 초청으로동 협상분야에 관하여 협의하였는바, 요지 아래 보고함.(엄재무관, 강상무관, 재무부 강과장배석)

1. DENIS 의장은 어제 미국 및 이씨와 이러한 협의를 각각 가졌는바, 양국이 협상에 임하는 자세가 매우 진지하며, 상대방의 관심사항을 수용하려고 하는 전향적인 입장을 볼수 있어서 고무적이었다고 언급하였음.

2. 아측은 시장접근 협상에서 미국과 이씨의 입장차이에 우려를 갖고 있는 만큼양국이 접근된 자세를 보인것은 매우 환영할 만한 것이라고평가하고 아국도 여타 협상 참여국과의 양자 및다자간 협상을 활발히 진행시키면서 모든 문제에 대하여 전향적인 입장을 견지하고 있다고 하였음.한편 동 협상의 장애 요인으로서 일부 국가들이농산물 협상의 진전과의 연계를 주장하고있는바, 농산물 협상의 부진 때문에 동협상의 원활한 진행에 지장을 초래하여서는 안될 것이라고 강조하고 시장접근 협상의 조기 타결을 위한 협상 참가국의 노력을 집중시킨 다음 농산물등 타분야 협상의 결과를 함께 통합시키는 것이 바람직하다고 언급함.

3. 아측은 또한 비관세 조치의 갓트 28조에 의한양허 여부와 관련하여 기본적으로 찬성할 만하나 기술적 어려움등을 감안할때 그 양허 대상을 수량제한등에 국한시키고 이러한 문제가 협상타결에 지장을 주어서는 안된다는 견해를 피력하였는바 DENIS 의장도 앞으로 남은 협상기간등을 고려할때 이러한 문제를 다룰 충분한시간이 있는지 여부가 의문이 된다고 하였음.

4. 자발적 관세 인하등 자유화 조치의 인정(CREDIT AND RECOGNITION) 과 관련하여

통상국 차관 2차보 청와대 안기부 경기원 재무부 농수부 상공부

91.06.12 20:34 ED

외신 1과 통제관

0177

아측은 기본적으로 이견은 없으나 현실적으로 이를 어떻게 집행할수 있는지가 회의적이라고 언급하자 DENIS의장도 동감을 표시하면서 해당국과의 의견교환 및 설득노력이 필요한 사항이라고 하였음.

5. 아측은 DENIS 의장의 언급 사항과 관련하여 미국과 이씨사이에 특정 분야에서의 구체적인 의견 접근이 있었는지 여부를 질문하였으나 그러한 구체적인 것은 없다고 하였음. 또한 분야별 무관세 제안등이 의장 및 갓트 사무국의관여 없이 별도로 논의가 진행되고 있는 것과관련, 의장이 이를 어떻게 평가하고 있는지 질문하였던바, 의장은 이러한 활동을 협상참여국 사이의 논의로 간주하며 그것은 기본적으로협상을 촉진시킨다는 면에서 장려할수도 있다는 견해를 표시함.

또한 미국의 OFFER 가 분야별 무관세 제안제외시 약 18 퍼센트 관세 인하에 불과한바미측이 이를 개선할 움직임이 있는가를 질문하였는바 현재로서는 그러한 가능성이 없는것으로 보인다고 동인은 답변하였음. 끝

(대사 박수길-국장)

PAGE 2

0178

04

원 본

외 무 부

종 별 :

번 호 : GVW-1094 일 시 : 91 0613 1700

수 신 : 장관(통기, 재무부,농림수산부,상공부)

발 신 : 주 제네바 대사

제 목 : UR/ 시장접근 분야 양자 협의(핀랜드)

- 6.11 16:00 당지에서 개최된 표제 협의 토의 요지아래 보고함.

(엄재무관, 재무부 강과장등 본부대표 참석)

1. 일반적 의견 교환

- 양측은 몇몇 주요 국가간의 의견 차이로 협상진전이 부진한데 우려를 표시하고협상의 기본목표인 각료선언상의 목표를 달성한후에 추가적인 교역 증진 방안으로분야별 접근 방법이 논의될수 있다는데 의견을 같이함.

- 아국은 농산물등 타분야와의 연계로 인한 시장접근 분야 협상에의 부정적 영향, CREDIT부여 방안등에 대한 현실적 어려움등을 피력한바 핀랜드도 이에 공감함.

- 핀랜드도 분야별 무세화 협상에 참여하고 있으나 대부분의 분야에서 주요 참가국(MAJOR PLAYER) 은 아니며 소극적으로 청취하는 입장에서 참여하고 있음을 전언함.

2. 양국간 현안 문제

- 아국은 핀랜드의 섬유 OFFER 에 아국의 REQUEST 품목이 상당수 포함된데 사의를 표명하는 한편 아직 양국간 양허 이익이 불균형 상태에 있음을 지적하였음.

- 핀랜드는 자국이 90.9 에 이미 아국에 REQUEST한 품목에 대하여 아국의 1차 및2차 OFFER 내용과 아국 관세율표 상의 91, 92, 94 세율변동 내용에 대하여 확인을요청 하였는바 (확인요청 자료: 본부 대표 지참) 추후 확인하여 답변키로함.

끝

(대사 박수길-국장)

통상국 2차보 재무부 농수부 상공부

PAGE 1

91.06.14 04:39 DA

외신 1과 통제관

0179

원 본

외 무 부

종 별 :

번 호 : GVW-1095 일 시 : 91 0613 1700

수 신 : 장관(통기,재무부,농림수산부,상공부)

발 신 : 주 제네바 대사

제 목 : UR/ 시장접근 분야 양자 협의(카나다)

- 6.11 17:00 당지에서 개최된 표제협의 토의 요지아래 보고함.

(엄재무관, 재무부 강과장등 본부대표 참석)

1. 분야별 접근 방법에 대한 카나다의 기본 입장

- 카나다는 무세화등을 위한 특정 분야는 제의하지 않은채 모든 품목에 대해 협상 가능하다는 원칙하에 무세화 협상을 진행하여 마지막 단계에서 상호 교역 이익이 균형을 맞추도록 하는 BIG PACKAGE 를 추구한다는 자국의 기본 입장을 언급함.

2. 협상 전반에 대한 일반적 의견 교환

- 카나다는 지난주 미국, 이씨, 일본 및 자국간 4개국 협의를 통하여 느낀바로는 미국, EC 간에 다소간 긍정적 진전이 있었음을 전언하면서 7월 시장접근 회의 이전까지 양국간 어떤 형태로든 타협이 도출될수 있기를 희망한다고 하였음.

- 그 구체적인 타협 방안으로 양국간에 특별히 관심을 갖는 품목을 교환하고 (이씨는 주로 섬유제품을 요청할 것으로 보임) 이에 관한 미국측의 긍정적 회신이 있을 경우 이를 계기로 EC 가 분야별 무세화에 대하여 긍정적으로 검토할수 있을 것이라는 견해를 피력함.

- 아국은 전반적인 협상 부진으로 분야별 무세화 참여를 위한 국내 설득이 어려우며 아국에게 참여가 요청된 분야중 일방적 수입 품목에 대한 참여 필요성에 많은 회의적 견해와 아울러 일부참여가 검토되고 있는 분야중에서도 대일 수입편중 품목에 대한 심각한 우려가 있음을 전언함.

- 또한 아국은 7월까지 미국과 EC 간에 타협점을 찾지 못할 경우와 타결 되었을 경우의 시장접근 분야 협상 전망등을 문의한바

0 카나다는 미국과 EC 간에 7월까지 타협점을 찾지 못할 경우 각국이 기제출한 OFFER 를 수정하여 SMALL PACKAGE 로 타결될수 밖에 없을 것이며

통상국 2차보 재무부 농수부 상공부

PAGE 1

91.06.14 05:23 DA

외신 1과 통제관

0180

0 7월까지 양국간에 타협점이 모색되면 동협상의 년내 종결이 가능할 것이라는 견해를 갖고 있음을 언급함.

3. 기타사항

- 카나다는 아국이 자국에 REQUEST 를 제시하지 않았음을 지적하면서 향후 언제든 필요시 REQUEST 제시를 환영한다 하였음.

끝

(대사 박수길-국장)

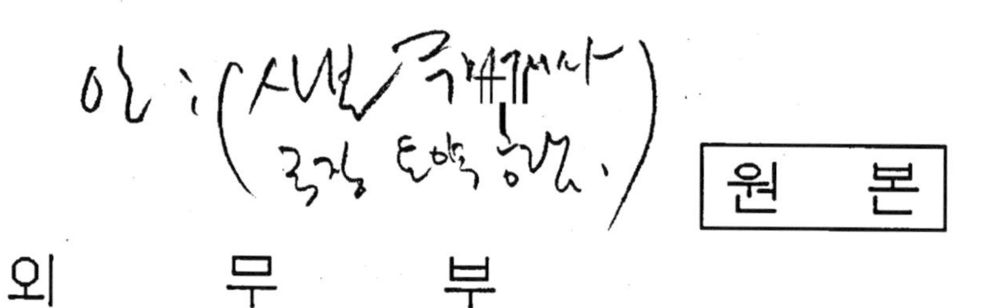

원 본

외 무 부

종 별 :

번 호 : GVW-1101 일 시 : 91 0613 1800

수 신 : 장 관(통기, 재무부, 농림수산부, 상공부)

발 신 : 주 제네바대사

제 목 : UR/ 시장접근분야 양자간 협의(미국)

6.12.15:00 당지에서 개최된 표제협의 토의 요지아래 보고함.

(엄재무관, 재무부 강과장등 본부대표참석)

1. 개요

1) 미국은 금년 7월까지 AD REFERENDUM AGREEMENT를 도출하여 년내 협상을 종결코자 하는 목표아래 이씨와 이견을 좁히기 위해 상호 수출관심 품목을 교환하여 이를근거로 품목별로 접근키로 하였다고 언급함.

2) 이씨의 섬유류 관세인하 요구가 있을 경우 미국의 수용가능성을 아측이 문의한 바, 미국은 섬유류 협상 결과에 따라 추가적인 관세인하가 검토될 수 있을 것이라고 답변함.

3) 아국의 분야별 무세화 진전 상황과 미국이 제시한 비관세 조치에 대한 의견을 교환함.

2. 협상 전반에 대한 일반적 의견 교환

- 미측은 미의회의 신속처리 절차 승인이후 UR의 성공적 타결과 그결과를 의회가기대하고 있으며 그간 OECD 회의 등에서 미국, 이씨, 일본, 카나다등 4국간 또는 미국, 이씨간 공식, 비공식적으로 많은 접촉이 있었음을 언급하면서 금년 7월까지 시장접근분야등 중요부문에 걸쳐 정치적 결정을 요하는 몇몇 어려운 분야를 제외한 협상담당자 차원에서 합의가능한 AD REFERENDUM AGREEMENT 를 도출하고 그이후 이를 근거로 의회 지도자를 위시한 국내관련 단체들의 사전 동의를 구하는 절차를 진행하여 금년내 타결을 되기를 희망하는 C.HILLS 대표의 의도를 전언함.

- 또한 미국은 지금까지 이씨와 관세인하 방법등 근본문제에 대한 이견(PHILOSOPHICAL DIVERGENCE)은 일단 접어두고 양국간 실리적 협상을 도모하는 방안으로서 향후 상호 수출관심 품목을 교환하여 품목별로 협상을 진행함으써

통상국 2차보 재무부 농수부 상공부

PAGE 1

91.06.14 07:56 WH

외신 1과 통제관

0182

타협점을 모색키로 하였음을 언급하고 이씨로부터는 섬유류, 유리제품등에 대한 관세인하 요청이 예상된다하였 음.

- 이에 아국은

1) 미국과 이씨간에 관심품목 중심으로 부문간협상을 진행할 경우 다수국의 교역이익이 고루반여되도록 하는 본래 의도가 훼손될 수 있음을 지적하고

2) 이씨로부터 섬유류에 대한 관세 인하 요구가 제기될 경우 미국의 수용 가능성을 문의하였으며

3) 지난번 회의시 이씨측의 '분야별 무세화에 대한 대안 준비' 발언과 관련하여 이씨의 동입장 철회 여부를 질의하였음.

- 미국은

1) 양국간 관심품목 협상은 분야별로 무세화협상의 일부분이므로 이에 대한 양국간 의견이 접근되어 이를 각분야별로 통합할 경우 본래의 의도에서 크게 일탈하지 않을 것이며

,2) 이씨의 섬유류 관세인하 요청시에는 미국으로서는 미국이 기대하는 전반적인협상결과가 도출된 이후에 추가적인 관세인하 여부가 검토될 수 있을 것이라는 미국의 잠정적입장을 설명하고

3) 이씨의 대안 제시 철회여부는 불분명하나 양국간 실질적 교역 이익을 도모하는 품목별 접근방식으로 이견을 좁혀 나가기로 하였음을 답변함.

- 또한 미국은 분야별 무세화에 대한 아국의 진전 상황을 문의하였는바 아국은 다음과 같이 답변함

0 정부로서는 국내업계의 폭넓은 참여를 위해 협의 및 설득 작업을 계속하고 있으나 협상의 전반적인 진전 부진이 이러한 설득을 어렵게 하고있으며

0 의약품, 종이, 목재등에서는 아국이 어떤 이유로 주요 참여국으로 선정되었는지에대한 근본적인 의문이 제기되고 있고, 특히 의약품의 경우 전적인 수입국이므로다음주에 개최되는 부문간협의에 불참할 것임을 언급하였음.

0 일부 참여가 긍정적으로 검토될 수 있는 분야중에서도 그 설득 논리는 미국과의 통상 이익도모 여부에 있으나 현실적으로 수입선이 주로 일본으로서 대일 역조의 심화를 초래할 우려가 제기되고 있는 국내 상황을 설명하였음

0 무세화의 각부문간 시행기간, 품목 COVERAGE등이 상이하고 복잡하여 이것 역시국내업계에서는 의문을 제기하고 있는 바 철강협상에서 제시하고 이는 장기간의

이행기간(예: 10년)등이 타분야에서도 적용될 여지가 있는지를 질의함

- 아국의 설명에 대해 미국은 다음과 같이 언급함.

0 9개분야 전체로 볼때 무세 달성시 미국시장에서 철강, 전자, 건설장비등에서 한국의 수출이익이 크게 신장되므로 상호 교역 이익의 균형을 도모한다는 측면에서 한국도 BIG PACKAGE 를 추구하여야 할 것이며

0 대일 역조 심화 문제는 미국으로서도 예상할 수 있으나 무세 달성시 미국산품의 경쟁력이 향상될 수 있을 것으로 기대되고 대일역조를 크게 초래할 수 있는 특정 품목에 대하여는 시행기간등에서 신축적으로 고려될 수 있을 것이라는 견해를 피력함

0 또한 미국은 부문간 시행기간, 품목 COVERAGE등에서는 복잡성 문제는 협상과정에서 논의될 수 있을 것이며 여기에는 미국으로서는 신축성을 가지고 임하고 있음을언급하였음.

3. 비관세 분야

- 미국은 그간 논의된 미국의 NTB REQUEST 에대한 아국의 답변을 GATT 양허표에수록하여 이를 BINDING 하자고 제의한 바, 아국은 NTB조치의 BINDING 문제는 수량 규제를 제외하고는 기술적으로 많은 어려움이 있음을 상기시키고 남은 협상기간등을고려 할때 이는 현실성이 희박한 것으로 보인다고 언급함.

가. 소나무 재선충으로 인한 목재품 수입제한

0 미측은 기전달한 KILN DRYING 자료에 대한 기술검토 결과를 문의한 바, 아측은동 문제가 지난 4.8-9 미국 워싱톤에서 열린 한.미 식물 검역전문가 회의에서 토의되었고 미측 자료를 기술적으로 검토중에 있으나 동 자료가 워낙 방대하여 시간이 걸릴 것임을 언급하고 아울러 동문제가 기술적이고 전문적인 사항이므로 양국 전문가회의에서 심도있게 논의하는 것이 더 바람직할 것이라는 의견을 제시함

나. 주류 및 과일 쥬스에 대한 수입제한

0 미측은 동 품목의 수입제한중 변경사항이 있는지를 문의하였는 바, 아측은 주류품목(2208.90)중 수입제한 미해제 품목 2개의 92,93 해제 예정과 과일쥬스(2009.30)중 1개 품목만 이미 해제 되었음을 설명하고, 동 품목도 UR농산물 협상 결과에 따를것임을 언급함

다. 초콜렛, 설탕제품에 대한 수입규제

0 아측은 기 약속대로 금년부터 각 검역소에 이화학 검사장비가 도입되어 각 검역소에서 직접 이화학 검사가 이루어지고 있음을 설명하고 미측이 주장하는 매 선적분에

대한 반복검사는 실시한적이 없음을 재차 언급함. 아측 설명에 대해 미측은 그들의 요구사항인 SAMPLING테스트와 검역소에서의 이화학 검사를 약속하는 문구를 제시하면서 이를 양허 리스트에 포함 시켜줄 것을 요구함(제시자료: 본부대표 휴대 예정)

라. 전기 전자제품에 대한 강압기 사용금지

0 아측은 이미 지난 2.7에 동 금지 조치를 해제하였음을 미측에 통보하였는바, 미측은 동 해제조치도 양허리스트에 포함시켜 줄것을 요구함

마. 전기 전자 제품에 대한 형식 승인 문제

0 아측은 미측이 전번 회의시 요구한 형식 승인영문 설명 자료와 국문 법규 책자를 미측에전달하였음.

바. 소프트 웨어에 대한 관세 평가

0 미측은 재차 동 문제를 제기하였는바, 아측은 소프트웨어에 대한 한국의 현행평가제도가 관세 평가 협정에 위배되지 않음을 상기시키면서 현재 실시중인 고도기술 소프트웨어등의 수입에 대한 관세 감면이 미국업계에 도움이 될 것임을 언급함.

사. 기타

0 미측은 아국의 수입허가절차 협정 가입 여부에 관한 의사를 타진하여온 바 아측은 동 사항을 검토중이라고 답변함.끝

(대사 박수길-국장)

UR/시장접근 분야 한,미 양자협의 토의내용 ('91. 6. 12)

1. 협상 전반

(미 측)

o 금년 7월까지 정치적 결정을 요하는 일부분야를 제외하고는 협상 당사자 차원에서 AD REFERENDUM AGREEMENT 도출, 금년내 타결을 목표로하는 C. Hills 대표의 의도 언급

o EC와 관세인하 방법등 문제에 대한 논의는 일단 유보, 미.EC간 실리적 협상 도모 방안으로서 향후 상호 수출 관심품목 교환을 통한 품목별 협상 진행 시사

(아 측)

o 미.EC간의 관심품목별 협상의 다수국 교역 이익 반영이라는 본래 UR 협상 목표 훼손 가능성 지적

o EC로부터의 섬유류 관세인하 요구시, 이에 대한 미국측의 수용 가능성 문의

o EC의 분야별 무세화에 대한 대안 제시 철회 여부 문의

(미 측)

o 미.EC간 관심품목별 협상은 분야별 무세화 협상의 일부로 간주할 수 있으므로 UR 협상 본래 의도에서 크게 일탈하지 않음.

o 기대하는 전반적인 협상 결과 도출이후에나 섬유류 관세 인하 요청에 대한 추가 인하 여부 검토 시사

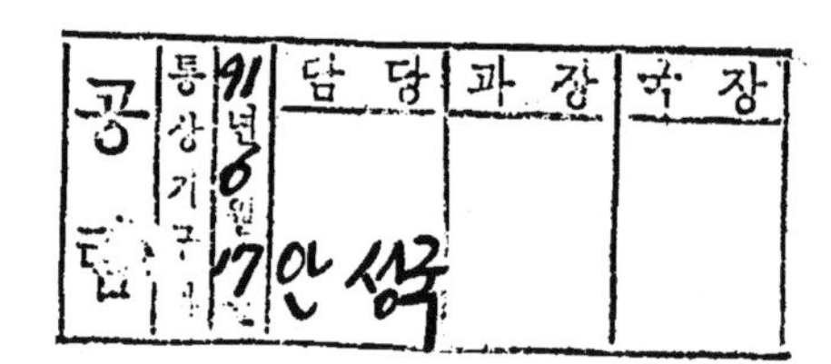

0186

2. 무 세 화

(아 측)

o 국내업계의 폭넓은 참여를 위해 정부가 설득 작업중이나, 협상의 전반적인 진전부진이 이러한 설득을 어렵게 함.

o 의약품, 종이, 목재 분야에서 아국이 참여국으로 선정된데 의문 제기, 내주 개최 의약품 분야(일방 수입품목) 부문간 협의 불참 예정 언급

o 일부 참여 가능 분야에서도 궁극적으로 아국의 참여가 미국과의 통상이익 도모보다는 아국 수입선 현황상 대일 역조 심화만 초래할 것이라는 우려가 국내적으로 제기되고 있음을 언급

o 철강협상에서 제시되고 있는 장기간의 이행기간(10년)의 타분야에의 적용 여지 가능성 질의

(미 측)

o 무세화 달성시 미국시장에서 철강, 전자, 건설장비 부문에서 한국의 수출이 크게 시장될 것이므로 교역 이익의 상호 균형 도모 차원에서 한국의 Big Package 추구 요망

o 무세화 참가시 한국의 대일역조를 크게 초래할 특정품목에 대하여는 시행기간 등에서 신축적으로 고려될 수 있음

o 분야별 시행기간, 품목 Coverage 등에서의 복잡성 문제는 협상 과정에서 논의 가능, 이에 대한 미국의 신축적인 자세 시사

3. 비 관 세

가. 비관세 양허 binding 여부

(미 측) 미국의 NTB Request에 대한 아국의 답변을 GATT 양허표에 수록, binding할 것을 제의

(아 측) NTB 조치의 binding 문제는 수량 규제를 제외하고는 기술적인 난맥이 있음을 상기시키고, 특히 잔여 협상기간을 고려할 때 현실성이 없는 것으로 간주

0187

나. 소나무 재선충으로 인한 목제품 수입제한

(미 측) 기전달한 KILN DRYING 자료에 대한 기술 검토 결과 문의

(아 측) 동자료는 검토중에 있으며, 동 문제의 성격상 한.미 식물 검역 전문가 회의에서의 논의가 바람직.

다. 주류 및 과일쥬스에 대한 수입제한

(미 측) 동 품목의 수입제한중 변경사항 문의

(아 측) - 주류품목(2208.90)중 수입제한 미해제 품목 2개의 '92, '93 해제 예정

- 과일쥬스(2009.30)중 1개품목은 이미 해제, 동 품목의 UR 농산물 협상 결과 적용 시사

라. 초콜렛, 설탕제품에 대한 수입규제

(아 측) 기약속대로 각 검역소에서 이화학 검사 시행중, 매선적분에 대한 반복검사는 실시한 적이 없음.

(미 측) 미측 요구사항인 SAMPLING 테스트와 이화학 검사에 대한 아측 약속을 양허리스트에 포함시켜 줄 것을 요구

마. 전기 전자제품에 대한 강압 변압기 사용 금지

(아 측) '91.2.7. 동 조치 해제 사실을 통보

(미 측) 동 해제 조치도 양허리스트에 포함시켜 줄 것을 요구

바. 전기 전자제품에 대한 형식 승인 문제

(아 측) 전번 회의시 미측이 요구한 형식 승인 설명자료(영문)와 법규 책자(국문) 전달

사. 소프트웨어에 대한 관세 평가

(아 측) 소프트웨어에 대한 아국의 관세 평가 제도가 관세평가 협정에 위배되지 않음을 주장. 현재 실시중인 고도기술 소프트웨어등의 수입에 대한 관세 감면이 미국 업계엔 도움이 될 것임.

0188

4. 수입허가절차 협정 가입 여부

o 미측의 의사 타진에 대하여 아측은 동건이 검토중에 있다고 답변. 끝.

0189

원 본

외 무 부

종 별 :

번 호 : GVW-1104 일 시 : 91 0613 1930

수 신 : 장 관(통기,재무부,상공부,농림수산부)

발 신 : 주 제네바 대사

제 목 : UR/ 시장접근분야 비공식 회의

연: GVW-1081

6.13. 당지에서 개최된 표제회의 토의요지 아래보고함. (엄재무관,재무부 강과장등 본부대표참석)

1. 관세 양허안 평가회의

- 의장은 협상 참가국중 아직까지 수입통계등 기초자료를 제출하지 아니한 19개국에 대하여 조속제출하여 줄것을 요청하고 브랏셀 회의 이후 신규및 수정 OFFER 를 제시한 (1) 칠레, (2) 콜롬비아, (3) 코스타리카 (4) 말레지아 (5) 페루, (6) EC, (7)미국의 OFFER 를 사무국이 작성한 평가보고서 (파편 기송부)를 기초로 심의, 평가하였음.

- 사무국 평가보고서와 관련 각국의 TARIFF PEAK를 각국별.부문별로 비교하여 검토한 내용을 사무국 평가보고서에 수록하자는 호주의 제안에 대하여 스위스가 지지발언을 하였고 사무국에서는 본협상그룹에서 합의 결정할 경우에는 가능하다는 입장표명이 있었으나 의장은 추후 더욱 논의되어야 할 사항이라고 언급함

2. 공식회의 준비회의

2. 공식회의 준비회의

- 의장은 일반적인 관세양허 협상에뿐만아니라 분야별 무세화도 참여국간 주요관심사를 알고 있다고 하고, 열대산품, 천연자원, 비관세장벽 외에 높은 관세율과 TARIFF PEAKS 도 논의대상이될것임을 언급함.

- 미국은 개도국의 참여부진, 다른분야 협상 결과와의 연계등에 우려를 표명하고이씨는 미국과 포괄적이면서 균형된 양허협상을 위해 노력하고 있음을 언급하였으며 일본은 7월회의 이전까지 의미있는 진전을 기대한다고 발언하였음.

- 호주, 뉴질랜드는 관세협상에 있어 몬트리올 각료합의상의 목표가 일차적으로

통상국 2차보 재무부 농수부 상공부

91.06.14 09:05 WG

외신 1과 통제관

0190 

달성되어야 함을 주장하고 말레이지아는 개도국이 선진국과 상호주의적인 입장에서 양허 할 수 없음을 언급하였음.

- 의장은 비관세조치의 제 28조 적용문제, 자발적자유화 조치에 대한 CREDIT 부여방안 문제등은 추후 계속 논의되어야 할 사항이나 기술적 어려움 및 양허되지 아니한 자유화 조치의 평가문제등으로 용이하지 아니할 것임을 언급함.

- 차기회의는 7.15.주간에 개최하고 회의 마지막에 협상 결과를 점검할 기회를 가지기로 함.

3. 특기사항

- GVW-1101 호로 보고한 바와 같이 미국과 이씨간의 타협점 모색을 위한 방안으로 양국간 상호 관심 품목을 교환하여 품목별로 협상을 진행하는 실리적 접근방법과 관련 미국 및 이씨대표를 개별적으로 접촉, 양국간의 진전상황 및 입장을 탐문한바 아래와 같음.

0 미국: 이미 자국관심 품목을 이씨에 전달하였으며 이씨 상기 접근방식에 따라 조만간 자국 관심품목을 미국에 전달할 것으로 기대

0 이씨: 분야별 무세화에 대한 이씨의 기본입장에는 변화가 없으며 다만 양국 OFFER에 대하여 상호 비방은 하지 않기로 합의.끝

(대사 박수길-국장)

02

원 본

외 무 부

종 별 :

번 호 : GVW-1111 일 시 : 91 0614 1900

수 신 : 장 관(통기,경기원,재무부,농림수산부,상공부)

발 신 : 주 제네바 대사

제 목 : UR/ 시장접근 협상 그룹

6.14 당지에서 개최된 표제 그룹 공식회의 토의요지 아래 보고함.

(본직, 엄재무관, 강상무관, 재무부 강과장외 본부 대표 참석)

1. 협상 현황 점검

- 의장은 현재까지 58개국 OFFER 를 제출하였음을 언급하고 각 참가국이 양자간, 다자간 협상을 통하여 시장 접근 분야의 조속하고 성공적인 타결을 위해 노력하여 줄것을 당부함.

- 이씨는 그간 많은 참가국과 쌍무간 협상을 진행하여 관세뿐만 아니라 비간세분야 특히비관세 조치의 BINDING 문제등을 논의하였음을 전언하고 미국과는 TARIFF PEAK의 완화문제, 부문간 접근 방법, 관세조화 방안등에 대해 많은 논의가 있었음을 언급하면서 각 참가국의 OFFER 의 질이 본협상의 가장 중요한 요소임을 강조함.

- 미국은 그간 여러나라와 쌍무간 협상을 진행한 결과 큰 진전이 있었음을 언급하면서 여름휴가전까지 AD REFERENDUM AGREEMENT 마련이 완료되어야 함을 강조함 @ 또한 개도국의 양허확대 및 분야별 무세화에의 폭넓은 참여를 재촉구하고 비관세 조치의 BINDING 필요성을 언급함.

- 일본 및 카나다는 향후 집중적인 협상을 진행하여 협상의 조속 타결을 기대한다고 발언함.

- 페루, 말레이지아, 파키스탄, 콜롬비아, 세네갈, 인도등 개도국은 자국의 수출관심 품목인 섬유류, 천연산품, 열대산품등에 대한 양허부진을 재차 지적하고 CREDIT 및 RECOGNITION 부여 필요성을 재차 강조함.

2. 비관세 조치의 28조 적용문제

-0 칠레, 유고, 자마이크 등은 양허 대상으로서의 N.T.B 정의문제, GATT 11 조에서 금지되고있고 다만 18조 등에서 예외적으로 허용하고 있는현 GATT 체계 내에서의

통상국 2차보 경기원 재무부 농수부 상공부

PAGE 1 91.06.15 09:49 WG

외신 1과 통제관

0192

BINDING 개념 도입관련성, GATT 조문 전체 체계내에서의 GATT사무국의 추가 연구 필요성등을 재차 언급함.

- 의장은 현재 GATT 체계내에서 합법적으로 인정되는 N.T.B 를 대상으로 논의하는 것이아니며 비합법적인 N.T.B 의 수정 절차를 논의하는 것임을 언급하고 사무국과 관심국가간 협의를 계속하는 한편 차기 회의에서 재론키로함.

3. CREDIT 및 RECOGNITION

- 멕시코는 지난 회의 이후 관심 국가간에 동문제 토의를 위한 비공식 협의가 있었음을 전언하고 앞으로 이러한 비공식 협의를 계속할것이라하면서 사무국의 참여를 요청함.

- 미국은 자국의 NON-PAPER 를 배포함(본부 대표휴대 예정)

- 의장은 상기 비공식 협의등이 바람직한 절차임을 언급함.

4. 차기 회의 일정

- 의장은 차기 회의를 7.15 주간중 7.18 에 OFFER평가회의, 7.19 오전에 공식회의를 개최키로 함.끝

(대사 박수길-국장)

0193

분류번호	보존기간

발 신 전 보

번 호 : WGV-0779 910614 1820 FO 종별 :

수 신 : 주 제네바 대사. 총영사

발 신 : 장 관 (통 기)

제 목 : UR/시장접근분야 본부대표단 출장기간 연장

대 : GVW - 1081, 1086

강정영 재무부과장과 윤동섭 상공부 사무관의
대호 출장기간을 6.23까지 연장함. 끝.

(통상국장 대리 최 혁)

보 안 통 제	

앙고재	91년 6월 14일	통기과	기안자 성명		과 장	심의관	국 장		차 관	장 관
			안성국				전결			

외신과통제

0194

02

원 본

외 무 부

종 별 :

번 호 : GVW-1124 일 시 : 91 0617 1900

수 신 : 장관(통기,재무부,농림수산부,상공부)

발 신 : 주 제네바 대사

제 목 : UR/ 시장접근, 분야별 무관세 다국간 협의(전자부분)및 호주와의 양자 협상

6.17(월) 당지에서 개최된 표제협의 내용 아래보고함.

(엄재무관, 재무부 강과장외 관계관 참석)

1. 미국의 제안 설명

- 미국은 종전의 자국안에서 의료 용기기를 제외하고 (별도의 부문으로 제안) 전자 통신 장비를 포함한 자국의 수정안에 대해 설명함.(수정안:본부대표 휴대 예정)

- 미국의 수정안

1) 대상 품목

0 ADP 장비 및 부품

0 일반 전자제품

0 반도체

0 반도체 제조 및 검사 장비

2) N.T.B 포함여부: GATT 에 불일치하는 N.T.B.철폐

3. 시행단계: 각국별로 0-5 년

- 이에 대해 스위스가

1) H.S 4 단위 기준으로 일부 품목이 제외되어있는 이유

2) 통신장비의 포함에 대한 조건

3) 통계 SOURCE

4) 국별 시행단계의 구분기준 등을 질의한바, 미국은 국내에서 일부 민감한 품목은 제외시켰으며, 통신 장비는 정부조달 협상의 결과에 따라 일부 가감이 될수 있는분야이고,통계 SOURCE 는 GATT 의 TARIFF FILE 이며 주로 88년 수입통계 및 86년 세율이 활용되었고 시행단계의 구분기준은 전체적인 교역량과 개별 시장 상황(에,

통상국 2차보 재무부 농수부 상공부

PAGE 1

91.06.18 06:14 DN

외신 1과 통제관

0195

개방정도)등을 고려하여 책정되었음을 설명함.

2. 일본의 제안

- 일본은 미국보다 대상 품목등에서 광범위한 자국의 안을 설명함.

(미국안은 H.S 6 단위 기준 156 개 품목이나 자국은 343 개 품목이라함.:

일본안 텍스트: 본부 대표 휴대 예정)

- 일본안 요지

1) 대상 품목

0 의료용기기

0 측정 또는 검사기기

0 전자 기기 및 장비

0 일반 기계

0 사무용 기기

2) 대상국가: 미국, EC 등 10개 선진국과 아국,홍콩, 싱가폴, 멕시코 등 총 13개국

3) 시행단계: 시장접근 분야의 일반적 시행단계- 이에 대해 스위스가 N.T.B 포함여부를문의한바, N.T.B 포함 여부가 생략되어 있으나 향후 협상 가능한 부분이라고답변함.

4. 미국의 의료 용기기에 대한 제안

- 미국은 의료 용기기는 의약품과 본질적으로 유사한 점을 고려하여 별도 제안하게 되는 배경을 설명하고 전자 부문과의 주요 차이는 관세의 즉시 폐지라고 함.

5. 특기사항

- 동 협의 종료후 호주와 양자 협상을 가졌는바 토의 요지 아래와 같음.

0 양측은 시장접근 분야의 협상은 먼저 각료합의상의 목표를 달성하고 추가적으로 분야별 접근방식이 논의되어야 한다는데 의견을 같이함.

0 호주는 쌍무적으로 현재의 OFFER 를 근거로 하여 상호 양허를 교환하고 이를 기초로 INTERIM AGREEMENT를 마련하자고 제의하고 자국은 분야별 무세화에대하여 철강, 비철금속, 수산물에 관심을 가지고있으며, 건설장비, 목재, 종이 분야에는 어려움이많고, 의약품 분야는 이미 상당부문 무세화 되어있으며, 전자는 매우 중요한 부문이 라 설명함.

0 이에 아국은 분야별 무세화에 대한 아국의 기본입장과 부문별 입장을 설명함.끝

(대사 박수길-국장)

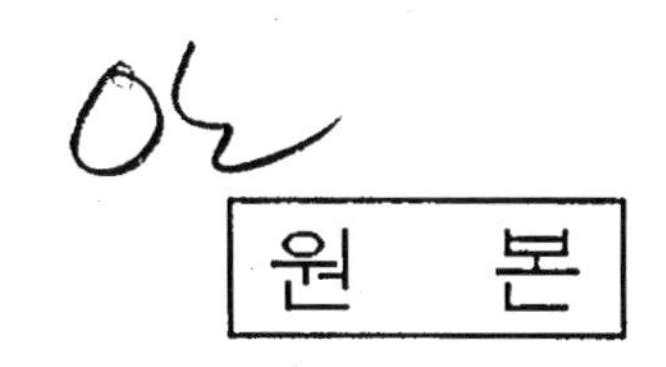

외 무 부

종 별 :

번 호 : GVW-1138 일 시 : 91 0619 1500

수 신 : 장 관(통기,재무부,상공부)

발 신 : 주 제네바 대사

제 목 : UR/ 시장접근 분야별 무세화 협의(비철금속)

6.18.오전 당지에서 개최된 표제협의 내용 아래보고함 (재무부 강과장, 상공부 윤사무관 참석)

1. 미국의 제안 내용 요약

- 미국은 비철금속 분야 (동,납,니켈등) 참여 대상국가.국별 수출규모 및 관세 예상 감면액을 수록한 통계표를 배포함 (본부 대표 휴대 예정)

- 참여 대상국은 생산능력, 투자규모, 수출실적을 고려하여 선정하였다고 함.

2. 각국의 의견

- 호주, 카나다, 스웨덴은 수입규모가큰 국가도 참여 대상국에 포함되기를 바라며, 카나다는 특히 아국과 아세안의 광범위한 참여를 촉구한바, 아국은 수입일방 국가가 참여 대상국가가되어야 한다는 주장에 대해 이익의 균형 (BALANCEOF BENEFITS) 측면에서 그 논거가 무엇인지 의문을 제기하였음.

- 미국은 특정분야에서의 이익 균형보다는 무세화전분야의 균형이 중요하다고 언급함.

- EC 는 무세화가 제안된 분야보다는 전체적인 산업분야가 다 고려되어야 하고 이런 측면에서 볼때높은 관세율과 TARIFF PEAKS 가 여타 사업분야에 존재하는데 강한 우려를 표명하였음.

3. 차기회의

- 미국은 차기회의에서 참여 대상국의 확대 문제및 금차 회의에서 제 시한분야 (동, 니켈, 알미늄, 납, 아연 및 주석) 외의 비철금속분야 (26류 및 81류)도 논의 할것임을 언급하고 차기회의 일정은 7.15주간 또는 7.23.주간중 편리한 시기를 택하겠다고 함.끝

(대사 박수길-국장)

통상국 2차보 재무부 상공부

PAGE 1

91.06.21 08:57 WG

외신 1과 통제관

0197

6ㄴ

원 본

외 무 부

종 별 :

번 호 : GVW-1139 일 시 : 91 0620 1500

수 신 : 장 관(통기,재무부,상공부)

발 신 : 주 제네바 대사

제 목 : UR/ 시장접근 분야 무세화 협의(건설장비)

6.18. 오후 당지에서 개최된 표제협의 내용 아래보고함. (재무부 강과장, 상공부 윤사무관 참석)

가. 미국의 수정제안(본부 대표 휴대 예정)

- 미국은 디젤 엔진에 관하여 지난 4월 회의시 몇개국이 건설장비용 엔진에 국한할 것을 주장한데 대하여 이를 수용하는 안 (HS 8408/8409)중 일부만 포함하고 HS8407/8411 은 제외)을 제시하였음

나. 일본의 제안(본부대표 휴대 예정)

- 일본은 미국보다 포괄적인 품목 COVERAGE 를 제시 (미국안 HS 6 단위 96개 품목, 일본안 HS6 단위 159개라고 설명)하고 또한 참여대상국으로는 일본과 주요 공급국인 선진국 (미, EC, 호주, 카나다, 핀랜드, 노르웨이, 스웨덴, 스위스)및 주요개도국(사실상 한 국만포함) 등 9개국을 제시하였음.

- 아국은 일본이 제시한 참여대상국가에 수출실적이 미미한 한국이 포함된데 의문을 제기하였으며, 지난 4월 회의시 미국의 국별분류에 대하여 아국이 유보 의사를 표명한것을 상기시킴.

다. 각국의 의견

- 이씨는 미국제안에 대해 건설장비용 디젤엔진과 수송기계용 디젤엔진의 구별 가능성에 의문을 제기함

- 스웨덴, 핀란드, 카나다드은 일본의 포괄적인 품목 COVERAGE 제안에 동감을 표시하였고, 특히 카나다는 동 제안에 포함된 농업용 장비 및 식품가공 장비는 분리하여 논의할 것을 제의하였음

- 미국은 자국안과 일본안의 절충을 차기 7월회의 이전에 시도하겠다고 함.끝

(대사 박수길-국장)

통상국 2차보 재무부 상공부

PAGE 1 91.06.21 09:01 WG

외신 1과 통제관

0198

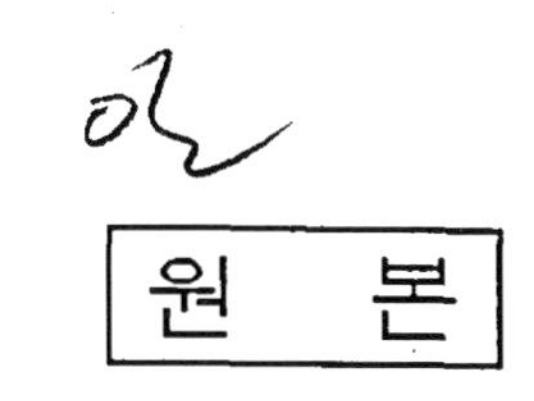

원 본

외 무 부

종 별 :

번 호 : GVW-1160 일 시 : 91 0621 1830

수 신 : 장 관(통기,경기원,재무부,농림수산부,상공부)

발 신 : 주 제네바 대사

제 목 : UR/ 시장접근 분야별 무세화 다국간 협의(비료, 고무,필림,악기)

6.20 당지에서 일본의 주관으로 개최된 표제 협의토의 요지 아래 보고함.

- 일본은 자국의 안을 배포하고 제안설명함. (일본안: 본부대표 휴대 예정)

- 카나다는 고무제품 및 필림분야에는 어려움이있으나 비료 및 악기분야에는 참여 가능함을, 미국은 국내 업계와 협의중에 있으나 상기 4가지 부문에의 무세화 참여에는 어려움이 있음을, 이씨는 관심이 없음을 언급함.

- 아국은 동 분야에 대하여 구체적으로 언급할 입장은 아니나 무세화 대상 분야를 확대하기전에 먼저 참가국간 교역 이익이 균형될수 있는 방안이 마련되어야 함을 지적함.

- 일본은 답변을 통하여 1) 자국으로서는 전자, 건설장비, 고무제품, 악기,비료, 필림등이 무세화 대상 우선 분야임을 언급하고, 2) 전반적 접근 방법이나 분야별접근방법이나 그 목적은 동일함을 언급함.

(대사박수길-국장)

통상국 2차보 경기원 재무부 농수부 상공부

PAGE 1

91.06.22 09:26 WG

외신 1과 통제관

0199

02

원 본

외 무 부

종 별 :

번 호 : GVW-1161 일 시 : 91 0621 1830

수 신 : 장 관(통기,경기원,재무부,농림수산부,상공부)

발 신 : 주 제네바 대사

제 목 : UR/ 시장접근 분야별 무세화 다국간협의(맥주,일반주류,기구,완구)

6.20. 당지에서 미국의 주관으로 개최된 표제협의토의요지 아래 보고함

- 미국은 자국의 안을 배포하고 제안설명함. (미국안: 본부대표 휴대 예정)

0 다만, 일반주류, 가구, 완구는 공식적으로 무세화를 제안하는 것이 아니라 각국의 의견을 청취하고 그관심의 정도에 따라 향후 무세화 추진여부를 결정하기 위하여 재의하는 것이라 설명함.

- 이씨는 부문별 관심여부에는 언급하지 않은채 맥주에 대하여 BRANDING, ORIGIN, DISTRIBUTION 등을 통한 교역장벽이 존재하고 있음을 지적하였으며 카나다, 호주등은 맥주에 대하여는 상당한 관심을 표명하면서 시행기간이 여타 무세화 분야와는 다른점, 대상 N.T.B. 가 명확히 정의되어야함을 지적하고 가구 및 완구는 민감품목임을언급함.

- 일본은 맥주에 대하여는 업계의 반대가 있긴하나 BIG PACKGE 를 위해 반대하지 않으며 N.T.B. 는 양자간 R/O BASE 로 다루어져야 하고 일반주류는 무세화는 곤란하나 인하된 세율로의 BINDING 은 가능하며,가구 및 완구에 대하여는 검토 가능성을 언급함.

- 핀랜드는 분야별 무세화의 확대에 우려를 표시하고 전체적인 관점에서 참가국간 교역이익의 균형이 도모되어야 함을 지적함

- 미국은 답변을 통해

1) 시행기간은 신축적으로 검토될 수 있을 것이며

2) DISTRIBUTION 문제등은 시장접근 분야의 협상대상이 아님을 언급함.끝

(대사 박수길-국장)

통상국 2차보 경기원 재무부 농수부 상공부

PAGE 1 91.06.22 09:40 WG

외신 1과 통제관

0200

원 본

외 무 부

종 별 :

번 호 : GVW-1162 일 시 : 91 0621 1830

수 신 : 장 관(통기,경기원,재무부,농림수산부,상공부,수산청)

발 신 : 주 제네바 대사

제 목 : UR/ 시장접근.분야별 무세화 협의(수산물)

6.20 주요 교역국중의 하나인 이씨가 불참한 가운데 당지에서 개최된 표제협의 토의 요지 아래 보고함.

- 미국은 종전안을 반복 설명하면서 특히 일본, 이씨의 수출이 년 10억불을 상회하므로 이들 국가도 무관세 실현시 수출 이익이 클 것임을 언급함.

- 뉴질랜드, 호주, 카나다, 아이슬랜드, 노르웨이, 페루, 알젠틴 등은 이를 지지함.

- 일본은 미국의 자원 보호 조치로 오히려 일본의 수산업이 위축되고 있음을 지적하면서 미국안에 반대의사를 분명히 하고, 태국, 필리핀은 TUNA의 포함 가능성을 문의함.

- 아국은 영세 어민 보호를 위한 정치적 어려움과, BOP 협의 결과 비관세 조치가 철폐되고 있는 시점에서 무관세의 동시 추진은 곤란함을 들어 미국안에 반대의사를 분명히 하고 이미 동 분야에대하여 관세 양허 OFFER 를 제출하였음을 상기시켰음.

- 미국은 답변을 통하여

1) 자원 보호 조치는 동 협상과 전연 별개의문제이며

2) TUNA 는 대상품목에 포함될수 없고

3) 주요교역국 (일본, 이씨 지칭)이 시장접근분야에서 수산물에 관한 OFFER 를 제출하지않았는바, 분야별 접근 방식에서 다루지 않으면 동 분야 관세 OFFER 가 실종될 우려가 일부 국가에서 제기되고 있음을 상기 시키면서 자국은 결코 이러한 사태를 그냥 보아 넘기지 않을 것임을 언급함.

- 특기 사항

0 협의 종료후 카나다 대표는 H.S, 0303799090품목이 제 2차 자유화 계획(92-94)에 제외되어있는바, 수입제한 철폐가 불가능할 경우에는 쿼타량을 년 5,000

통상국 2차보 경기원 재무부 농수부 상공부 수산청

PAGE 1 91.06.22 09:40 WG

외신 1과 통제관

0201 

본까지 증대 시켜줄것을 아국측에 요구함. 끝
(대사 박수길-국장)

PAGE 2

0202

원 본

외 무 부

종 별 :

번 호 : GVW-1163　　　　일 시 : 91 0621 1830

수 신 : 장 관 (통기,재무부,농림수산부,상공부)

발 신 : 주 제네바 대사

제 목 : UR/ 시장접근,분야별 무관세 협의(목재,종이)

6.19 당지에서 개최된 표제협의 토의 내용 아래보고함.

- 카나다는 자국이 제안한 목재, 종이 무세하에 대한종전의 입장을 반복 설명하고 4월 회의 이후 각국의 입장변화 여부를 문의함.

- 미국은 전폭지지와 광범위한 참여를 촉구한데 비해 이씨, 핀란드는 이미 종이(특히 인쇄된 책자등) 분야에는 무세화 조치가 되었으나 오히려 미국이 이들 분야에 반덤핑 조치등을 상당수 부과하고 있는 예를 들어 반대의사를 분명히 함.

- 일본은 44류를 제외하고는 참여 가능하며 호주, 스위스등 어려움이 있음을 언급함.끝

(대사 박수길-국장)

통상국　2차보　재무부　농수부　상공부

PAGE 1　　　91.06.22　09:29 WG

외신 1과 통제관

0203

오ㄴ

원 본

외 무 부

종 별 :

번 호 : GVW-1164 일 시 : 91 0621 1810

수 신 : 장 관(통기,재무부,농림수산부,상공부)

발 신 : 주 제네바 대사

제 목 : UR/ 시장접근,분야별 관세조화 방안 협의(섬유)

6.19. 당지에서 개최된 표제협의 토의 내용 아래보고함.

- 이씨는 종전의 안에서 일부 서문을 추가하고 최빈개도국에게는 별도 예외조치가 고려될 수 있다는 주석을 추가하는 수정안을 배포하고 제안설명함. (수정안: 본부대표 휴대 예정)

- 오지리, 스위스, 스웨덴은 지지를 표명하면서 특히 오지리는 브랏셀회의에서 이씨가 동시에 제안하였던 신발류에 대한 관세조화 방안의추후 협의 가능성을 문의함

- 일본은 실현 가능성에 의문을 표시하면서 주요교역국의 참여가 필수적인 사항임을 강조하고 카나다도 반대 의사를 표명하였으며 인도, 파키스탄, 이집트등도 반대 하였음.

- 아국은 관심을 갖고 있는 분야로서 광범위한 참여를 위해 발전 정도에 따라 참여국을 분류하여 상이한 세율 수준으로 접근하는 것이 바람직한 접근 방법임을 언급하겠고 페루, 코스타리카도 지지를 표명함.끝

(대사 박수길-국장)

통상국 2차보 재무부 농수부 상공부

PAGE 1

91.06.22 09:28 WG

외신 1과 통제관

0204

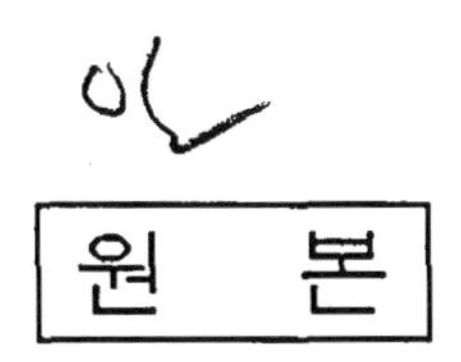

외 무 부

종 별 :

번 호 : GVW-1165 일 시 : 91 0621 1830

수 신 : 장 관(통기,재무부,농림수산부,상공부)

발 신 : 주 제네바 대사

제 목 : UR/ 시장접근.분야별 관세조화 방안 협의(석유화학,플라스틱)

6.10 당지에서 개최된 표제협의 토의 내용 아래보고함.

- 이씨는 종전안을 반복 설명하면서 품목 COVERAGE 에 대해 미국의 그간의 추이를 문의함.

- 미국은 일부 민감한 품목에 대해 국내업계와 협의중이나 여전히 국내업계 설득에 어려움을 겪고 있음을 설명하면서 품목 COVERAGE에 대한 예외조치의 인정여부 (특히 참여국이 일방적으로 예외 품목을 선정할 수 있는지의 여부)를 문의함.

- 이에 이씨는 일방적 예외품목 인정은 본협상을 무의미하게 할 가능성이 높으므로 자국의 기존안을 수정할 의사가 없음을 분명히하고 (스웨덴 동조) 참가국이 확대될 경우에는동 문제를 긍정적으로 검토할 용의가 있다고 답변함.

- 카나다는 이씨 안대로 합의된다 하더라도 TARIFFESCALATION 상태가 존재하므로 결코 바람직한 방향이 아님을 지적하고 일본은 자국의 민간품목이 포함되는 경우 특정국 (아국등 일부개도국 지칭)의 참여가 필수적임을 다시 확인함.

- N.T.B. 포함 여부에 대하여 브라질, 멕시코, 인도등 개도국이 반대함.끝

(대사 박수길-국장)

통상국 2차보 재무부 농수부 상공부

PAGE 1 91.06.22 09:26 WG

외신 1과 통제관

0205

분류번호	보존기간

발 신 전 보

번 호 : WGV-0820 910624 1722 DU 종별 :

수 신 : 주 제네바 대사. 총영사

발 신 : 장 관 (통 기)

제 목 : UR/대일 관세인하 양자협의

1. 6.18 동경에서 개최된 제1차 한.일 무역산업기술 협력위원회 회의시 아측은 일측에 대해 117개 품목의 관세인하를 요청한 바, 일측은 당초 동문제가 UR 협상에서 다루어져야 한다는 강경 입장을 고수하였으나, 아측의 강한 성의촉구 결과, ~~한국측~~ 아측 요망을 염두에 두어 UR 협상시 적극 대응 하겠다는 입장을 표명 한바 있으니, 대일 관세 협의시 참고바람.

2. 상기 대일 관세인하 요청 품목(117개)은 아래임.

o '90.10. 아국 대일본 Request List 110개 품목

o 농림수산물 6개 품목

- 밤 통조림(HS 2008 19 193)
- 깐 밤(0812 90 430)
- 건 표고(0712 30 010)
- 냉동 딸기(가당) (0811 10 100)
- 냉동 딸기(무가당) (0811 10 200)
- 청량 음료(맥콜) (2202 90 100)

o 석유화학제품 1개 품목

- 옥탄올(290 516 100). 끝. (통상국장 김 삼훈)

제2차관보:

보 안 통 제	

앙 고 재	91년 6월 24일	통기과	기안자 성명		과 장	심의관	국 장		차 관	장 관
			안성국				전결			

외신과통제

0206

28923

기 안 용 지

분류기호 문서번호	통기 20644	(전화: 720 2188)	시 행 상 특별취급	
보존기간	영구. 준영구 10. 5. 3. 1.	장 관		
수 신 처 보존기간				
시행일자	1991. 6.24.			

보조기관	국 장	전 결	협조기관		문서통제 (검인 1991. 6. 25 감사관)
	심의관				
	과 장				
기안책임자		안 성 국			발송인 (발송 1991. 6. 25 외무부)

경 유 수 신 참 조	수신처 참조	발신명의	
제 목	수산물 무세화 제안 관련 뉴질랜드 입장		

주한 뉴질랜드 대사관은 6.21 당부로 미국의 수산물 무세화 협상 제안에 대한 자국(수산청) 입장 및 아국의 동 ~~제안~~ 협상 참여 필요성등을 ~~설명~~ 강조하는 내용의 별첨 서한을 보내 왔는 바 ~~이를 송부하오니,~~ 귀부(청)의 관련 업무에 참고하시기 바랍니다.

첨 부 : 주한 뉴질랜드 대사관 서한 1부. 끝.

수신처 : 재무부장관, 농림수산부장관, 수산청장.

0207

New Zealand Embassy, Seoul

46/2/1
27/6/7

20 June 1991

Mr Hong Chong-ki
Director
Multilateral Trade Organisations Division
Ministry of Foreign Affairs
SEOUL

Dear Director Hong

As a major exporter of fisheries products, New Zealand is taking a close interest in those aspects of the GATT Uruguay Round negotiations which effect trade in fisheries products. Recently, the United States announced a new proposal designed to eliminate tariffs on most fisheries products. The New Zealand Government believes that the United States proposal is a sound basis for negotiations. The proposal is supported also by the New Zealand fishing industry. A copy of a statement issued by the New Zealand Fishing Industry Board is attached for your information.

New Zealand hopes that the Republic of Korea will also support the United States proposal.

Yours sincerely

Brian Wilson

(Brian Wilson)
Counsellor

Encl

POSTAL ADDRESS: C. P. O. BOX 1059, SEOUL. LOCATION: RMS. 1802-1805, KYOBO BUILDING, 1 CHONGNO 1-GA, CHONGNO-GU, SEOUL
TELEPHONE: 730-7794/5, 736-0341, 736-0342, 737-2942. TELEGRAM: TAKAPU, SEOUL. TELEX: K27367 "TAKAPU", FAX: 737-4861

0208

New Zealand Fishing Industry Board

FISHING INDUSTRY HOUSE, 74 CAMBRIDGE TCE, WELLINGTON, NEW ZEALAND
Postal Address: Private Bag, Manners Street P.O. Wellington N.Z.
Phone: (04) 854-005 Fax: (04) 852-717

1(June 1991

In reply please quote:

PRESS RELEASE

Fishing Industry welcomes Free Trade Initiative in GATT

The Fishing Industry Board today praised an initiative in the Gatt Trade Negotiations that could result in a major liberalisation of trade in seafood products. The proposal, promoted first by the U.S.A. and Canada, now endorsed by New Zealand could result in free trade for all seafood products.

The U.S.A. has volunteered to eliminate import tariffs on most seafood products, plus a number of other assistance measures for its fishing industry, provided that a significant number of other GATT member countries agree to eliminate import tariffs and other government assistance to their industries. Canada, and now New Zealand, have also offered to wipe their import tariffs.

The Fishing Industry Board understands that for the proposal to become a reality, it is imperative that countries with major trade restrictions on seafood make equally strong commitments. These countries include Japan, Korea and the European Community.

Trade Restrictions

Japan and Korea both have absolute restrictions on the volume of a large number of seafood products that may be exported to those markets. They also impose tariffs on fish that is not caught using vessels from those countries.

The E.C. has high tariffs on seafood imported from countries that do not have Government to Government fishing agreements with the Community. Fish caught by New Zealand fishermen using their own vessels faces tariffs as high as 24 percent of its landed value when exported to the E.C.

Seafood exports from New Zealand to other countries around the world face tariffs as high as 60 percent. New Zealand must also compete against seafood caught with the aid of government subsidies to competing seafood industries.

New Zealand Action

The New Zealand Fishing Industry Board welcomed the recent visit to Europe by the Minister for Trade Negotiations, Mr Philip Burdon, to get the GATT negotiations under way again. In particular the Board noted the Minister's statement that unless there was agreement this year "the whole thing is quite capable of draining away into the sands and becoming irrelevant as the world looks to other solutions."

0209

2

For New Zealand seafood exporters the "Sectoral Free Trade" proposal that is now on the Gatt negotiating table offers the best opportunity yet for a quantum improvement in trade conditions for seafood. The Board's Deputy Chief Executive, Alastair Macfarlane said, " New Zealand seafood exports already contribute over $700 million dollars a year of foreign exchange earnings and, given the right market conditions, can be expected to more than double (in today's dollar terms) by the end of the decade. It is essential that the Government do all that it can to make sure that the sea food free trade initiative comes through the GATT negotiations as one of the "Wins" for this country."

For further enquiries please contact:

Alastair Macfarlane,
Deputy Chief Executive,
New Zealand Fishing Industry Board.

Tel 04 - 854-005
Fax 04 - 852-727

0210

재 무 부

국관 22710-278　　　　503~9297　　　　1991. 6. 28.

수신 외무부장관

참조 통상국장

제목 UR 시장접근분야 협상참석 결과 통보

1. 통기 20644-25613('91.6.7) 관련입니다.

2. 표제 협상관련 당부대표의 참석 보고서를 별첨과 같이 송부합니다.

별첨 : UR 협상 결과 보고. 끝.

재 무 부 장 관

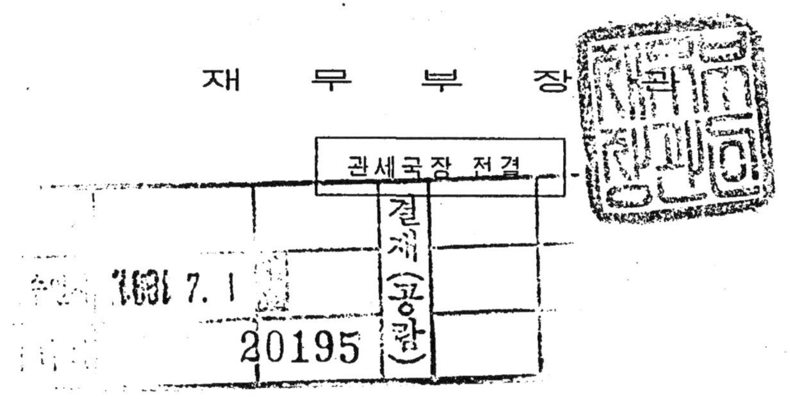

0211

UR 협상 참석 보고

1. 협상개요

- 협상기간 : '91. 6. 11 ~ 6. 20
- 협상장소 : 제네바
- 아국대표 : 제네바 재무관 엄 낙 용
  국제관세과장 강 정 영
- 주요회의 및 협상분야 : 총 17회의 협상 또는 회의 참여
  - o UR 시장접근분야(관세·비관세·천연자원·열대산품) 공식·비공식회의 3회
  - o UR 무세화 다자간·양자간 협상 9회
  - o 관세조화협상 2회
  - o 주요 협상국 양자회의 3회

2. 회의내용 요약보고

가. 무세화 협상

(1) 미국과의 양자협상

- 아국입장 제시
  - o 정부가 8개 분야 무세화 참여를 위해 업계를 설득하고 있으나, UR 협상이 전반적으로 진전이 없어 설득에 어려움이 있음.

0212

o 부분적으로 무세화 참여를 고려하고 있는 전자 · 건설장비 분야도 대일역조가 심각함.

- 미국의 반응

o 철강 · 전자 · 건설장비의 무세화에 참여시 한국의 교역이익이 신장될 것인 바, 여타 분야도 big package로 참여하여 전체적인 이익의 균형추구가 타당

o 대일 역조품목 등은 무세화기간의 장기화등 신축적으로 수용가능

(2) 무세화 분야별 다자간 협상

(가) 전자 · 건설장비

- 일본 : 위 두분야에 대해 미국의 2배에 해당하는 무세화 품목 제시

- E C : 전자에 대해 전혀 언급이 없어 무관심 표명

- 미국 : 의료기기/과학장비는 전자와 별도 분야로 제시

(나) 비철금속

- 미국 : 참여대상국은 생산능력 · 투자규모 · 수출실적을 고려하여 선정

- 한국 : 카나다가 한국 · ASEAN의 적극 참여를 주장하여 그 논거가 무엇인지 질문

- E C : 비철금속 분야 보다는 전산업 차원에서 높은 관세율을 유지하는 분야가 더 문제임.

0213

(다) 목재 · 종이

- 카나다 주관
- 미국 : 전폭 지지
- 일본 : 44류(목재) 외에는 참여가능
- E C : 반덤핑등 비관세장벽이 더욱 문제임.

(라) 수산물

- E C : 회의 불참
- 일본 : 수산업이 위축되고 있어 참여가 어려움.
- 한국 : 영세어민보호등 정치적 민감성, BOP 자유화와 동시에 무세화 어려움. 기존 양허에 수산물의 상당부분 기히 포함.
- 개도국 : 미국의 여론조성에 부응하여 무세화 지지발언이 많았음.

(마) 맥주 · 일반주류 · 가구 · 완구

- 미국이 공식적인 무세화제의
  - o 맥주는 아국이 참여대상에서 제외
- 각국의 관심도에 따라 무세화 추진여부 추후 결정

(사) 비료 · 필름 · 악기 · 고무제품

- 일본이 제안
- 다음 회의부터 구체적인 논의예상

(아) 의약품

- 미국에 불참의사 통보하고 금차회의부터 불참
- 선진국간 무세화에 거의 합의한 상태임.

0214

국 장	차관보

국제협력담당관

상역국장
산업정책국장
통상협력관

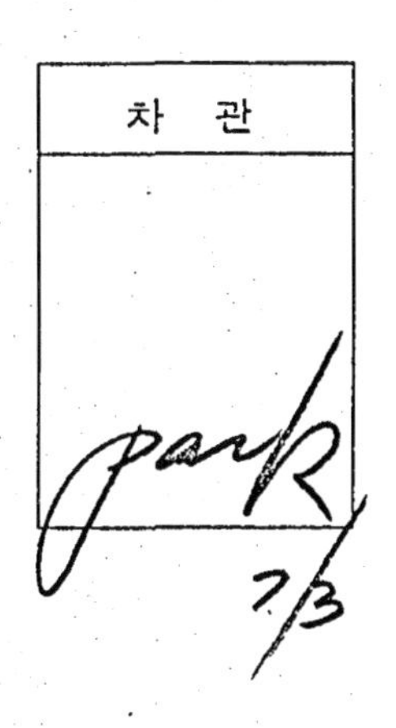

UR/시장접근분야 양자 및 다자간 결과 보고

1991. 6

국 제 협 력 관 실

0215

—.

1. 개 요

가. 협의 기간 및 장소

o 1991. 6. 10(월) - 20(목), 스위스 제네바

나. 참가자

o 국제협력관실 윤 동섭 사무관

※ 제네바 대표부 재무관(수석대표), 재무부 국제관세과장 등 참가

다. 주요 참가회의

o 양자 협의 : 한 · 미, 한 · 카나다, 한 · 호주, 한 · 핀란드 등

o 시장접근 그룹 공식/비공식 회의

o 분야별 무세화 및 관세조화 회의 ;

- 미국 주도 : 전자부문, 비철금속 부문, 건설장비 부문, 수산물 부문,
  맥주 · 가구 · 완구 부문

- 카나다 주도 : 임산물 부문

- 일본 주도 : 비료 · 고무 · 필름 · 악기 부문

- E C 주도 : 섬유 부문 및 석유화학 부문 관세조화

0216

2. 참가 회의 주요 토의 내용

가. 양자 협의

1). 한 · 미 양자 협의

(무세화에 대한 의견 교환과 비관세 분야에 대한 질의 응답으로 진행)

가) 무세화

o 미국은 그간 미국, EC, 일본, 카나다 등 4국간 또는 미국 EC간 공식 비공식적으로 많은 접촉이 있었음을 언급하면서 금년 7월까지 실무차원에서 합의 가능한 ad referendum agreement를 도출하고 이를 근거로 금년말 까지 타결 될 것을 희망한다는 의견을 피력

- 이를위해 EC와 상호 수출 관심 품목을 교환하여 품목별로 협상을 진행 하여 타결점을 모색 중에 있음을 언급

o 아국은 국내적으로 무세화 협상과 관련 아국의 폭넓은 참여를 위하여 업계와의 협의 및 설득 작업을 계속하고 있으나 아국의 여건이 매우 어려움을 설명

- 의약품, 종이, 목재 등에서 아국이 주요 참가국으로 선정된데 대해 근본적인 의문이 있음을 지적하고 의약품 회의에는 불참할 것을 통보

- 일부 참여가 긍정적으로 검토될 수 있는 분야중에서도 수입선이 일본에 편중되어 대일 역조의 심화를 초래할 수 있는 분야가 있음을 설명하고 이에 대한 국내의 심각한 우려를 전달

o 미국은 9개분야 전체로 볼때 무세화 달성시 철강, 전자, 건설장비 등의 품목에서 미국 시장에서의 한국의 수출 이익이 크게 신장되므로 상호 교역 이익의 균형을 도모한다는 측면에서 한국도 big package를 추구해야 할 것이라고 주장하면서 아국의 적극적 참여를 촉구

- 대일 역조를 크게 초래할 수 있는 특정 품목에 대해서는 시행기간 등에서 신축적으로 고려될 수 있을 것이라는 견해를 피력

0217

나) 비관세 분야

o 미국은 그간 논의된 미국의 NTB request에 대한 아국의 답변을 GATT 양허표에 수록하여 이를 binding하자고 제의한 바, 아국은 NTB 조치의 binding문제는 수량 규제를 제외하고는 기술적으로 많은 어려움이 있음을 지적하고 남은 협상 기간등을 고려할 때 이는 현실성이 희박할 것이라는 의견을 피력

o 소나무 재선충으로 인한 목재품 수입 제한

- 아국은 동 문제가 지난 4. 8 - 9 미국 워싱톤에서 열린 한·미 식물 검역 전문가 회의에서 토의 되었고, 미측 자료를 기술적으로 검토중에 있으나 동 자료가 워낙 방대하여 시간이 걸릴 것임을 언급하고 아울러 동 문제가 기술적이고 전문적인 사항이므로 양국 전문가 회의에서 심도 있게 논의되는 것이 더 바람직할 것이라는 의견을 제시

o 주류 및 과일 쥬스에 대한 수입 제한

- 아국은 주류 품목(2208.90) 중 수입제한 미해제 품목 2개의 92, 93 해제 예정과 과일쥬스(2009.30) 중 1개 품목만이 미해제 되었음을 설명하고 동 품목도 UR 농산물 협상 결과에 따를 것임을 언급

o 쵸코렛, 설탕제품에 대한 수입 규제

- 아국은 기 약속대로 금년부터 각 검역소에 이화학 검사장비가 도입되어 각 검역소에서 직접 이화학 검사가 이루어지고 있음을 설명
- 미국은 그들의 요구 사항인 sampling 테스트와 검역소에서의 이화학 검사를 약속하는 문구를 제시하면서 이를 양허 리스트에 포함시켜 줄 것을 요구

o 전기 전자 제품에 대한 강압기 사용 금지

- 아국은 이미 지난 2. 7에 동 금지조치를 해제하였음을 미국에 통보
- 미국은 동 해제조치도 양허 리스트에 포함시켜 줄 것을 요구

0218

o 전기 전자 제품에 대한 형식 승인 문제

- 아국은 미국이 전번 회의시 요구한 형식 승인 영문 설명 자료와 국문 법규 책자를 미국에 전달

o 소프트 웨어에 대한 관세 평가

- 아국은 소프트웨어에 대한 한국의 현행 평가제도가 관세 평가 협정에 위배되지 않음을 상기 시키면서 현재 실시중인 고도기술 소프트웨어 등의 수입에 대한 관세 감면이 미국 업계에 도움이 될 것임을 언급

o 수입허가절차 협정 가입

- 미국은 아국의 수입허가절차 협정 가입 여부에 관한 의사를 타진하여 온 바 아측은 동 사항에 관해 검토 중에 있음을 설명

2) 기타 양자 협의

가) 한ㆍ카나다 양자 협의

o 카나다는 무세화 협상에서 big package를 추구한다는 자국 입장을 설명하고 미국ㆍEC간의 협상에 다소간 긍정적 진전이 있음을 전달

- 미국ㆍEC간에 7월까지 타협점을 찾지 못할 경우 각국이 기 제출한 offer를 수정하여 small package로 타결될 수 밖에 없을 것이라는 의견을 피력

o 아국은 전반적인 협상 부진으로 분야별 무세화 참여를 위한 국내 설득이 어려우며 아국에게 참여가 요청된 분야 중 일방적 수입 품목에 대한 참여 필요성에 많은 회의적 견해가 있고 일부 참여가 검토되고 있는 분야 중에서도 대일수입편중 품목에 대한 심각한 우려가 있음을 전달

0219

나) 한·호주 양자 협의

o 양측은 각료 선언상의 목표를 먼저 달성하고 후에 분야별 접근방식이 논의되어야 한다는데 의견을 같이함

o 호주는 쌍무적으로 현재의 offer를 근거로 상호 양허를 교환하고 이를 기초로 interim agreement를 마련하자고 제의 하면서 분야별 무세화에 대한 자국 입장을 설명

- 철강, 비철금속, 수산물에 관심을 갖고 있으며 건설장비, 목재, 종이 분야는 어려움이 많음

o 아국은 분야별 무세화에 대한 아국의 기본 입장과 부분별 입장을 설명

다) 한·핀란드 양자 협의

o 양측은 협상의 기본 목표인 각료 선언상의 목표를 달성한 후에 추가적인 교역증진 방안으로 분야별 접근 방식이 논의될 수 있다는데 의견을 같이하고 각기 자국 입장을 설명

o 핀란드는 분야별 무세화에 참여하고 있으나 대부분의 분야에서 주요 참가국(major player)은 아니며 소극적으로 청취하는 입장에서 참여하고 있음을 언급

나. 시장 접근 그룹 공식/비공식 회의

1) 비공식 평가 회의

o 브랏셀 회의이후 신규 및 수정 offer를 제시한 7개국의 offer안을 평가하고 각국간에 의견 교환

o 각국의 tariff peak를 각국별, 부문별로 비교 검토하여 사무국 평가 보고서에 수록하자는 호주 제안에 대해 추후 논의키로 함

0220

2) 공식 회의

o 시장접근 그룹 협상과 관련 그간 협상 현황을 점검하고 비관세 조치의 GATT 제28조 적용 문제, 개도국 자유화 조치에 대한 credit 및 recognition 문제 등에 관한 각국의 입장 표명이 있었음

o 차기 회의를 7. 15 주간중 7. 18에 offer 평가 회의, 7. 19에 공식 회의를 개최키로 함

다. 분야별 무세화 및 관세 조화 회의

1) 전자 부문 무세화 회의(미국 주도)

o 미국은 지난번 제안을 수정하여 다시 제안 하였음

- 대상 품목중 의료장비를 별도의 분야로 분리하고 다음과 같이 5개 subcategory로 제안

i) ADP 장비 및 부품

ii) 일반 전자 제품

iii) 반도체

iv) 반도체 제조 및 검사 장비

v) 통신 장비

- 비관세 조치의 철폐도 포함

- 시행 단계는 국별로 0 ~ 5년 (반도체 제조 및 검사 장비는 즉시)

- 참가국은 아국을 포함한 13개국이 A그룹에, 3개국이 B그룹에 포함

o 미국이 별도 부문으로 제안한 의료장비에는 대상품목을 일부 추가시켰으며 시행 시기가 즉시인 것이 전자 부문과 다르고 비관세 조치 철폐 및 참가국 리스트는 전자 부분과 동일

o 일본은 대상품목이 미국안보다 더 광범위한 안을 제시 (미국안은 HS 6 단위기준 156개이나 일본안은 343개임)

- 시행 단계는 시장접근 분야의 일반적 시행단계

- 대상 국가는 미국, EC등 10개 선진국과 아국, 홍콩, 싱가포르, 멕시코 등 총 14개국

0221

2) 비철금속 부문 무세화 회의 (미국주도)

o 미국은 대상품목과 참여 국가를 새로이 제안

- 동(HS74), 니켈(HS75), 알루미늄(HS76), 납(HS78), 아연(HS79), 주석(HS80) 등을 대상품목으로 제시하고 품목별로 대상 국가를 지정 (아국은 동과 납에 참여국가로 지정)

o 미국은 참여 국가 선정시 생산능력, 투자규모, 수출실적 등을 고려하였음을 설명

o 호주, 카나다, 스웨덴 등 일부 국가들은 대상품목과 참여 대상국의 확대를 주장

3) 건설장비 부문 무세화 회의 (미국주도)

o 미국은 디젤엔진중 건설장비용 엔진만 포함되도록 대상 품목을 수정제시

o 일본은 대상품목이 미국안보다 더 광범위한 안을 제시 (미국안은 HS 6 단위 기준 96개이나 일본안은 159개임)

- 참여 대상국은 8개 선진국과 한국

4) 임산물 부문 무세화 회의 (카나다 주도)

o 카나다는 목재(HS44), 펄프(HS47), 종이(HS48), 인쇄물(HS49) 등을 대상품목으로 제시

- 시행 단계는 품목별로 5 ~ 10년
- 참여 국가는 아국이 포함된 14개국의 A그룹과 11개국의 B그룹으로 분리하여 제시

o 미국은 전폭적인 지지를 표시하고 각국의 광범위한 참여를 촉구

0222

5) 섬유 부문 관세조화 회의 (EC 주도)

o EC는 종전안에 일부 서문을 추가하고 최빈개도국에 대한 예외조치를 규정한 주석을 추가하는 수정안을 배포

- 대상품목 : 섬유류 (HS50-63)
- 목표 관세율 : 품목별로 0 ~ 12%(선진국), 0 ~ 35%(개도국)

o 오스트리아, 스위스, 스웨덴은 지지를 표명하면서, 특히 오스트리아는 신발류 부문에 대해서도 관세조화 협의를 재개할 것을 촉구

6) 석유화학 부문 관세조화 회의 (EC 주도)

o EC는 석유화학 제품 및 플라스틱 제품에 관한 종전의 관세조화 방안을 제안

- 대상품목 : 석유화학 및 플라스틱 제품 (HS29, 39류 일부)
- 목표 관세율 : 품목별로 0 ~ 6.5%

o 미국은 동 제안에 대해 아직까지 검토중임을 설명하면서 대상품목에서 일방적 예외(unilateral exception)를 인정해 줄 것을 요구

7) 수산물 부문 무세화 회의 (미국주도)

o 미국은 수산물 전 품목에 대한 무세화를 주장하는 종전안을 되풀이 설명하면서 주요 교역국들(major players : 일본, EC, 한국)의 참여를 촉구

o 일본과 아국은 반대 의사를 분명히 함 (EC는 불참)

8) 비료·고무·필름·악기 부문 무세화 회의 (일본 주도)

o 일본은 비료(HS31), 고무(HS40), 필름(HS37), 악기(HS92)등에 대한 무세화를 제안

- 품목별로 참가국을 제시 (아국은 4개부문 모두에 참가국으로 지정)

0223

o 카나다는 고무제품 및 필름 분야에는 어려움이 있으나 비료 및 악기 분야에는 참여 가능함을, 미국은 고무제품 및 악기 분야에 일부 어려움이 있으나 비료 및 필름 부문은 적극적으로 참여 할 것임을 언급

9) 맥주·주류·가구·완구 부문 무세화 회의 (미국 주도)

o 미국은 주류·가구·완구 등은 무세화 제의가 아닌 의견 청취를 위하여 제안한 것임을 설명하면서 맥주에 대한 무세화를 제안

- 대상품목은 맥주(HS203)이고 비관세 조치 철폐도 포함
- 시행 단계는 다른 부문과는 달리 50%의 즉시인하와 그후 시장접근 분야의 일반적 시행 단계
- 대상 국가는 7개국 (아국은 제외)

3. 관찰, 평가 및 향후 대책

o 현재 농산물 분야 협상이 UR 협상의 최대이슈로 부각되고 있지만, 미국은 시장접근 분야야말로 무역자유화 협상의 전통적인 핵심대상으로서 그 상징적 의미가 매우 크다고 보고 동 협상(특히 무세화)을 적극 추진 하고 있음

* 금번 협의시 비관세, 천연자원 및 열대산품 분야에 대한 논의는 전무하였고 무세화에 대해서만 집중적인 논의가 있었음

o 미국은 늦어도 7월말까지 실무차원에서의 합의안을 도출하지 않으면 금년내 타결이 어렵다는 판단하에 다소 서두루고 있는 것으로 보여짐

- 미국은 미국, EC, 일본, 카나다의 4국 협의에 주력하고 있으며, EC와의 의견 절충을 위해 상호 관심 품목을 교환하고 이를 검토 중인 것으로 알려짐

o 그러나, 현 단계에서 볼 때 극적인 반전이 있지 않는 한 7월말까지 실무적인 차원에서 합의안이 도출되기는 어려울 것이고 따라서 금년말까지 무세화 협상 타결되기는 어렵다는 것이 제네바 현지의 대체적인 분위기임

0224

o 한편, 무세화 범위와 정도에 있어서도 현재 미국등의 제안대로 9개 전분야에서의 완전무세화가 이루어진다는 것은 거의 불가능한 것으로 보여짐

- 일부에서는 미국 · EC가 절충하여 EC 주요국가 (독일, 이태리등)의 관심사항인 섬유류 협상에서의 미국의 양보 (tariff peak 인하등)가 있으면 EC도 미국의 분야별 무세화 제안을 제한적으로 수용할 가능성도 있는 것으로 보고 있음
- 또 다른 일부에서는 부득이한 경우 무세화가 아닌 deeper cut가 이루어질 것이라는 조심스러운 전망도 나오고 있음
- 최악의 경우에는 각국이 기 제출안 관세인하 offer를 수정하여 small package 으로 타결 될 수 밖에 없을 것이라는 의견도 있음

o 현재로서는 언제 어떠한 형태로 무세화 협상이 타결 될지는 불투명하지만 미국등이 동 협상 타결에 최대의 노력을 경주하고 있고 아국의 적극적 참여를 촉구하고 있으므로 무세화 협상에서의 적절한 아국 입장을 수립해야 할 것으로 보임

- 협상 진전 상황에 맞추어 매우 신중하게 대처하여야 하며 한국 때문에 무세화 협상이 실패했다는 비난을 받지 않도록 해야 할 것임
- 미국, EC등 주요 선진국들 (big players)끼리 타협하여 절충안을 도출할 경우 우리나라는 우리 입장을 반영도 못하고 동 절충안에 휩쓸려 들어갈 수도 있음에 유의해야 함

o GATT 체제내에서 점증하고 있는 우리나라에 대한 역할 기대와 협상 성격상 품목별로 선택하여 참여하기가 어려울 것이라는 점을 감안할 때, 최악의 경우 협상 대상 전 분야에 참여해야 하는 상황에 대비하면서, 참여 가능한 분야를 신중히 결정해야 할 것임

- 우리가 major player로 있는 전자 등 몇몇 분야에서 우리가 불참하기는 매우 어려울 것으로 보임

o EC의 관세조화 방안에 대해서는 동 제안이 미국의 무세화에 대응하기 위한 협상 leverage 용이라는 점과 미국의 참여를 기대하기가 어렵다는 점을 감안할 때 그 타결 가능성이 거의 없으나 우리나라의 입장에서는 수용에 따르는 부담이 적으므로 협상 동향에 따라 적극 대처하는 것이 바람직할 것으로 보임

0225

UR/시장접근분야 양자 및 다자간 결과 보고

==

(요 약)

1. 한미 양자 협의 : 무세화에 대한 의견 교환과 비관세 분야에 대한 질의 응답으로 진행

o 미국은 미국, EC, 일본 카나다 등 4국간 또는 미국 · EC간 비공식 협의에 주력하여 금년 7월까지 실무차원에서의 ad referendum agreement 도출에 노력하고 있음을 설명

- EC와 상호 관심 품목 교환

o 미국은 철강, 전자 건설장비 등에서 무세화시 미국시장에서의 아국의 수출 이익이 크게 신장될 것이라고 하면서 아국에 대해 big package를 요구

o 아국은 국내적으로 폭넓은 참여를 위하여 업계와의 협의 및 설득 작업을 계속하고 있으나 아국의 여건이 매우 어려움을 설명

o 비관세에서는 다음과 같은 미국 관심사항에 대해 미국에 진전상황을 설명하였고 미국은 아국의 답변을 양허표에 binding 할 것을 제의하였으나 아국은 이의 현실성이 희박함을 지적

① 소나무 재선충으로 인한 목재품 수입제한

② 주류 및 과일쥬스에 대한 수입제한

③ 초코렛, 설탕 제품에 대한 수입규제

④ 전기 전자 제품에 대한 강압기 사용금지

⑤ 전기 전자 제품에 대한 형식 승인 문제

⑥ 소프트웨어에 대한 관세 평가

⑦ 수입허가 절차 협정 가입

* 기 타 카나다, 호주, 핀란드와의 양자 협의에서 무세화에 대한 의견을 교환

0226

2. 시장접근 그룹 공식 및 비공식 회의

o 비공식 회의에서는 브랏셀 회의이후 신규 및 수정 offer를 제시한 7개국의 offer안을 평가하고 각국간에 의견 교환

o 공식 회의에서는 그간 협상 현황을 점검하고 비관세 조치의 GATT 제28조 적용 문제, 개도국 자유화 조치에 대한 credit 및 recognition 문제 등에 관한 각국의 입장 표명이 있었음
(차기회의 7. 18 ~ 19에 예정)

3. 분야별 무세화 회의 및 관세 조화 회의

o 8개 분야의 무세화 회의에서 미국이 대상 품목, 참가국, 시행 단계 등을 제안

① 전자 부문 (ADP, 일반전자, 반도체, 반도체 장비, 통신장비)
② 의료장비 부문 (전자 부문에서 별도 부문으로 분리)
③ 비철금속 부문
④ 건설장비 부문
⑤ 임산물 부문 (종이와 목재를 통합, 카나다가 주도)
⑥ 수산물 부문
⑦ 맥주 부문
⑧ 비료·고무·필름·악기 부문 (신규로 일본이 제안)

* 총 10개 분야중 철강 부문은 철강 협상에서 별도 논의, 의약품 부문은 불참
* 일본은 전자, 의료장비 및 건설장비 부문에서 대상품목을 더 광범위하게 요구

o EC는 2개 분야 관세 조화 회의에서 종전의 제안을 되풀이

① 섬유류 (HS 50-63)
② 석유화학 및 플라스틱 제품 (HS 29, 39류 일부)

0227

4. 관찰, 평가 및 향후 대책

o 미국은 시장접근 분야가 무역 자유화 협상의 전통적인 핵심 대상으로서 그 상징적 의미가 매우 크다고 보고 동 협상(무세화)을 적극 추진 중

o 미국은 늦어도 7월말까지 실무차원에서의 합의안 도출을 위해 서두르고 있는 것으로 판단됨

- 그러나, 극적인 반전이 없는 한 7월말까지 실무차원에서 합의안이 도출되기는 매우 어려울 것으로 보임

o 현재로서는 언제 어떠한 형태로 무세화 협상이 타결될지는 불투명 하지만 미국이 아국의 적극적 참여를 요구하고 있는 상황에서 한국 때문에 무세화 협상이 실패 했다는 비난을 받지 않도록 적절한 아국 입장을 수립해야 할 것임

- 협상 성격상 품목별로 선택하여 참여하기가 어려움을 감안, 최악의 경우 협상 대상 전 분야에 참여하는 상황에 대비하면서, 참여가능한 분야를 신중히 결정 해야 함

- 우리가 major player로 있는 전자 등 몇몇 분야에서 우리가 불참하기는 매우 어려울 것으로 보임

o EC의 관세 조화 제안에 대해서는 동 제안이 미국의 무세화에 대응하기 위한 협상 leverage 용이라는 점과 미국의 참여를 기대하기 어렵다는 점을 감안할때 그 타결 가능성이 거의 없으나 동 제안이 아국에게 불리하지 않으므로 협상 동향에 따라 적극 대처하는 것이 바람직 할 것임

0228

주 제 네 바 대 표 부

제네 (경) 20644-582　　　1991. 6. 28

수신 : 외무부장관

참조 : 통상국장, 경기원장관, 재무부장관, 상공부장관

제 목 : UR 시장접근그룹 의장 paper (MTN.GNG/MA/W/1) 에 대한 평가

91. 6. 28 주제네바대표부

6.24 배포된 UR/시장접근 그룹의장의 paper 에 대한 당관의 평가보고서를 별첨과 같이 송부합니다.

첨부 : 시장접근 그룹의장 paper에 대한 평가 보고서 각 1부. 끝.

공람	통상기구과	91년 7월 3일	담당	과장	국장
			안성국		

주 제 네 바 대 표 부

선결			결재 (공람)		
접수일시	1991. 7. 2.	번호			
처리과	36929				

0229

시장접근 그룹의장 paper의 평가 (MTN/GNG/MA/W/1, 24 June)

1. 현황 및 주요문제점

가. 의장의 인식

- 의장은 브랏셀회의 이후 실질적인 진전이 없었는바 협상진전을 가로막고 있는 주요문제점을 다음의 7가지로 열거하고 있음

1) 협상범위 (Scope of negotiation)

0 농산물, 특정 공산품의 취급여부

2) 열대산품

0 개도국의 관심사항 반영 미흡

0 농산물과 결부되어 offer 부실

3) 천연자원

0 수산물, 목재에 대한 offer 부재

4) 분야별 협상 (sectoral negotiation)

0 협상 방식에 대한 근본적 의견차이

5) 고세율 및 Tariff peak

0 섬유, 신발, 가죽제품, 석유화학등에 상존하고 있는 고세율 인하 문제

- 1 -

0230

7) N.T.B

0 신발류, 섬유류등에 대한 N.T.B 의 완화 노력 미흡

0 N.T.B offer 의 평가 기법 부재

0 N.T.B offer 의 binding 문제

8) Credit 및 Recognition 의 부여 방안

나. 평가

- 협상진전을 가로막고 있는 제반 문제점을 고루 기술하고 있음

0 농산물 관세 offer 부재, 열대산품 및 천연자원에 대한 관세 offer 부실을 먼저 지적함으로서 농산물 수출국 특히 자원개도국의 불만을 참가국에 주지시킴

0 분야별 협상에 대한 참가국간 근본적인 의견차이를 언급하면서 특히 미국이 유지하고 있는 섬유, 신발, 일부 화학 제품에 대한 고세율 상존, 일본이 Binding 하고 있지 않는 가죽제품도 동시에 언급함

0 N.T.B 완화 및 Binding 문제, Credit 및 Recognition 부여 방안에 대한 선.개도국간 입장 대립을 기술

2. 주요 문제점에 대한 대책

가. 의장의 대안

1) 원칙

0 모든 부문에 걸친 협상은 모든 참가국의 관심사항이 충족 될수 있는 균형된 방식 (balanced way) 으로 진행되어야 하고

각료선언상의 목표달성을 위한 노력 경주와, 이를 위하여 각국입장에 신축성이 요구됨

2) 협상범위

0 시장접근의 일반적인 협상과 농산물협상은 병행가능하며, 농산물협상의 주요결정 사항이 협상 종반 단계에 취해지는 경우 시장접근 협상의 지연을 방지하기 위하여 양자협상에서 농산물 시장접근 협상이 논의 될수 있음

0 양자협상에서 특정물품(예, 천연산품등) 특정 접근방법등 모든 문제가 논의될수 있음

3) 분야별 협상

0 분야별 협상을 위한 협상참가국은 시장접근협상의 양자 및 다국간 협의 과정에도 성실히 임해야 함

0 다수의 참가국이 관심을 갖는 물품분야가 고려되어야 하고 협상결과는 MFN Basis 로 적용되어야 함

0 관세 조화 노력과 Tariff peak 완화 노력도 최대한 진행 되어야 함

4) N.T.B , Credit 등

0 N.T.B offer 촉구

0 Credit 등은 양자협상에서 협상 상대국에 의해 적절히 인정 또는 부여되어야 함

5) 협상일정

0 7월말에 공식.비공식회의를 개최하여 협상 진전상황 평가

나. 평가

- 협상의 성격상 각국이 신축성을 가지고 양자 및 다국간 협의를 통한 협상진전을 촉구하고 있으며 이러한 원칙으로 각국의 교역이익이 고루 반영되는 균형된 방식 (balanced way) 을 강조하고 있어 아국의 기존 입장과 부합함

- 협상 범위에 있어서는 원칙적으로 모든 물품에 대한 시장접근 개선 협상이 논의 가능하고, 농산물협상등 특정 물품별 협상이 진행중인 분야는 그 협상결과를 종반 단계에서 통합한다는 입장을 취하고 있음. 그러나 이경우 농산물 협상 지연이 시장접근 협상의 지연을 초래할 가능성을 우려하여 , 양자협상에서는 농산물등의 협상이 가능할 것이라는 입장을 취하고 있음.
이는 관세 offer 를 제출한 57개 참가국중 미국, 호주, 카나다등 농산물관세가 포함된 국가와, EC, 일본, 아국등 공산품에 한정하여 관세 offer 를 제출한 국가들의 입장을 고려한 견해이긴 하나 농산물협상은 농산물협상그룹에서 , 논의되어야 하고 시장접근 협상에서는 다만 그 결과를 협상 종반단계에 통합할 뿐이라는 아국의 기존입장과 차이를 보이고 있음

- 분야별 협상에 있어서는 관세 인하 Modality 에 대한 합의가 없는한, 특정부문에 대한 무세화 협상에 성의있게 임해야 하나 가급적 그대상 분야는 다수의 참가국이 관심을 갖는 분야이어야 함을 언급하여 가급적 참가국간 교역 이익 균형 추구를 강조하였고 관세조화 및 Tariff peak 완화 노력도 병행되어야 함을 지적하여 미국과 EC 간의 양쪽의 입장을 동시에 고려하고 있음

- N.T.B, Credit 부여 방안등에 대하여는 원칙적으로 필요성을 인정하나 그 구체적 실천 방안은 양자협상에 일임하고 있어 동 실천 방안이 협상 그룹차원에서 결정되기를 희망하는 관련 개도국입장과 다소

차이가 있음

- 결론적으로 의장 paper 는 각국의 상이한 입장을 평면적으로 고루 반영하여 각국이 신축적인 입장을 가지고 양자 또는 다국간 협의를 지속하는 것이라 요약 될수 있음. 그러나 이러한 의장의 견해는 현재 협상당사국간의 견해차이로 진전되지 못하고 있는 시장접근 협상의 원활한 타결을 위한 구체적인 방향제시에는 미흡하다고 판단됨. 끝.

시장접근그룹 의장보고서

I. 현황

o 브랏셀 각료회담이후 시장접근협상 실질적 진전 부재

- 각국의 관세, 비관세 인하.철폐 접근 방식에서 이견 표출
- 협상 대상품목 및 무역장벽에 대한 각국 관심사항 차이 계속 심화

o 50개국 이상이 제출한 오퍼를 기초로 양자.다자협상을 통한 참가국들이 관세, 비관세 인하의 상호 균형 도출 노력시사

II. 주요 문제점

o 시장접근 협상범위 : 주요국 관세오퍼에서 농산물, 열대산품, 천연자원산품 배제, 상당수의 공산품 분야도 제외

o 열대산품

- 개도국은 열대산품 우선 반영 및 몬트리올 각료회의 결정사항 이행 요구
- 기타문제 : 열대산품에 대한 고관세, 차별적인 내국세, 비열대산품 대체재에 대한 생산보조금, 수량할당, 비관세 장벽에 관련 오퍼 부재

o 천연자원 제품

- 품목범위에 대한 견해차 상존
- 수산물, 임산물, 비철금속 포함 합의, 종이, 펄프, 가죽, 에너지 포함엔 미합의
- 기타문제 : 수출수량규제, 수출관세, 2중가격제, 보조금, 시장자율규제, 국영무역

o 분야별 협상 : 일부 산업분야 (의약품, 펄프 및 종이, 철강, 건설.농업장비, 전자, 필름) 관세 철폐 제안은 일부국 관심품목 여전히 배제

0235

o 고관세 : 일부분야(섬유, 의류, 신발, 가죽제품, 석유화학)의 고관세로 관세 조화 제안 수용 가능성 미지수

o 비관세

- 타협상그룹과 중복적으로 다루어지지 않는 비관세조치 실질적 진전 미미
- 기타문제 : · 신발, 섬유, 의류 쿼타제
  · GATT 18조 B항에 의한 쿼타제
  · 열대산품에 대한 수입규제적 위생규정
  · 국영무역 관련 수입제한
- 농산품 포함 여부 문제로 비관세 양허 Request에 반응 소극적
- 비관세 조치에 대한 합의된 평가.계량화 방법 부재
- 비관세 양허의 보전 방안에 이견

o 관세 binding

- 양허된 품목에 대한 Credit 부여에 원론적으로 합의, 관세 binding 대한 구체적인 평가 및 Credit 적용방법엔 미합의
- 자발적인 무역자유화 조치의 Credit 인정에 대한 이해 부재, 선진국은 무역자유화 조치도 양허되지 않는한 Credit 불인정 방침

Ⅲ. 문제점 극복방안

o 시장접근 전체협상의 지연방지를 위해서 양자협상을 통한 품목별 시장접근 관심사항 논의 병행 필요

o 관세.비관세 인하, 철폐에 대한 모든 참가자의 관심사항 반영을 위해서는 기제기된 모든 접근법, 협상기술의 복합적용이 필요

o 모든 양허결과는 MFN에 기초하여 모든 참가국에 확산되고, 관세조화 및 고관세철폐 노력은 가능한한 선진국.개도국 모두에게서 수용되어야 함

o R/O 절차에 따른 특정 비관세 Request에 대한 미제출 오퍼 제출 요망

0236

o 관세 binding

- 관세 양허 대상품목의 확대와 의미있는 수준의 관세율 인하

IV. 향후 협상 진행

o 관세, 비관세 인하.철폐의 합의도출을 위한 양자.다자간 협상 계속 필요

o 금년 가을까지 협상과정 및 결과의 투명성 확보를 위한 공식.비공식 다자간 회의의 계속이 바람직

o 7월말경 시장접근 협상의 진전상황 평가를 위한 공식.비공식 회의 개최

0237

RESTRICTED
MTN.GNG/MA/W/1
24 June 1991
Special Distribution
Original: English

Dear Mr. Dunkel,

As you requested, I am setting out below the present situation in the Group of Negotiations on Market Access and stating how the negotiations might be significantly advanced between now and the end of July.

Market access negotiations are proceeding on the assumption that they should be concluded by the end of 1991. This objective requires significant progress on a number of issues, outlined below, prior to the end of July.

I. Present situation

1. Since the Ministerial Meeting in December 1990, there has been no substantial progress in the negotiations on market access. Participants had difficulties reaching consensus on a common approach on the reduction, harmonization or elimination of tariffs and NTMs; they also had different priorities regarding the results of the negotiations. While certain negotiating procedures were agreed, the interests of each participant concerning the specific product areas and market barriers to be covered in the liberalization effort have continued to differ considerably.

2. So far over fifty participants have submitted proposals and offers aimed at the reduction of tariffs and NTMs in various product groups in the market access area. These proposals and offers constitute an initial basis for bilateral and plurilateral negotiations. There are now indications from both developed and developing countries of their desire for a collective effort to intensify considerably these bilateral and plurilateral negotiations to arrive at a mutually acceptable balance of reductions of tariffs and non-tariff barriers. The fact that some major participants are now engaging in more serious good faith negotiations with a view to responding to each other's basic national interests provides a positive input into the negotiating process.

Mr. A. Dunkel
Chairman of the
Trade Negotiations Committee

0238

20-16

II. Major problems

3. A number of serious obstacles need to be overcome in order to achieve early progress which relate to the matters set out below:

- The scope of the market access negotiations: agricultural products, tropical products and NRBPs have so far been left largely outside the tariff offers of certain major participants, which have argued that these products should not be dealt with in the market access negotiations because they were covered in other multilateral negotiating groups. In addition, a number of industrial product areas have not been included in the tariff offers.

- Tropical products: developing countries insist on continued priority for tropical products and on the full implementation of the Montreal undertaking to eliminate or substantially reduce duties and non-tariff measures. The main problems in some major markets are relatively high tariffs, selective and high internal taxes, production subsidies on non-tropical substitutable products, quantitative restrictions and a general absence of offers on NTMs. In addition, there are only a few specific offers on a range of tropical products because they are seen by participants concerned as closely tied to the agriculture negotiations.

- NRBPs: Differences of views which existed prior to the December 1990 Ministerial Meeting with regard to the product coverage have remained; while fishery and forestry products and non-ferrous metals were accepted as part of the NRBP negotiations, no agreement was reached on the inclusion of paper and paper pulp, hides and skins, and energy products. Although offers and proposals have been multilaterally examined in the light of the emphasis in the agreed negotiating objectives on reduction or elimination of tariffs and tariff escalation, a number of offers on fishery and forestry products are still lacking; this is partly because some participants regard such products as part of the agriculture negotiations. Other problems relate to export restrictions, export taxes, dual pricing practices, subsidies, voluntary export restraints and state trading.

- Sectoral negotiations: while there are proposals which are aimed at the mutual elimination of all tariffs in certain industrial sectors (e.g. pharmaceuticals, pulp and paper, steel, construction and farm equipment, electronics, films), there are different views about how such negotiations should be combined with other techniques to reduce barriers in products of interest to other participants. For a number of participants, the sectoral proposals do not cover product groups of particular interest to them.

0239

20-17

- High tariffs and tariff peaks: in some product groups the tariff offers of some participants have not adequately addressed the reduction and harmonization proposals of other participants (e.g., high-tariffs on textiles and clothing in both developed and developing countries, on footwear and leather products, and on petrochemicals).

- NTMs: there is no substantial progress in the negotiations with respect to product specific, non-tariff measures not dealt with in other negotiating groups. This adversely affects the prospects of achieving a balanced market access package for many participants. The main problems concern QRs on footwear, textiles and clothing; QRs based on Article XVIII:B; restrictive standards and health regulations applied for example to tropical products; and restrictions related to state trading. Many participants are concerned that there has been no response in bilateral negotiations to a number of specific requests for non-tariff concessions in particular product areas. The situation in the agricultural negotiations appears to be one major reason for the lack of response. Moreover, there are no agreed techniques to evaluate and quantify NTM offers. Further, there is the question of how best to legally reflect the commitments agreed in the NTM negotiations to ensure concessions against future erosion.

- Tariff bindings: the scope of tariff bindings on offer and the tariff level at which such bindings are on offer, do not yet provide a sufficient basis for completing the negotiations on bindings. While there is acceptance of the principle that, in line with GATT practice, credit should be given for bindings, there is no common understanding on how to evaluate bindings and apply credit for them. Moreover, there is no general understanding as to the recognition for autonomous trade liberalization measures. While developing countries insist that their liberalization efforts should be appropriately taken into account, certain developed countries continue to be reluctant to pursue this idea unless there are offers to bind trade related liberalization measures.

III. How to overcome the existing obstacles in the negotiating process

4. There was agreement from the outset that the negotiations should be a comprehensive undertaking. There is therefore a need that all areas of the negotiations move forward in a balanced way in order to satisfy the interests of all participants. Strong efforts and genuine flexibility on the part of all participants are necessary to ensure that the agreed negotiating procedures and the various approaches advanced lead to early substantive progress in order to meet the objectives agreed by Ministers at Montreal, both overall for tariff and non-tariff measures as well as for specific product areas.

0240

20-180

5. On the scope of the market access negotiations, there are now indications that the procedural differences regarding the appropriate negotiating forum for certain product groups will not impede progress in the market access negotiations. It is generally recognized that the results of the market access negotiations will have to be part of an overall balanced package in the Uruguay Round. In order to avoid delaying the full scale market access negotiations until major decisions in the agricultural negotiations are taken later in the Round, all participants should be prepared to discuss all product specific market access interests pursued by other participants in bilateral negotiations.

6. There is no general agreement on possible approaches and negotiating techniques for tariff reductions. It has become apparent that neither a single formula nor a sectoral approach nor any other approach advanced so far can meet the interests of all participants. To attain sufficient flexibility and to address the principal, specific concerns of all participants, all the approaches and negotiating techniques proposed for the reduction, harmonization or elimination of tariffs and NTMs will have to be employed with a view to reaching a substantial and a mutually satisfactory package of concessions. This should allow participants to deal in their bilateral negotiations with specific access problems in any product group. This will help participants to continue seeking ways to bridge the substantive gaps between their existing offers and proposals in respect of both liberalization and bindings through improvements in concessions at an early date.

7. On sectoral negotiations, participants should engage in their bilateral and plurilateral negotiations in a good faith effort to respond to specific market access interests so as to achieve an overall substantial package of mutual reductions of trade barriers. Product sectors of interest to a wide number of participants which wish to reduce, harmonize or eliminate barriers in these sectors should also be given adequate consideration. Any resulting concessions should be extended to all participants on an MFN basis. Furthermore, efforts to harmonize tariffs and to bring down high tariffs and tariff peaks on certain products should be undertaken to the greatest extent possible by both developed and developing participants.

8. On NTMs, participants should be prepared to address, under the agreed request/offer procedure, all product specific NTMs in the market access negotiating group. More specifically, those participants which have so far not responded to specific requests in particular product areas should be ready to come forward with offers.

9. On the question of tariff bindings, all participants to the extent politically possible should significantly improve the scope of bindings on offer and establish the level of such bindings at rates which are commercially meaningful. Such bindings should be qualitatively taken fully into account by participants in their respective bilateral and plurilateral negotiations. The situation of developing countries which have fully bound their tariffs in GATT should be recognized by other negotiating partners in the bilateral negotiations.

0241

20-1P

IV. Process and timing

10. On the basis of the agreed procedures, participants should continue as a matter of urgency their bilateral and plurilateral negotiations with a view to reaching understandings for the reduction or elimination of tariffs and NTMs.

11. It will be necessary throughout the summer and fall to hold formal and informal plurilateral meetings to ensure transparency about the negotiating process and the results that may emerge from that process.

12. During late July a series of formal and informal meetings will be held to assess the progress made in the market access negotiations. At that time participants should decide whether they are satisfied with the overall results of the negotiations to date and also decide what changes, if any, are necessary in negotiating techniques in order to ensure a substantial and balanced outcome that meets the Montreal target for the various market access areas. ---

I would be thankful if you could circulate this letter to participants.

Yours sincerely,

Germain Denis
Chairman of the Negotiating
Group on Market Access

0242

20-20

TOTAL P.20

정리보존문서목록

기록물종류	일반공문서철	등록번호	2019080049	등록일자	2019-08-07
분류번호	764.51	국가코드		보존기간	영구
명 칭	UR(우루과이라운드) / 시장접근 그룹 회의, 1991. 전2권				
생 산 과	통상기구과	생산년도	1991~1991	담당그룹	다자통상
권 차 명	V.2 7-12월				
내용목차					

0001

외 무 부

원 본

종 별 :

번 호 : GVW-1222 일 시 : 91 0701 1500

수 신 : 장 관(통기, 재무부, 상공부)

발 신 : 주 제네바 대사

제 목 : UR/ 시장접근(이씨와의 양자협의)

- 이씨측의 요청에 따라 섬유류에 대한 관세조화방안 및 비관세 장벽완화에 관하여 당지에서 7.11(목) 양자협의를 갖기로 하였는바 본부 입장회시 바람.끝

(대사 박수길-국장)

통상국 2차보 재무부 상공부

PAGE 1

91.07.02 08:52 WG

외신 1과 통제관

0002

	분류번호	보존기간

발 신 전 보

번 호 : WGV-0880 910710 1722 DN 종별 : 지급

수 신 : 주 제네바 대사. 총영사

발 신 : 장 관 (통 기)

제 목 : UR/시장접근 (이씨와의 양자협의)

대 : GVW-1222

대호, 표제회의 본부 입장을 아래 통보함.

I. 관세조화 방안

1. 섬 유

o 원칙적으로 동 제안 수용

o 다만 일부품목은 국내 양잠 농가 보호 목적 및 관련산업의 취약한 여건상 수용 불가

- 대상품목 : 별첨 참조 (fax편 송부)

o 섬유류중 아래 농산물에 해당하는 품목은 시장접근 분야보다 농산물 협상에서 다루어져야 함을 언급

- 농산물 해당품목: ~~[illegible]~~ HS 5001-5004

o 협상 대상품목 관련 의문사항 확인

- HS 5602가 Yarns & Man-Made Fiber와 Fabrics에 중복 포함되어 있는 바, 어느쪽으로 분류되는 것인지 여부

- HS 5311의 누락이 착오에 의한 것인지 의도적인 이유에 ~~의한~~ 것인지 여부

보 안 통 제	(서명)

앙 고 재	91년 7월 10일	통 기 과	기안자 성 명		과 장	심의관	국 장		차 관	장 관
			안성국		(서명)		전결			(서명)

외신과통제

0003

2. 석유화학, 플라스틱(EC측이 제기하는 경우)

ㅇ 아국의 수입 초과 분야(90년기준 약 14억US$ 적자)임을 감안, 당초 요구 품목외에 대폭 참여는 부당함을 설명

ㅇ 아국은 개도국으로서 당초 Free-rider의 문제가 있는 품목만 참여 대상으로 지정되어 있음을 상기시킴.

3. 신발류

ㅇ 아국의 관심분야로서 이미 EC가 제의 하였음을 상기시키고 동 분야 다자간 협상 추진을 촉구

4. 관세 조화 방안 전반

ㅇ 선진국과 개도국의 구분 문제와 관련, 아국은 개도국으로 분류되기를 바란다는 희망을 피력, 상기 아국 의견에 EC가 동의하지 않을시, EC측이 고려하는 구분 기준 문의

ㅇ 어떤 경우에도 상기 석유관세조화 수용불가 품목에 대하여 예외 인정 필요성 강조

ㅇ 주요교역국의 참여가 필수적임을 강조하고(미국을 구체적으로 지칭하지 않음) UR 협상 결과가 중국에도 적용되므로, 중국의 참여가 당연함을 언급

ㅇ 관세 조화 방안의 이행기간(staging) 문의 확인

- UR의 일반적 이행기간(5년 staging) 채택여부

II. 비관세 장벽완화

1. 통합공고에 의한 수입규제 (EC측이 문제 제기시)

ㅇ 통합공고에 의한 비관세 조치는 GATT 제20조 및 제21조의 규정에 의거 수출입 제한의 정당성이 인정되는 제도임을 설명

ㅇ 국산품에 대하여도 똑같은 조치를 취하고 있으며 선진국에서도 실시하고 있는 제도임을 주지시킴.

ㅇ 비록 동 제도가 GATT에 합치하는 것이긴 하나 무역자유화에 기여한다는 측면에서 각종 개별법상의 수입절차 관리 제도의 완화 또는 폐지를 추진하여 왔으며, 향후 이런 아국 입장은 계속 유지될 것임.

0004

2. 수입선 다변화 (EC측이 문제 제기시)

o 이 문제는 기본적으로 EC등 제3국에는 적용되는 것이 아니며, 해당국 (일본)과 양자 차원에서 논의되어야 할 사항임을 설명

III. 무세화 협상

o 미국.EC간 동 협상 절충 가능성 문의 ~~타진~~, 절충이 이루어질 경우 EC의 참여 가능 분야 파악.

첨 부 : 섬유류 관세 조화 수용 불가 품목 1부. 끝.

WGVF-0174

(통상국장 김 삼 훈)

0005

원 본

외 무 부

종 별 :

번 호 : GVW-1290 일 시 : 91 0712 1130

수 신 : 장 관(통기,경기원,재무부,상공부,농림수산부)

발 신 : 주 제네바 대사

제 목 : UR/ 시장접근 그룹

- 당초 7.18-19 개최 예정이었던 표제회의가 7.26(금) 로 잠정연기 되었고 현재까지 당지에서 잠정합의된 양자협상은 7.23(화) 에 미국, 뉴질랜드와 각각 개최하기로 하였으며 7.23과 9.26 사이에 부문별 무세화 및 관세화 조화방안에대한 다국간 협의가 있을 것으로 예상됨. 끝

(대사 박수길-국장)

통상국 2차보 경기원 재무부 농수부 상공부

PAGE 1

91.07.13 07:57 FO

외신 1과 통제관

0006

04

원 본

외 무 부

종 별 :

번 호 : GVW-1291 일 시 : 91 0712 1130

수 신 : 장 관(통기, 재무부, 상공부)

발 신 : 주 제네바 대사

제 목 : UR/시장접근(섬유류관세 조화방안에 대한 EC와의 양자협의)

7.11 당지에서 개최된 표제협의 토의 내용 아래보고함.(엄재무관, 김재무관보 참석)

1. 이씨 제안에 대한 일반적인 입장 설명

- 이씨는 자국제안에 대한 일반적인 한국의 입장을 문의하고 특히 N.T.B 의 포함 및 BINDING 문제도 거론함.

- 아국은 원칙적으로 이씨제안은 수용 가능하나 일부 품목(HS 5001-5004) 은 농산물과 유사한 어려움이 있음을 설명하고 N.T.B BINDING 문제는 그 원칙에는 동의하나 N.T.B 의 범위 및기술적인 어려움을 언급함.

2. 시행기간

- 아국은 시행기간을 문의한바 이씨는 MFA 의 갓트내로의 복귀문제 및 협상결과의 내용과연계되어 논의될 문제이나 구체적으로는 예상되는 어려움을 감안하여 신축성이 주어질수있을 것이라 답변함.

3. 세율 수준

- 이씨는 선진국에게는 자국안에서 표현된바와같이 모든 나라가 당해품목에 대하여 단일 세율채택을 원칙으로 하고 극히 일부 품목에대해서는 특정국가에게 약간의신축성이 부여될수 있을 것이며, 개도국에게는 자국안에서 표현된 세율 수준 범위를기준으로 하여 각국의개발정도 및 경쟁력 구비여부등을 고려하여 적절한세율이 적용되어야 한다는 입장을 표명하면서 아국은 개도국으로 분류되기에는 어려움이 있을것임을 언급함.

- 이에 아국은 아국의 발전 정도에 상응한 의무를 부담할 것이나 여전히 개도국에 분류됨을 분명히하고, 품목에 따라서는 개도국이라하여 개도국에 적용되는 세율의적용을 고집할 필요성은 재고 될수있다고 언급함.

통상국 2차보 재무부 상공부

PAGE 1

91.07.13 07:53 FO

외신 1과 통제관

0007

4. 기타 사항

- 이씨는 한국이 유지하고 있는 일부 직물에 대한 LABELLING (예, 함량 요건등)에 대해 불만을제기함.

- 아국은 H.S 5602 의 분류문제, 5311 의 누락이유, 중국의 참여문제, 신발류에대한 관세조화방안추진 여부, 시장접근 분야 전체에 대한 미국과 이씨간의 진전상황등을 문의함.

- 이에 이씨는 품목의 분류, 누락등은 기술적인 착오등으로 야기된 것으로 재검토 할 예정이며, 중국은 갓트 회원국이 아니므로 갓트에 가입한 이후에 검토될수 있는문제이고, 신발류 관세조화 방안은 제안된 이후 관심표명 국가가 소수이었으므로 그간 추진 상황이 부진했으나 여전히 이씨는 관심을 가지고 있으므로 한국의 관심표명을 본부에 전달하겠다 하였으며, 미국과 이씨간에는 시장접근 분야 전체에 대하여 계속 협의가 있었으나 특별한 진전상황이 없었다고 함. 끝

(대사 박수길-국장)

PAGE 2

0008

재 무 부

국관 22710-311　　503~9297　　1991. 7. 10.

수신 외무부장관

참조 통상국장

제목 UR/시장접근 대 EC 양자협의

1. 대 : GVW-1222('91.7.1)

2. 대호와 관련하여 섬유류 관세조화 협상 훈령(안)을 별첨 송부하오니 제네바대표부에 전달하여 주시기 바랍니다.

3. 아울러 금차 협상에 주제네바대표부 재무관 및 재무관보를 현지 참석토록 필요한 조치를 취하여 주시기 바랍니다.

첨부 : 훈령(안) 1부. 끝.

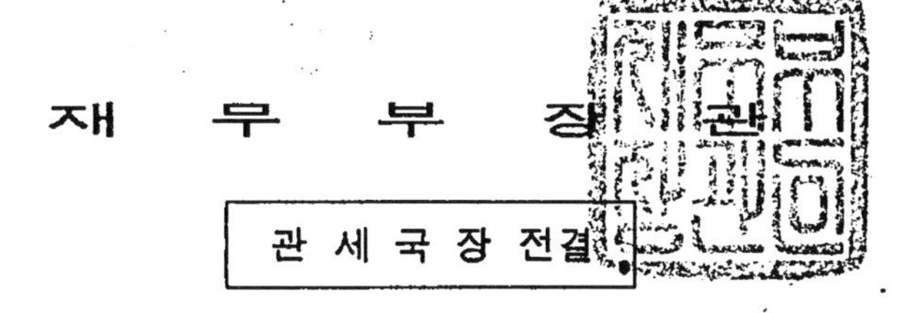

재 무 부 장 관

관 세 국 장 전결

0009

훈　　　령(안)

- 대 EC 양자협의(섬유류 관세조화) -

1. 협상경과

가. 제안요지

- 각국별로 관세율의 차이가 큰 섬유분야의 시장접근을 실질적으로 균등하게 개선하기 위하여 선·개도국별로 각국의 관세율을 일정수준으로 일치시키자는 제안

나. 제안내용

- 대상품목 : HS 50~63류(HS 4단위 149개, 10단위 1,265개 품목)

- 목표 관세율

	선진국	개도국
o Raw Materials	0	0~5
o Slightly Processed	2	6~8
o Yarns & Man-made Fibres		
· 소매용 이외의 것	4	10~12.5
· 소매용의 것	5	10~12.5
o Fabrics	8	15~20
o Made-up Articles	12	30~35

0010

다. 협상현황

- 대부분 국가가 대체적인 지지의사 표시
- E C : 관세조화방안 제안, 논의 주도
- 미국 : 부정적 반응으로 자국의 섬유류 35% Ceiling Binding 강조
- 한국 : 원칙적으로 동 제안 수용
- 일본 : 주요 교역국의 참여 강조

2. 관계부처 의견

- 원칙적으로 관세조화를 수용, 다만 다음품목은 예외인정 필요
  - o 원재료 3개 품목(HS 4단위) ┐
  - o 섬유사 26개 품목(HS 4단위) ┘ → 수용불가

원 재 료 : 3개 품목 수용불가(농림수산부) — 농산물 중 일부

- 대상품목 : HS 5001(누에고치), 5002(생사), 5003(견 웨이스트)
- 국내 양잠농가 및 관련산업보호를 위하여 추가적 관세인하 불가

섬 유 사 : 26개 품목 수용불가(농림수산부, 상공부)

- 대상품목 : HS 5004(견연사)등 (별첨 참조)
- 국내산업여건 취약 품목

  ※ HS 5004 : 농림수산부, 상공부 공통 불가 의견

기 타 : 수용가능

0011

3. 금차회의 대책

가. 일반사항

- 무세화에 대한 EC의 입장 파악

o 미국 · EC간 절충 가능성 타진

→ 절충이 이루어질 경우 참여가능분야 파악

o 무세화 협상 성사에 대한 EC의 전망 문의

- 신발류 관세조화 추진 요구

o 아국의 관심분야로서 기히 EC가 제의하였음을 상기하고

o 신발류 관세조화제안의 다자간 협상 추진 요망

- 석유화학 · 플라스틱(EC 측이 제기하는 경우)

o 당초 요구품목 외에 대폭 참여 요구시

· 아국의 수입 일방분야로 대폭참여는 부당함을 설명

· 대상품목(HS 8단위 285개) 무역액('90)

HS 10단위 397개

[수출 : 1,358백만불
  수입 : 2,708백만불

o 아국등 개도국은 당초 Free-rider의 문제가 있는 품목만

기히 참여대상으로 지정되어 있음을 주지

0012

나. 관세분야

(1) 원칙적 지지의사 표명

- 동 제안은 보다 현실적인 접근방안으로서 지지한다는 의사 표명

(2) 선진국과 개도국의 구분문제

- EC의 제안에는 선진국과 개도국으로 목표세율이 구분되어 있는 바, 아국은 개도국으로 분류되어야 할 것이라는 희망 피력
- 만약 EC 측이 이에 동의하지 않을 경우, EC 측이 고려하는 구분 기준은 무엇인지를 문의
- 기준 적용시 아국이 선진국으로 분류되는 경우 일부분야 예외인정 필요성 언급
  - o 아국의 경우 섬유사(Yarns & Man-made Fibres)중 일부는 선진국 목표세율(4~5%) 수준으로 인하가 국내여건상 곤란 ('94세율 : 8%)
  - o 섬유사 수용 불가품목(26개) 무역액('90기준, 백만불)
    - 수출 : 1,183 (섬유류 총 수출의 9.7%)
    - 수입 : 917 (섬유류 총 수입의 26.1%)

0013

(3) 주요 교역국의 참여가 필수적임을 강조

- 주요 교역국(미국을 구체적으로 지칭하지 않음)의 참여가 없는 경우 협상의 의미가 없음을 강조

- 중국의 참여 필요성 언급
  - o 만약 UR 협상결과가 중국에도 공여된다면 중국도 포함되어야 한다는 의사표명

(4) Staging 관련사항 확인

- EC의 제안에는 Staging에 관한 사항이 명시되어 있지 않는바, 이에 관하여 문의
  - o UR의 일반적 Frame(5년 Staging)에 따를 것인지
  - o 또는 별도의 Staging을 고려하는 것인지 여부

(5) 협상대상 품목 Coverage의 문제

(1) <u>EC가 제시한 품목 리스트중 의문사항 확인</u>

- o HS 5602(Felt) : Yarns & Man-made Fibres와 Fabrics에 중복포함
  - → Fabrics에 해당되는 것이므로 판단됨
- o HS 50~63류 전 품목중 유일하게 HS 5311이 누락되어 있음
  - → 착오 또는 의도적인 것인지의 여부

0014

(Ⅱ) 섬유류중 농산물에 해당되는 품목들은 시장접근 분야가 아닌 농산물 협상에서 다루어져야 할 것임을 언급

o 아국 뿐아니라 EC 또한 농산물 관세협상은 시장접근 분야에서 제외시키고 있음을 상기

· 농산물 해당품목 Coverage; HS 5001~5004

※ 다음 품목도 농산물에 해당하나 관계부처에서 관세조화 제안에 포함하여 수용가능하므로 문제제기 필요성이 없음.

· 해당품목 : HS 5005~6, 5101~2, 5201, 5301~5

0015

다. 비관세 분야

기본입장

- 섬유교역 자유화를 위한 비관세조치 철폐를 원칙적으로 지지

  o 섬유교역이 세계무역에서 차지하는 위치로 보아 바람직한 제안이나

  o 다만 경우에 따라서는 각국의 특수사정이 고려될 필요성도 있음을 언급

    · 추후 수입선 다변화 문제를 거론할 경우를 상정함

- 섬유분야에 있어 아국은 기본적으로 GATT에 위배되는 비관세장벽이 없음을 언급

0016

《참 고》

(1) 통합공고에 의한 수입규제

<table><tr><td>

- 문제 제기시 정당성 설명
  - o 통합공고에 의한 비관세조치는 GATT 제20조 및 제21조의 규정에 의거 수출입제한의 정당성이 인정되는 제도임을 설명
  - o 국산품에 대하여도 똑같은 조치를 취하고 있으며 선진국에서도 실시하고 있는 제도임을 주지

</td></tr></table>

- 개 요
  - o 국민보건위생 및 안전, 환경보호 등을 위하여 수입품에 대한 각종 검사, 형식승인, 추천 등을 실시할 수 있도록 대외무역법 이외의 타법령에 규정되어 있는 각종 수출입 관련사항을 조정 · 통합한 고시
  - o 섬유류중 규제 내용 : 검역규제, 품질관리 기준 대상품목이 일부 있음.

- 향후 운영방향
  - o 비록 동 제도가 GATT에 합치하는 것이긴 하나 무역자유화에 기여한다는 측면에서 각종 개별법상의 수입절차 관리제도의 완화 또는 폐지를 추진하여 왔음.
  - o 앞으로도 이러한 기본방향은 계속 유지시켜 나갈 예정임.

0017

(2) 수입선 다변화

<table><tr><td>

- 기본적으로 거론 불필요
  - o EC가 이를 거론할 경우 이 문제는 기본적으로 EC등 제3국에는 적용되는 것이 아님을 해명
  - o 이 문제는 필요시 해당국(일본)과 양자차원에서 논의될 사항임을 설명

</td></tr></table>

- 개 요
  - o 특정지역에서의 수입의존율 및 수입액이 큰 품목중 국산화 촉진 및 수입선전환을 위해 지역관리가 필요한 품목 또는 신개발 품목으로서
  - o 특정지역에서의 수입을 규제할 경우 한시적 국내산업보호가 가능한 품목 등을 수입 제한하는 제도(근거 : 대외무역법 제19조 제1항, 동법 시행령 제35조 제5호)
  - o 섬유류중 대상품목 : HS 10단위 18개 품목(대상국:일본)

· HS 5111.11.1000
19.1000
30.0000
90.0000

5112.11.0000
19.1000
30.0000
90.0000

5208.31.0000
32.0000
33.0000
39.0000

5210.31.0000
39.0000

5403.31.0000

5502.00.2010

5515.13.9000

5603.00.1010

0018

- 향후 운영방향

  o 장기적으로 대일무역역조 개선 추이에 따라 대상품목을 축소해 나가면서 궁극적으로 폐지할 수 있는 여건을 조성하되 단기적으로는 경제상황을 고려하여 탄력적으로 운영

  o 수입선다변화 적용대상국(일본)과의 관계에 있어서는 상대국의 우리나라에 대한 비관세장벽, 상대국과의 무역수지, GATT 체제내에서의 수입선 다변화제도의 용인여부 등을 종합적으로 고려 양자협의를 통하여 해결할 것임.

0019

〈참 고 자 료〉

- 섬유류 현황

- 섬유류 수출입 실적

- 섬유류 관세조화 수용불가 품목(관계부처 검토의견)

0020

섬유류 현황

<국별 수출입 개요>

('90기준, 백만$)

	미 국	E C	일 본	기 타	계
수 출	2,843	1,428	2,397	5,560	12,228
(%)	23.2	11.7	19.6	45.5	100.0
수 입	639	402	712	1,759	3,512
(%)	18.2	11.4	20.3	50.1	100.0
무역수지	2,204	1,026	1,685	3,801	8,716

<각국 관세율 현황>

(%)

	한 국		미 국	E C	일 본
	'91	'94			
중 심 세 율	13/16	8	17	14	8.4
최 저 세 율	2	2	0	0	0
최 고 세 율	16	8	45	17	27

※ 아국 IRP 내역

- 1,265품목중 901개 품목 양허(품목수 기준 71.2%)
- 양허세율 : '91세율 수준
  - o 일부예외 : 30/35%

0021

섬유류 수출입 실적

('90 기준, 단위:천$)

HS	무역액		
	수출	수입	수지
1. 원재료 (Raw Materials)			
5001	-	12,005	△12,005
5002	580	99,506	△98,926
5003	779	5,312	△4,533
5101	217	213,728	△213,511
5102	453	29,155	△28,702
5103	197	4,554	△4,357
5104	16	622	△606
5201	161	786,368	△786,207
5202	14,403	86	14,317
5301	-	6,397	△6,397
5302	-	2	△2
5303	12	6	6
5304	25	2,920	△2,895
5305	55	8,014	△7,959
소계	16,898	1,168,675	△1,151,777
2. 반가공품 (Slightly Processed)			
5105	669	101,288	△100,619
5203	108	325	△217
소계	777	101,613	△100,836

0022

('90 기준, 단위:천$)

HS	무역액		
	수출	수입	수지
3. 사류 (Yarns & Man-made Fibres)			
5004	27,036	156	26,880
5005	4,200	11,244	△7,044
5006	-	362	△362
5106	59,633	4,744	54,889
5107	35,368	11,312	24,056
5108	6,438	759	5,679
5109	101	330	△229
5110	27	9	18
5204	186	449	△263
5205	116,337	146,383	△30,046
5206	49,845	1,517	48,328
5207	30	219	△189
5306	462	16,957	△16,495
5307	42	3,030	△2,988
5308	2,813	25,524	△22,711
5401	5,600	3,474	2,126
5402	271,318	145,425	125,893
5403	8,542	121,598	△113,056
5404	3,204	8,039	△4,835
5405	41	580	△539
5406	198	459	△261
5501	6,735	10,538	△3,803
5502	35,081	42,724	△7,643
5503	263,944	87,087	176,857

0023

('90 기준, 단위:천$)

HS	무 역 액		
	수 출	수 입	수 지
5504	1,587	59,726	△58,139
5505	1,980	274	1,706
5506	15,264	4,962	10,302
5507	3	375	△372
5508	13,680	1,669	12,011
5509	258,715	68,447	190,268
5510	149	41,899	△41,750
5511	115	4,711	△4,596
5601	10,195	5,920	4,275
5604	1,403	834	569
5605	2,742	3,840	△1,098
소 계	1,203,014	835,576	367,438
4. 직 물 (Fabrics)			
5007	263,541	181,753	81,788
5111	6,992	40,226	△33,234
5112	58,181	97,885	△39,704
5113	5	565	△560
5208	168,477	101,931	66,546
5209	37,858	23,624	14,234
5210	96,755	19,473	77,282
5211	5,845	3,861	1,984
5212	1,668	2,844	△1,176
5309	16,023	20,582	△4,559
5310	45	1,305	△1,260
5311	16,829	37,405	△20,576

0024

('90 기준, 단위:천$)

H S	무 역 액		
	수 출	수 입	수 지
5407	2,196,739	102,028	2,094,711
5408	145,822	18,459	127,363
5512	31,585	13,818	17,767
5513	277,169	133,983	143,186
5514	48,807	11,350	37,457
5515	66,382	41,329	25,053
5516	224,983	116,621	108,362
5602	1,511	9,585	△8,074
5603	41,906	70,134	△28,228
5606	9,902	1,084	8,818
5607	73,254	6,234	67,020
5608	48,554	1,388	47,166
5609	1,768	1,127	641
5701	3,145	9,323	△6,178
5702	2,094	9,498	△7,404
5703	11,688	6,787	4,901
5704	62	708	△646
5705	6,802	2,665	4,137
5801	139,832	18,289	121,543
5802	634	1,055	△421
5803	63	555	△492
5804	14,770	14,708	62
5805	8,209	203	8,006
5806	16,097	6,898	9,199
5807	23,949	4,168	19,781
5808	600	619	△19

0025

('90 기준, 단위:천$)

HS	무역액		
	수출	수입	수지
5809	5,444	206	5,238
5810	94,928	2,811	92,117
5811	3,996	1,468	2,528
5901	104	221	△117
5902	117,478	2,774	114,704
5903	231,507	37,686	193,821
5904	8	1,016	△1,008
5905	688	134	554
5906	1,624	7,994	△6,370
5907	9,780	4,345	5,435
5908	295	154	141
5909	485	128	357
5910	104	3,374	△3,270
5911	3,462	31,842	△28,380
6001	98,573	7,774	90,799
6002	237,499	17,057	220,442
소계	4,874,521	1,253,054	3,621,467
5. 재품 (Made-up Articles)			
6101	4,241	838	3,403
6102	3,819	748	3,071
6103	44,960	2,212	42,748
6104	123,397	8,640	114,757
6105	336,559	2,873	333,686
6106	331,373	3,399	327,974
6107	39,870	218	39,652

0026

('90 기준, 단위:천$)

HS	무역액		
	수출	수입	수지
6108	52,813	1,224	51,589
6109	187,043	4,231	182,812
6110	980,102	9,779	970,323
6111	28,904	1,076	27,828
6112	34,816	1,031	33,785
6113	1,808	9	1,799
6114	3,339	653	2,686
6115	282,443	2,737	279,706
6116	24,866	1,317	23,549
6117	18,095	1,278	16,817
6201	470,868	2,744	468,124
6202	309,976	4,172	305,804
6203	575,772	16,461	559,311
6204	586,649	25,721	560,928
6205	559,209	4,367	554,842
6206	278,101	6,888	271,213
6207	13,152	523	12,629
6208	34,206	1,602	32,604
6209	22,728	880	21,848
6210	74,607	128	74,479
6211	107,105	3,229	103,876
6212	85,669	2,418	83,251
6213	4,374	535	3,839
6214	78,457	6,219	72,238
6215	33,828	1,772	32,056
6216	36,747	1,317	35,430

0027

('90 기준, 단위:천$)

HS	무역액		
	수출	수입	수지
6217	33,562	3,875	29,687
6301	70,254	1,943	68,311
6302	5,849	12,687	△6,838
6303	670	2,732	△2,062
6304	6,105	2,495	3,610
6305	76,623	291	76,332
6306	122,612	938	121,674
6307	36,532	2,609	33,923
6308	187	218	△31
6309	331	1,889	△1,558
6310	11,336	2,464	8,872
소계	6,133,957	153,380	5,980,577
총계	12,228,162	3,512,339	8,715,823

0028

재 무 부

국관 22710-320 503~9297 1991. 7. 15.

수신 외무부장관

참조 통상국장

제목 UR 시장접근분야 협상 참석

'91.7.23~26 중 스위스 제네바에서 개최예정인 UR 시장접근분야 협상에 참석할 대표를 아래와 같이 추천하오니 필요한 조치를 취하여 주시기 바랍니다.

- 아 래 -

가. 참석대표

직 책	성 명	참 석 분 야	출장기간
국제관세과 사무관	허용석	UR 시장접근분야 회의	'91.7.21~28

나. 예산근거 : 관세행정비중 국외여비

첨부 : UR 시장접근분야 협상대책 보고. 끝.

재 무 부 장 관

0020

UR 시장접근분야 협상 대책보고

1. 협상개요

- 일시 및 장소 : '91.7.23 ~ 26, 스위스 제네바
- 아 국 대 표 : 제네바 재무관
  국제관세과 사무관

2. 금차협상 및 회의의 중요성

- 실무적 · 기술적 문제 마무리
  - o 미국은 7월 협상을 통하여 잠정합의안(Ad Referendum Agreement)을 작성, 의회 및 업계와 협의예정
- 아국도 실무협상 정리 차원에서 협상에 임할 것임.

3. 시장접근분야 회의(아국입장)

- 몬트리올 관세인하 목표달성 촉구
  - o 대부분의 개도국이 목표미달
  - o 미국은 무세화분야 제외시 18% 관세인하
- 관 세
  - o 높은 관세율과 Tariff Peaks가 있는 분야부터 우선적으로 인하
  - o 분야별 무세화의 경우 응능부담원칙 강조
    - · 국별 산업발전정도, 관세율 수준 등을 고려하여 참여폭 및 이행기간에 신축성 부여

0030

- 비관세장벽(NTMs)

  o 양자협의로 타결함이 바람직

- 농산물 양허협상

  o 농산물 그룹 협상결과를 시장접근분야에서 수용

4. 무세화 협상

- 추진현황

  o 미국은 아국에 대해 Big Package 차원에서 9개 분야에의 전면 참여 촉구

  o 무세화 대응방안 재검토

· 종전의 품목 중심에서 분야별 또는 Sub-sector Base로 참여. 다만, 민감품목은 제외 · 아국이 Major Player인지 여부와 이익균형원칙에 따라 참여분야 및 폭 결정

- 분야별 입장

o 철　　강 : 전면 참여 o 전　　자 : 전면 참여 또는 1~2개 Sub-sector만 제외 o 건설장비 : Sub-sector로 나누어 참여 o 여타분야 : 참여불가 · 수산물 : 영세민보호등 정치적 민감분야 · 종이·목재등 나머지 분야 : 수입일방 분야

※ '91.6 추가제시분야(완구·가구·주류) : 관계부처 검토중

0031

- 한미 양자회의 대응방안

o 협상동향 파악(EC와의 절충가능성 등)
o 섬유·신발, 관세조화제안에의 참여 권고
o 분야별 무세화는 응능부담원칙에 의거 신축적 적용 필요성 언급

- 무세화 다자간 협상

o 한미 양자회의시의 기본입장에 따라 대처
o '91.6.일본제시 무세화분야(비료, 필름, 악기, 고무제품) : 관계부처 검토중

5. 관세조화 협상

- 그간의 협상동향

  - 섬 유 : 미국을 제외한 대부분의 국가가 지지
  - 석유화학·플라스틱 : 대부분의 선진국이 참여, 성사 가능성
  - 신 발 : EC 제안이후 구체적 논의 없었음.

- 협상 대응방안

  o 기본입장 → 원칙적 지지

  · 선·개도국간 목표관세 인하율을 차등적용하여 보다 현실적인 접근임.

  · 아국이 경쟁력 있는 섬유, 신발 부문이 관세조화 대상

  · 석유화학·플라스틱은 아국 수출주종 품목만 포함

0032

o 섬 유

· 주요 교역국 참여주장 : 미국, 중국의 참여를 간접적으로 촉구

· 섬유중 농산물 해당물품은 농산물 협상에서 취급되도록함.

· 아국이 선진국으로 분류되는 경우 섬유사 제외

o 신 발

· 세계시장에서 차지하는 비중이 크고 EC가 기히 제의한 사실을 언급하면서 관세조화제안에 포함하여 논의할 것 요구

o 석유화학 · 플라스틱 → 대폭참여 요구 수용곤란

· 동 분야는 아국입장에서는 수입 일방품목이므로 전면 참여는 부당

· 아국등 개도국의 Free-rider 문제 있는 품목은 기히 참여 대상으로 지정되어 있음을 언급

· 아국 참여대상 18개 품목(HS 6단위)중 6개 품목은 민감품목으로 참여 불가

0033

상 공 부

국 협 28140 - 280 500 - 2396 '91. 7. 18

수 신 외무부 장관

제 목 UR/시장접근분야 회의 참가 일정 변경

1. 국협 28140 - 269 ('91. 7. 11)와 관련입니다.

2. UR/시장접근분야 회의가 당초 '91.7.15 ~ 7.19 열릴 예정이었으나 '91.7.22(월) ~ 7.26(금)로 일주일 연기된 관계로 동회의 참석자들의 출장기간이 다음과 같이 변경되었기에 통보하오니 필요한 조치를 하여 주시기 바랍니다.

" 다 음 "

직 위	성 명	출 장 기 간
산업정책과장	이 재 길	'91. 7. 20(토) ~ 7. 25(목)
국제협력관실 행정사무관	윤 동 섭	'91. 7. 20(토) ~ 7. 28(일)

첨 부 : 관련공문 사본 1부. 끝.

상 공 부 장

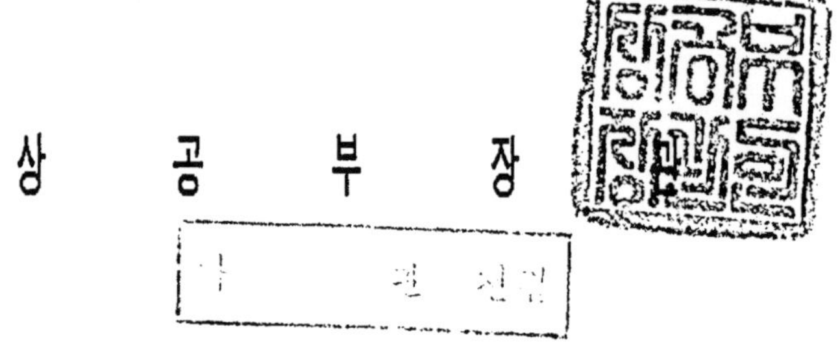

0034

국 장

사본

외 무 부

종 별 :

번 호 : GVW-1290 일 시 : 91 0712 1130

수 신 : 장 관(통기,경기원,재무부,상공부,농림수산부)

발 신 : 주 제네바 대사

제 목 : UR/ 시장접근 그룹

- 당초 7.18-19 개최 예정이었던 표제회의가 7.26(금) 로 잠정연기 되었고 현재까지 당지에서 잠정합의된 양자협상은 7.23(화) 에 미국, 뉴질랜드와 각각 개최하기로 하였으며 7.23과 7.26 사이에 부문별 무세화 및 관세화 조화방안에대한 다국간 협의가 있을 것으로 예상됨. 끝

(대사 박수길-국장)

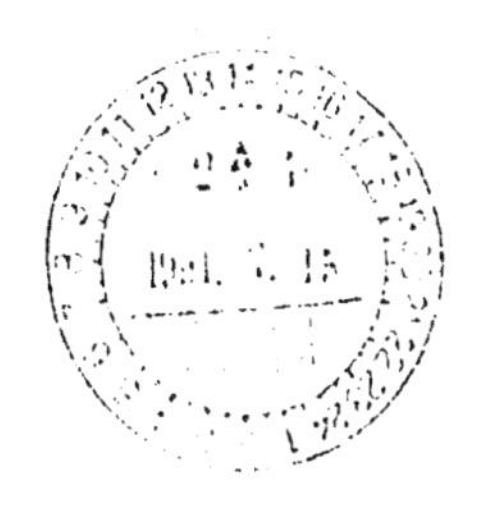

			접
접수일시	1991. 7. 15	번호 1893	제
처리과			(공람)

통상국 2차보 경기원 재무부 농수부 상공부

PAGE 1

91.07.13 07:57 FO

외신 1과 통제관

0035

기 안 용 지

분류기호 문서번호	통기 20644-	(전화 : 720 - 2188)	시 행 상 특별취급	
보존기간	영구. 준영구 10. 5. 3. 1.	장 관		
수 신 처 보존기간				
시행일자	1991. 7.19.			

보조기관		협조기관		문 서 통 제
국 장	전 결			
심의관				
과 장				
기안책임자	안 성 국			발 송 인

경 유 수 신 참 조	내부결재	발신명의		
제 목	UR/시장접근 분야 협상 정부대표 임명			

91.7.23-26간 제네바에서 개최되는 표제 협상에 참가할 정부대표를 "정부대표 및 특별사절의 임명과 권한에 관한 법률"에 의거 아래와 같이 임명코자 하오니 재가하여 주시기 바랍니다.

- 아 래 -

1. 회 의 명 : UR/시장접근 분야 협상

- 1 -

0036

2. 기간 및 장소 : 91.7.23-26, 제네바

3. 정부대표 (출장기간)

o 상공부 산업정책과 과장 이재길(7.20(토)-25(목))

o 재무부 국제관세과 사무관 허용석(7.21(일)-28(일))

o 상공부 국제협력과 사무관 윤동섭(7.20(토)-28(일))

4. 소요경비 : 재무부 및 상공부 소관예산

5. 훈 령 (안)

가. 시장접근 분야 전반

o 몬트리올 각료회의 관세인하 목표 달성을 촉구함.

o 분야별 무세화는 응능 부담원칙에 의거 참여폭 및 이행기간에 있어서 신축적 적용 필요성을 강조함.

o 비관세 분야는 양자협의를 통한 타결이 바람직함을 주장함.

o 농산물 양허 협상과 관련, 농산물 그룹 협상 결과를 시장접근 분야에서 수용할 것을 주장함.

나. 무세화 협상

o 종전의 품목 중심대신 분야별 또는 Sub-sector Base로 참여하는 것을 원칙으로 하되, 아국 민감품목은 제외됨을 명백히 함.

o 분야별 입장

. 철　　강 : 전면 참여

. 전　　자 : 전면 참여 또는 1-2개 Sub-sector만 제외

. 건설장비 : Sub-sector로 나누어 참여

. 여타분야 : 참여 불가

다. 관세 조화 제안 협상

o 동 제안을 원칙적으로 지지하되, 섬유화학.플라스틱 분야는 아국 입장에서 수입 일방 품목임을 감안, 전면 참여는 수락이 불가함을 분명히 함.

o 섬유분야에서 아국이 선진국으로의 분류시, 섬유사는 배제됨을 분명히 함.

라. 본 훈령사항 이외의 경미한 사항에 대하여는 협상

분위기에 맞춰 적의 대처하되, 중요사항에 대하여는

반드시 본부에 청훈하여 처리함. 끝.

- 4 -

0039

상 공 부

국 협 28140 - 769 (2395) 1991. 7. 11.

수 신 외무부장관

제 목 UR/시장접근분야 회의 참가

'91. 7. 15 (월) ~ 7. 19 (금)간 스위스 제네바에서 개최되는 UR 시장접근분야 회의에 참가하기 위하여 다음과 같이 출장코자 하오니 정부대표 임명등 필요한 조치를 하여 주시기 바랍니다.

" 다 음 "

1. 출장개요

직 위	성 명	출 장 기 간	
산업정책과장	이 재 길	'91. 7. 13 (토) ~ 7. 21 (일)	UR 시장접근분야 회의 참가
국제협력관실 행정 사무관	윤 동 섭	"	"

2. 예산근거 : 상공부 예산

첨 부 : 아국입장 1부. 끝.

상 공 부 장

0040

시장접근분야 공식/비공식 회의 참가 자료

(1991. 7. 15 ~)

1991. 7.

상 공 부

0041

1. 회의개요

o 1991년 4월 UR 협상 그룹이 7개로 통합된 이후에 관세, 비관세, 천연자원 및 열대산품 분야가 시장접근분야 협상 그룹에서 논의되고 있음

- 관세, 비관세, 천연자원 및 열대산품 → 시장접근

- 시장접근분야 회의 의장 : G. Denis (캐나다 대외 무역성 부 차관보)

o 최근 공식/비공식 회의는 지난 4월과 6월에 스위스 제네바에서 개최

- 시장접근분야 공식 및 비공식 회의를 전후하여 주요국간의 비공식 양자 협의와 무세화 및 관세 조화 방안에 관한 일련의 분야별 회의가 개최 되었음

- 비관세, 천연자원 및 열대산품에 관한 논의는 사실상 전무하였고 분야별 무세화 및 관세조화 방안에 대해서만 집중적인 논의가 있었음

o 금번 공식/비공식 회의는 91. 7. 15 주간에 스위스 제네바에서 개최될 예정

- 7. 18에 offer 평가회의, 7. 19에 공식 회의가 예정되어 있음

- 상기 회의를 전후하여 주요국간 비공식 양자협의와 분야별 무세화 및 관세 조화 회의등 일련의 회의가 또 한차례 개최될 예정임
(상세한 일정은 현재까지 미정)

- 금번 회의에서는 무세화에 관해 미국이 보다 구체적인 토의를 유도할 것으로 보이며 아국에 대해서도 보다 적극적인 참여를 요청해 올 것으로 전망 됨

0042

2. 분야별 무세화 협상

가. 무세화 주요 제안 내용 (91년 6월 회의 현재)

o 대상분야 : 총 10개 분야

① 전자부문 (ADP, 일반전자, 반도체, 반도체 장비, 통신장비)

② 의료장비 부문 (전자 부문에서 별도 부문으로 분리)

③ 비철금속 부문

④ 건설장비 부문

⑤ 임산물 부문 (목재, 펄프, 종이, 인쇄물 등, 카나다가 주도)

⑥ 수산물 부문

⑦ 맥주 부문

⑧ 비료, 고무, 필름, 악기 부문 (신규로 일본이 제안)

※ 총 10개 분야중 철강 부문은 철강 협상에서 별도 논의, 의약품 부문은 아국 불참하에 거의 타결

※ 미국은 그외에도 주류, 가구, 완구 부문에서의 무세화 추진을 고려중

※ 일본은 전자, 의료장비 및 건설장비 부문에서 대상 품목을 더 광범위하게 제안

o 대상국가 : 주요 선진국 (아국은 개도국중 유일하게 포함)

o 무세화 기간 : 품목별 국가별로 상이하나 일반적으로 5년

0043

나. 주요국의 입장

<미 국>

o 적극적인 무세화 추진

<일 본>

o 전자, 건설장비 분야에서는 미국 제안보다 2배에 가까운 품목제시등 협상에 적극적으로 임하고 있음

o 다만 수산물, 목재 분야는 참여 불가 의사 표명

<카나다, 호주>

o 분야에 따라 이해득실이 있으나 Big Package 차원에서 전분야 참여 계획

o 미국 입장에 대체로 동조

<E C>

o 적극적 참여의사를 보이지 않고 있음
  - 비철 금속 및 목재에는 참여 가능성 시사

o 미국 무세화 제의에 대응하여 섬유, 석유화학제품에 관세 조화 제안 제시

다. 아국입장

o 내부적으로는 주요국들의 협상 동향을 예의 주시하면서 분야별 아국입장 (참가여부등) 수립중
  - 지난번 회의시 수정된 제안에 따라 품목별로 구체적인 검토를 진행중임

o 외부적으로는 지난번 회의까지 구체적 입장 표명은 유보한 채, 무세화에 있어 각국의 이익의 균형이 이루어 져야 한다는 일반적인 원칙만 제시
  - 다만, 일부 전자 및 건설장비에 참여 가능하다는 의사 표명

o 금번 회의에서도 각국의 의견 개진을 주도 면밀하게 분석하면서 가능한한 분야별 아국입장을 유보한 채 일반적인 원칙만을 개진토록 협상 전략을 수립

0044

3. 분야별 관세 조화 협상

가. 관세조화 주요 제안 내용

o 섬유 부문

- 대상 품목 : 섬유류 HS 50~63
- 목표 관세율 : 품목별로 0~12% (선진국), 0~35% (개도국)

o 신발부문

- 대상품목 : 신발류 HS 64
- 목표 관세율 : 선진국은 10%, 개도국은 30~35% 수준으로 일치시킴

o 석유화학 및 플라스틱 부문

- 대상품목 : 석유화학제품 HS 29 (일부)
  플라스틱제품 HS 39 (일부)
- 목표 관세율 : 품목별로 최고세율 (0~6.5%)을 정함

나. 협상 현황 및 주요국 동향

o 동 관세 조화 협상은 EC가 미국의 무세화 제안에 대응하기 위하여 만든 협상 leverage 용이라는 점과 미국의 참여를 기대하기가 어렵다는 점을 감안할 때 그 타결 가능성은 높지 않음

o 분야별 주요국 동향

- 섬 유 : 일본 및 개도국이 긍정적 반응
- 신 발 : 최초 제안 이후 별다른 논의 진전이 없음
- 석유화학, 플라스틱 : 대부분 선진국이 호응

다. 아국입장

o 동 제안은 구체적인 성사 가능성이 불투명하지만 우리나라 입장에서는 수용에 따르는 부담이 비교적 적으므로 협상 동향에 따라 적극적으로 대처

o 이에 대비하기 위해 분야별로 구체적인 입장 수립중

0045

34050

기 안 용 지

분류기호 문서번호	통기 20644-	(전화 : 720 - 2188)	시 행 상 특별취급	
보존기간	영구. 준영구 10. 5. 3. 1.	장 관		
수 신 처 보존기간				
시행일자	1991. 7.19.			

보조기관			협조기관		문서통제
	국 장	전 결			검열 1991. 7. 20
	심의관				
	과 장				
기안책임자		안 성 국			발송인

경유 수신 참조	재무부장관, 상공부장관	발신명의		발송 1991. 외무부

제 목	UR/시장접근 분야 협상 정부대표 임명 통보

1. 91.7.23-26간 제네바에서 개최되는 표제 협상에 참가할 정부대표를 "정부대표 및 특별사절의 임명과 권한에 관한 법률"에 의거 아래와 같이 임명 하였음을 통보합니다.

- 아 래 -

가. 회 의 명 : UR/시장접근 분야 협상

- 1 -

0046

나. 기간 및 장소 : 91.7.23-26, 제네바

다. 정부대표 (출장기간)

o 상공부 산업정책과 과장　이재길(7.20(토)-25(목))

o 재무부 국제관세과 사무관　허용석(7.21(일)-28(일))

o 상공부 국제협력과 사무관　윤동섭(7.20(토)-28(일))

라. 소요경비 : 재무부 및 상공부 소관예산

마. 훈　　령 (안)

o 시장접근 분야 전반

- 몬트리올 각료회의 관세인하 목표 달성을 촉구함.

- 분야별 무세화는 응능 부담원칙에 의거 참여폭 및 이행기간에 있어서 신축적 적용 필요성을 강조함.

- 비관세 분야는 양자협의를 통한 타결이 바람직함을 주장함.

- 농산물 양허 협상과 관련, 농산물 그룹 협상 결과를 시장접근 분야에서 수용할 것을 주장함.

o 무세화 협상

- 종전의 품목 중심대신 분야별 또는 Sub-sector Base로 참여하는 것을 원칙으로 하되, 아국 민감품목은 제외됨을 명백히 함.

- 분야별 입장

. 철 강 : 전면 참여

. 전 자 : 전면 참여 또는 1-2개 Sub-sector만 제외

. 건설장비 : Sub-sector로 나누어 참여

. 여타분야 : 참여 불가

o 관세 조화 제안 협상

- 동 제안을 원칙적으로 지지하되, 섬유화학.플라스틱 분야는 아국 입장에서 수입 일방 품목임을 감안, 전면 참여는 수락이 불가함을 분명히 함.

- 섬유분야에서 아국이 선진국으로의 분류시, 섬유사는 배제됨을 분명히 함.

- 3 -

0048

o 본 훈령사항 이외의 경미한 사항에 대하여는 협상

분위기에 맞춰 적의 대처하되, 중요사항에 대하여는

반드시 본부에 청훈하여 처리함.

2. 회의 결과 보고서는 귀국후 20일 이내에 당부로 제출하여

주시기 바랍니다. 끝.

	분류번호	보존기간

발 신 전 보

번 호 : WGV-0914 910719 1613 FN 종별 :

수 신 : 주 제네바 대사. 총영사

발 신 : 장 관 (통 기)

제 목 : UR/시장접근 분야 협상

대 : GVW-1290

1. 7.23-26간 귀지에서 개최되는 시장접근 분야 협상에 참가할 정부대표를 아래와 같이 임명 하였으니 귀관 관계관과 함께 참석토록 조치바람.

   o 상공부 산업정책과 과장 이재길
   o 재무부 국제관세관 사무관 허용석
   o 상공부 국제협력과 사무관 윤동섭

2. 훈 령

   가. 시장접근 분야 전반

   o 몬트리올 각료회의 관세인하 목표 달성을 촉구함.
   o 분야별 무세화는 응능 부담원칙에 의거 참여폭 및 이행기간에 있어서 신축적 적용 필요성을 강조함.
   o 비관세 분야는 양자협의를 통한 타결이 바람직함을 주장함.
   o 농산물 양허 협상과 관련, 농산물 그룹 협상 결과를 시장접근 분야에서 수용할 것을 주장함.

보안 통제	Ilh

앙고재	91년 7월 19일	통기과	기안자 성명		과 장	심의관	국 장		차 관	장 관
			안성국		Ilh	引	전결			

외신과통제

0050

나. 무세화 협상

o 종전의 품목 중심대신 분야별 또는 Sub-sector Base로 참여하는 것을 원칙으로 하되, 아국 민감품목은 제외됨을 명백히 함.

o 분야별 입장

. 철　　강 : 전면 참여

. 전　　자 : 전면 참여 또는 1-2개 Sub-sector만 제외

. 건설장비 : Sub-sector로 나누어 참여

. 여타분야 : 참여 불가

다. 관세 조화 제안 협상

o 동 제안을 원칙적으로 지지하되, 석유화학.플라스틱 분야는 아국 입장에서 수입 일방 품목임을 감안, 전면 참여는 수락이 불가함을 분명히 함.

o 섬유분야에서 아국이 선진국으로의 분류시, 섬유사는 배제됨을 분명히 함.

라. 본 훈령사항 이외의 경미한 사항에 대하여는 협상 분위기에 맞춰 적의 대처하되, 중요사항에 대하여는 반드시 본부에 청훈하여 처리함.

끝. (통상국장 ~~[illegible]~~)
김용규

0051

0ㄴ

원 본

외 무 부

종 별 :

번 호 : GVW-1327 일 시 : 91 0717 1800

수 신 : 장 관(통기, 재무부, 상공부)

발 신 : 주 제네바 대사

제 목 : UR/ 시장접근 협상

7.16 CREDIT 및 RECOGNITION 부여 방안에 대하여 멕시코 주재로 당지에서 개최된비공식 협의결과 아래 보고함.(김재무관보 참석)

1. 멕시코의 제안 설명

- 멕시코는 자국을 포함한 개도국 공동안과 미국안을 적절히 취합한 새로운 NON-PAPER(별첨 참조)를 배포하고 제안 설명함.

- 주요 내용

0 관세 BINDING 확대에 대하여는 종전의 미국안에 포함된 모든 구체적인 숫자를 X 로표시

0 이미 BINDING 된 세율을 추가 인하하여 재BINDING 하는 경우에도 일정 수준의 CREDIT 부여

0 N.T.M BINDING 은 선택적이며 BINDING 하는 경우에는 종전의 미국안에 포함된모든 구체적인 숫자를 X 로 표시하여 CREDIT 를 부여받을수 있음.

2. 각국의 반영

- 베네주엘라, 칠레, 콜롬비아등은 지지를 표명하면서 동안이 결실을 맺기를 희망 하였고 태국도 원칙적인 찬의를 표하였음.

- 미국, 이씨는 어떠한 안이던 실질적인 시장접근개선을 도모하는 원칙이 존중되어야 함을지적하면서 이러한 관점에서 동안은 많은문제점을 포함하고 있음을 언급하였고, 일본은CREDIT 의 가치를 수량화 하는 합리적 방안모색이 사실상 곤란하며, N.T.M 부문에 있어서도 그 범위, BINDING 여부등이 논의중에 있는상황에서 CREDIT 부여 방안을 논의하는 것은시기 상조임을 지적하였음.

- 멕시코는 의견 조정을 위한 비공식 협의를 다음주에 한번더 개최할 의사를 표명 하면서 관심국가간 접촉을 계속할 것임을 언급함.

통상국 2차보 구주국 청와대 재무부 상공부

PAGE 1 91.07.18 01:31 FN

외신 1과 통제관 FL

0052

3. 관찰

관세 및 비관세 BINDING 확대에 대한 CREDIT부여 문제에 대하여는 미국이 다소 긍정적인 견해를 갖고 있으나 대부분의 물품을 일정세율로 CREDIT BINDING 하고 있는멕시코,콜롬비아, 아르헨티나, 베네주엘라, 칠레등 개도국중 일부 남미국가에 한정된 문제이며 또한이씨, 일본등 주요 선진국이 부정적 견해를 견지하고 있을 뿐만 아니라, 의장 보고서 (MTN.GNG/MA/W/1) 에서도 양자 협상에서 적절히 고려될 문제라고언급하고 있는 점등을 감안할때 협상 그룹 차원에서 쉽게 합의될것으로 보이지 않음.

- 자발적 자유화 조치에 대한 RECOGNITION부여문제는 미국을 포함한 대부분의 선진국이 부정적인 견해를 견지하고 있고 모든 개도국에 공통된 문제이나 특정 개도국이 주도하여 동문제를 적극적으로 해결할 기미가 없는상태에서 구체화 되기에는 더욱 어려운 상황으로 판단됨. 끝

첨부: NON PAPER 1 부 (GVW(F)-255)

(대사 박수길-국장)

GVW(F)-0255 10717 1800
GVW-1327 첨부

15/07/91

CREDITS AND RECOGNITION

This non-paper is not a final proposal. Its purpose is to facilitate further discussions and negotiations so as to comply with the Mid Term Review Ministerial decision on Credits and Recognition.

The non-paper is divided in two parts. Part I refers to Credits for bindings and Part II to Recognition for autonomous liberalization measures.

Part I is based on the non-paper submitted by one of the main developed participants in the Uruguay Round on june 1991 and Part II is based on the non-paper previously submitted by some interested developing countries.

Changes in Part I to the base non-paper are indicated with a grey shadow characters when the original text is deleted and with a black shadow when new language is added. Part II has no changes with respect to the original non-paper.

5-1

0054

NON PAPER ON CREDIT AND RECOGNITION

Part 1. Credits for bindings.

Developing Countries and Market Access Negotiations:
Credit for Tariff and NTM Bindings

The majority of GATT developing country contracting parties are not participating to the degree that they should be in the Uruguay Round market access negotiations. We need to identify a way to increase the degree of these countries' participation in the negotiations, expand the scope of their tariff bindings (at commercially meaningful rates) and secure bindings on concessions which might be made on the most significant types of nontariff measures. A workable approach to giving credit for increases in the scope of tariff bindings and for the binding of NTM concessions should contribute to the realization of these objectives.

It is important to differentiate credit granted in the multilateral context from our evaluation of a country's offer in the bilateral context. The approaches below would provide credit for bindings that would be counted toward a country's goal of an one-third overall cut, overall tariffs reduction as specified at Montreal. Requesting countries can then pursue in bilateral negotiations the particular concessions that will make a developing country's offer acceptable in a qualitative sense.

The following seven principles may serve as parameters for a proposal to give credit for tariff and NTM bindings for developing countries.

1) No credit for unbound liberalization measures. The question of recognition for autonomous measures is a different issue.

1) Credit is different from recognition. They relate to very different things.

2) No credit should be forthcoming for tariff bindings at levels that are not commercially meaningful.

2) Credit accrues from bindings. Recognition relates to autonomous measures, not bound in the CATT.

3) Substantial increase in the scope of LDC bindings is important, but does not replace the need to also achieve meaningful bound tariff reductions or NTM liberalization on items of interest.

4) Important factors in considering the amount of Credit shall to be accorded for first time bound items or rebindings at a lower than the bound rate. bindings include the specific products for which credit is being requested, the degree of tariff and NTM liberalization being contemplated and the degree to which interests of trading partners have been taken into account.

0055

5-2

5) LDCs cannot meet their Montreal targets solely by establishing ceiling bindings.

6) Credit for bound tariff reductions is calculated separately, using established methodology.

7) Accession commitments are separate from Uruguay Round contributions and cannot by themselves satisfy the Montreal targets unless such commitments resulted in a fully bound national tariff.

Bearing in mind the above principles, we believe that the following proposed approaches merit careful consideration.

Credit for increased scope of tariff bindings:

Developing countries would, under this approach, be able to earn credit for as much as ten [XX] percentage points overall depth of cut through increasing the scope of tariff bindings in the Uruguay Round. The earned credit from new bindings would be additional to any credit arising from bound reductions from base or bound rates negotiated in the Round. An added element of flexibility could be allowing bindings to be staged into a country's GATT schedule. The following conditions would, however, apply:

1. For each new ten [XX] percentage points of a developing country's tariff schedule bound in the Round, one [XX] percentage point of credit toward depth-of-cut target would be earned. For example, An LDS with no bindings in the pre-1986 period could earn ten [XX] points through binding 100 percent of its schedule (subject to the conditions below), while one which started the Round with 30 percent of its schedule bound and added another 50 percent binding or rebinding of the overall schedule would earn five [XX] points toward depth-of-cut.

2. In order to qualify for additional credit:

On Tariffs

(a) In the case of unbound base rates, bindings would have to be at levels at or below base rates and no higher than [40 percent] [XX percent]; and or,

(b) Rebindings on items already bound would have to be at levels [XX percent] lower than the bound base rate.

On NTMs (i.e. QRs and discretionary licensing)

(a) The NTM would have to be eliminated and bound.

(d) trade in the tariff line covered by the binding would need to be free of identified and necessarily trade restrictive NTMs (QRs and discretionary licensing come to mind).

0056

5-3

NOTE: It is recognized that this approach, conditions and criteria to quality covers the quantitative considerations only.

NOTE: It, of course, needs to be recognized that any method of giving quantitative credit for LDS tariff bindings is necessarily arbitrary and that this credit (like that derived from pure quantitative depth-of cut calculations) ignores qualitative considerations to a large degree. In the final analysis, each country will still need to decide for itself whether a particular LDS has agreed to sufficient concessions of qualitative interest to merit maintenance of concessions on items of particular interest to that LDC.

Credit for NTM bindings:

As with first-time tariff bindings, we would agree to provide one [XX] percentage point of depth-of-cut credit for each ten [XX] percent of an LDC's tariff schedule which was bound free of quantitative restrictions or discretionary licensing restrictions during the round. to ensure that the NTM concession is not made meaningless through tariff increases, a condition for credit on the NTM bindings would be that the applicable tariff is also bound as prescribed in paragraph 2(a), (b) or (c). For tariff binding credit, i.e., a tariff binding at or below base rates and no higher than [40 percent] [XX percent]. In other words, in order to receive credit for NTM bindings, a country with an unbound base rate of 20 percent ad valorem would need to bind at the base rate of 20 percent while one with a base rate of 70 percent would need to bind at [40] [XX] percent. Thus, the country must also bind the tariff at commercially meaningful rates to receive credit for the NTM bindings.

Where an item is both unbound and subject to a quantitative restriction, the first point of credit is given for binding the base rate at a level no higher than [40] [XX] percent, or the base rate, whichever is lower. The second point of credit is given for eliminating and binding the quantitative restriction and binding the item against the future imposition of any quantitative restrictions or discretionary licensing requirements. Thus, a first-time tariff binding at [40] [XX] percent or below, together with a binding on the elimination of the NTM, and the future absence of NTMs would earn double credit.

This bindings are not required by the Punta del Este Declaration or the Mid Term Review Decision; they are a voluntary option for participants who desire to obtain credit for that action and choses to do so.

NTMs bindings have the same legal effects as tariff bindings. Both are subject to any GATT provision.

It should be noted that these credit points would be applied in addition to the calculated depth of cut. For example, consider a country with no tariff or NTM bindings, which is proposing a 23 percent trade-weighted average depth of cut. During the

0057

5-4

course of the Uruguay Round, the country also binds its entire tariff schedule at a ceiling rate of 30 percent and removes and binds against all NTMs. The depth of cut for this country would be 43 percent, broken out as follows:

23% points for trade-weighted depth of cut
10% points of credit for binding all tariffs at a rate of [40] [XX] or below.
10% points of credit for removing and binding all NTMs at the base rate of 100%

43% total depth of cut

Part II. Recognition for autonomous liberalization measures.

See Parts III and IV of the non-paper previously submitted by some interested developing countries.

5-5-

0058

미국의 분야별 관세 무세화 제의 및 아국 입장

'91. 7. 24

1. 개 요

ㅇ UR/관세 협상에서 미국은 '90.10 공식 적용을 통한 관세인하 방식 대신 분야별 무세화 협상을 제의

ㅇ 아국에 대해서는 건설장비, 수산물, 전자, 종이, 목재, 철강, 비철금속, 의약품등 8개분야 1,742개 품목에 대해 무세화 참여 요구

- 아국은 UR/관세 협상에서 추진된 관세인하 방식 적용을 주장, 무세화에 대해서는 반대 입장을 견지하다가 90.12. 브랏셀 각료회의에서 무세화 협상 참여 의사 표명

ㅇ 미국은 한.미 경제협의회등 쌍무관계 회의에서도 아국의 적극적인 무세화 협상 참여를 계속 요구

2. 무세화 협상 아국 입장

ㅇ 종전의 품목 중심대신 분야별 또는 Sub-sector Base로 참여하는 것을 원칙으로 하되, 아국 민감품목은 제외됨을 명백히 함.

ㅇ 분야별 입장

. 철 강 : 전면 참여

. 전 자 : 전면 참여 또는 1-2개 Sub-sector만 제외

. 건설장비 : Sub-sector로 나누어 참여

. 여타분야(수산물, 비철금속, 종이, 목재, 의약품) : 참여 불가

0059

3. 향후 협상 전망 및 대책

o 미국의 적극적인 무세화 협상 추진에도 불구, 각국의 사정상 무세화 협상 타결 전망은 아직 불투명

o 아국은 일부 분야의 무세화 협상 참여 의사를 표명하고 있으나 협상 진행 추이에 따라 한.미 양자관계를 고려, 필요시 보다 전향적인 입장을 취하는 방안도 검토 필요

o 미국은 의회 및 자국 관련업계 설득을 위하여 '91.7월말까지 AD REFERENDUM AGREEMENT 체결을 희망, 한편 EC와의 교착상태 타개를 위하여 분야별 협의 방식 대신 관심품목별 우선 협의 방식 간접적으로 제시. 끝.

0060

한.일 산기협 후속조치 검토 회의 자료

1. 대일 관세 인하 요구 ('91.6. 제1차 한.일 산기협)

o 아측 입장

- 하기 117개 품목의 관세 인하 요구

. '90.10. 아국 대일본 Request List 110개 품목

. 농림수산물 6개 품목

밤 통조림 (HS 2008 19 193)

깐 밤 (0812 90 430)

건 표고 (0712 30 010)

냉동 딸기(가당) (0811 10 100)

냉동 딸기(무가당) (0811 10 200)

청량 음료(맥콜) (2202 90 100)

. 석유화학제품 1개 품목

옥탄올 (290 516 100)

o 일측 입장

- 동 문제가 UR 협상에서 다루어져야 한다는 강경 입장을 고수하다가 아측의 강한 성의 촉구 결과, 아측 요망을 염두에 두어 UR 협상시 적극 대응 하겠다는식의 입장으로 구체적 언질 없었음.

2. 후속조치 추진현황

o 91.6.24 제네바 대표부에 제1차 한.일 산기협 회의 결과 통보 및 향후 대일 관세 협상시 참고토록 지시

o 91.7.24 UR/시장접근 분야 한.일 양자협상시 일측은 아국이 상기 추가품목을 90.6 제출한 아국의 대일본 관세 협상 request list에 추가할 것인지를 문의

o 동 협상시 아측은 본부에 확인, 알려 주겠다고 답변

0061

3. 향후 대응 계획

o 아국의 request list에 관심품목 추가등 추진 방안을 주 제내바 대표부와 협의, 조치 예정

- request lis에 관심품목을 추가시킬 경우, ①농산물 관세 인하는 시장접근 협상이 아닌 농산물 협상에서 취급되어야 한다는 아국 기초 입장과의 일관성 문제, ②일본이 관세인하에 동의하더라도 관세인하 시기는 UR 협상 관세 인하 방식에 따르게 되므로 상당히 지연된다는 점등의 문제점이 있음.

0062

원 본

외 무 부

종 별 :

번 호 : GVW-1389 일 시 : 91 0724 1120

수 신 : 장관(통기,경기원,재무부,농림수산부,상공부)

발 신 : 주 제네바 대사

제 목 : UR/ 시장접근 분야별 무세화 협의(비료,필름,악기,고무제품)

7.22 당지에서 일본 주관으로 개최된 표제 협의 토의 요지 아래 보고함.

- 일본은 상기 분야외에 유리제품, 식품가공기계의 2가지 부문을 새로이 제안함을 설명하고(일본제안: 본부 대표 지참 예정) 식품 가공기계는 이미 미국안에 포함되어 있음을 첨언하면서 일부 개도국을 참가국에 추가로 포함하였음을 설명함.

- 미국은 식품 가공 기계는 지지하나 유리제품은대상 품목등을 면밀히 검토하여야 할것임을 언급하고 카나다는 고무제품, 필름에는 참여 관란함을, 식품가공 기계는 국내에서 논의중임을 언급하고, 노르웨이는 비료에 관심을, 여타 부문에는 참여에 어려움이 있음을 설명함.

- 이씨는 분야별 무세화 접근 방식에 대한자국의 기본 입장에 변화가 없음을 설명하면서 원칙적으로 의약품과 철강분야를 제외하고는 참여 곤란함을 언급함. 끝

(대사 박수길-국장)

통상국 차관 2차보 경기원 재무부 농수부 상공부

PAGE 1

91.07.25 00:31 ED

외신 1과 통제관

0063

원 본

외 무 부

종 별 :

번 호 : GVW-1390 일 시 : 91 0724 1120

수 신 : 장 관(통기, 경기원, 재무부, 농림수산부, 상공부)

발 신 : 주 제네바 대사

제 목 : UR/ 시장접근 양자협상(일본)

7.22. 당지에서 개최된 표제협상 토의요지 아래 보고함.

- 일본은 일본의 무세화 제안에 대한 아국입장을 문의하고 일본안, 미국안, 카나다안, 이씨안중 품목 COVERAGE 상이성을 비교한 PAPER (본부대표 지참 예정)를 제시하면서 특히 이씨안중 콘테이너, 볼베어링에 대한 무세화는 지난 2월에 4국간 협의시 제시 된 제안인바, 아직 공식적으로 이씨가 제의한 것은 아님을 첨언함.

- 이에 아국은 전자, 건설장비, 철강분야에서 일부 참여가 긍정적으로 논의되고 있으며 목재, 수산물부분에 참여는 곤란하며 특히 주요 협상 참가국이 주요 의견차이를 해소하는 노력을 경주하기 보다는 모든 참여국의 교역 이익이 고루 반영될 수 있는 방안에 대한 원칙이 없이 무세화 대상 분야를 계속 확대 하는데 우려를 표명함.

- 이에 일본은 무세화의 확대 추진은 협상마지막 단계에서 참가국간의 교역 이익이 고루 반영될 수 있는 여러가지 방안 모색의 일환임을 언급하면서 자국은 수산물, 목재, 가구중 가죽제품등에 참여가 곤란함을 설명함.

- 또한 일본은 도꾜에서 개최된 한.일무역위원회에서 한국이 1990.6 제출한 REQUESTLIST 외에 추가적인 REQUEST LIST 를 제출할 예정임을 언급하였음을 상기 시키면서 동 문제진행 상황을 문의한바 아국은 본부에 확인하겠다고 답변함. 끝

(대사 박수길-국장)

통상국 2차보 경기원 재무부 농수부 상공부

PAGE 1

91.07.25 08:04 WG

외신 1과 통제관

0064

원 본

외 무 부

종 별 :

번 호 : GVW-1391 일 시 : 91 0724 1120

수 신 : 장관(통기,경기원,재무부,농림수산부,상공부)

발 신 : 주 제네바 대사

제 목 : UR/ 시장접근 분야별 무세화 협의(의료장비,맥주,주류,가구,완구)

7.22 당지에서 U.S.T.R 주관으로 개최된 표제협의 아래 보고함.(상공부 이과장,김재무관보,재무부 허사무관,상공부 윤사무관 참석)

- 미국은 지난 회의 이후 의료장비에서는 2개국으로부터 공식지지 표명이 있었고가구, 완구에 대해서는 질의가 있었음을 언급하면서 각국의 입장을 문의함.

- 스위스는 의료장비에는 기본적으로 관심이 있으며, H.S 9017.10 이 포함되어야 하고 의료장비에 포함된 섬유 부문은 섬유 협상 대상이어야 하며,기본적으로 분야별 접근 방식은 관세협상의 보완적 방법이 되야 함을 첨언한바, 스웨덴 필랜드등이 이에 동조함.

- 일본은 의료장비중 섬유분야, 주류, 가구중 가죽제품에는 어려움이 있음을 설명하고 완구는 품목 COVERAGE 가 지나치게 제한적임을 지적함.

- 카나다는 의료장비중 섬유분야, 가구, 완구에 어려움이 있음을 설명함.

- 이씨는 계속 검토중임을 언급함. 끝

(대사 박수길-국장)

통상국 2차보 경기원 재무부 농수부 상공부

PAGE 1 91.07.25 00:31 ED

외신 1과 통제관

0065

원 본

외 무 부

종 별 :

번 호 : GVW-1405 일 시 : 91 0725 1800

수 신 : 장관(통기,경기원,재무부,상공부,농림수산부)

발 신 : 주 제네바 대사

제 목 : UR/ 시장접근 그룹의장 면담

DENIS UR 시장접근 그룹의장은 7.24 상오 본직을 방문하여 동 분야 협상과 관련된 의견 교환을 가졌는바, 요지 아래 보고함.

- DENIS 의장은 시장접근 협상을 금년 9월이후에 본격 추진토록 할 예정인바, 이를 위한협상 참여국들의 협조가 긴요하다고 언급함.

- 본직은 동 의장의 노고를 치하하고 시장접근 협상의 성공이 아국에게 절대적으로 긴요함을 강조하면서 현재 동 협상에 최대 장애가 되고있는 미국, 이씨간의 이견 조정의 가능성등 전망을 문의함.

- DENIS 의장은 아직까지는 양국간의 가시적인 합의 도출이 안되고 있으나 상호간의 진지한 논의를 하고 있는만큼 머지 않아 의견 절충이 이루어질 것으로 본다고 하면서 아국의 교역상대국과의 양자 협상 현황을 질문함.

- 아측은 아국이 이미 우수한 관세 OFFER 를 제출하였으며, 분야별 무관세 협상에도 철강,전자, 건설장비등에 긍정적으로 참여하고 있음을 설명하였으며, 이와 같은 분야별 무관세 협상에 의장이 관여할 의향이 없는지 질문하였는바 동의장은 자신의 지나친 개입은 현단계로서 바람직하지 않는 것으로 생각한다는 답변이있었음.

- 본직은 동 시장접근 협상이 금년중 종결될 것으로 보는가를 질문하였는바 DENIS 의장은매우 긍정적으로 대답하면서 특히 최근의 G-7정상회담에서 보여준 주요국 정상들의 확고한의지가 매우 중요하며 만약 금년을 넘긴다면협상의 활력을 계속 유지하기가 매우 어려울것이라고 답변하였음. 끝

(대사 박수길-국장)

통상국 2차보 경기원 재무부 농수부 상공부

PAGE 1

91.07.26 07:30 DF

외신 1과 통제관

0066

원 본

외 무 부

종 별 :

번 호 : GVW-1406 일 시 : 91 0725 1800

수 신 : 장관(통기,경기원,재무부,농림수산부,상공부)

발 신 : 주 제네바 대사

제 목 : UR/ 시장접근 양자간 협상(뉴질랜드)

7.23 당지에서 개최된 표제 협상 토의 요지 아래보고함.(김재무관, 상공부 윤사무관 참석)

- 뉴질랜드는 자국 수출의 거의 2/3 가 농산물임을 주지시키면서 자국은 농산물의 협상결과가 불투명한 상태에서 시장접근 그룹협상에서의 교역이익 균형확보가어려움을 설명하고 만약 농산물 협상이 소기의 성과를 거두지 못할 경우에는 자국이 제출한 관세 OFFER 의 철회도 검토 가능할 것임을 언급함.

- 또한 뉴질랜드는 현재의 양국 OFFER 를 기초로 평가할때 양국간의 교역이익이균형됨에 만족을 표시하면서 과거 노동당 정부가 예시한 92-96까지의 관세 인하 계획은 현재의 보수당정부에서 재 검토하고 있으나 자동차 세율은 현재의 35 퍼센트에서 1996 까지 25 퍼센트로 확실히 인하 됨을 설명하고 아국의 농산물등에서의 입장 여하에 따라 아국이 뉴질랜드에 이미 제출한 REQUEST LIST 는 신축적으로 검토될수 있을 것이라 하였으며, 특히 수산물, 철강등에서의 아국의 무세화 참여가능성을문의함.

- 이에 아국은 농산물은 농산물 협상 그룹에서의 협상 대상임을 분명히하고 다만 시장 접근그룹에서는 농산물 등 여타 협상 부문의 협상결과를 통합할 수 있을 것이라는 DENIS 의장 보고서를 상기시킴.

- 또한 아국은 철강에서는 무세화 참여에 긍정적으로 임하고 있으나 수산물에서는 영세어민문제, B.O.P 협의결과에 따른 비관세 장벽의 완화, 관세 OFFER 의 기 제시등의 이유를 들어 참여 곤란함을 설명함.

- 뉴질랜드는 B.O.P 협의 결과와 관련 자유화예시 품목에 대한 관세화에 우려를표시한바 아국은 뉴질랜드의 관심을 본부에 전달하겠음을 언급함. 끝

(대사 박수길-국장)

통상국 2차보 경기원 재무부 농수부 상공부

PAGE 1 91.07.26 07:33 DF

외신 1과 통제관

0067

원 본

외 무 부

종 별 :

번 호 : GVW-1408 일 시 : 91 0725 1800

수 신 : 장 관(통기,경기원,재무부,농림수산부,상공부)

발 신 : 주 제네바 대사

제 목 : UR/ 시장접근 양자간 협상(호주)

7.23 당지에서 개최된 표제 협상 토의요지 아래보고함. (엄재무관, 상공부 이과장등 본부 대표참석)

- 양국은 참가국간 교역이익의 균형을 도모하기 위한 원칙의 제정없이 분야별 협상이 확대되는데 우려를 같이하고 적절한 시점에 이러한 문제 제기 및 원칙 마련에 공동 협조키로함.

- 호주는 양국간에 현재의 OFFER 를 기초로 상호관심분야를 REQUEST 하여 양허 이익의 균형을 도모하는 방안을 모색하고 양국이 상호 만족할수 있는 수준이 되면 조건부 합의문을 작성교환하자고 제의한바, 아국은 현재 OFFER 를 조건부이며 또한 여러가지 불확실한 상황이 존재하는 현시점에서는 시기상조임을 언급하면서 협상 최종 단계에서 고려 가능한 문제일것이라 답변함. 끝

(대사 박수길-국장)

통상국 2차보 경기원 재무부 농수부 상공부

PAGE 1

91.07.26 07:34 WG

외신 1과 통제관

0068

원 본

외 무 부

종 별 :

번 호 : GVW-1409 일 시 : 91 0725 1800

수 신 : 장관(통기,경기원,재무부,농림수산부,상공부)

발 신 : 주 제네바 대사

제 목 : UR/ 시장접근 양자 협상(미국)

7.24 당지에서 개최된 표제 협상 토의 내용 아래보고함.(엄재무관, 상공부 이과장등 본부 대표참석)

1. 시장접근 협상 전반

- 아국은 그간 미국과 이시간의 진전상황을문의함.

- 미국은 양국간에 관심 품목 및 이에 대한 의견 교환이 있었으나 여전히 TARIFF PEAK 와 무세화에 대한 이견이 상존하고 있음을 설명함.

동 이견들은 7.30 경 힐스 대표와 안드리에센 위원간의 고위급 회담을 통해 다시 논의될 예정이며, 8월이 이러한 이견 조정기간이 될것임을 언급함.

2. 분야별 관세협상

- 미국은 9월 중순까지 한국이 무세화 협상에참여 가능한 구체적 부문(TARIFF LINE 별) 제시를 요구하고 지금 논의되고 있는 분야 이외에도 한국의 관심분야를 제시하면 검토 가능하다고 설명함.

- 이에 아국은 참여국 선정의기준, 참여국간 교역이익의 균형을 도모하기 위한 GUIDELINE 의 설정을 촉구하고 협상 진전의 부진이 국내 업계설득을 어렵게 하고 있음을 설명하면서 아국입장의 구체적 제시는 협상 전반의 진전상황에 밀접하게 관련되어 있음을 언급함.

- 미국은 EC 가 건설장비중 일부 품목에 관심표명을 하는등 동 문제를 심각하게검토하고 있음을 전언하면서 만약 미국이 섬유 및 신발에대해 일부 신축성을 두어이씨 및 한국이 특별히 관심을 갖고 있는 동 부분중의 일부에 대한 미국의 신축적인 대안(FLEXIBILITY) 을 제시할 경우 한국의 구체적 참여 가능 품목 제시 가능성을 문의함.

- 이에 아국은 본부와 협의하겠다고 답변함.

통상국 2차보 경기원 재무부 농수부 상공부

PAGE 1

91.07.26 07:47 DF

외신 1과 통제관

0069

- 또한 미국은 화학제품에 대한 별도의 관세조화 방안(본부대표 지참예정)을 설명하고내일 정식 이를 제안할 예정임을 언급함.

3. 비관세

- 재선충 처리문제

주류 개방문제

과자류 검역문제등은 지난 회의에서와 변화가 없음을 상호 확인함.

- 미국은 강합기 문제에 대하여 이를 BINDING 하자는 문귀를 제시하고 아국입장을 문의한바, N.T.B 의 BINDING 원칙에는 동의하나 그범위의 불확실성, 기술적인 어려움 등을 들어 BINDING 곤란함을 설명함.

- SOFTWARE 관세 평가문제는 아국이과세.비과세 문제를 협정상 선택할수 있음을상기시키고 특정 SOFTWARE 에 대해서는 관세감면 조치하고 있음을 설명함.

4. 관찰

- 그동안 시장접근 협상은 미국의 분야별 무관세제안에 대한 EC 의 소극적 입장과 EC 의섬유류 관세조화 제안에 대한 미국의반 대입장이 서로 대립되어 협상의 진전이 어려웠음.

이와 같은 협상 부진을 타결하기 위하여 미국, EC양국은 7.30 으로 예정된 고위급 회담등 협상전기를 마련코자 많은 노력을 기울이고 있는 것으로 보여짐.

- 이와 관련 금번 한.미간 양자 협상에서 미국이 일부 섬유류에 대한 미국의 신축적인 대처가능성을 언급한 것은 EC 와의 타협을 도모하기위한 중요한 입장 변화의가능성으로 보여지며 이경우 EC 가 제안한 섬유류 관세조화 방안과 미국이 제안한분야별 무관세 제안과의 상호연계 협상이 진행될 전망이 커졌다고 사료됨.끝

(대사 박수길-국장)

원 본

외 무 부

종 별 :

번 호 : GVW-1411 일 시 : 91 0725 1800

수 신 : 장 관(통기,경기원,재무부,상공부)

발 신 : 주 제네바 대사

제 목 : UR/ 시장접근 무세화 협의(비철금속,전자,건설장비)

7.23 당지에서 U.S.T.R 주관으로 개최된 표제협의 토의 요지 아래 보고함 (엄재무관, 상공부 이과장, 재무부 허사무관 참석)

1. 전자, 건설장비 품목확대)

미측은 지난 6월 일본측이 전자, 건설장비와 관련하여 무세화 대상 품목 COVERAGE 를 확대제시한바 있음을 상기시키면서 그동안 일본측과 협의하여 도출해낸 수정품목 COVERAGE (전자, 건설장비 한)를 합동제안 (초안) 형식으로 제시하고 일부 품목이 확대 되었음을 설명함. 아울러 다음번 회의에서 동 합동제안에 대한 보다 구체적인 토론이 있기를 기대한다고 당부함. 이에대해 이씨는 작년 브랏셀 회의에서 언급한 바와 같이 농업 부문과 관련한 기계류는 무세화대상으로 하는데 어려움이 있음을 설명하고 스위스는 전자 부문에 84,85 류가 추가된데 대해 좀더 폭넓은 토론이 필요할 것이라고 하면서 동합동 제안에 대해 검토를 하겠으나 BALANCE 의 유지를 위해 일부 수정이 있어야 할것임을 언급함. 또한 카나다는 합동제안에 대해 관심을 표명하면서 어떻게 하면 서로 다른 발전단계에 있는 많은 나라가 이 제안에 폭넓게 참여할수 있도록 고무할수 있는지에 대해 토의가 되어야 함을 언급함. 홍콩은 동 합동 제안에의 개도국 참여 유도 방안이 적극적으로 강구되어야 할것임을 촉구함.

2. 위에 추가하여 미측은 미국 관세청이 무세로 반입된 농업용 수입 디젤엔진이 최종적으로 농업부문을 위해 쓰여지게 하기 위해 어떤 통제절차를 채택, 사용하고 있는 지에 대해 설명하고 내무부 광산국에서 작성한 세계 광물 통계책자를 소개하면서 동 책자를 사용하여 작성한 금속 부문 관련 토예 유인물 (현지 출장자지참)을 배포하고 설명함.끝

(대사 박수길-국장)

통상국 2차보 경기원 재무부 상공부

PAGE 1 91.07.26 08:05 WG

외신 1과 통제관

0071

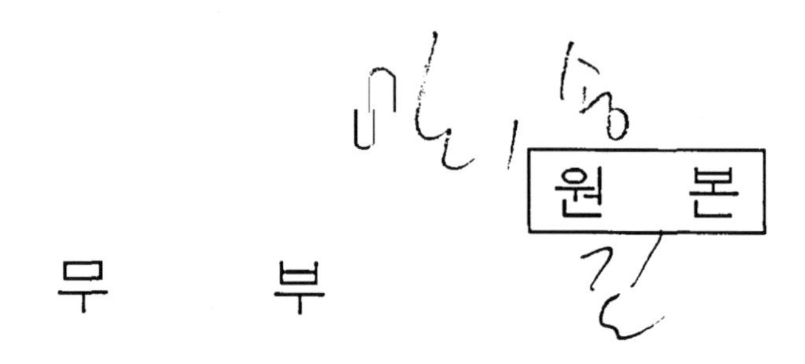

외 무 부

종 별 :

번 호 : GVW-1423 일 시 : 91 0726 1800

수 신 : 장 관(통기,경기원,재무부,농림수산부,상공부)

발 신 : 주 제네바 대사

제 목 : UR/ 시장접근 양자 협상(한.이씨)

7.25 당지에서 개최된 표제협상 토의 내용 아래보고함.

1. 협상 전반에 대한 의견 교환

- 미국과 이씨간의 협상 진전상황, 특히 양국간 관심품목 교환 및 이에 대한 상호 회신 교환에 대한 이씨의 반응을 아국이 문의한바, 이씨는 미국의 회신 내용이 불만족스러우며, 여전히 양국 OFEER 간에 큰 불균형이 존재하고 있고, TRAIFFPEAK 의 완화등 미국의 추가 개선 조치가 요구된다고 답변하면서 미국이 제안한 분야별무세화에 대해서는 의약품과 철강분야를 제외하고는 참여 곤란함을 언급함.

또한 아국은 이씨의 섬유에 대한 제안과 미국의 무세화 제안과의 연계협상 가능성에 대한 전망을 문의한바, 이는 정치적 결정에 달려있을 것이라 답변함.

- 무세화에 대한 아국입장을 이씨가 문의한데 대해 철강 분야에는 전면적으로 참여하고 있고 전자, 건설장비중 일부 분야에의 참여가 궁극적으로 검토되고 있으나 여타 분야에는 참여가 곤란함을 언급하고 특히 이씨가 제안하고 있는 섬유류 관세조하 방안 에의 지지와 신발류에 대한 이씨안에 관심을 표명하였음.

2. 양국간 현안문제

가. 관세

- 이씨는 아국 OFFER (90.9 제출한 아국의 수정 OFFER) 의 전반적 내용을 높이 평가하나 아직도 UNBOUND 비율이 높으며 특정부문에 TARIFF PEAK가 존재하고 있음을 언 급하면서 자국이 아국에 제시한 363 개 REQUEST 품목에 대한 아국입장, 특히 9월 협의시 동 REQUEST 에 대한 품목별 협의 가능성을 문의함.

- 아국은 REQUEST 에 대한 품목별 협상은 모든 참가국이 각료 선언상의 목표를 달성하는 OFFER를 모두 제출하고 각국 OFFER 간의 양허 균형을 평가한 이후 참가국간 양허 균형을 도모하는 방안의 하나로 구체적으로 협의될 사항일 것이라 답변함.

통상국 2차보 경기원 재무부 농수부 상공부

PAGE 1 91.07.27 08:45 WG

외신 1과 통제관

0072

4. 비관세

- 이씨는 90.11 제시한 자국의 대 아국 비관세 REQUEST 에 대한 아국 입장을 문의한바, 본부에서 계속 검토중임을 언급함.

또한 이씨는 주종간 세율 격차를 보이고 있는 아국의 주세제도에 불만을 표시하고 이에 대한 REQUEST PAPER 를 조만간 제시 예정이라 하였음.

- 정부조달 협정 가입 협상과 관련 통신장비등에 대한 관세인하 문제를 이씨가 문의한바, 동 문제는 정부조달 협정가입 협상의 일환이므로 이씨의 관심을 관련 당국에전 달하겠다고 답변함. 끝

(대사 박수길-국장)

원 본

외 무 부

종 별 :

번 호 : GVW-1424 일 시 : 91 0726 1800

수 신 : 장 관(통기, 경기원, 재무부, 상공부)

발 신 : 주 제네바 대사

제 목 : UR/ 시장접근 관세조회 방안 협의(화학제품)

7.25 당지에서 U.S.T.R 주관으로 개최된 표제협의 내용 아래 보고함.

- 미국은 화학제품에 대한 관세조회방안 (본부대표 지참예정)을 처음으로 제안하고 이를 설명함.

0 대상품목: H.S 28 류-34류, 38류-40류

0 조화세율: 0 퍼센트-6.5 퍼센트

참여국가: 선진국 10개국, 개도국 10개국(아국포함)

0 시행기간: 무세를 즉시 시행, 8 퍼센트 이하는 5년간 인하, 8 퍼센트 이상은 10년간 인하

0 N.T.B 철폐

- 일본, 이씨, 스위스는 상기 미국안에 대하여 공통적으로

1) 상당품목이 제외되어 있고

2) 특정품목은 조화세율이 12.-15 퍼센트 로서 지나치게 고세율이며

3) 시행기간도 세율별 불균형을 보이고 있음을 지적하면서 대상 품목 및 조화세율의 수정가능성을 문의함.

- 이에 대해 미국은 제외되어 있는 품목 및 조화세율이 12-15 퍼센트인 품목은 미국 국내업계에 민감한 품목이나, 협상이 순조롭게 진행되어 참여국이 광범위해지고 대 상품목의 확대가 불가피한 상황이 되면 재검토가 가능할 것이라 답변하면서 9월에 재논의 되기를 희망하였음.끝

(대사 박수길-국장)

통상국 2차보 경기원 재무부 상공부

PAGE 1

91.07.27 08:46 WG

외신 1과 통제관

0074

원 본

외 무 부

종 별 :

번 호 : GVW-1431 일 시 : 91 0726 2000

수 신 : 장 관(통기,경기원,재무부,농림수산부,상공부)

발 신 : 주 제네바 대사

제 목 : UR/ 시장접근 협상 그룹 회의

7.26 당지에서 개최된 표제회의 토의 요지 아래보고함.

1. 비공식 회의

- 아르헨티나의 수정안에 대한 사무국 평가보고서 (본부대표 지참 예정)에 대한 내용 설명이있었음.

0 BINDING 세율 수준: 현행 25 퍼센트의 관세율을 35 퍼센트로 CEILING BINDING

0 BINDING 범위 확대: 59 퍼센트 에서 100 퍼센트로

- 사무국으로 부터 주요 분야별 세율 수준 비교 (특히 TARIFF PEAK 를 국별로 비교하기 위한 목적)을 위한 FORMAT 설명이 있었는바, 칠레로 부터 주요분야 구분원칙 (예, 공산품 분야는 상세히 구분되어 있으나 수산물 분야는 전체를 하나로 분류)에 대한 불만과 멕시코로 부터 CREDIT 의부여 방안이 결정되면 이것도 반영되어야 한다는 언급이 있었으나 사무국이 마련한 FORMAT 을 채택키로 하였으며, 의장은 동 FORMAT 에 의한 각국별 세율 수준 비교표가 다음주 초에 배포될예정이라 하였음.' 2. 공식회의

가. 협상 추진 상황

- 이씨는 특정부문에 고세율 및 TARIFF PEAK 가 상당수 존재하고 있고 이의 완화를 위해 자국은 섬유, 석유화학 부문에 대한 관세조화 방안을 추진하고 있음을 설명하면서 개도국의 OFFER부실에도 불만을 표시함.

- 미국은 9월에 협상이 실질적으로 진전되어 구체적인 품목별 협상이 진행되기를 희망하였고 화학제품에 대한 관세조화 방안을 제의하였음을 언급함.

- 일본은 조속한 협상 진전을 촉구하였고, 스웨덴은 공동의 MODALITY 가 없이 분야별 협상이 진행되는데 우려를 표시하면서 9월이후에는 지나치게 조건부적인 OFFER 를 덜조건부적인 것으로 개선하는데 노력이 기울여야 하며, 특히 무세화등 분야별 협상이 최소한에 그칠 경우 각국간의 양허 균형 확보를 위한 대안이 제시되어야함을

통상국 2차보 경기원 재무부 농수부 상공부

 91.07.27 09:02 WG

외신 1과 통제관

0075

지적한 바, 스위스등이 이를 지지하였음

- 칠레, 콜롬비아등은 열대산품 및 천연산품에대한 OFFER 부진을, 이집트는 개도국에 대한 적절한 고려가 있어야 함을 지적함.

나. N.T.B 에 대한 28조 적용문제

- 미국이 BINDING 을 언급한바, 칠레, 멕시코등이 이에 반대함.

- 일본은 자국이 기 배포한 안 (MTN.GNG/MA/W/2) 을 설명하고 N.T.B 의 BINDING 및 28조 적용에 우려를 표시하였음.

- 의장은 차기회의에서 재론키로 함.

다. CREDIT 및 RECOGNITION 부여문제

- 멕시코는 지난회의 이후 미국안과 개도국 공동안을 절충한 NON-PAPER 를 중심으로 7.16한차례의 비공식 협의가 있었음을 설명하고 앞으로 이러한 비공식 협의를 계속할 것임을 언급한바, 의장은 그 논의 결과를 차기 회의에 보고토록 요청함.

3. 차기회의 일정

- 차기 공식회의는 9월 말경 개최 예정인바, 동회의 개최 2주전인 9.16 주간부터는 2주간 양자간 다국간 협의가 진행될 것임을 언급하고 금번회의 종료함. 끝

(대사 박수길-국장)

PAGE 2

0076

73-7 (*)

재 무 부

국관 22710-343　　　503~9297　　　1991. 8. 5.

수신 외부무장관

참조 통상국장

제목 UR 시장접근분야 협상 참석 결과 통보

1. 통기 20644-34050('91.7.19)호와 관련입니다.

2. 표제 협상관련 당부 대표의 참석 보고서를 별첨과 같이 송부합니다.

첨부 : UR 협상 결과 보고. 끝.

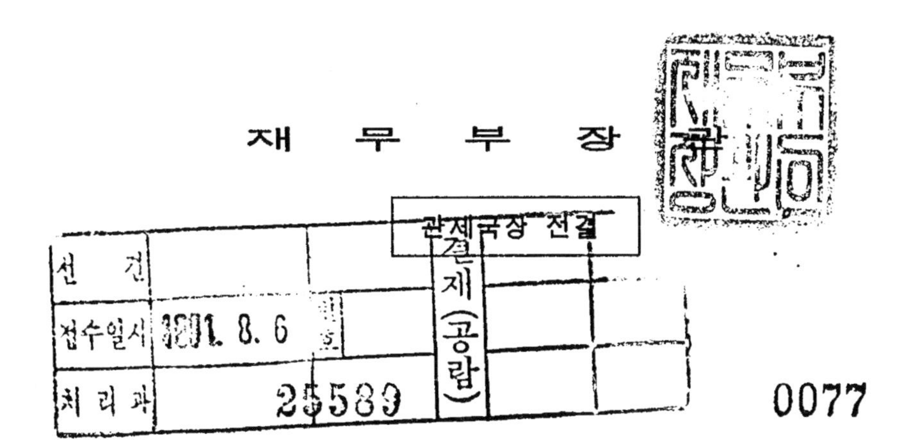

재 무 부 장

관세국장 전결

선 건			결재(공람)		
접수일시	1991. 8. 6				
처리과	25589				

0077

UR 관세협상 참석 보고

1. 협상 일시 및 대표

- '91. 7. 22 ~ 7. 26 (제네바)
- 대　표 : 제네바 재무관
국제관세과 사무관

2. 금차회의 의의 및 평가

- 금차회의는 '91년말까지 협상을 종결하기 위하여 실무적 차원의 협상현안을 마무리하는 회의로 예정되었으나,
- 아직까지도 미·EC간에 적절한 타협이 없어 가시적 성과는 없었음
- 다만 미국은 EC가 제안한 섬유·신발 관세조화에 신중한 검토를 할 것이라고 하며 Hills USTR대표와 EC위원장간의 7. 30경 고위급 회담을 통하여 이견조정 기회를 가질 것이라 함.

3. 한·미 양자협상

- 아국은 무세화 협상에 진전이 없어 국내업계 설득에 어려움이 있고 무세화에 대한 구체적 입장 제시는 전반적인 협상 진전상황 (미· EC간 합의)에 밀접히 관련되어 있다고 하자
- 미국은 섬유·신발에 대해 미국이 신축적인 대안을 제시하는 경우 아국의 구체적 참여가능품목 제시가 9월 협상시 가능한지 문의

0078

4. 분야별 다자간 협상

- 전 자

o 미국 · 일본이 기존품목에 HS 4단위 17개 분야(냉장고 · 녹음기등) 추가

- 건설장비

o 미국 · 일본이 HS 4단위 2개 분야(기중기 · 트랙터등) 추가

- 화학제품(미국의 새로운 제안)

o 관세조화 방식으로 추진
o 아국등 20개국이 참여대상

- 유리제품 · 식품 가공기기

o 일본이 무세화 제안

- 기존 무세화 및 관세조화 제안에 추가하여 위 분야는 9월 협상시부터 본격 논의

5. 협상 전망 및 대응방안

- 협상 전망

o 미국이 UR협상의 성공적 타결을 위해 집중적인 노력을 할 것으로 예상되고 미 · EC간 합의점이 모색된다는 전제하에

o 9월부터 시작되는 본격적인 협상에 대비 필요

- 대응방안

o 협상에 적극 기여한다는 기본자세가 필요하며,

o 무세화 · 관세조화 제안등에 대비 관계부처와 협의하여 9월협상 전에 구체적인 참여가능품목 준비

o 주요국과의 양자협상에 대비한 Request List도 준비

0079

	분류번호	보존기간

발 신 전 보

번 호 : WGV-1128 910829 1845 FN 종별 : 지급

수 신 : 주 재네바 대사. 총영사

발 신 : 장 관 (통 기)

제 목 : UR/대일 관세인하 양자협의

연 : WGV-0820

제1차 한.일 무역 산업기술 협력위원회 합의사항에 대한 후속 조치 검토 및 대책 수립에 필요하니, 연호, 아국의 대일 관세인하 요구품목과 관련한 그간의 UR/대일 관세 협의 진전상황 및 향후 추진방향에 관한 귀견을 보고바람. 끝.

(통상국장 김 용 규)

보안 통제	

앙 고 재	91년 8월 29일	통기과	기안자 성명		과 장		국 장		차 관	장 관
			안성국				전결			

외신과통제

0080

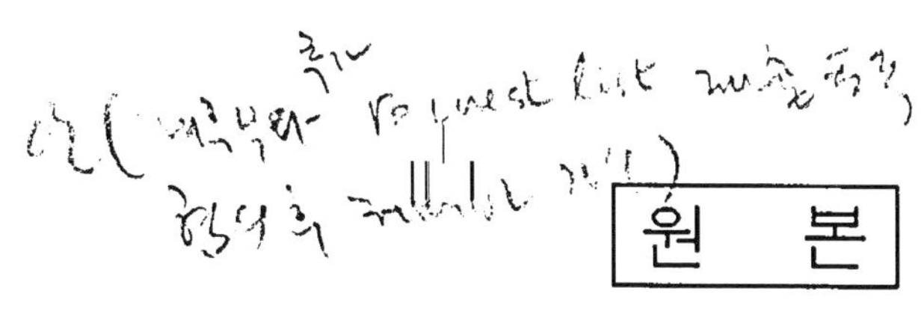

원 본

외 무 부

종 별 :

번 호 : GVW-1626　　　　일 시 : 91 0830 1500

수 신 : 장관(통기, 재무부, 농림수산부, 상공부)

발 신 : 주 제네바 대사

제 목 : UR/ 대일 관세인하 양자 협의

대: WGV-1128

1. 관세협상 진전 상황

- 90.10. 110 개 품목에 대한 아국의 REQUEST LIST제시이후 일본은 일본의 전반적 OFFER 내용으로 대응함에 따라 구체적 품목별 RESPONSE 는 없었음.

- 91.7 UR/ 시장접근 한.일 양자 협상시 추가 REQUEST 제시 여부를 아국측에 문의하였음.

2. 향후 추진 방향

- 한.일간 무역 현안에 대한 일본측의 성의표시를 위해서는 UR 관세협상 보다는별도의 양자 협의 차원에서 계속 추진함이 보다 효과적일것으로 판단됨. 다만 이 경우 추가 관세 인하 요청품목을 UR 협상에서 동시에 제시하는 것은 무방할 것으로 보여짐. 끝

(대사 박수길-국장)

통상국　2차보　재무부　농수부　상공부

PAGE 1　　　　91.08.31 07:17 DQ

외신 1과 통제관

0081

외무부 통상국장

관리	91-
번호	599

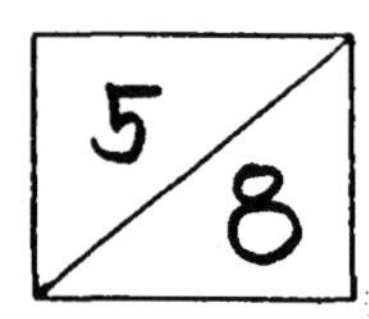

UR 대책 실무위원회 회의자료

- 시장접근 분야 -

일반문서로 재분류 (1981 .12. 31.)

1991. 8. 30.

재 무 부

0082

〈목　　차〉

I. 협상 개황

- UR 협상의 년말 타결은 7월말까지 대체적인 합의가 있었어야 가능해지나
- 현재까지는 종전입장의 확인에 그치고 있어 가시적인 진전이 없는 상태임.
- G-7 정상이 UR의 성공적 타결을 위한 정치적 결의표명이 있었으나 미·EC 및 선·개도국간의 이견 절충이 있어야 9월부터 시작되는 UR 협상의 성공적 추진이 가능할 것으로 전망됨.

II. 관 세

1. 관세양허 현황

가. 관세인하 목표설정

- '88.12 몬트리올 각료회의에서 관세인하 목표 설정
- 관세 양허목표

관세 인하율	→	33%
양허범위(품목)	→	대폭 확대

나. 관세양허 현황

- 선진국 : 목표달성
- 개도국 : 대부분 목표미달
- 한 국 : 목표달성

관 세 인 하	:	17.5% → 11.9%(인하율 32%)
양허범위확대	:	23% → 83%('88 수입액 기준)
		10% → 84%('88 품목 기준)

14-3

0084

2. 무 세 화

가. 협상경위

- '90.10. 미국이 제의(자국의 관세양허안에 반영)

- '90.12. 브랏셀 각료회의시 아국수석대표(상공부장관)가 검토용의 표명

- '91.1 이후 수차례의 협상이 진행되었으나 철강·의약품을 제외하고는 진전이 없는 상태

나. 무세화 대상분야

- 기존의 무세화 대상분야('90.10. 미국제안)

전자 · 건설장비 · 수산물 · 비철금속 · 철강 · 종이 · 목재 · 의약품 · 의료기기

o '90 수입액의 29% (204억불)

o '90 수출액의 28% (182억불)

- 추가된 분야('91.6~7월)

o 가구 · 완구 · 주류 (미국이 제의) o 비료 · 필름 · 악기 · 고무제품 · 유리 · 식품가공기기 (일본이 제의)

o 관심국이 많으면 추진

다. 각국입장

- E C : 무세화에 반대입장. 다만, 철강·의약품은 무세화에 동의

- 여타선진국 : 분야에 따라 이견이 있으나 무세화에 대체로 동조

- 개도국 : 참여대상국이 아니거나 부분적 참여대상으로 큰 부담이 없음.

라. 협상전망

- 미국과 EC의 절충이 협상의 관건임.

  o 미국은 일본등 일부 선진국과 공동보조를 취하면서 아국도 미국입장에 동조토록하고 EC에 계속 압력을 가할 것으로 예상됨.

- 향후 미·EC가 적정선에서 타협한다는 전제아래 아국입장 수립 필요

  o EC가 불참하면 무세화는 성사 불가

14-5

0086

마. 향후 대응방안

<table>
<tr><th>기본적인 고려사항</th><th>지금까지의 아국입장</th><th>대 응 방 안</th></tr>
<tr>
<td>(1) 응능부담원칙 견지

- 무세화제안은 각국의 관세율 및 산업경쟁력 격차가 고려되지 않음.

- 아국은 관세율이 상대적으로 높고 산업경쟁력도 저위에 있어 부분적 참여 불가피

(2) 한 · 미 관계

- 미국은 한 · 미 정상회담 등을 통해 아국의 협조 당부

- Carla Hills는 철강 · 전자 · 건설장비 분야에의 아국 참여를 요망 ('91.7.19자 서한)

(3) 국내경제 여건

- 악화되는 국제수지 감안</td>
<td>- 철강 : 전면 무세화, 협상 마무리단계

- 전자 · 건설장비 : 부분적인 참여 표명

- 여타분야 참여불가

o 수산물 : 수입자유화와 동시에 무세화 불가
· EC, 일본도 참여불가 입장

o 의약품 : 미국에 협상 불참을 통보하고 '91.6월 회의부터 불참
· 선진국간에 거의 합의 단계

o 비철금속 · 의료기기 · 종이 · 목재 : 수입일방 분야로 참여 불가</td>
<td>(1) 3개 분야는 검토대상에서 제외
o 철강 · 수산물 · 의약품(종전입장 참고)

(2) 나머지 6개 분야에서 검토
<table>
<tr><th>무세화 분야</th><th>제 1 안</th><th>제 2 안</th></tr>
<tr><td>(1) 전 자</td><td>일반전자 및 ADP중 일부 반도체, 반도체 장비는 무세화(통신장비 제외)
o HS 4단위 50개중 26개, 수입액기준 60% 상당</td><td rowspan="2">→ 1안과 동일</td></tr>
<tr><td>(2) 건설장비</td><td>일부 무세화, 트랙터 및 그 부품 · 지게차 등
o HS 4단위로 21개중 8개, 수입액기준27%</td></tr>
<tr><td>(3) 종이 · 목재 · 비철금속 · 의료기기</td><td>불참→수입일방분야
(검토의견)
- 미국의 참여요구 분야에 대한 성의표시
o 아국도 상기 두분야에의 부분적 참여를 언급해옴.
- 응능부담원칙에도 부응
o 관세율이 선진국에 비해 3배정도 높음
o 전자외에는 현저한 무역역조</td><td>- 여타분야도 수입이 불가피한 원자재나 아국의 경쟁력이있는 품목 및 기히 무세인 품목은 무세화 추진
o 종이(펄프 · 인쇄물)
o 목재(원목)
o 비철금속(원광석)
o 의료기기(의료용 소품)
(검토의견)
- 무세화 협상에 기여한다는 의미
- 수입일방분야로 무세화에 따른 수혜이익은 미미</td></tr>
</table>
(3) 종합의견
- 일단은 (1안)으로 대처하되 한 · 미 양자협의 전에 기히 제출한 관세양허안(IRP)을 수정하여 GATT에 제출
o 무세화가 성사된다는 조건부로 IRP 수정
o 섬유 관세조화제안도 선 · 개도국 중간세율로 IRP 수정에 포함(관세조화제안 성사 조건부)
o 미국의 무세화제안과 EC의 관세조화제안을 적절히 조합한 것으로 미국의 압력에 굴복한다는 인상을 피하면서 협상 참여국에 아국의 능동적 조치로 평가받을 수 있음.
- (2안)은 협상 후반기에 협상분위기를 보아가며 채택함이 바람직함.</td>
</tr>
</table>

바. 한·미 양자협의 대처방안

(1) 고려사항

- 무세화는 미국이 중점을 두고 추진하고 있는 UR 협상 분야중의 하나이며

- UR 협상 막바지에 열린다는 시기적 의미를 감안할 때 무세화에 대한 구체적인 아국입장 제시가 필요한 것으로 보임.

- 특히 UR이 실패하는 경우 아국이 협상에 소극적이었다는 인상을 주어 향후 보복적인 압력을 받는 사태도 상정해 보아야 함.

(2) 대응방안

- 일반적인 사항

o 다른 협상국과의 협의 진전사항 문의
o 특히 EC와의 절충여부 문의
o 섬유·신발 분야 관세조화제안에 미국의 참여 권고

14-7

0088

- 무세화에 대한 입장제시

o 금년들어 아국은 대미무역 역조현상을 포함 무역적자가 심화되는 어려움이 있으나

o 미국의 무세화제안에 협조한다는 취지에서

· 전자 및 건설장비 분야를 무세화하는 안과 섬유 분야의 관세조화제안을 수용, 아국의 관세양허안에 반영 GATT에 제출하였음을 통보

· 다만 해당 분야의 무세화 및 관세조화가 성사된다는 조건부임을 언급

(3) 검토의견

- 전자 · 건설장비 분야의 부분적인 무세화는 미국이 참여를 촉구해 온 분야에 성의를 표하는 것으로 평가 받을 수는 있을 것임.

- 또한 아국의 경쟁력이 있는 섬유분야의 EC 관세조화를 IRP에 반영하므로서 미국의 압력에 굴복한다는 인상도 피할 수 있음.

3. 관세조화제안

가. 협상경위 및 진행상황

(1) 협상경위

- EC가 미국의 무세화제의에 대응하여 '90.12. 브랏셀 각료 회의시 제안

  o 대상분야 : 섬유 · 신발 · 석유화학 및 플라스틱

- 미국이 '91.7 일본의 무세화제의 및 EC의 관세조화 제안을 통합하여 "화학제품 관세조화"라는 명칭으로 제안

  o 대상분야 : HS 28類~34類, HS 38類~40類

(2) 협상진행 상황

- EC의 관세조화제안

  o 섬 유 : 아국을 포함한 개도국이 긍정적인 입장.
    미국이 사실상 반대입장
  o 신 발 : 제안이후 논의가 없었음.
  o 석유화학 · 플라스틱 : 대부분의 선진국이 호응.
    미국이 일부 품목 예외인정 요구

14-9

0090

- 미국의 관세조화제안

  o 일본 · EC가 품목 및 목표관세율에 이의를 일차적으로 제기하였고

  o 미국이 EC의 관세조화제안 및 일본의 무세화제안에 대한 대응카드로 활용하는 것으로 보여져 현재로서는 성사여부 불투명

나. 대응방안

(1) EC의 관세조화제안

- 섬유 · 신발

  o 아국의 수출주종분야로 관세조화제안이 성사되도록 적극참여

  o 현재까지 각국이 미국의 참여를 촉구해 왔음.

- 석유화학 · 플라스틱

  o 아국은 부분적인 참여대상국으로 18개 품목(HS 6단위)에 참여대상으로 큰 문제가 없음.

(2) 미국의 관세조화제안

- 화학제품분야는 아국의 경쟁력이 취약한 분야이나 목표관세율이 5.5~6.5%인 분야는 관세인하 이행기간이 향후 10년이므로 여타국의 호응도를 보아 긍정적으로 검토

  o 해당분야 : 28류, 29류, 32류, 38류, 39류

Ⅲ. 비 관 세

1. 협상 개황

- Request/Offer 제출 현황
  - o 아국은 미국등 12개국으로 부터 Request를 받아 미국,EC등 7개국에 아국의 Offer를 제출하였고
  - o 또한 아국은 EC, 카나다 등 13개국에 Request하여 EC, 호주, 뉴질랜드로 부터 Offer List를 받아 협상이 마무리 단계임.
- 양자간 협의를 통하여 미국, EC가 자국의 관심사항을 제기 · 논의중임.
- 양허결과의 기속여부에 대하여는 각국의 입장이 상이함.

2. 쟁점사항 및 대응방안

가. 양허결과 확보 문제

- 현 황
  - o 미국, 카나다, 호주 : 양허결과의 엄격한 기속 주장
  - o EC, 일본, 개도국 : 양허결과의 엄격한 기속 반대
- 대응방안

  융통성 등의 측면에서 다음과 같은 이유를 들어 엄격한 기속 반대

  - o 비관세 조치의 개념 정의 및 범위가 불분명
  - o 비관세 조치 효과의 계량화 및 보상액 산정 문제등 기술적인 면에서 어려움이 많음.

14-11

0092

나. 양자 협상에서의 쟁점사항

- 한·미 양자 협상

o 미국 요구사항

· 초코렛, 설탕제품에 대한 식품위생 검사기간 단축

· 소나무 재선충으로 인한 목재품 수입제한 완화

· software 에 대한 관세평가 방법 변경 등

o 대응방안

· 위 요구사항에 대한 설명 및 관련자료 제공 등으로 미측이 어느정도 납득한 상황이므로 특별한 현안은 없는 상태임.

- 한·EC 양자 협상

o EC 요구사항('91.7. 한·EC 비공식 양자회의시 요구)

· 정부조달협정 및 수입허가 협정 가입

· 수입품의 통관지연 개선등

o 대응방안

EC 요구사항중 일부는 오해에서 비롯된 것도 있고 일부는 그 동안 상황이 바뀐 것도 있으므로 사항별로 아국입장을 정리하여 9월 양자회의시 EC에 설명.

3. 향후 전망

- 시장접근 그룹 협상에서는 무세화 · 관세조화제안등 관세협상에 비해 비관세 조치에 대한 논의는 상대적으로 적을 것임.

- 비관세 조치의 양허결과 확보 문제는 미국등 일부 선진국을 제외하고는 대부분 엄격한 기속을 반대하고 있으므로 타결 가능성은 불투명함.

14-13

0094

Ⅳ. 천연자원 · 열대산품

1. 협상개황

- '88.12. 몬트리올 각료회의에서 천연자원 및 열대산품에 대한 관세 · 비관세장벽의 철폐 및 감축을 목표로 설정하였음.

- 동협상 분야는 자원보유국과 미보유국간의 입장차이로 실질적인 진전이 없었고, '91.4. 시장접근분야에 통합되었으나 몇몇 개도국을 제외한 대부분의 국가의 무관심 속에 방치 상태임.

2. 쟁점사항

- 천연자원
  o 일부 개도국이 수산물 · 임산물에 대한 Offer 부족을 지적

- 열대산품
  o 농산물 협상과 밀접하게 관련되어 있어 열대산품에 대한 Offer 부실

3. 향후 협상전망 및 대책

- 특별한 현안사항 없음.

- 천연자원은 관세 · 비관세 분야에서 다루어지고 있으며, 열대산품은 농산물 협상에서 다루고 있음.

43136

기 안 용 지

<table>
<tr><td>분류기호
문서번호</td><td>통기 20644-</td><td>(전화 : 720 - 2188)</td><td>시 행 상
특별취급</td><td></td></tr>
<tr><td>보존기간</td><td>영구. 준영구
10. 5. 3. 1.</td><td colspan="3">장 관</td></tr>
<tr><td>수 신 처
보존기간</td><td></td><td colspan="3" rowspan="2">대결</td></tr>
<tr><td>시행일자</td><td>1991. 9. 3.</td></tr>
<tr><td>보조기관 국 장</td><td>전 결</td><td rowspan="3">협조기관</td><td rowspan="4">통상1과장 (서명)</td><td>문서통제
검열 1991. 9. 04 통제관</td></tr>
<tr><td>보조기관 심의관</td><td></td><td></td></tr>
<tr><td>보조기관 과 장</td><td>(서명)</td><td></td></tr>
<tr><td>기안책임자</td><td>송 봉 헌</td><td></td><td>발 송 인
발송 1991. 9. 04 외무부</td></tr>
<tr><td>경 유
수 신
참 조</td><td colspan="2">농림수산부장관, 상공부장관
(사본 : 재무부장관)</td><td>발신명의</td><td></td></tr>
<tr><td>제 목</td><td colspan="4">UR 협상/대일 관세인하 request</td></tr>
</table>

1. 91.6.17-18간 일본 동경에서 개최된 한.일 무역 산업 기술협력위원회 회의에서 아국은 UR/관세 협상 관련 90.10. 일본에 대해 관세인하를 요청한 110개 품목에 추가하여 아래 7개 품목의 관세인하를 요청한 바, 일측은 UR 협상에서 논의하자는 입장을 개진 (상세 : JAW-3689 참조)한 바 있고 7.22. 제네바에서 개최된

- 1 -

0096

UR/시장접근 분야 양자협의시에는 해당품목에 대한 아측의 추가

request list 제출 계획에 관심을 표명 (상세 : GVW-1390 참조)

하였습니다.

- 아 래 -

o 밤통조림 (2008 19 193)

o 깐 밤 (0812 90 430)

o 건 표 고 (0712 30 010)

o 냉동딸기 (0811 10 100 및 200)

o 청량음료 (2202 90 100)

o 옥 탄 올 (2905 16 100)

2. 이와관련, 상기 7개 품목중 농산물은 향후 UR/농산물 협상 진전에 따라 제출할 대일 농산물 관세인하 request list에 포함하고, 잔여 1개품목(옥탄올)은 UR/시장접근 분야 협상 관련 대일 관세인하 request list를 추가로 제출하는 것이 바람직할 것으로 사료되는 바, 이에 ~~대한 귀부 입장을~~ 대하여 이견이 있는경우 이를 당부에 알려 주시기 바랍니다. 끝.

- 2 -

0097

UR 대책 실무위원회 자료

(시장접근 분야)

1991. 9. 6.
통상기구과

1. 협의 안건

ㅇ 무세화 협상 참여 대책

2. 협의 현황

ㅇ 91.8.30(금) UR 대책 실무위원회에서 무세화 협상 참여 대책을 협의한 바, 상공부, 기획원간의 의견 차이로 인해 결론을 내리지 못함.

ㅇ 9.6(금) 회의시 상공부가 무세화 대상분야의 sub-sector(HS 4단위)별 자료 (무세화 가능 여부, 수입액등 표시)를 제출 협의 예정

3. 8.30 UR 대책 실무위원회시 각부처 입장

가. 상공부 제안 내용 : 별첨 자료 참조

나. 여타부처 입장

ㅇ 기 획 원

- 협상이 품목 또는 sub-sector 별로 이루어지는 것이 아님.
- sector 단위로 참여 여부를 정하고, 참여 가능한 sector내에서 조기 무세화 가능한 sub-sector외의 sub-sector들을 무세화 대상에서 제외하는것 보다는 무세화에는 참여하되 장기간(10년) 무세화 기간을 요구하는 approach가 바람직.

ㅇ 외 무 부

- sector별 협상이 어려우므로 sub-sector를 기준으로 협상하자는 움직임은 있으나, sub-sector가 H.S. 4단위를 기준으로 하는 것인지는 확실치 않음.

0098

- 선진국의 요청사항이 협의때마다 변하는등 협상 전망이 유동적이므로 참여가 불가능한 sub-sector를 미리 확정해놓고 경직된 태도로 협상에 임하는 전략은 바람직 하지 않음.

o 상 공 부

- 무세화 협상 참여의 실익이 없음.
- 국제수지 대책이 시급한 상황에서 UR 협상의 부담을 기계.전자류에 전적으로 맡기는 것은 부당함.

o 농수산부

- 최근 전반적으로 개방에 대한 부정적 시각이 강해지고 있음에 유의 필요

o 제네바 대표부 재무관

- H.S. 4단위를 기준으로 제안해도 무방함.
- 철강, 전자, 건설장비외의 분야(종이, 목재, 비철금속, 의료기기등)에서 일부 무세화를 제안하는 것은, 우리의 일방 수입 품목의 무세화에는 참여 않는다는 기존 입장에 반하므로, 절대 반대임.

끝.

0099

무세화협상 관련 UR대책실무회의

1991. 9. 6

재 무 부

0100

목 차

7 - 2

0101

Ⅰ. 검토 배경

- '91. 8. 30 개최된 UR 대책 실무회의에서 시장접근분야 협상대책 중 주요쟁점사항인 무세화 협상대책에 대하여 재론키로 함.

- 본회의에서는 다음사항에 대한 대응방안을 수립하여 한·미양자 협의 및 향후협상에 대처토록 함.

  o 무세화 참여방안

    · 참여분야 및 이행기간

    · 아국입장 제시 방안(IRP 수정 여부)

  o 한·미 양자협의 대응 방안

Ⅱ. 기본적인 고려사항

- 대내외적인 요소가 균형되게 고려되어야 함.

- 대외적 고려사항(한·미 관계)

  o 미국은 한·미 정상회담, Carla Hills 의 서한을 통해 무세화 협상에 협조 부탁

  o 무세화는 미국이 중점을 두고 추진하고 있는 협상분야중 하나

- 대내적 고려사항

  o 국내산업에 미치는 영향

  o 아국의 관세율 및 산업경쟁력 수준에 상응하는 참여(응능 부담원칙) → 부분적 참여

7-3

0102

Ⅲ. 무세화 참여 방안 검토

1. 참여대상 분야 및 이행기간

* 9개 무세화 분야중 철강 · 수산물 · 의약품 3개 분야는 검토대상에서 제외

구 분	제 1 안	제 2 안	제 3 안
- 내 용			
o 참여대상 분야	- 전자, 건설장비중 수용가능한 분야 o 전자 63 % ('90수입액 기준) o 건설장비 28 %	-전자 · 건설장비 전분야	- 전자 · 건설장비중 수용가능한 분야
o 이행기간	- 무세화제안에 명시된 이행기간(예 : 반도체 →5년)	- 수용가능 분야 : 무세화 제안에 명시된 이행기간 수용불가 분야 : 이행기간을 장기화 (예 : 10년)	- 의정서상의 이행기간(5년 예상)에 1/3을 인하하고 이후 무세화 제안에 명시된 이행기간중 잔여 2/3를 인하하여 무세화
- 평 가			
o 장 점	- 미국의 주요 관심분야에 대한 성의 표시 - 아국 실익 확보가능 o 경쟁력이 있거나 수입불가피 품목만 무세화	- 전면 무세화로 협상상대국(특히 미국)이 성의있는 안으로 환영할 것임.	-.아국 실익 확보 가능 - Rule of Game이 없는 무세화 협상에 Modality 제공
o 단 점	- 2안에 비해 미국등으로부터 성의 있는 대안으로 인정받기 곤란할 우려있음.	- 산업경쟁력이 없는 품목도 무세화하므로 우리 업계 및 산업에 부담.	- 참여분야 · 이행기간면에서 협상 대상국이 이를 수용할지 여부 불투명
- 종합 검토의견	- 일단 (1안)으로 추진하여 참여가능분야를 제시하고 미국등 여타 협상국의 반응을 보는 것이 바람직한 것으로 보임. (이 유) o 유통시장 개방, 수입자유화 계획등 여타 개방조치와 동시에 전면적인 무세화를 추진함은 곤란 o 향후 협상동향에 따라 신축성 있게 대처할 여지를 남겨둠. - 추후 협상 분위기를 보아가면서 여타분야(비철금속 · 종이 · 목재 · 의료기기)중 무세화 가능분야를 추가로 제시하는 등의 방안 강구		

2. 아국입장 제시방법

구 분	제 1 안	제 2 안
- 내 용	- 조건부로 수정 IRP를 제출하는 방법	- 양자 및 다자간 무세화 협상시 제시하는 방법
- 평 가 o 장 점	- 수정 IRP의 제출은 공식절차를 거쳐 제시하는 것이므로 향후 추가 무세화 압력을 완화하는 효과가 있음. - GATT에 제출, 전회원국에 통보함으로써, 아국이 UR 협상에 적극적으로 참여하고 있다는 이미지 부각이 가능함.	- 신축적인 아국입장 견지 가능 o IRP 수정과 마찬가지로 일단 제시된 무세화 참여 대상품목의 변경은 쉽지 않을 것이나 o 추후 특정 무세화 대상품목을 제외할 불가피한 경우가 있을시 이의 철회가 IRP 수정의경우 보다 용이
o 단 점	- 조건부이긴 하지만 대외적으로 Binding하는 의미를 지니게 되므로 향후 불가피할 경우 특정 무세화 대상 품목의 철회·조정을 어렵게 할 수 있음 - 무세화 협상 전망이 불투명한 상황에서 IRP 수정제시가 의문시 됨	- (1 안)보다는 협상시 협상 상대국의 무세화대상 품목에 대한 추가반영 압력이 클 것임

7-5

0104

Ⅳ. 한·미 양자협의 대처방안

1. 고 려 사 항

- 무세화는 미국이 중점을 두고 추진하고 있는 UR 협상분야 중의 하나이며

- UR 협상 막바지에 열린다는 시기적 의미를 감안할 때 무세화에 대한 구체적인 아국입장 제시가 필요한 것으로 보임.

- 특히 UR이 실패하는 경우 아국이 협상에 소극적이었다는 인상을 주어 향후 보복적인 압력을 받는 사태도 상정해 보아야 함.

2. 대 응 방 안

- 일반적인 사항

  o 다른 협상국과의 협의 진전사항 문의

  o 특히 EC와의 절충여부 문의

  o 섬유 · 신발분야 관세조화 제안에 미국의 참여 권고

- 무세화에 대한 입장 제시

o 아국은 선진국에 비해 관세율이 높고 산업경쟁력도 저위에 있으며 무역적자가 심화되는 어려움이 있으나

o 미국의 무세화 제안에 협조한다는 취지에서

· 전자 및 건설장비 분야는 부분적으로 수용(구체적 참여분야제시)

· 여타분야(비철금속 · 종이 · 목재 · 의료기기)는 수입일방분야로 무세화가 어려움

3. 검 토 의 견

- 구체적 무세화 분야 통보로 종전보다 진전된 입장 제시

- 전자 · 건설장비 분야의 부분적인 무세화는 미국이 참여를 촉구해 온 분야에 성의를 표하는 것이 됨.

- 미국은 협상 전략상 흡족한 것으로 평가하지는 않을 것임.

o 미국의 수출이 많은 ADP분야 양허가 거의 없음.

- 미국의 반응을 보아 필요시 후속 협상 대응방안 강구

7-7

0106

발 신 전 보

분류번호	보존기간

번 호 : WGV-1208 910911 1818 FH 종별 :

수 신 : 주 제네바 대사. 총영사

발 신 : 장 관 (통 기)

제 목 : UR/시장접근 분야 협상

본부대표의 UR 협상 참가 계획 수립에 필요하니 9.16 주간부터 진행될 시장접근 분야의 양자.복수 국가간 협의 (미국과의 협의 포함) 일정 보고바람. 끝.

(통상국장 김 용 규)

보안통제	

앙고재	91년 9월 11일	통상기구과	기안자 성명		과 장	심의관	국 장		차 관	장 관
			송봉헌				전결			

외신과통제

0107

원 본

외 무 부

종 별 :

번 호 : GVW-1720 일 시 : 91 0911 1830

수 신 : 장관(통기,경기원,재무부,상공부)

발 신 : 주제네바대사

제 목 : UR/시장접근 분야 협상

대: WGV-1208

1. 현재까지 복수국가간 협의일정은 9.23. 석유화학제품(미국주관), 9.24.,의약품, 9.26 수산물에 대하여 협의키로 잠정 결정되었으며 여타분야는 9.23.주간에 협의예정으로 알려지고 있음.

2. 미국을 포함한 주요국가간 양자협상은 9.23.주간에 이루어 지도록 협의중에 있음.끝

(차석대사 김삼훈-국장)

통상국 2차보 경기원 재무부 상공부

PAGE 1

91.09.12 04:44 DQ

외신 1과 통제관

0108

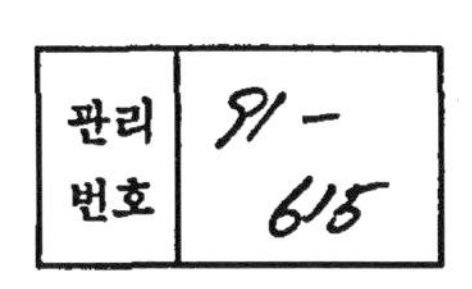

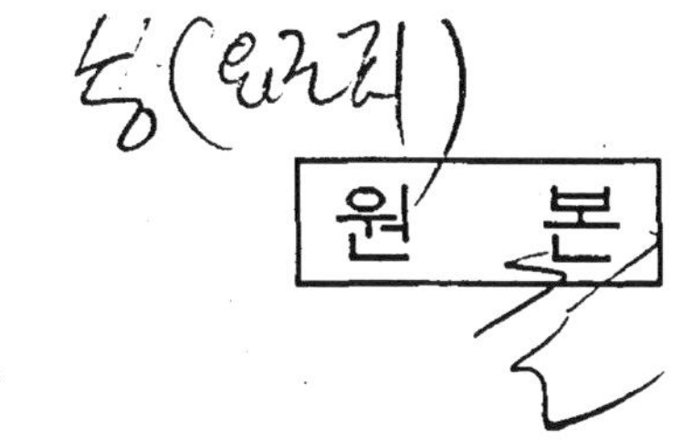

외 무 부

종 별 :

번 호 : ECW-0690　　　　　　일 시 : 91 0911 1730

수 신 : 장 관 (통기) 사본: 주제네바대사-직송필

발 신 : 주 EC 대사

제 목 : 한.EC 실무회담

1. EC 집행위 TEZAPSIDIS 한국담당관에 따르면, EC 집행위는 지난 7 월 제네바에서 개최된 MARKET ACCESS 에 관한 한.EC 양자협의시 9 월중 제 2 차 협의를 제의할 예정임을 언급한바 있으나, 9 월말 브랏셀에서 개최되는 한.EC 실무회담에서 MARKET ACCESS 분야가 협의될 것임에 따라, 9 월중 제네바에서 별도 양자회의는 한국측에 제의하지 않을것 이라 함

2. 지난 7 월 한.EC 양자협의시 논의된 내용을 당관의 업무에 참고코자 하니 당관에도 통보바람. 끝

(대사 권동만-국장)

예고: 91.12.31. 까지

일반문서로 재분류 (1991 . 12. 31.)

통상국　차관　2차보

PAGE 1　　　　91.09.12　07:35

외신 2과 통제관 BS

0109

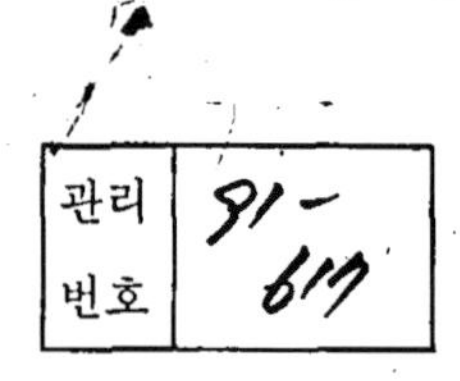

관리 번호	91-611

	분류번호	보존기간

발 신 전 보

번 호 : WEC-0527 910914 1027 BE 종별 :

수 신 : 주 EC 대사. 총영사

발 신 : 장 관 (통 기)

제 목 : UR 협상 시장접근 분야 한.EC 양자협의 결과

일반문서로 재분류 (1981 . 12 . 31 .)

대 : ECW-690

7.25 제네바에서 개최된 대호 UR 협상 시장접근 분야 한.EC 양자협의 결과는 아래와 같음.

1. 협상 전반에 대한 의견 교환

   o 미국과 이씨간의 협상 진전상황, 특히 미.EC간 관심품목 교환 및 이에 대한 ~~상호 회신 교환 관련~~ 이씨의 평가를 아측이 문의한바, 이씨는 미국의 회신 내용이 불만족스러우며, 여전히 양국 OFFER간에 큰 불균형이 존재하고 있고 TARIFF PEAK의 완화등 미국의 추가 개선 조치가 요구된다고 답변하면서 미국이 제안한 분야별 무세화에 대해서는 의약품과 철강분야를 제외하고는 참여 곤란함을 언급함.

   o 또한 아국은 이씨의 섬유에 대한 제안과 미국의 무세화 제안과의 연계 협상 가능성에 대한 전망을 문의한바, 이는 정치적 결정에 달려 있을 것이라고 답변함.

보 안 통 제	

앙 고 재	91년 9월 14일	통상국 과	기안자 성 명		과 장	심의관	국 장		차 관	장 관
			송봉헌				전결			

외신과통제

0110

o 무세화에 대한 아국 입장을 이씨가 문의한데 대해 철강분야에는 전면적으로 참여하고 있고 전자, 건설장비중 일부 분야에의 참여가 긍정적으로 검토되고 있으나 여타 분야에는 참여가 곤란함을 언급하고 특히 이씨가 제안하고 있는 섬유류 관세조화 방안에 대한 지지와 신발류에 대한 이씨 제안에 관심을 표명함.

2. 양국간 현안문제

가. 관 세

o 이씨는 아국 OFFER (90.7 제출한 아국의 수정 OFFER)의 전반적 내용을 높이 평가하나 아직도 UNBOUND 비율이 높으며 특정부문에 TARIFF PEAK가 존재하고 있음을 언급하면서 자국이 아국에 제시한 363개 REQUEST 품목에 대한 아국 입장, 특히 9월 협의시 동 REQUEST에 대한 품목별 협의 가능성을 문의함.

o 아국은 REQUEST에 대한 품목별 협상은 모든 참가국이 각료선언상의 목표를 달성하는 OFFER를 모두 제출하고 각국 OFFER간의 양허 균형을 평가한 이후 참가국간 양허 균형을 도모하는 방안의 하나로 구체적으로 협의될 사항일 것이라 답변함.

나. 비관세

o 이씨는 90.11 제시한 대아국 비관세 REQUEST에 대한 아국 입장을 문의한바, 본부에서 계속 검토중임을 언급함.

o 또한 이씨는 주종간 세율 격차를 보이고 있는 아국의 주세제도에 불만을 표시하고 이에 대한 REQUEST PAPER를 조만간 제시 예정이라 언급함.

o 갓트/정부조달협정 가입 협상과 관련 통신장비등에 대한 관세인하 문제를 이씨가 문의한바, 아측은 동 문제는 정부조달협정 가입 협상의 일환이므로 이씨의 관심을 관련 당국에 전달하겠다고 답변함. 끝.

(통상국장 김 용 규)

0111

45353

기 안 용 지

분류기호 서번호	통기 20644-	(전화 : 720 - 2188)	시 행 상 특별취급	
보존기간	영구. 준영구 10. 5. 3. 1.	장 관		
수 신 처 보존기간				
시행일자	1991. 9.14.			

보조기관	국 장	전 결	협조기관		문서통제
	심의관				검열 1991. 9. 14
	과 장				
기안책임자		송 봉 헌			발 송 인

경 유 수 신 참 조	재무부장관 (사본 : 경제기획원장관, 상공부 ")	발신명의	발송 1991. 9. 1. 외무부
제 목	UR 협상 관련 화학제품에 대한 미국의 관세조화 제안		

91.9.13(금) Delaney 주한 미 대사관 1등서기관은 당부 통상기구과장을 방문하여 UR/시장접근 협상 분야에서 91.7. 미국이 제시한 화학제품의 관세조화 제안에 관해 설명하는 자료를 전달하면서 아국의 긍정적 검토 및 9.23주간 제네바에서 개최될 시장접근 분야 협상 회의에서 아국 입장 개진을 요청해 왔는바, 동 자료를 별첨 송부하오니 검토하여 주시기 바랍니다.

첨 부 : 상기 자료 1부. 끝.

0112

US PROPOSAL ON CHEMICALS TARIFFS HARMONIZATION IN THE URUGUAY ROUND

- O ON JULY 25 THE UNITED STATES HOSTED A PLURILATERAL MEETING IN GENEVA TO INTRODUCE THE U.S. CHEMICALS INITIATIVE. THIS PROPOSAL WAS INITIATED BY OUR CHEMICALS INDUSTRY WHICH DECIDED THAT SUCH A COMPREHENSIVE APPROACH WOULD BEST ACHIEVE SUBSTANTIALLY IMPROVED MARKET ACCESS IN THIS SECTOR.

- O THIS PROPOSAL BUILDS ON THE APPROACHES OF OTHER PARTICIPANTS INCLUDING CANADA, THE EUROPEAN COMMUNITY SWITZERLAND, AND JAPAN. IT ATTEMPTS TO TAKE A CONSTRUCTIVE LOOK AT TARIFFS OVER THE BROADEST POSSIBLE RANGE OF CHEMICALS.

- O DUE TO OUR INDUSTRY'S INTEREST TO ACHIEVE A WIDE RANGE OF COUNTRY PARTICIPATION, WE HAVE IDENTIFIED AS NECESSARY PARTICIPANTS BOTH DEVELOPED COUNTRIES AND DEVELOPING COUNTRIES WHICH ARE EITHER CURRENTLY LARGE CHEMICAL SUPPLIERS OR WHICH HAVE THE POTENTIAL TO BECOME MAJOR SUPPLIERS. THIS IS A COMPREHENSIVE PACKAGE WHICH DEPENDS ON BROAD COUNTRY PARTICIPATION.

- O OUR INDUSTRY ALSO BELIEVED IT IMPERATIVE TO ACHIEVE DISCIPLINE ON NON-TARIFF MEASURES, INCLUDING DUAL-PRICING.

- O AS WITH ANY HARMONIZATION APPROACH, THIS PROPOSAL FOCUSES ON REDUCING HIGH RATES DOWN TO MORE MODERATE LEVELS. EXCEPT WHERE WE HAVE PROPOSED A HARMONIZATION LEVEL OF 0 PERCENT, MOST LOW RATES REMAIN AT THEIR CURRENT LEVELS. WE CHOSE HARMONIZATION AS AN APPROACH BECAUSE CERTAIN PARTICIPANTS (EC, EFTA) HAVE SHOWN NO INTEREST IN THE U.S. REDUCING LOW TARIFFS.

- O THE PROPOSED HARMONIZATION LEVELS PROVIDE THE GENERAL OUTLINE OF THE RATES PROPOSED FOR EACH GROUP OF CHEMICALS. WHILE THE PROPOSAL SHOWS CHAPTER 30 GOING TO ZERO, WE ARE NOT PROPOSING THAT THIS PROPOSAL REPLACE OR INTERFERE IN ANY WAY WITH THE PHARMACEUTICALS ZERO-ZERO INITIATIVE. CHAPTER 31 BUILDS ON THE JAPANESE PROPOSAL FOR ZERO TREATMENT FOR FERTILIZERS. WE WOULD ALSO NOTE THAT HS CHAPTER 3301 IS CONSIDERED BY THE U.S. TO BE SUBJECT TO OUR AGRICULTURAL PROPOSAL AND, THUS, SUBJECT TO AGRICULTURAL NEGOTIATIONS.

0113

- O ANNEX I PROVIDES THE PRODUCT COVERAGE SPECIFICALLY PROPOSED BY THE UNITED STATES FOR INCLUSION WITHIN THE GENERAL PARAMETERS OF THE HARMONIZATION LEVELS. AS SOME ITEMS WITHIN THESE CHAPTERS ARE SUBJECT TO OTHER U.S. PROPOSALS (AUTO PARTS HARMONIZATION TO 2 PERCENT), CERTAIN LINES PROPOSE A RATE OTHER THAN THE HARMONIZATION RATE FOR THE SUBCHAPTER.

- O IN OUR CONSULTATIONS WITH INDUSTRY WE ATTEMPTED TO CONVINCE THEM OF THE NEED TO HAVE ONLY JUSTIFIABLE EXCEPTIONS. HOWEVER, AS THEY WERE UNCERTAIN OF HOW THE PROPOSAL WOULD BE RECEIVED INTERNATIONALLY, THEY WERE RELUCTANT TO COVER EVERY PRODUCT. AS A RESULT, THERE ARE SOME EXCEPTIONS, BUT WE HAVE KEPT THE EXCEPTIONS TO AN ABSOLUTE MINIMUM.

- O IN MOST CASES THE EXCEPTIONS ARE EXPRESSED AS X-OUTS IN ORDER TO LIMIT THE EXCEPTION TO THE SPECIFIC SENSITIVE PRODUCT. WE HAVE TAKEN EVERY EFFORT NOT TO EXCLUDE ENTIRE 6-DIGIT CATEGORIES WHERE POSSIBLE.

- O WE WOULD NOTE THAT THESE EXCEPTIONS DEPEND TO A LARGE DEGREE ON THE DEVELOPMENT OF AN OVERALL PACKAGE. IF THE PROPOSAL PROCEEDS IN A POSITIVE LIGHT, WE ARE PREPARED TO GO BACK TO OUR INDUSTRY TO EXPLORE FLEXIBILITY ON THE EXCEPTIONS.

- O WE ARE PROPOSING THIS HARMONIZATION INITIATIVE AS A SEPARATE ALTERNATIVE TO THE U.S. OCTOBER 1990 TARIFFS OFFER ON CHEMICALS. WHILE THE OCTOBER OFFER REMAINS FORMALLY ON THE TABLE, IT WOULD NOT BE OUR INTENTION TO MIX ELEMENTS OF THE HARMONIZATION PACKAGE AND THE OCTOBER OFFER.

- O WE WOULD APPRECIATE ANY INITIAL COMMENTS OR QUESTIONS THAT YOU MAY HAVE AT THIS TIME. THE UNITED STATES WILL BE HOLDING A FOLLOW-UP MEETING IN GENEVA DURING THE WEEK OF SEPTEMBER 23-27. WE URGE YOU TO GIVE OUR PROPOSAL CAREFUL CONSIDERATION AND HAVE YOUR REPRESENTATIVES EXPRESS YOUR VIEWS DURING THE SEPTEMBER MEETING.

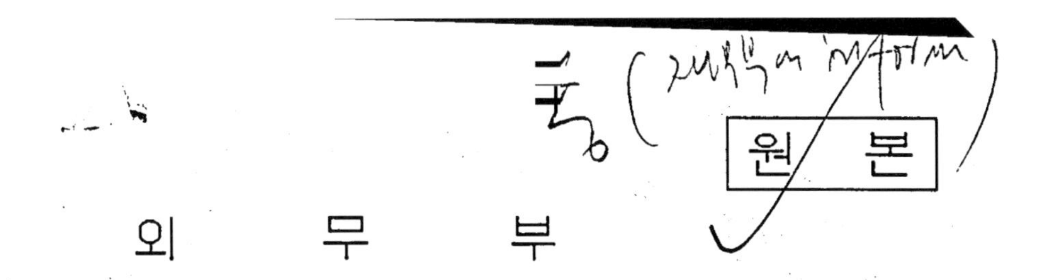

외 무 부

종 별 :

번 호 : GVW-1766 일 시 : 91 0917 1900

수 신 : 장 관(통기,경기원,재무부,농림수산부,상공부)

발 신 : 주 제네바 대사대리

제 목 : UR/시장접근분야 협상

연: GVW-1720

현재까지 결정된 분야별 무관세 협의 일정 및 양자협상 일정을 별첨 보고함.

첨부: 시장접근양자협상 일정 1부

(GVW(F)-0350).끝

(차석대사 김삼훈-국장)

통상국 2차보 경기원 재무부 농수부 상공부

PAGE 1

91.09.18 09:14 WG

외신 1과 통제관

0115

GVW(지)-6350 10F 1/1800

" GVW-1766 첨부 "

시장접근 협상일정

일 자	시 간	부 문	회 의 장
9.23(월)	10:00	석유화학 (미국)	ROOM A
	11:00	한.스웨덴 양자협상	"
	16:00	석유화학 (EC)	E C
9.24(화)	10:00	의약품	ROOM A
9.25(수)	10:00-10:30	건설장비	ROOM A
	10:30-11:00	의료장비	
	11:15-11:45	비철금속	
	12:00	한.스위스 양자협상	"
	15:00	비료,필름,악기	일본
	16:00	한.미 양자협상	ROOM X
9.26(목)	10:00	수산물	ROOM A
	11:00	한.일 양자협상	"
9.27(금)	10:00	협상그룹 공식회의	

0116

1-1

기 안 용 지

분류기호 서번호	통기 20644- 118	(전화 : 720 - 2188)	시 행 상 특별취급	
보존기간	영구. 준영구 10. 5. 3. 1.	장 관		
수 신 처 보존기간				
시행일자	1991. 9.20.			

보조기관			협조기관		문 서 통 제
	국 장	전 결			
	심의관				
	과 장				
기안책임자		송 봉 헌			발 송 인

경 유 수 신 참 조	건 의	발신명의		
제 목	UR/시장접근 분야 협상 회의			

91.9.23(월)-27(금)간 스위스 제네바에서 개최되는 표제 회의에 참가할 정부대표를 "정부대표 및 특별사절의 임명과 권한에 관한 법률"에 의거 아래와 같이 임명할 것을 건의하오니 재가하여 주시기 바랍니다.

- 아 래 -

1. 회 의 명 : UR/시장접근 분야 협상 회의

/뒷면 계속/

0117

2. 회의기간 및 장소 : 91.9.23-27, 스위스 제네바

3. 정부대표 및 출장기간

o 재무부 국제관세과장	강정영(9.21-29)
o 경기원 통상조정2과 사무관	박현철(9.22-29)
o 상공부 국제협력관실 사무관	윤동섭(9.22-29)
o 상공부 산업정책국 사무관	김병섭(9.22-29)
o 주 제네바 대표부 관계관	

4. 소요예산 : 소속부처 소관예산

5. 훈 령 : 별도 건의. 끝.

0118

상 공 부

국 협 28140 - 361 (503-9446) 1991. 9. 16.

수 신 외무부 장관

참 조 통상기구 과장

제 목 UR/시장접근분야 공식.비공식 회의 참가

91.9.23 ~ 9.27(금)간 스위스 제네바에서 개최되는 UR/시장접근분야 공식.비공식 회의에 참가하기 위하여 다음과 같이 출장코자 하오니 정부대표 임명등 필요한 조치를 하여 주시기 바랍니다.

= 다 음 =

1. 출장개요

소 속	직 급	성 명	출장기간	비 고
국제협력관실	행정사무관	윤 동 섭	91. 9. 22(일) ~ 9. 29(일)	스위스 제네바
산업정책국	"	김 병	"	"

발송
1991. 9. 16
상 공 부

2. 소요예산 : 상공부 예산. 끝.

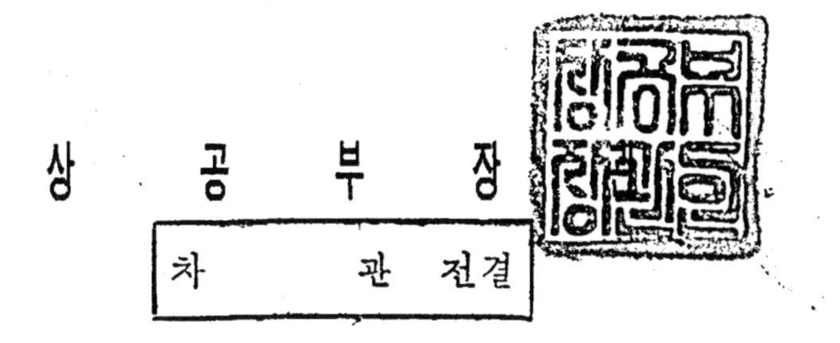
상 공 부 장

차 관 전결

0119

경 제 기 획 원

통조이 10520-662 (503-9146) 1991. 9.17

수 신 외무부장관

참 조 통상국장

제 목 UR관련 협상회의 참석자 추천

스위스 제네바에서 개최되는 UR/시장접근분야 협상 그룹회의에 아국대표단의 일원으로 참석할 당원 소속직원을 다음과 같이 추천합니다.

1. 소 속 : 경제기획원 대외경제조정실 통상조정2과

2. 직, 성명 : 행정사무관 박 현철

3. 출장기간 : '91. 9. 22 ~ 9. 29.

경 제 기 획 원 장

선 결		결재(공람)		
접수일시	1991. 9.19			
처리과	31158			

0120

재 무 부

국관 22710-412 503~9297 1991. 9. 19.

수신 외무부장관

참조 통상국장

제목 UR 시장접근분야 협상 참석

'91.9.23~27 중 스위스 제네바에서 개최예정인 UR 시장접근분야 협상에 참석할 대표를 아래와 같이 추천하오니 필요한 조치를 취하여 주시기 바랍니다.

- 아 래 -

직 책	성 명	참 석 자 격	출장기간
국제관세과장	강 정 영	UR시장접근분야 회의	'91.9.21~29

첨부 : UR 시장접근분야 협상 대책 자료. 끝.

재 무 부 장 관

0121

UR 협상 대책보고 시장접근분야

1. 협상개요

- 일 시 : '91. 9. 23 ~ 27 (제네바)
- 아국대표 : 제네바 재무관
국제관세과장
- 주요회의 : 한·미 양자회의, 무세화 협상 등

2. 금차 협상의 중요성

- 년내 UR 타결위해 금차회의에서 실질적 진전 필요
- 특히 미국이 UR 전분야에 대해 한·미 양자협의를 요구한 바 구체적인 아국입장 제시 필요

3. 한·미 양자협의 대처방안

가. 무세화

- 전자·건설장비 무세화 참여 가능품목 제시

o 전 자 : 반도체·반도체장비·기타 일반전자 · '90 전자 수입액의 59%
o 건설장비 : 지게차·트랙터 등 · '90 건설장비 수입액의 28%

0122

- 무세화 불가 분야 및 품목에 대한 이유설명

o 전자 · 건설장비 : 산업경쟁력 저위, 무역역조 품목 o 수산물 : 수입자유화와 동시에 무세화 불가 o 여타분야(종이 · 목재등) : 수입 일방분야

나. 관세조화제안

- 목표관세율이 5.5 ~ 6.5 % 인 분야는 기준 관세율이 '86년 기준인 경우 대부분 참여 가능

o 유 · 무기화합물 · 염료 · 화공품 · 플라스틱원료 → 참 여

o 다만 플라스틱 제품은 수용 불가

- 목표 관세율이 무세인 분야는 참여 불가

o 의약품 · 비료 · 화장품 · 비누

다. 비관세조치(NTMs)

- 수량제한등 비관세 조치 양허의 Binding에 동의 o 아국양허 비관세 조치는 Binding에 별 문제 없음. - NTMs 규율에 관한 사항은 기존 GATT 규정에 따르는 것이 바람직함. o 별도위원회 설치 · 의정서 작성 불필요

0123

라. 아국 Request에 대한 호의적 고려 요청

- 아국의 대미 Request 품목중 섬유·신발에 대한 미국의 관세 인하가 미미하거나 반영되지 않은 부분이 많은 바, 미국의 성의 있는 고려 요구

(참고) 대미 Request 품목(278개)중 2/3 정도의 관세인하,
인하율도 3~6% 수준

4. 기타협상

- 무세화 협상
  - o 한·미 양자협의 대책에 따라 대응
- 관세조화 제안
  - o 종전입장에 따라 관세조화 제안이 성사되도록 적극 대처
- 기타 양자협상
  - o EC·일본·호주 등에 대해 아국 수출관심 품목의 관세를 인하토록 협상노력 경주

0124

+Ⅱ182

기 안 용 지

분류기호 서번호	통기 20644-	(전화: 720 - 2188)	시 행 상 특별취급	
보존기간	영구. 준영구 10. 5. 3. 1.	장 관		
수 신 처 보존기간				
시행일자	1991. 9.20.			

보조기관			협조기관		문서통제
	국 장	전 결			검열 1991. 9.24 통제관
	심의관				
	과 장	대결			
기안책임자		송 봉 헌			발송인

경 유 수 신 참 조	수신처 참조	발신명의		발송 1991. 9. 24 외무부
제 목	UR/시장접근 분야 협상 회의 정부대표 임명 통보			

91.9.23(월)-27(금)간 스위스 제네바에서 개최되는 표제 회의에 참가할 정부대표가 "정부대표 및 특별사절의 임명과 권한에 관한 법률"에 의거 아래와 같이 임명 되었음을 알려 드립니다.

- 아 래 -

1. 회 의 명 : UR/시장접근 분야 협상 회의

/뒷면 계속/

0125

2. 회의기간 및 장소 : 91.9.23-27, 스위스 제네바

3. 정부대표 및 출장기간

o 재무부 국제관세과장 강정영(9.21-29)

o 경기원 통상조정2과 사무관 박현철(9.22-29)

o 상공부 국제협력관실 사무관 윤동섭(9.22-29)

o 상공부 산업정책국 사무관 김병섭(9.22-29)

o 주 제네바 대표부 관계관

4. 소요예산 : 소속부처 소관예산

5. 출장 결과 보고 : 귀국후 20일이내. 끝.

수신처 : 경제기획원, 재무부, 상공부장관

0126

관리 번호	91-629

분류번호	보존기간

발 신 전 보

번 호 : WGV-1265 910920 1612 FH 종별 :

수 신 : 주 제네바 대사. 총영사

발 신 : 장 관 (통 기)

제 목 : UR/시장접근 분야 협상

연 : 통기 20644-2250 (91.9.9)

일반문서로 재분류 (1991.12.31)

1. 9.23-27간 귀지에서 개최되는 표제 회의에 아래 본부대표를 파견하니 귀관 관계관과 함께 참석토록 조치바람.

   o 재무부 국제관세과장 강정영
   o 경기원 통상조정2과 사무관 박현철
   o 상공부 국제협력관실 사무관 윤동섭
   o 상공부 산업정책국 사무관 김병섭

2. 금번 회의에는 아래 기본입장, 연호 송부한 대책자료 및 본부대표가 지참하는 쟁점별 세부입장에 따라 적의 대처바람.

   가. 한.미 양자협의

   1) 무세화

   o 전자, 건설장비 무세화 참여 가능품목 제시

   - 전 자 : 반도체, 반도체 장비, 기타 일반전자 ('90 전자 수입액의 59%)

   - 건설장비 : 지게차, 트랙터등 ('90 건설장비 수입액의 28%)

보안 통제	

앙 고 재	91년 9월 20일	통상기구과	기안자 성명		과 장	심의관	국 장		차 관	장 관
			송봉헌				전결			

외신과통제

0127

-

o 무세화 불가 분야 및 품목에 대한 이유 설명

- 전자, 건설장비 : 산업경쟁력 저위, 무역역조 품목
- 수산물 : 수입자유화와 동시에 무세화 불가
- 여타분야(종이, 목재등) : 수입 일방분야

2) 관세조화 제안

o 목표 관세율이 5.5-6.5%인 분야는 기준 관세율이 '86년 기준인 경우 대부분 참여 가능

- 유.무기화학물, 염료, 화공품, 플라스틱 원료 : 참여 가능 (다만, 플라스틱 제품은 수용 불가)

o 목표 관세율이 무세인 분야는 참여 불가

- 의약품, 비료, 화장품, 비누등

3) 비관세 조치(NTMs)

o 수량제한등 비관세 조치 양허의 Binding에 동의

- 아국 양허 비관세 조치는 Binding에 별 문제 없음.

o NTMs 규율에 관한 사항은 기존 GATT 규정에 따르는 것이 바람직

- 별도 위원회 설치, 의정서 작성 불필요

4) 아국 Request에 대한 호의적 고려 요청

o 아국의 대미 Request 품목중 섬유, 신발에 대한 미국의 관세 인하가 미미하거나 반영되지 않은 부분이 많은 바, 미국의 성의 있는 고려 요구

나. 기타 협상

o 무세화 협상

- 상기 한.미 양자협의 대책에 따라 대응

o 관세조화 제안

- 기존 입장에 따라 관세조화 제안이 성사되도록 적극 대처

o 기타 양자협상

- EC, 일본, 호주등에 대해 아국 수출 관심품목의 관세를 인하토록 협상 노력 경주. 끝. (통상국장 김 용 규)

0128

GATT/AIR/3235 19 SEPTEMBER 1991

SUBJECT: URUGUAY ROUND NEGOTIATING GROUP ON MARKET ACCESS

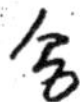

1. THE NEXT MEETING OF THE NEGOTIATING GROUP ON MARKET ACCESS WILL BE HELD ON FRIDAY, 27 SEPTEMBER 1991 AT 10 A.M. IN THE CENTRE WILLIAM RAPPARD.

2. THE FOLLOWING ITEMS ARE PROPOSED FOR THE AGENDA:

(A) STOCK-TAKING OF THE MARKET ACCESS NEGOTIATIONS. DELEGATIONS SHOULD BE PREPARED TO INFORM THE GROUP OF THEIR PERCEPTION OF THE LATEST DEVELOPMENTS IN THEIR BILATERAL OR PLURILATERAL NEGOTIATIONS ON MARKET ACCESS. REFERENCE IS MADE TO MTN.GNG/MA/W/1 AND MTN.GNG/W/28.

(B) APPLICATION OF ARTICLE XXVIII TO THE MODIFICATION OR WITHDRAWAL OF CONCESSIONS ON NON-TARIFF MEASURES;

(C) APPROACH TO GIVE CREDIT FOR BINDINGS AND RECOGNITION FOR LIBERALIZATION MEASURES;

(D) ARRANGEMENTS FOR FUTURE MEETINGS.

3. GOVERNMENTS PARTICIPATING IN THE MULTILATERAL TRADE NEGOTIATIONS, AND INTERNATIONAL ORGANIZATIONS WHICH HAVE PREVIOUSLY ATTENDED PROCEEDINGS OF THIS NEGOTIATING GROUP, WISHING TO BE REPRESENTED AT THIS MEETING ARE REQUESTED TO INFORM ME AS SOON AS POSSIBLE OF THE NAMES OF THEIR REPRESENTATIVES.

A. DUNKEL

91-1269

0129

SENT BY: Director-General, GATT, Tel. address: GATT GENEVA
ENVOYÉ PAR: Directeur général, GATT, Adresse télégraphique: GATT GENÈVE

원 본

외 무 부

종 별 :

번 호 : GVW-1826 일 시 : 91 0924 1840

수 신 : 장 관(통기,경기원,재무부,상공부)

발 신 : 주 제네바 대사

제 목 : UR/시장접근 분야별 무세화 다국간 협의

9.23(월) 당지에서 개최된 표제협의 토의 내용아래 보고함.

(엄재무관, 강과장등 본부대표 참석)

1. 미국주관 화학제품에 대한 관세조화방안

가. 품목 COVERAGE

0 일본은 이씨안으로 미국안을 원칙적으로 찬성하였고, 카나다, 이씨, 스위스는 공통적으로 예외 품목으로 많은데 불만을 표시하고 H.S.2903.11, 2903.19, 2905.31, 2922.12, 2922.13, 3101.10,3101.20, 3101.22, 3204, 3830 의 포함을 주장함.

나. 참가국 문제

0 아국은 국내업계의 어려움에도 불구하고 동제안을 긍정적으로 검토하고 있으나 현행세율을 완전히 무세화 하는 것은 곤란하며 일부 품목은 그 민감성으로 말미암아 예외 취급이 불가피함을 언급하고 선.개도국간 동일 세율로 조화하는 것은 비현실적이므로 목표세율 설정에 있어 개도국에게 신축성 (FLEXIBILITY)이 부여되어야함을 주장함

0 이에 미국은 목표세율의 2중적 구조는 미국내에서의 논의 과정에서 반대하였으며 대신개도국의 고세율에 대하여는 시행단계등에서 반영되었음을 설명하였는바 카나다, 이씨등은 개도국의 폭넓은 참여를 위한 신축성의 부여를 고려할 필요가 있다고 발언함.

2. 이씨주관의 석유화학에 대한 관세 조화방안

0 이씨는 유사한 분야에 대해 이씨안과 미국안이 제시되어 있음을 상기시키면서 미국안은 그포괄범위가 광범위하긴 하나 (H.S.28류-40류)많은 예외품목이 인정되어 있고 이씨안은 석유화학 및 플라스틱 분야에 한정되어 있으나 대상품목군 내에서는 거의 일정세율 수준으로의 관세조화를 모색하고 있음을 강조한바, 일본은 미국안을

통상국 2차보 경기원 재무부 상공부

PAGE 1 91.09.25 09:20 WG

외신 1과 통제관

0130

선호하였고 카나다는 예외품목을 최소화하고 가급적 많은 품목에 대한 많은 참가국이 참여 가능토록 하는 실무작업 개시를 주장한바 미국이 소극적 입장을 표명함.

3. 멕시코 주관의 CREDIT 부여방안

0 멕시코 주관의 CREDIT 부여 방안

0 멕시코는 7.15.자 배포된 개도국 공동안을 반복설명한바 콜롬비아, 코스타리카, 태국등이 이를 지지하였으며 선진국으로 부터는 일본이 N.T.BBINDING 에 대한 CREDIT 부여 문제에 대한 소극적 입장 표명 이외에는 별다른 발언없이 종료되었음.끝

(대사 박수길-국장)

원 본

외 무 부

종 별 :

번 호 : GVW-1844 일 시 : 91 0927 1100

수 신 : 장관(통기,경기원,재무부,상공부)

발 신 : 주 제네바 대사

제 목 : UR/시장접근 협상(2)

9.25(수) 당지에서 개최된 표제 협상 토의 내용 아래 보고함.

1. 한미 양자 협상

가. 분야별 무세화에 대한 아국 입장 전달

- 아국은 지난 7월 양자 협상시 미국이 섬유류에 대한 미국의 입장을 제시할 경우 분야별 무세화에 대한 아국의 구체적 입장 제시 가능성을 문의한 사실을 상기시키면서 아국은 대일 역조의 확대, 선진국에 비해 산업 발전정도의 저위등의 어려움에도불구하고 철강분야에는 전면적으로 참여하며, 전자.건설장비 분야에서는 일부 참여가 가능 할 것임을 언급하고 전자.건설장비 분야에 대한 구체적 아국 입장을 전달함.또한 아국은 동 입장 전달시 아국 업계가 시행 기간등에서 자이간이 확보되어야하는등 참여 조건을 요구하고 있으므로 이러한 조건이 충족되어야 함을 강조하고 일반적으로 30 퍼센트 관세 인하를 목표로 하고 있는 관세 양허 의정서상의 이행 기간보다무세화의 이행기간은 장기간이 되어야 합리적임을 지적하였음.

아울러 금번에 제시된 아국입장은 비공식적인 검토 자료임을 언급하면서, 참여국가, 참여 대상등에관한 객관적 기준이 없으므로 교역 이익의 균형을 모색하는데 어려움이 있음을 부연함.

- 이에 미국은 아국입장을 접수하고 이는 시장 접근협상 분야의 긍정적 움직임으로 사의를 표하면서 이를 상세히 검토할 것이라함.

- 아국은 미국이 섬유, 신발류 등 아국 관심 품목에 대한 미측 검토 결과를 금번에 제시하여 주지못하는 사실에 대하여 실망을 표시하였음.

나. 향후 협상 일정등

- 미국은 EC 와의 양자 협의에서 상당한 진전은 있었으나 여전히 근본적인 이견이 해소되지 않고 있다고 하면서 내일 고위급 회담이 양국간에 있을 것이라함.

통상국 경기원 재무부 상공부

PAGE 1 91.09.28 03:21 FH

외신 1과 통제관

0132

또한 미국은 협상 상태에서 실현 가능한 향후 협상 절차는 분야별 무세화 문제, 섬유, 신발등에 대한 미국의 TARIFF PEAK 완화 문제등 본질적인 쟁점은 일단 접어두고 여타 부문에서 관심을 가지는 상호 관심 품목을 표환하고 이를 중심으로 합의 가능한 부문부터 합의하여 나가는 형태로 진행 할것임을 제의함.

- 이에 아국은 이러한 절차 진행으로 어떤 진전이 있을지 의문을 표시하면서 아국으로서는 협상의 전체적인 부문을 동외시 한채 부분적인 분야부터 접근하는 방식은받아들이기 곤란할 것임을 언급하고, 특히 아국은 섬유, 신발등에 대한미국의 입장을 제쳐둘 경우 여타 분야에서의 아국입장 정립이 곤란함을 설명함.

- 미국은 아국의 RUEST 는 섬유, 신발에 집중되어 있으나 여타국은 섬유, 신발 이외의 타분야에도 관심이 있음을 언급하고 섬유의 경우에는 EC, 일본 입장과 N.T.B 문 제를 동시에 고려하여 검토되어야 할 문제이고 신발인 경우에는 GATT 회원국이 아닌 중국 문제등으로 복잡한 형태를 띄고 있음을 설명함.

다. 비관세 문제

- 미국은 소나무 재선충 문제에 대하여 양국간 전문가와의 합동회의를 제의한바, 이는 기술적 문제로서 UR 협상에서 계속 논의하는 것이 부적절하다고 답변함.

- 강압기 문제를 예로 들면서 N.T.B BINDING을 요구한바 협상 그룹 차원에서 비관세 장벽의 양허 문제가 합의될 경우 아국은 이에 따를것이라 답변함.

3. 한.스위스 양자 협상

가. 스위스의 수정 REQUEST 접수

- 스위스는 관세 및 비관세에 대한 수정 REQUESTLIST 를 전달하고 이는 종전 REQUEST LIST 를 대체하는 것이라 언급함.

- 아국은 양국간 이미 양허 균형이 달성되어 있음을 언급하고 스위스의 REQUEST LIST 를 본부에 전달할 것이라 언급함.

나. 일반적 의견 교환

- 양국은 현 협상 진전의 전기 마련을 위해서는 주요 국간 타협점 모색이 중요하나 이를 유도 하기 위해서는 스위스, 한국을 포함한 EFTA, 호주등 중간 그룹 참가국의 역할과 의장의 역할이 중요함에 인식을 갈이함.

4. 의료장비에 대한 무세화

- 미국은 그간 각국의 의견을 취합하여 대상 품목을 일부 조정하였음을 언급함(예, 90 70 10등 포함)

- 일본, 호주, 스위스, 스웨덴 등은 섬유류의 삭제와, HS 9012, 9016, 9020, 9022, 9023 의 포함을 주장함.

5. 건설장비

- 이씨는 농업용 트렉터 엔진에 대한 미국 세관의 무세 통관 과정을 질의함.

- 스웨덴, 스위스는 8464, 8410 의 포함을 주장함.

6. 비철금속

- 아국은 참여 국가의 객관적 선정 기준을 문의한바, 미국은 여타 참가국의 의견과 현재 및 앞으로의 국제 무역상의 중요성을 감안하여 선정하였음을 설명하고 카나다는 품목별 참가국 선정보다 비철금속 전분야에 대한 통이력 참가국의 선정 방안을 제의함.

7. 비료, 악기, 필름, 고무제품, 유지제품, 식품가공기계

- 일본은 상기 품목의 무세화 중요성을 재차 강조한바 미국은 유리제품 분야에서, 카나다는 필름과 고무제품 분야에서 호주는 유리제품과 고무제품에서 각각 어려움이 있음을 설명함.

- 이씨는 일본의 악기류에 대한 비관세 장벽을 거론하고 스위스, 스웨덴은 HS 8434 의 포함을 주장함.끝

(대사 박수길-국장)

0134

원 본

외 무 부

종 별 :

번 호 : GVW-1843 일 시 : 91 0927 1100

수 신 : 장관(통기,경기원,재무부,농림수산부,상공부)

발 신 : 주 제네바 대사

제 목 : UR/시장접근 협상 그룹 의장과의 협의

당관 김대사는 9.26 DENIS 시장접근 협상그룹 의장의 초청으로 동 협상에 관한 협의를 가졌는바, 요지 아래 보고함(엄재무관 배석)

가. 동 의장은 시장접근 분야의 양자간 다자간 협상현황에 대한 아측의 견해를 문의하였는바, 다음과 같이 답변함.

- 아국은 동 협상의 성공적 타결을 위하여 협상목표를 충족하는 OFFER 를 이미 제출하였고,다자간, 양자간 협상에 적극적으로 참여하고있으며, 국내적인 어려움에도불구하고 분야별 무관세 제안등에도 긍정적인 접근을 하고있음.

- 동 협상의 가장 큰 장애는 분야별 무관세를 주장하는 미국제안에 EC 는 대부분 거부의사를 표시하고 있는 반면 미국은 섬유, 일부 석유화학제품의 고관세 인하에대한 EC 의 요구에 소극적으로 대처하고 있는 양국간의 대립임

- 지난 7월 이후 미국, EC 간의 합의 도출을 위한 노력에 성과가 있을 것을 기대하였으나 금번 협상 과정에서 괄목할 만한 진전을 발견할수 없어서 협상 전망에 대한 우려를 갖게하고 있음.

나. 아측은 동 의장에게 협상 시한의 촉박함,DENKEL 의장의 11월초까지 새로운 초안 마련계획등과 관련하여 의장의 역할이 중요함을 강조하면서 앞으로의 협상 운용방안을 문의하였음.

- 동 의장은 자신이 지난 6월 TNC 의장에게 제출한 시장접근 분야의 8개 주요 사안을 중심으로 협상을 진행시킬 예정이며 현재의 협상국간 양자, 다자협상을 계속하면서 내주초에는 자신이 비공식 다자간 협의를 주최할 계획이며, 이러한 협의 과정을 통하여 DUNKEL 의장의 초안 마련과 관련한 시장접근 분야에서의 조치 가능 사항을모색하겠다고 하였음.

- 또한 11월에는 다수국이 동시에 참여하는 양자협상 BASAR 를 개최할 계획이라고

통상국 2차보 경기원 재무부 농수부 상공부

함.

다. 동 의장은 협상 진행 방식으로 무세화 제안및 섬유류 고관세등 해결이 어려운 문제를 일단 제외하고 기타 분야의 논의를 진전시키는 방안이 일부에서 거론되고 있는바, 이에 대한 입장을 문의하였음.

- 아측은 일부 국가의 섬유류 고관세등은 아측에도 매우 민감한 사항인바, 이러한 본질적 사안을 제외하고 협상을 효과적으로 진행시키는 것이 가능한지에 일단 회의적인 견해를 전달하였음.

라. 김차석대사는 앞으로 시장접근 분야 협상의 성공적 타결을 위한 의장의 노력에 아국은 전폭적인 지원을 할 것임을 언급하면서 이를위하여 협조가 가능한 사항을앞으로 계속 접촉하여 협의 해 나갈 것을 제의하였는바, 동 의장은 이에 사의를 표명하고 협상 타결을 위한 공동의 노력을 다짐하였음. 끝

(대사 박수길-국장)

PAGE 2

0136

원 본

외 무 부

종 별 :

번 호 : GVW-1883 일 시 : 91 1002 1100

수 신 : 장 관(통기,경기원,재무부,상공부)

발 신 : 주 제네바 대사

제 목 : UR/시장접근 분야 협상(3)

9.26(목) 당지에서 개최된 표제협상 토의 요지 아래보고함.

1. 수산물 무세화 협의

- 미국은 품목 COVERAGE, 적용대상 조치내용(관세, 비관세, 보조금), COUNTRY LIST 및COUNTRY PLAN FORMAT 등으로 구성된 수정안을 배포하고 제안 설명함.,-카나다, 노르웨이,아이슬랜드, 호주, 뉴질랜드는 전폭적으로 지지함.

- 일본은 무세화 및 비관세 장벽 철폐에 반대하였으며, 특히 보조금 문제는 보조금 자체보다 무역에의 영향이 검토되어야 할 것이라 하였고 오히려 관세보다 미국등의 자원 보호조치가 수산물 교역의 주요 장애요인임을 언급함. 이씨도무세화에 반대하였으며, 비관세 장벽에 자원보호 조치도 포함되어야 함을 언급함.

- 아국은 BOP 협의 결과 비관세 조치가 철폐되고있는 시점에서 동시에 무세화 조치는 곤란함을 언급하였음.

- 태국 및 칠레등 남미국가들은 미국의 TUNA예외 조치 언급에 불만을 표시하였음.

- 미국은 10월 말까지 COUNTRY PLAN 제출을촉구함.

2. 섬유 관세 조화 방안

- 종전 회의와 유사하였으므로 별진전이 없었음.

- 미국, 카나다는 국내업계와 계속 협의중이라 언급함으로서 신중한 자세를 스웨덴, 스위스,오지리, 페루등은 지지를 표명하였음.

0 아국도 지지를 표명하면서 모든 참가국이 참여가능토록 하여야 하며, 신발류의관세조화 추진의사를 타진하였고, 일본도 원칙적으로 지지하나 주요국의 참여가 필수적임을 언급하였음.

0 이씨는 신발류 관세조화 추진에 대해 소극적반응을 보였음.

3. 한, 스웨덴 양자 협상

통상국 2차보 청와대 안기부 경기원 재무부 상공부

91.10.02 22:53 FL

외신 1과 통제관

0137

- 스웨덴은 아국의 추가 OFFER 가능성을 문의한바, 이는 시기상조라 답변하였고,무세화에 대하여 스웨덴은 대체로 참여 가능함을 언급한바, 아국도 아국의 기본입장을 설명함.

- 양측은 협상진전 상황에 대한 우려와 상호협조에 의견을 같이함.

- 스웨덴이 제기한 원산지 증명제도에 대하여는 다음 회의시 재론키로 하였으며, 스웨덴측이 제시한 비관세건에 대하여 브랏셀 회의시 아측이서면 답변을 전달키로하였는바, 이에 대한준비여부를 문의하였으며, 차기 회의시 이를전달키로 함.

끝

(대사 박수길-국장)

PAGE 2

0138

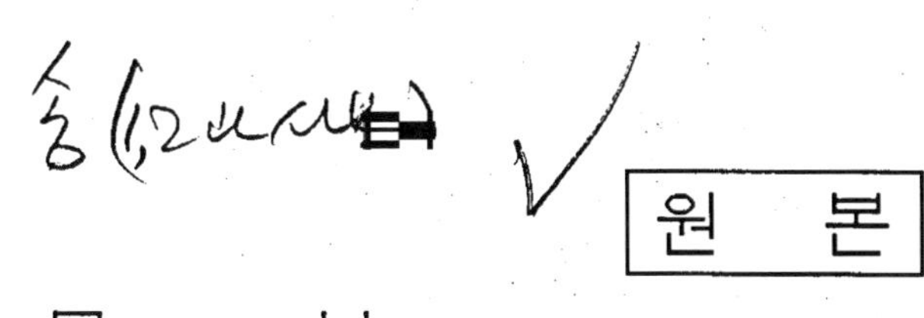

원 본

외 무 부

종 별 :

번 호 : GVW-1882　　　　일 시 : 91 1002 1030

수 신 : 장관(통기,경기원,재무부,농림수산부,상공부)

발 신 : 주 제네바 대사

제 목 : UR/시장접근 협상

9.27(금) 당지에서 개최된 표제 협상 토의 요지 아래보고함.

1. 시장접근 그룹 공식회의가. 시장접근 그룹 공식회의

가. 양자 협상 현황 보고

- 미국은 20 여개국과 협의결과 이씨와는 일부진전이 있었으나 TARIFF PEAK 및 분야별 접근에있어 여전히 이견이 상존하고 있고 일본과는 일본의 농산물 OFFER 가 제시되었음을 언급하였으며, 한국과도 상세한 논의가 있었음을 강조하였음. 분야별 무세화에 대하여는 다음과 같이 평가하였음.

0 의약품: 거의 합의 단계

0 건설.의료장비: 구체적으로 논의되고 있으며,10월에 품목별 검토(LINE BY LINE)가 예상

0 수산물: 기본적인 입장차이 상존

0 화확: 기본적인 입장차이가 있으나 여러가지안을 단일화 하도록 노력

0 비철, 목재, 맥주 등: 구체적인 부문에 이견상존

- 일본은 금번 양자 협상에서 개별적으로 농산물에 대한 관세 OFFER 를 제시하였음을 언급하면서 무세화 부문중 수산물, 목재 부문에는참여가 곤란하나 추가적인 관세인하는 고려가능함을 강조하였고, 이씨는 TARIFF PEAK 및N.T.B 의 협상 중요성을강조 하였으며, 카나다는 10월말까지 실질 진전이 가능토록 하기 위한 노력경주를 촉구함.

- 스웨덴, 스위스, 호주는 협상 진전 상황에 실망을 표시하고 11월초까지 협상진전을 기대하기위해서는 모든 회원국간에 분야별 접근 방식은 관세 인하 목표 달성을위한 보완적 방안이라는 확실한 인식이 있어야 함을 강조함.

- 뉴질랜드, 말레이지아, 콜롬비아 등은 농산물,열대산품, 천연산품에의 OFFER

통상국　2차보　분석관　안기부　경기원　재무부　농수부　상공부

PAGE 1　　　　91.10.03 09:06 BE

외신 1과 통제관

0139

: :

개선을촉구함.

- 아국은 이미 각료 선언상의 목표를 충족하는관세 OFFER 제시후 분야별 무세화협의에 참여하는등 추가적인 관세 인하 협상에도 임하고있으나 이는 어디까지나 추가 적 관세 인하를 위한 보완적 수단임을 강조하였으며, 동 무세화 협의시에도 참여국가, 대상물품 등에 대한 객관적 기준이 설정되어야 함을 언급하였음.

또한 아국은 현행 분야별 협상 절차는 의장 및GATT 의 통제 밖에서 이루어지고 있는바, 의장이동 협상 절차에 대하여 적절히 참여하여 조정할수있도록 의장의 타협안제시를 촉구함.

나. N.T.B. 의 기속문제

- 콜롬비아, 인도등이 종전 입장을 반복함

다. CERDIT 문제

- 멕시코가 9.23 개최되었던 다국간 협의 내용보고

라. 차기 회의

35?

- 의장은 10월 말까지 실질 진전을 모색하기위해 내주 부터 W/85 에 기술된 각 쟁점별로 다국간 협의를 계속할 것이며 10.30 일에 잠정적으로 공식회의를 개최할 것임을 언급하고각 참가국은 10월 중순부터 양자간, 다국간 협의를 진행시켜 줄것을 촉구함.

. 의장 주재 쟁점별 다국간 협의 일정

0 9.30(월): N.T.B 열대산품

0 10.1(화): CREDIT

0 10.2(수): 천연자원, RARIFF PEAK

2. 한.카나다 양자 협상

가. 아국의 REQUEST LIST 제시

- 아국은 아국의 대 카나다 양허(48 퍼센트)와 카나다의 대 아국 양허(38 퍼센트) 간에 불균형이 있음을 상기시키면서 135 개 품목에 달하는 REQUEST LIST 를 전달하고 호의적 고려를 요청함.

- 아국과 카나다는 분야별 접근 방식에 대한 일반적인 견해를 교환하였으며, 특히 카나다는 수산물과 목재 부문에 많은 관심이 있으나 주요교역국이 강경한 반대입장을 견지하고 있는반면 실질적 추가 관세인하는 가능하다는 입장이어서 이들 부문에다소 신축적으로 접근할수 있을 것이라 언급함.

PAGE 2

0140

- 카나다는 비관세 부문에 대하여 다음과 같은사항을 제기하고 동 내용을 대표부를 통하여 정리되는 대로 조만간 서면으로 전달할 것이라하면서 차기 회의에서 상세히 토의되기를 희망하였음.

(1) 수입허가 절차 협정 가입 가능성 문의

(2) 사료 및 소고기 수입시 미국과의 차별대우

(3) 목재 수입시 건축법 적용에 있어 일본과의 협상 결과 수용 가능성

(4) 체리 수입시 카나다의 검사 증명서 인정문제

(5) 펄프 및 신문용지 수입시 한국 선적에 의한운송(미국 산품에 대하여는 국적선에의 선적의무를 면제하고 있음.)

(6) 한국의 농산물 수입시 미국과 동일한 수출금융 허용 요망

(7) 카나다산 위스키와 여타 위스키 및 버본과의 차별적 조세 문제

(8) 석탄산업에 대한 국내 보조금 문제

3. 한.일 양자 협상

- 아국은 일본으로 부터의 수산물 OFFER 를접수하고 아국의추가 REQUEST LIST 를전달함.

- 양국은 협상 전반에 대한 우려와 일반적견해를 교환함.끝

(대사 박수길-국장)

○ 91.10.9. 상공부 국제협력과 윤동섭 사무관 통화 요지
- 상기 카나다 요청사항 관련, 관계부처 공문조회 및 10월 회의시 아측 입장 설명 예정

PAGE 3

0141

재 무 부

국관 22710-434 503~9297 1991. 10. 2.

수신 외무부장관

참조 통상국장

제목 UR 시장접근분야 협의 참석 보고서 송부

1. 통기 20644-46182('91.9.24) 관련입니다.

2. 표제 협상관련 당부 대표의 참석보고서를 별첨과 같이 송부합니다.

첨부 : UR 협상 참석보고 사본 1부. 끝.

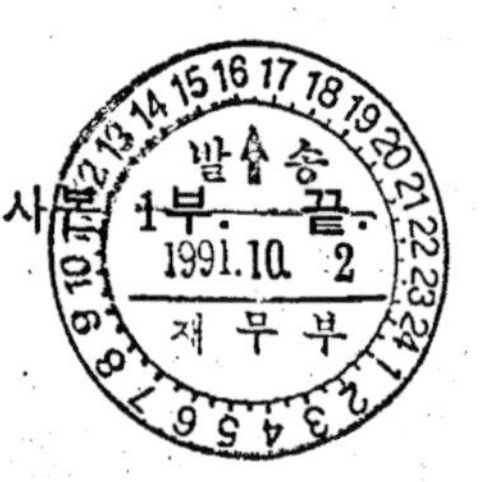

재 무 부 장 관

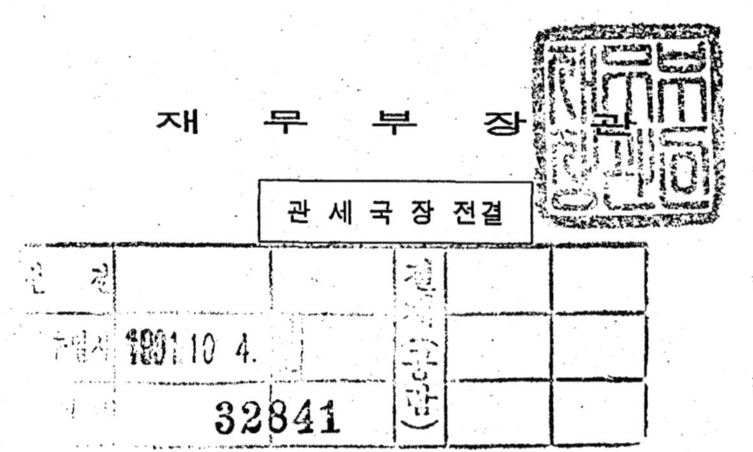

0142

UR 협상 참석보고

I. 협상 개요

- 일시 및 장소 : '91.9.23~27, 제네바
- 아 국 대 표 : 제네바 재무관 · 국제관세과장
- 참여회의 및 협상
  - o 한 · 미 양자협의
  - o 무세화/관세조화협상
  - o 양자협상(일본 · 카나다등)

II. 한미 양자협의

- 전자 · 건설장비중 무세화 가능품목을 제시하자 미국은 사의를 표명하고 이를 상세히 검토할 것이라고 함.

- 섬유 · 신발에 대한 아국의 관세양허 요구에 대하여는 GATT 비회원국인 중국 · 대만 문제로 일단 난색을 표시하고 다자간 협상 결과를 지켜보자는 입장이었음.

0143

Ⅲ. 무세화 다자간 협상

- 수산물

  o 미국이 수산물에 대한 관세 · 비관세 · 보조금 감축 · 철폐계획에 관한 새로운 제안을 제시하고

  o 이에 대한 Country Plan을 10월말까지 제시요망

  o 일본 · EC가 반대입장을 표명하고 아국도 새로운 제안임을 들어 유보의사 표명

- 기타 무세화 협상

  o 의료 · 과학장비에 대한 공식제안서 외에 특별한 사항은 없었음.

Ⅳ. 양자협상

- 일 본

  o 아국의 Request 중 미반영 품목을 제시하고 성의있는 고려 요청

- 카나다

  o 아국의 Request 품목제시

- 스웨덴 · 스위스

  o 스위스가 아국에 대한 수정 Request 제시

  o 스웨덴은 비관세 분야에 대한 아국의 서면 답변 요구

0144

V. 주요 관찰사항 및 향후 협상 전망

- 주요 관찰사항

  o 미국이 양자협상시 무세화 · 농산물 · 섬유등 민감분야를 제외한 다른분야에서 상호 관심품목 교환 제의 → 무세화 · 섬유분야 등의 협상 타결이 어렵다는 예상을 하고 있는 것으로 보임.

  o 일본은 농산물에 대한 Offer를 하고 있어 농산물 협상 결렬에 대비하는 것으로 관측됨.

- 향후 협상전망

  o UR 년내 타결을 위하여 각국이 일단은 10월이후 집중적인 협상 노력을 경주할 것으로 보임.

  o 그러나 철강 · 의약품등 몇몇 분야를 제외한 무세화 분야의 년내 타결은 어려울 것으로 보이며 UR 년내 타결을 바라는 경우 Small Package 로 성사가 불가피한 것으로 예상됨.

  o 분야별 접근방식이 성사하지 못할 경우에 대비 양자협상을 통한 양허 균형에 향후 집중적인 노력이 필요시됨.

0145

원 본

외 무 부

종 별 :

번 호 : GVW-1934　　　　일 시 : 91 1007 1800

수 신 : 장 관(통기,경기원,재무부,상공부,농림수산부)

발 신 : 주 제네바 대사

제 목 : UR/ 시장접근 그룹 비공식 협의시장접근 협상그룹

DENIS 의장은 9.30-10.3 에 걸쳐 주요국 협상 대표들을 초청하여 연쇄적인 협의를 가졌는바, 그 주요 토의 내용을 아래보고함.(엄재무관 참석)

1.,열대 산품

- 콜롬비아, 말레이지아 짐바브웨, 브라질등 개도국은 U.R 각료회의에서 합의사항인 열대산품 조기 무역 ~~무역~~ 자유화가 이루어지지 못하고 있음에 불만을 표시하고 농산물 협상과 연계되어 동 분야에 진전이 이루어지지 않고 있는것은 불합리한 일이며 선진국들이 개도국의 관심사항을 조기에 충분히 반영시켜줄 것을 요구하였음.

- EC, 스위스, 스웨덴등은 이미 자국 OFFER열대산품이 개도국의 이익을 위하여 많이 반영되어 있으며, 개도국의 관세 OFFER 들이 일반적으로 불만족스럽다고 답변하였음. 미국, 카나다는 목재, 고무등의 분야별 무세화 제안이 열대 산품을 포함하고 있음을 언급하였고, 뉴질랜드는 농산물 협상의 조기 타결이 중요함을 강조함.

- 의장은 열대산품 수출국들이 그들의 주요 관심사항을 구체적으로 의장에게 선면 제출하여 줄것을 요청함.

2. 분야별 무관세, 관세조화 제안

- 미국은 최대한의 협상 결과를 도출하기 위하여 별로 실질적 의의가 없는 저율관세를 추가 인하대신에 분야별 무관세 제안을 추진하고 있다고하면서 분야별 협상 현황을 간략히 설명함. 카나다는 최대한 협상 결과를 추구하는데 동의한다고 언급하고 목재, 종이, 수산물등 자국관심분야를 열거함. 일본은 기본적으로 공식에 의한 관세인하 방식을 선호하나 분야별 협상을 추가적 관세인하의 접근 방식으로 인식하고 이를 지지하며, 자국도 일부 분야를 제안하고 있음을 설명 호주는 석탄을

통상국　2차보　경기원　재무부　농수부　상공부

PAGE 1　　　　91.10.08　09:27 WG

외신 1과 통제관

0146

분야별 무관세제안으로 협상토록 희망한다고 발언함.

- EC 는 모든 협상 참가국이 몬트리올 협상목표를 달성하는 것이 가장 중요하며, 일부 분야에서는 동 협상 방식을 통한 추가관세인하도 가능하다고 생각하나 이것이 당초의 협상 목표를 대체하는 것이 되어서는 안된다고하면서 포괄 품목의 범위, 참여 국가의 선정, 비관세 문제의 취급등을 어려움으로 지적하였음.

또한 자국으로서는 관세의 무세화는 어려운 것이기 때문에 섬유, 석유화학 제품등에 있어 관세조화 방안을 제안하고 있다고 설명함.

- 아국, 스위스, 북구는 최대 협상 결과 도출을 위한 노력은 인정하나 동 분야별 협상이 전체 시장접근 협상의 진행을 어렵게 하고 있는 현실을 지적하고 이와 관련하여 협상의 합리적 진행을 위한 결정이 필요한 시점이라고 주장함.

또한 동 분야별 협상을 제외하고 나면 일부국가 (미국등 지칭)이 OFFER 내용을 평가하기 곤란한 문제가 있음을 언급함.

- 말레이지아는 분야별 무관세 제안이 개도국에 상호주의를 적용하고 '전부 아니면 전무' 라는 극단적인 협상 방식이라고 이를 비판함. 멕시코는 자국이 전품목 단일 관세율을 지향하고 있기때문에 참여할수 없다고 하였음. 브라질은 개도국 입장에서 분야별 제안에 참여가 곤란하다고 발언함.

- 의장은 동 분야별 협상에 대한 구체적 견해를 표명하기에는 시기상조이나 협상 전망의 불투명, 이익의 균형, 절충방안의 가능성등이 문제점이라고 생각된다고 하면서 현재 협상이 진행중인 분야를 확인하고 당분간 양자간, 복수국가간 협상을 통하여 논의를 진행시킬 것을 언급함.

3. 고관세 TARIFF PEAK, 저관세 폐지

- 의장은 고관세의 정의에 대한 각국의 견해를 문의한바 EC, 스위스 등은 교역제 지장을 초래하는 순준의 관세로서 선진국은 10 퍼센트또는 15 퍼센트 이상, 개도국은 30 퍼센트 또는 35퍼센트 이상을 고관세로 본다고 하였고 미국은 고관세의 개념은 국가에 따라 상이할수 있으며,저관세 철폐에 더 많은 관심을 가지고 있는바, 현재 자국의 가장 고관세 품목은 주 수출 국가가 갓트 회원국이 아닌 중국, 대만이기 때문에 UR에서 논의가 어렵다고 하였음.

- 멕시코, 스웨덴, 말레이지아, 오스트리아, 브라질, 이집트등은 일부 선진국이 특정 품목 특히 섬유, 신발류등에 유지하고 있는 고관세가 인하되여야 한다고 주장함. 아국은 본 문제와 관련하여 각국이 협상 목표를 충족하는 3분의 1관세인하를 먼저

달성 하여야 할 것이며, 특정분야에 고관세 유지가 불가피하다면 전체적으로 협상 목표 수준의 관세인하를 달성하고 고 관세유지 여부를 협상토록하여야 할것이라고 발언함. 특히 고관세 품목에는 아국의 관심품목인 섬유, 신발류등이 집중 되어 있기 때문에 매우 중요한 문제임을 강조함.

- 의장은 본 문제는 협상 참여국간의 부담을 나누는 견지에서 접근 하여야 한다고 언급하였는바, EC 는 자국의 관세 조화 제안이 그러한 취지에서 제안된 것임을 설명함. 스위스, 스웨덴, 뉴질랜드등은 미국이 중국, 대만이 주수출국인 품목의 관세인하가 어렵다는 입장을 반박하고 본 협상은 동 국가들이 갓트 합류를 전제로 진행하여도 무방할 것이라고 발언함.

4. CREDIT 과 RECOGNITION

- 멕시코, 칠레, 콜롬비아, 말레이지아등이 그필요성에 대한 종전 입장을 반복하였음.

- 미국, EC, 일본, 북구, 스위스, 호주등 선진국은 CREDIT 부여에 대하여 원칙적으로 긍정적이나 특정 공식 적용등은 곤란하며 다소 융통성 있는 지침등을 마련하여 양자 협상등에서 활용하는 방안을 제의하였는바, 의장이 사무국으로 하여금 연구토록 하겠다고 함. 자발적 자유화 조치에 대한 RECOGNITION 에 대하여 EC 에서 BINDING 한조치 또한 적어도 법적 안정성이 확실한 조치가 GATT 에 상세히 통보된 것에 한하여 부여 될수있을 것이라고 하였는바, 대부분의 선진국이 이에 동의하고 멕시코가 반대하였음. 끝

(대사 박수길-국장)

PAGE 3

0148

원 본

외 무 부

종 별 :

번 호 : GVW-1932 일 시 : 91 1007 1800

수 신 : 장 관(통기,경기원,재무부,상공부)

발 신 : 주 제네바 대사

제 목 : UR/시장접근 일본제안 송부(화학제품)

화학제품 관세조화 방안에 대한 일본의 제안을 별첨 송부함.

첨부: 일본제안 1부(GVW(F)-0391).끝

(대사 박수길-국장)

통상국 2차보 경기원 재무부 상공부

PAGE 1

91.10.08 09:33 WG

외신 1과 통제관

0149

991-10-07 18:56 KOREAN I— ION GENEVA 2 022 791 0525 P.04

GVW(F)-0391 11009 1800
" GVW-1832 첨부 "

Japan's Harmonization Proposal in the Chemical Sector
Including Fertilizers, Rubber and Film

Japan submits the following proposal on the harmonization of customs duties on chemical products as it announced in plurilateral meetings held in September.

This list contains tariff items on which Japan is prepared to eliminate or to reduce tariffs, if the United States, Canada, EC and major producing countries agree to provide duty-free treatment or to harmonize their tariffs on the same products.

Since a number of other major trading partners have shown their interest in proposals on the harmonization of chemical tariffs, Japan is prepared to coordinate its proposal through discussions with other participants in order to achieve a big and balanced package in this sector.

0150

Country Participation

Participation by the following countries is required.

Argentina
Australia
Austria
Brazil
Canada
European Communities
Finland
India
Indonesia
Japan
Korea
Malaysia
Mexico
New Zealand
Norway
Singapore
Sweden
Switzerland
Thailand
United States
Venezuela

Staging of Concessions:

Under consideration.

Non-Tariff Measures:

Participants agree not to maintain or introduce non-tariff measures on trade of the above products which are inconsistent with the General Agreement and various GATT codes.
It is anticipated that specific non-tariff measures of concern to participants will be addressed bilaterally between relevant countries.

0151

원 본

외 무 부

종 별 :

번 호 : GVW-1941 일 시 : 91 1009 0930

수 신 : 장관(통기,경기원,재무부,상공부)

발 신 : 주제네바대사

제 목 : UR/시장접근 미국 수정제안 송부(화학제품)

별첨 화학제품에 대하여 무세화까지 관세인하 가능하다는 미국의 수정제안을 송부함.

첨부: 미국의 수정제안 1부.

(GVW(F)-0394).끝

(대사 박수길-국장)

통상국 2차보 경기원 재무부 상공부

PAGE 1

91.10.09 20:25 DQ

외신 1과 통제관

0152

GVW(下)-0394 1100P 0P30

UNITED STATES TRADE REPRESENTATIVE
1 3 AVENUE DE LA PAIX
1202 GENEVA, SWITZERLAND
TELEPHONE: 732 09 70

October 2, 1991

Mr. Rak Yong Uhm
Attache
Permanent Mission of the Republic
of Korea
Route de Pre-Bois 20
1216 Cointrin

Dear Mr. Uhm:

I have received the following information from Washington which they have asked me to pass on to your delegation.

Bilateral requests of Korea on Selected Chemical Products for Reductions Below the Harmonized Tariff Rates

The United States is prepared to make reductions beyond the harmonized rates to zero percent duty on the following specific items if Korea and other noted necessary countries are also prepared to eliminate tariffs on these items.

HS Number	Description	Other Necessary Countries
2916.11.90	Salts of Acrylic acid	Japan, EC
2916.12.00	ex. Aromatic esters of acrylic acid	Japan, EC
3914.00.00	Ion exchangers	Japan, EC, Hungary

Sincerely

William Tagliani
Attache

0153

원 본

외 무 부

종 별 :

번 호 : GVW-2017 일 시 : 91 1016 1800

수 신 : 장관(통기,경기원,재무부,농림수산부,상공부)

발 신 : 주제네바대사

제 목 : UR/시장접근 협상

1. 10.21. 주간부터 예정되어 있는 표제협상은 현재까지 10.28(오후) 이씨, 10.29(오 후) 미국과 각각 양자협상을 갖기로 하였음.

2. 이씨와의 양자협상은 9.25-27 브랏셀에서 개최될 한.이씨 실무회의시 논의된시장접근분야의 계속협의 이므로 동 회의시 논의된 사항및 특히 이씨가 제시한 비관세 분야 REQUEST대한 검토 결과 회시 바람.끝

(대사 박수길-국장)

통상국 2차보 경기원 재무부 농수부 상공부

PAGE 1 91.10.17 08:44 BX

외신 1과 통제관

0154

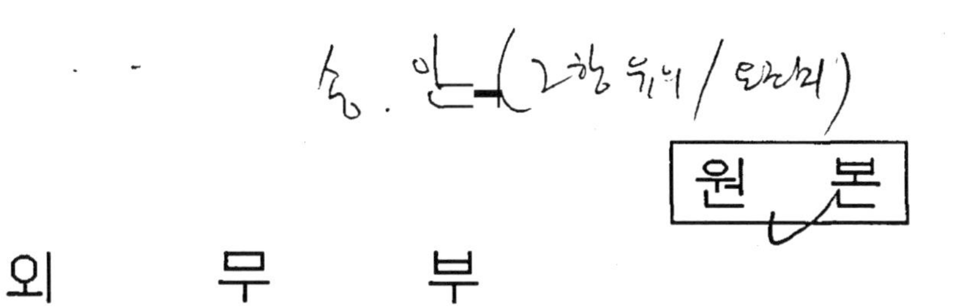

외 무 부

종 별 :

번 호 : GVW-2053 일 시 : 91 1018 1600

수 신 : 장관(통기,경기원,재무부,농림수산부,상공부)

발 신 : 주제네바대사

제 목 : UR/시장접근 분야 협상일정

연: GVW-2017

1. 10.21.주간부터 시작되는 표제협상중 현재까지 잠정합의된 아국과의 양자 협상 일정을 아래와같이 보고함.

0 10월 24일(목) 10:00 : 태국

15:00: 스위스

17:00 : 오지리

0 10월 25일(금) 10:00 : 스웨덴

15:00 : 카나다

17:00 : 일본

0 10월 28일(월) 15:00 : EC

10월 29일(화) 15:00 : 미국

0 10월 30일(수) 10:00 : 공식회의

2. 금번 양자협상에서 카나다는 자국이 최근 제시한 비관세 REQUEST LIST(GVW-2041 참조) 를 중점논의하고자 하며, 오지리는 아국에 공한으로 제시한 기술장벽중 원산지(GVW-1796 참조) 표시에 대하여 중점 논의하기를 원하고 있고, EC 도 비관세부문에 대하여 구체적으로 논의하기를 원하는 바,본부 입장 마련시 참고 바람.끝.

(대사 박수길-국장)

통상국 2차보 경기원 재무부 농수부 상공부

PAGE 1

91.10.19 06:19 DQ

외신 1과 통제관

0155

원 본

외 무 부

종 별 :

번 호 : GVW-2041 일 시 : 91 1017 1930

수 신 : 장관(통기,재무부,농림수산부,상공부)

발 신 : 주제네바대사

제 목 : 카나다의 대아국 비관세 REQUEST LIST 송부

연: GVW-1882

연호 관련 카나다가 서면으로 제시 예정이었던비관세 REQUEST LIST 를 별첨 송부함.

첨부: 카나다의 대 아국 비관세 REQUEST LIST 1부

(GVW(F)-0426).끝

(대사 박수길-국장)

통상국 2차보 재무부 농수부 상공부

PAGE 1

91.10.18 08:33 DU

외신 1과 통제관

0156

17 OCT '91 11:38 MISSION DU CANADA +4122 7347919 P.1

GVW(3)-426 11017 1830
GVW-2041 첨부

UNCLASSIFIED
FACSIMILE

TELECOPIE
NONCLASSIFIE

GVA___/___OTT	GVA___/___NYK	GVA___/___WDC	GVA___/___PAR
GVA___/___LDN	GVA___/___BRU	GVA___/___BON	GVA___/___TKO
GVA___/___SKM	GVA___/___CBA	GVA___/___	GVA___/___

Mission Permanente du Canada
1 rue du Pré-de-la-Bichette
1202 Genève
Fax: 734.7919
Tel: 733.9000

FILE/DOSSIER:37-7-MTN-KOREA

PAGE 1 OF/DE 2

17 OCT 91 10:3 Z

FM/DE GVGAT UZTD7869 17OCT91

TO/A KOREAN PERMANENT MISSION

ATTN MR. KIM

FAX # 791 05 25

REF KIM/DONAGHY CONVERSATIONS

---CDA/KOREA MARKET ACCESS NEGOTIATIONS: NON TARIFF MEASURES

FURTHER TO OUR RECENT CONVERSATIONS AND IN FOLLOW UP TO THE BILATERAL MEETING BETWEEN OUR DELEGATIONS AT THE END OF LAST MONTH, ATTACHED IS THE UPDATED LIST OF KOREAN NON TARIFF MEASURES OF MOST DIRECT INTEREST TO CANADA. I HOPE THAT WE MIGHT ARRANGE A MEETING TO DISCUSS THESE MATTERS IN MORE DETAIL SOMETIME NEXT WEEK, INCLUDING PEOPLE FROM OUR RESPECTIVE CAPITALS. PLEASE LET ME KNOW BY PHONE IF THURSDAY AFTERNOON THE 24TH OR SOMETIME ON FRIDAY THE 25TH WORK FOR YOU. THANKS.

DRAFTER/REDACTEUR	TELEPHONE NBR	APPROVED/APPROUVE
J.F. DONAGHY	733 90 00 (EXT 210)	John Donaghy

0157

2-1

1991-10-17 19:59 KOREAN MISSION GENEVA 2 022 791 0525 P.01

UNCLAS / NONCLAS
UZTD 7869
PAGE 2 OF/DE 2

October 15, 1991

Korea : Canadian Non Tariff Measure Interests

1) **Import Licensing and Quantitative Restrictions**

   a) BOPs liberalization items, eg. fish products

   b) Other, eg. feed barley

2) **State Trading**

   eg. beef, feed grains (barley), canola, alfalfa, seeds

3) **Standards**

   eg. fire-resistant wood products

4) **Sanitary/Phyto-sanitary Requirements**

   eg. cherries : coddling moth

5) **Flag Vessel Requirements**

   discriminatory treatment

6) **Alcoholic Beverages**

   differential taxes

7) **Coal Subsidies**

8) **Agricultural Credit Facility**

   ie. discriminatory access to financing (GSM 102)

2-2

0158

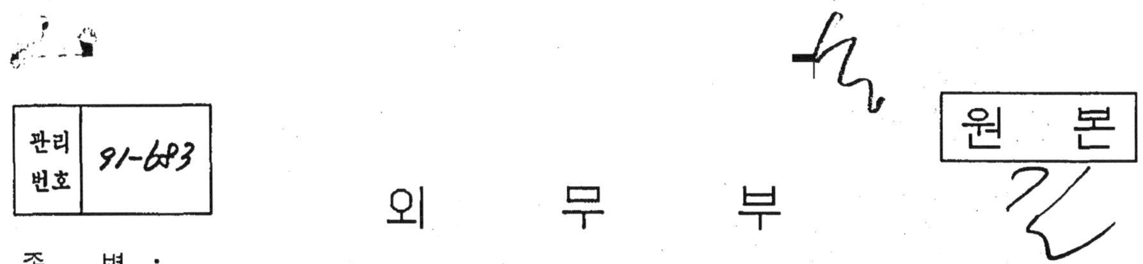

관리 번호	91-683

원 본

외 무 부

종 별 :

번 호 : GVW-2087 일 시 : 91 1022 1730

수 신 : 장 관(통기,경기원,재무부,농림수산부,상공부)

발 신 : 주 제네바대사

제 목 : UR 분야별 협상대책(시장접근 그룹)

연: GVW-2083

일반문서로 재분류(1991 .12 . 31.)

1. 주요쟁점

가. 미국의 분야별 무관세 제안

- 미국의 제안에 대하여 일본, 카나다 지지, EC 는 소극적 입장 견지. 북구, 스위스등은 먼저 몬트리올 협상 목표(1/3 관세인하)의 달성이 중요함을 강조

- 미국의 관세 OFFER 중 무관세 제안 품목 제외시 관세인하율은 17 퍼센트에 불과

나. EC 의 관세조화 제안과 TARIFF PEAK 문제

- EC 는 미국의 섬유류등의 TARIFF PEAK 개선을 요구하는 관세조화 주장

- 미국은 국내정치적 이유로 소극적 입장

다. 일부 농산물 수출국가의 농산물 협상과 연계한 시장접근 협상 대응

라. 비관세 협상 결과의 양허(갓트 28 조 적용) 가능성

2. 협상 진전 상황

가. 분야별 무관세 제아능 의약품, 철강분야를 제외하고는 미국과 EC 의 입장대립으로 무관세및 관세 조화 협상에 별다른 진전이 없음

나. 이와 같은 양구간 입장 대립이 시장접근 협상 전체의 진전에 걸림돌이 되고 있다는 인식아래 미국, EC 간의 협상이 진행되고 있음.

다. DENIS 의장 및 사무국은 양구간의 조속한 입장 절충을 촉구하면서 다자간, 양자간 협상을 진행시키고 있음

3. 전망 및 대책

가. 미국, EC 간의 절충은 EC 가 어느정도 무관세 제안을 수용하는 동시에 미국의 섬유류등 관세를 다소 인하하는 내용이 될 것이라는 것이 일반적 견해임

나. 그러나 아직은 양국간에 절충 가능한 대안 제시가 이루어지지 않은 것으로

통상국	장관	차관	1차보	2차보	경제국	외정실	분석관	청와대
안기부	경기원	재무부	농수부	상공부				

PAGE 1

91.10.23 07:24

외신 2과 통제관 BS

0159

보이며 특히 미국은 EC 의 농산물 협상에서 입장 변화를 지켜보고 자국 입장을 결정할 가능성이 크다고 보여짐

다. 시장접근 협상은 11 월 DUNKEL 의장의 REV.2 가 제시된 다음에 후속 사업으로 진행되어 협상을 마무리 지을 수 있기 때문에 양국이 입장 절충을 서두루지 않고 있다고 판단

라. 아국은 분야별 무관세 제안이 실현되는 경우 전자, 건설장비등에 일부 참여하는 대신 아국 수출 관심 품목의 선진국 관세 철폐와 섬유, 신발류등의 관세조화를 통한 미국 고관세 인항에 협상력을 집중토록 할 것임

마. 분야별 무관세 제안이 실현되지 않는 경우에는 주요 교역국과의 양자 협상을 통하여 아국 수출관심 품목을 추가 반영하는 동시에 미국에 몬트리올 협상 목표 달성을 촉구함으서 섬유류등의 고관세 인하를 적극 유도토록 노력할 것임. 끝

(대사 박수길-국장)

예고:91.12.31. 까지

원 본

외 무 부

종 별 :

번 호 : GVW-2164 일 시 : 91 1028 1900

수 신 : 장 관(통기,통일,통삼,경기원,농림수산부,상공부)

발 신 : 주 제네바대사

제 목 : UR/시장 접근 양자협상

10.24(목) 당지에서 개최된 표제협상 협의 결과아래 보고함.(엄재무관, 김재무관보, 재무부허사무관, 상공부 윤사무관 참석)

1. 한.태국 양자 협상

가. 관세

- 태국은 분야별 무세화중 수산물 부문에 관심이 있으나 TUNA 가 제외되는 한 참여 불가함을 설명함.

- 아국은 32개 품목(H.S 6단위)의 아국 REQUEST를 전달하고 호의적인 고려를 요청함.

- 태국은 자국이 기 제출한 INITIAL OFFER 외에 양자 협상용으로 약 750 여개 품목에 대한 추가 OFFER 를 제시하면서(본부 대표 지참예정) 자국의 REQUEST 품목중 매니옥 (HS 2008.20,2009.40)등은 우선 순위가 높은 분야이므로 이에 대한 아국의 적극적인 고려를 희망해옴.

나. 비관세

- 아국이 REQUEST 한 12개 품목에 대하여 태국은 다음과 같이 설명함.

0 H.S 2922: 식품으로 취급되어 보건성의 검사대상임.

0 H.S 7204: 수입제한 철폐

0 H.S 8408: 수입허가제도 철폐(8408.90 예외)

0 MOTOR CAR: 4월부터 수입제한 철폐

0 기타: 검토중

- 태국의 REQUEST 에 대하여 7개 품목은 농산물인 바, 관련 당국에 전달할 것임을언급하고 H.S 7103, 7113 은 이미 자유화 되었음을 설명함.

2. 한.스위스 양자 협상

통상국 2차보 통상국 통상국 경기원 농수부 상공부

91.10.29 07:55 WH

외신 1과 통제관

0161

가. 관세

- 아국은 섬유를 중심으로 작성된 61개 품목(HS8단위)의 아국 REQUEST 를 전달하고 이에 대한 호의적인 고려를 요청함.

나. 비관세

- 스위스의 REQUEST 에 대하여 다음과 같이 설명함.

0 실크 제품에 대한 수입제한: 수입제한 6개품목중 2개는 '93, '94 에 각각 수입자유화 예정.나머지는 BOP 협의 결과에 따라 조치 예정

0 모직물에 대한 구성비율 표시: 아국의 불가피성을 설명(모조품의 방지와 국내시장 특수성 강조)

0 의약품: 신제품의 임상실험 등에 관련된 스위스측의 관행에 대한 설명을 요청하였고, 의료보험료 상환 문제는 해결되었음을, 생화학제 TEST에 대해서는 계속 검토예정임을 설명

- 또한 스위스는 비관세 부문에 대하여 현재까지의 상호 입장을 서면으로 교환 할 것을 제의하여 온바 아국은 N.T.B 의 협상범위가 불명확한 상태에서 양자 협상에서거론된 관세이외의 제반 문제를 서면화 할 경우 UR 시장접근 분야에서 다루어져야 할 비관세 부문이 불필요하게 확대 될 가능성을 지적하면서 소극적 입장을 견지함.

3. 한.오지리 양자 협상

가. 관세

- 아국은 오지리의 대 아국 REQUEST 37 개품목(H.S 10 단위)중 68 퍼센트에 달하는 25개품목이 이미 양허 되었으며, 아국 OFFER 세율(평균 15.4 퍼센트)이 오지리의요청 세율(평균 20.3퍼센트)보다 훨씬 더 인하되었음을 설명하고, 아국의 REQUEST (19개 품목, HS 6단위)를오지리측에 전달함.

나. 비관세

- 오지리가 REQUEST 한 부문에 대하여 다음과 같이 답변함.

0 과일 쥬스 수입제한: BOP 협의 결과에 따라조치 예정

0 의약품의 특허권 침해 방지: TRIPS 협상대상임을 설명하면서 관련 당국에 전달

0 원산지 표시 의무화: 국내의 실시 배경 설명

0 모직물 구성비율 표시 의무화: 대 스위스 답변과동일

0 과소비 절약 캠페인에 대한 우려 표시: 민간차원의 운동이며 수입억제

운동이아닌 건전 소비생활 운동임을 설명. 끝

(대사 박수길-국장)

원 본

외 무 부

종 별 :

번 호 : GVW-2166 일 시 : 91 1028 1900

수 신 : 장관(통기,통이,통삼,경기원,재무부,농림수산부,상공부)

발 신 : 주제네바대사

제 목 : UR/시장접근 양자협상(2)

10.25(목) 당지에서 개최된 표제협상 협의결과 아래 보고함

1. 한.스웨덴 양자협상

- 아국은 스웨덴에 36개 품목에 대한 관세인하 REQUEST LIST 를 제시하고 호의적 고려를 요청함.

- 스웨덴의 비관세 REQUEST 에 대해 논의하였는바, 이에 대한 아국입장을 설명함.

0 원자재 수입시 관세 환급문제(기간)

0 자동차에 부과되는 각종 조세 및 과세에 대해서는 차기에 상세히 설명키로 함.

0 철강 제품

0 정부조달 협정 및 수입허가 절차 협정 가입문제

0 수입 담보금 문제

0 국산부품 사용 의무 면제 문제

- 스웨덴은 상기내용을 문서로 정리하여 교환하자고 제의한바, 스위스에 설명한바와 같은 내용으로 답변함.

- 또한 스웨덴은 10.24.미국.EC등 주요국간 분야별 협상에 관한 비공식 협의가 있었는바,동 협의에서 EC 가 의료장비 및 건설장비 무세화에 다소 관심을 표명하였으나 참여가능성을 표시한것으로 받아들이기는 어려운 것이었으며 기타분야(의약품, 철강제외)에 대하여는 EC 의 기존입장에 변화가 없었음을 전언함.

2. 한.카나다 양자협상

- 카나다가 제기한 비관세 REQUEST 에 대해 논의함.

(1) 카나다는 B.O.P 품목중 다음 품목이 특별관심 품목임을 언급함

H.S 020110, 020120, 020130, 020210,020220, 020230, 020321, 020322, 020329, 021011, 0303799090,0409, 07031010, 071220, 080810, 110710, 11072010

통상국 2차보 통상국 통상국 경기원 재무부 농수부 상공부

PAGE 1

91.10.29 07:54 DQ

외신 1과 통제관

0164

(2) 국영무역

0 농협, 축협, 사료협회 등에서의 독점적 농산물 수입시 동기관들의 수입관행 및 미국의 옥수수와 경쟁관계에 있는 자국의 <u>사료용 보리 수입</u>과 관련된 미국과 카나다의 차별대우 시정 요구

0 아국은 이들 단체의 수입관행은 정부조치와 무관함을 설명한바 카나다는 동문제를 <u>APEC 각료회의시 방한하는 카나다 무역성 WILSON 장관이 다시 제기 할것이</u>라 함.

(3) GSM PROGRAMME

0 아국의 기존입장 설명

(4) 카놀라와 알파파의 관세차별 시정

0 알파파의 할당관세 운용시 관련 단체에서 할당량을 배정하는 경우 카나다산에대하여는 차별적 대우, <u>카놀라와 대두의 관세차별 시정 요구</u> — 이미 시정된 걸로 아는데.

(5) 체리 및 석탄산업 보조금 문제에 대하여는 REQUEST 를 철회함

(6) 건축용 목재 사용문제

0 기술지원의 가능성을 언급한바, 본부에 전달하겠다함.

(7) 주류문제

0 카나다 위스키의 상표권 도용문제, 주종간 주세율 차이 완화, 외국인에 대한 주류 도매상 제한 조치등에 대하여 문제제기

(8) 국적선 문제

0 아국의 기존입장 설명

- 카측은 동 비관세 문제에 대하여 아측의 서면제시 방안을 제의한바, 스위스 및 스웨덴에 설명한 동일 내용으로 답변함.끝

(대사 박수길-국장)

원 본

외 무 부

종 별 :

번 호 : GVW-2175 일 시 : 91 1029 1500

수 신 : 장 관(통기,통일,통삼,경기원,재무부,농림수산부,상공부)

발 신 : 주 제네바대사

제 목 : UR/시장접근 양자협상(2)

1. 한.일 양자협상

가. 일반적인 의견 교환

- 일본은 미.EC 간에 품목별 LONG-LIST 를 중심으로 계속된 협의가 있었으며 SECOND ROUND가 당초 오늘 끝나게 되어 있었으나 내주 월요일경 끝날 것으로 보인다고 하고 아울러 최근 미국이 분야별 접근방식에서 품목별 접근방식으로, 다자협상에서 양자협상으로 추진방식을 전환한데 대한 미측의 실질적 의도를 파악키 위해 협상추이를 계속 주시하고 있다고 언급함.

- 또한 일본은 던켈 PAPER 의 내용이 구체적이나 숫자로 제시 되지는 않은 것이라고 하면서 농업 부문에서의 돌파구 모색을 위한 내용이 포함될 것으로 전망하였고던켈 PAPER내용을 보기전에 국가간의 협의 진전은 어려울 것이라는 견해를 피력함.

- 미국이 섬유, 신발등 고관세 분야에서 관세를 인하할 움직임이 보이느냐는 아국의 질문에 대해 인하할 것으로 보이나 어느정도 인지는 예측해 곤란하다고 하고 향후 무세화 전망에 대해서는 관련 내용이 어떠한 형태로든 던켈 PAPER에 담겨질 것으로 본다고 말함.

나. 아국 REQUEST 에 대한 호의적 고려 요청

- 아국이 지난 9월 회의시 일측에 제시한 사항(지난6월 한.일 무역산업기술위원회시 협의내용)에 대해서는 현재 동경에서 검토중임과 일본의 대아국 수산물 OFFER 는현재로서는 최대한의 것이라고 답변함.

2. 한.EC 양자 협상

- EC 는 농산물에 대한 비관세 REQUEST내용(본부대표 지참 예정)을 제시하면서 논의를 요청한 바 아국은 90년 11월 EC가 제시한 REQUEST에 대해서만 논의하고 금번 EC 가 제시하는 농산물에 대해서는 차기에 논의하기를 희망하였음.

통상국 2차보 통상국 통상국 경기원 재무부 농수부 상공부

PAGE 1 91.10.30 10:07 WH

외신 1과 통제관

0166

가. EC 제기사항 논의 내용

1) 수입국주류에 대한 차별과세 및 외국인의 주류유통업 제한

0 아국은 방위세 폐지, 1.1승수 폐지, 주류에 대한 관세법 및 주세법 개정 내용등, 최근의 수입주류에 대한 조치 내용을 설명하고 동 조치내용이 현 상황에서 아국의할 수 있는 최선의 조치임을 강조

0 이에 대해 EC 는 아직도 다음과 같은 불만사항이 있음을 강조하면서 이의 개선을 요구

- 수입주류에 대한 제서 부담이 여전히 높으며 종량세로의 전환 요구
- 주세의 과세 표준은 CIF 가격이 되어야 함.
- 주종간 세율 격차 축소 및 특히 수입 위스키와 국산 증류주간의 불평등한 주세율- 소주, 약주, 탁주등에의 교육세 면제가 수입주에 불평등한 효과를 초래함.

2) 국영무역(수입독점)

0 아국이 '90년에 국영무역 품목으로 GATT 에 통보한 다음과 같은 품목에 대해 특정기관이 수입을 독점하고 있다고 이의를 제기하여온 바, 아국은 본부에 확인하여추후 답변키로 함.

- HS280110, 280130, 283522, 283523, 3505, 380210

3) 불공정한 관세 평가

0 EC는 관련 업체간 수출입 물품에 대하 거래가격이 거부되고 결과적으로 이중과세가 됨을 주장하면서 복잡한 통관절차의 시정을 요구하여 온바, 아국은 1986 관세평가 협정 시행이후 국내법령을 정비하여 제반절차가 동 협정에 일치되게 운용되고있 는바 이의 운용과 관련 하여 이의가 있는 경우 국내 법령상의 구제 절차 또는 협정사의 분쟁해결 절차에 따라 다루어질 문제라 답변함

4) TBT CODE 상의 통보

0 EC 가 한국내의 TBT 관련 조치가 TBT우원회에 통보 되어야 함을 강조한 바, 아국은 동코드에 가입하고 동 코드상의 절차에 따라 모든 TBT관련 조치를 통보하고 있음을 설명

5) 정부 조달 협정 및 수입허거 절차 협정에의 가입

0 아국은 정부 조달협정에의 가입과 관련한 최근의 진전사항을 설명하면서 EC등의 적극적인 협조를 당부하고, 수입허가 절차협정에의 가입 여부도 신중히 검토하고 있음을 설명

6) 자동차 및 의약품에 대한 형식 승인

0 EC는 자동차에 대한 2만 KM 주행 시험이 국제적으로 이례적인 것으로서 무역 제한적인 조치임을 제기하여 온 바, 아국은 동 주행 시험이 수입차의 경우에는 서류 심사 처리되어 실제로 면제되고 있음을 설명하면서, EC 국가에서도 수입 자동차에 대해 서류심사를 하여 줄것을 요구하였음.

0 의약품에 대해서 아국은 일부 예외적인 경우에는 부분적인 3상 임시시험이 불가피함을 설명함.

7) 무역업 허가문제

0 EC 는 한국내의 무역업 허가 요건이 너무 과중함을 지적하면서 이의 폐지와 동 허가제를 등록제로 전환하여 줄 것을 요구하여 온 바, 아국은 동 문제를 본부에 전달할것임을 약속

8) 수입 다이아몬드에 대한 차별 과세

0 EC 는 50만원 이상의 다이아몬드에 부과되는 60퍼센트의 특소세가 너무 과중하며, 수입 다이아몬드에 대한 차별이라고 주장, 아국은 국내 상황을 설명하면서 동 특소세의 폐지는 당분간 어려움을 언급

9) 가격 표시제

0 아국은 동 수입가격 표시제가 소비자 보호 및 공정 유통질서 확립을 위한 제도로서 수입 억제를위한 것이 아님을 설명

10) 무역관련 융자 제한

0 EC 는 수입품에 대한 연지급 수입금이 매우 제한적임을 지적하여 온바, 아국은 동 연지급 수입제한에 대해서 설명하고, 동 대상 범위를 92년에 확대할 계획임을 언급

11) 동괴에 대한 과세

0 EC 는 동에 대한 아국의 고관세가 한국 동제련업자를 보호해 주고 있음을 지적하여 온 바, 아국도 조동(HS 7402) 및 전기동(HS 7403)의 관세인하 계획을 설명하면서 관세가 94년까지는 선진국 수준인 4-5 퍼센트 수준이 될것임을 강조

나. 아국 제기사항

1) 프랑스의 한국자동차 수입 규제문제

- 아국은 프랑스가 아국의 VAN 에 대하여 제반TEST가 끝났는데도 이를 계속 수입금지하고 있는 사례의 시정을 요구한 바, EC 는 동 사안의 처리는 EC 특정 회원국의소관사항이나 1993년부터 EC가 완전 통합되면 모든 제도가 단일화 되어 동

문제는 자동 해결될 수 있을것이라고 답변하면서 한국의 관심을 프랑스 당국에 전달할 것이라고 함.,

2) EC의 반덤핑남용 문제

0 또한 아국은 EC 가 반덤핑 조치를 가장 빈번히 활용하는 국가로서 그제도 운용에 있어 조사기관의 객관성, 관련자료의 미공개등에 불만을 제기 하고 특히 최근 계류되어 있는 DRAM과 CAR-RADIO 건에 대해 호의적 고려를 요청하였음.

0 이에 EC 는 동건은 반덤핑 CODE 상의 분쟁해결 절차에 따라 다루어져야 할 문제이나 아국이 동 사안을 서면으로 제시하여 주면 관련당국에 전달할 것임을 언급함.

다. 서면 교환 제의

0 EC 가 상기 비관세에 토의 내용을 서면으로 작성 교환하자고 제의한바 스위스제의시 답변한바와 같은 내용으로 답변하고 다만 아국 문제 제기부문에 대해서는 고려 예정임을 언급하였음.끝

(대사 박수길-국장)

0169

외 무 부

종 별 :

번 호 : GVW-2194 일 시 : 91 1030 1800

수 신 : 장관(통기,통이,통삼,경기원,재무부,농림수산부,상공부)

발 신 : 주 제네바 대사

제 목 : UR/시장 접근 양자협상(3)

10.29(화) 당지에서 개최된 표제협상 협의결과 아래 보고함.

1. 한.미 양자협상

가. 관세

- 미국은 아국이 9월 회의시 제시한 무세화 참여가능 품목리스트에 대하여 잠정적 반응임을 전제하면서, 미국업계에서는 아국이 전자.건설장비에의 폭넓은 참여와 목재, 종이,비철금속 분야등에도 참여 해 주기를 희망한다 하였음. 이에 대해 아국은 9월 회의시 제시한 아국입장이 현재로서는 최대한의 것이며 목재,종이,비철금속 분야는 수입 일방 분야로 참여가 곤란하다는 입장을 표명하고 아국의 관심분야인 섬유등에 대한 미국의 입장과 금주 분야별 복수국가간 회의가 개최되지 않는 이유를 문의함.

- 미국은 섬유는 여전히 국내에서 어려운 분야이고 복수국가간 협의 보다는 양자간 협의가 현시점에서 더욱 효율적인 방안이라 판단하고 있다고 답변하면서 아국의무세화 가능 품목 제시에 대한 미국의 각분야별 반응등을 논의하기 위하여11.1(금)다시 만나기를 제의한바 이에 합의하였음.

나. 비관세

1) 소나무 재선충으로 인한 목제품 수입제한

- 미국은 아국의 국립임업시험소 전문가가 10월초에 미국을 방문, 미측이 제시한KILN DRYINGMETHODS 가 효과적이라는 의견을 제시했고 국립식물 검역소에 동의견을전달하겠다고 하였음을 전언하면서 KILN DRYING METHODS 에 대한 아측의 공식통보를언제쯤 받을수 있는지 문의하여온바, 아측은 동 전문가들과 접촉하여 사실 확인후 차기에 답변키로 함

2) 소프트웨어에 대한 관세 평가

- 미국은 종전과 같이 관세평가 위원회 4.1(2)대로 SOFTWARE 가격을 제외한

통상국 2차보 통상국 통상국 경기원 재무부 농수부 상공부

PAGE 1 91.10.31 10:06 DQ

외신 1과 통제관

0170

매체자체의 가격을 관세 평가 기준으로 해줄것으로 요구하면서,한국이 실시하고 있는첨단기술 마그네틱 테이프및 디스크의 관세 감면이 일시적이며 대상품목 선정이 자의적임을 지적

- 아국은 이에대해 현행 한국의 관세 평가제도가 관세평가 협정에 합치되고 있음을 재차 강조하였음.

3) 과일 쥬스에 대한 수입제한

- 미국은 잔존 수입규제하에 있는 쥬스류의 수입자유화를 거론하여 온바, 아국이구체적 품목을 제시할 것을 요구하자 다음번 회의때 알려줄 것을 약속

4) 쵸코렛, 설탕제품에 통관상 애로

- 미국은 쵸코렛 통관시 통관지연, 서류의 반복제출등 쵸코렛의 위생 검사제도가여전히 수입 제한적임을 지적하면서 쵸코렛 및 설탕제품의 LABELLING 문제(성분 함량표시등)를 새로이 제기해옴

- 아국은 일전에 설명한 바아같이 검역소에의 장비도입등 통관절차가 많이 개선되었음을 강조하면서 미국의 쵸코렛 통관절차에 구체적인 자료를 요구하였음.

5) 수입허가 절차 협정가입

- 미국은 동 협정에의 가입여부에 대한 아국의 입장을 재차 문의한바 본국에서 가입 검토중이라변함

2. 한.핀랜드 양자협상

- 아국과 핀랜드는 앞으로의 시장접근 협상에서도 타분야에서 결정적 계기가 주어지지 않는한 그 타개에 어려움이 계속될 것이라는데 의견을 같이하고 특히 핀랜드는시장접근 분야에서는 여타분야와는 달리 농산물 협상에서 극적인 합의가 이루어진다하더라도 품목 COVERAGE 에 대한 논쟁은 계속될 것이라는 견해를 피력함

- 또한 양국은 최근 미국과 EC간에 구체적인 품목을 기초로 협상이 진행되고 있는바, 이는TRANSPARENCY 측면과, 많은 참여국의 균형된 이익 반영 차원보다는 양국간의 관심사항 중심으로 협상이 진행될 가능성에 우려를 같이함.

- 핀랜드는 의약품 무세화 및 화학제품 관세조화 방안에는 관심이 있으나 비철금속,종이, 목재등 여타 분야에는 관심이 없음을 전언한바, 아국도 분야별 접근 방법에 대한 아국의 기본입장을 설명함.끝

(대사 박수길-국장)

원 본

외 무 부

종 별 :

번 호 : GVW-2195 일 시 : 91 1030 1800

수 신 : 장 관(통기,경기원,재무부,농림수산부,상공부)

발 신 : 주 제네바대사

제 목 : UR/시장접근 협상 그룹 공식회의

10.30(수) 개최된 표제회의 토의요지 아래보고함.(본직, 엄재무관,김재무관보, 재무부허사무관, 상공부 윤사무관 참석)

1. 협상전반에 대한 평가 및 양자협상 현황 보고

- 의장은 그간 주요국간 비공식협의 결과를 보고한 바, 열대산품에 대하여는 개도국이 우선 관심품목을 제시하기로 하였으나 제시되지 않았음을 상기시키고 분야별 접근방법등에 대하여는 아직 관심국가간 협상이 진행중이므로 결론을 유도하기에는 시기 상조이며, CREDIT부여문제에 대하여는 사무국이 GUIDELINE 을 제시하여 이를 기초로 논의가 진행중이라고 말함.

- 브라질을 필두로 우루과이, 엘살바도로, 베네주엘라등 중남미 국가들은 협상진전상황에 실망을 표시하면서, 개도국의 관심품목에 대한 선진국의 기여가 미흡한데강한 불만을 토로하고 특히 열대산품, 천연자원산품등을 포함하는 농산물과 섬유류등에 대한 선진국의 성의 표시를 재촉구함.

또한 이들 국가들은 이러한 자국의 관심사항이 REV 2 에 반영되지 않을 경우 이를 받아들일수 없다고 함.

- 말레이지아는 자국은 양자협상을 통해 기존 OFFER 를 수정할 용의가 있으나 여타 교역국은 그렇지 못하는데 실망을 표시하고 특히 농산물 시장접근에서의 진전이부진한데 대해 불만을 토로하고 세네갈, 모로코, 파키스탄, 아이보리코스트등도 열대산품에 대한 선진국의 성의 표시를 촉구함.

- 미국은 관세, 비관세를 포함하는 제반조치에 대한 BIG PACKAGE 를 도출하기 위해양자협상등을 진행중이며 이러한 노력을 계속할 것이라 언급하고 EC 도 주요국간협상을 진행중이며 특히 개도국이 제기하는 TARIFF PEAK 완화, N.T.B.의 폐지, 섬유류에 대한 실질적 시장접근 개선도 자국이 추구하는 협상 목표임을

통상국 2차보 경기원 재무부 농수부 상공부

PAGE 1

91.10.31 09:37 WH

외신 1과 통제관

0172

상기시킴

- 일본, 카나다도 그간 20여개국간 N.T.B.를 중심의제로 하여 양자협상을 진행하였음을 언급하였고, 앞으로의 집중적 양자협상진행(소위 BAZAAR)과 관련하여 이것이문제해결의 유용한 방법이긴 하나 실제로 (1)특정 OFFER 에 부착된 조건을 어떻게 제거하느냐에 대한 방법 제시와 (2) 관세는 더많이 인하되어야 하고 예외없이 모든 물품에 대한 관세 인하가 이루어져야 한다는 확실한 전제(COMMITMENT) 하에서 이루어져야 현실적임을 언급함

또한 이들 국가는 REV.2 중 시장접근 분야에 대해서 브랏셀회의에서 처럼 백지 상태로 남겨둘 수는 없을 것이라 함.

- 아국은 협상진전 상황이 부진하다는 평가에 공감을 표시하고 시장접근협상 결과가 전체 UR협상에서 중요한 부분이므로, REV 2 에 동 협상결과가 반영되어야 할 것임을 지적하였음. 또한 아국은 비관세를 중심으로 10여개국과 양자협상을 진행하였음을 언급하였고, 특히 주요교역국간 조속한 합의가 이루어져 시장접근전체 협상을 촉진시키도록 촉구함과 동시에 이를 위해 의장의 노력을 재차 요망함.

2. CREDIT 부여문제

- 현재 협의중이므로 차기회의시 재론키로 함.

3. 차기 회의일정

- 앞으로의 회의일정을 확정할 수는 없으나 필요시 즉각 소집할수 있는 상태로 당분간 유지할 것이라 하고 그간 양자간, 복수국가간 협상 계속을 촉구함.

- 또한 자신의 주관하에 주요국간 비공식협의를 개최할 계획이라 함.끝

(대사 박수길-국장)

PAGE 2

0173

원 본

외 무 부

종 별 :

번 호 : GVW-2260 일 시 : 91 1106 1730

수 신 : 장 관(통기,경기원,재무부,상공부)

발 신 : 주 제네바대사

제 목 : UR/시장접근 협상 화학제품 관세조화 제안

당지 EC 대표부는 별첨 화학 제품 관세조 화제안(별첨)에 관한 토의를 위하여 주요국간회의를 소집하였는 바, 논의 요지 아래보고함.(엄재무관 참석)

가. EC 는 동 제안이 EC, 미국, 카나다 화학업계에 의해 공동으로 작성된 것임을설명하고 미국, 카나다로부터 이에 대한 확인이 있었음.

나. 스웨덴, 스위스, 오지리, 호주, 놀웨이, 핀란드등은 이를 긍정적으로 검토하겠다는 의견을 표시하고, 스웨덴, 스위스는 제 4항 예외조치가 지나치게 광범위하다는 우려를 언급함. EC는 제 4장에 나열된 예외 조치가 택일적인 성격으로 이해 하여야 할것이라고 설명함.

다. 아측은 잠정적 견해임을 전제로 동 제안이 업계간에 작성된 것으로써 이를 정부간협상에서 직접 기초로 삼는 것은 부적절하므로 정부의 제안 형태로 재작성 되어야 함을 주장하는 한편, 다음의 사항을 발언함.

- 협상의 기초 세율은 현행 세율이 아니고 UR협상 기준 세율임.

(EC 측의 동의에 의한 확인이 있었음.)

- 참가 대상국에 많은 개도국이 포함되어 있으므로 조화 목표 세율을 선진국과 개도국간에 분리설정하는 것이 바람직함.

- 기타 분야별 협상과 중복되는 품목(예:의약품등)은 본 협상의 대상이 아닌 것을 확인요청(EC 측의 확인이 있었음)

- 제 4항에 나열된 조치를 택일적인 것으로 해석하는 데는 어려움이 있음.(이에대하여 미국이 동감을 표시하였음.)

- 현행 세율이 조화세율 이하인 국가는 관세인하 의무가 없고 기타 국가만 인하의무를 부담하는것은 불합리함.

- 제 4항의 예외조치 인정 방법은 자국 산업의 어려움을 해당국 협상 당국이 인정

통상국 2차보 경기원 재무부 상공부

PAGE 1 91.11.07 08:40 WH

외신 1과 통제관

0174

함으로써 가능한 것인지에 대한 확인 요청(EC측의 확인이 있었음.)

첨부: 화학 제품 관세조화 공동제안. 끝

(GVW(F)-484)

(대사 박수길-국장)

GVW(F)-0484 11106 1800
"GVW-2260 첨부"

Canadian Chemical Producers' Association
Chemical Manufacturers Association (USA)
European Chemical Industry Council

October 28, 1991

JOINT FRAMEWORK AGREEMENT FOR TARIFF HARMONIZATION IN THE URUGUAY ROUND

1. The tariff levels of all products contained in Chapters 28 - 39 of the Harmonized Tariff System should be harmonized and bound. Harmonization shall start from currently applied MFN rates.

2. The harmonization will be phased as follows:

Tariff Level	Harmonization Level (See Attachment)	Time Frame
10 % or less	5.5 - 6.5 percent	5 years
10.1 - 25 %	6.5. percent	10 years
> 25 %	6.5. percent	15 years

Applied tariffs currently below the harmonization levels remain the same subject to the provisions of paragraph 3.

3. Reduction of tariff levels below the specified harmonization level, including total elimination of tariffs, is a viable goal in certain sectors or for specific products and should be supported by negotiators.

4. There will be no exceptions to the harmonization agreement per se. The above phasing schedule is intended to accomodate products which may be sensitive to tariff reductions. However, manufacturers of products which may be most sensitive to tariff reductions must justify their claims to their respective negotiators. Only those products so justified need not be subject to the provisions of ¶ 2, but may be granted the following treatment:
   A. Phasing shall not exceed 15 years
   B. The harmonization level may be different than those specified above.
   C. Tariff reductions will be no less than 30% and be in the spirit of the harmonization agreement.

OCT-29-91 TUE 12:49 INT BUS SERVICES FAX NO. 4163678682 P.03

0176

3-1

5. If, within the phasing periods, import surges occur such thatimports of specific products are significantly in excess of the trend for a reasonable base period, affected parties will be allowed to delay tariff cuts for justified time periods. Such delays shall not affect the achievement of the final deadline for tariff harmonization.

6. Country coverage must be as complete as possible and should strive to include: Argentina, Australia, Austria, Brazil, Canada, the European Community, Finland, India, Indonesia, Japan, Korea, Malaysia, Mexico, New Zealand, Norway, Singapore, Sweden, Switzerland, Thailand, Venezuela and the United States of America.

7. Tariff harmonization in accordance with the above criteria is subject to reduction and elimination of non-tariff measures which have been identified to the negotiators by their respective country chemical industries.

8. This agreement should be considered an integral part of the total Uruguay Round package. It is recommended that this agreement supercede previous tariff offers in the chemical sector.

OCT-29-91 TUE 12:50 INT BUS SERVICES FAX NO. 4163678602 P.04

3-2

0177

October 28, 1991

ATTACHMENT I

HARMONIZED TARIFF SCHEDULE LEVELS	CHEMICAL TARIFFS HARMONIZATION
Chapter 28 1/	5.5 percent
Chapter 29 1/	
2901 - 2902	0 percent
2903 - 2915	5.5 percent
2916 - 2942	6.5 percent
Chapter 30 1/	0 percent
Chapter 31 2/	6.5 percent
Chapter 32	6.5 percent
Chapter 33 2/	6.5 percent
Chapter 34 2/	6.5 percent
Chapter 35 1/	6.5 percent
Chapter 36	6.5 percent
Chapter 37	6.5 percent
Chapter 38 1/, 2/	6.5 percent
Chapter 39 2/	6.5 percent

1/ Where appropriate, the pharmaceutical 0-for-0 offer applies.

2/ The industry will seek lower harmonization levels within these HTS chapters.

0178

3-3

원 본

외 무 부

종 별 :

번 호 : GVW-2285 일 시 : 91 1108 1900

수 신 : 장 관(통기,경기원,재무부,농수부,상공부)

발 신 : 주 제네바대사

제 목 : 던켈총장의 TNC보고관련 협상분야별 분석평가(1-시장접근)

(1-시장접근)연: GVW-1514

연호 TNC 회의 던켈 총장 보고중 시장접근분야에 대한 당관 분석 평가를 아래 보고함.

- 현재 논의되고 있는 모든 쟁점을 전부 나열하고 있으나, 지난 6월 제시된 의장OPTION PAPER 와비교시 다음과 같은 특징을 발견할수 있음.

0 협상 COVERAGE 에 대하여 언급이 없는바, 이는 농산물, 섬유류등은 해당 그룹에서 먼저 논의된이후 전체를 하나의 PACKAGE 로 다루어져야 한다는 접근 방식에서 작성된 것으로 보여짐. 따라서 농산물 및 섬유류에 대한 선진국의 관세 OFFER를 보기전에는 자국의 교역이익 균형여부를 측정하기 곤란하다고 주장해온 농산물 수출국 및개도국의 종래 입장이 반영되어 있지 않음.

0 분야별 접근 방식에 있어 무세화와 관세조화방안을 균형있게 언급하고 있으나이러한 분야별접근 방식과 각료 선언상의 목표와의 관계에 대한 결정이 필요하다고언 급함으로써 그간 아국을 포함한 북구, 스위스, 호주 등 많은 국가들이 주장해온 ' 선목표 달성 후 분야별 추가 관세인하' 입장을 염두에 두고 있는 것으로 사료됨.이러한 입장의 긍정적 반영은 미국의 OFFER개선을 간접적으로 시사하고 있음.

0 개도국 관세양허 확대에 대한 CREDIT 부여 및 비관세 조치의 자발적 자유화에대한 RECOGNITION문제는 계속 주요 쟁점으로 다루고 있으나 이를 시행하기 위한 방안이 모색되지 못함에 따라 종전의장 입장으로 부터 진전된 내용을 담고있지 않음. 끝

(대사 박수길-국장)

통상국 2차보 경기원 재무부 농수부 상공부

PAGE 1 91.11.09 09:01 WH

외신 1과 통제관

0179

주 제 네 바 대 표 부

제네(경) 20644-847 1991. 11. 5

수 신 : 장 관

참 조 : 통상국장, 재무부장관, 농림수산부장관

제 목 : 수산물에 대한 미국의 country list 및 country plan 송부

1991. 9.26 수산물 무세화를 위한 미국의 수정제안과 관련하여 미국이 제시한 country list 및 country plan을 별첨 송부합니다.

첨부 : 수산물에 대한 미국의 country list 및 country plan 1부. 끝.

주 제 네 바 대 사

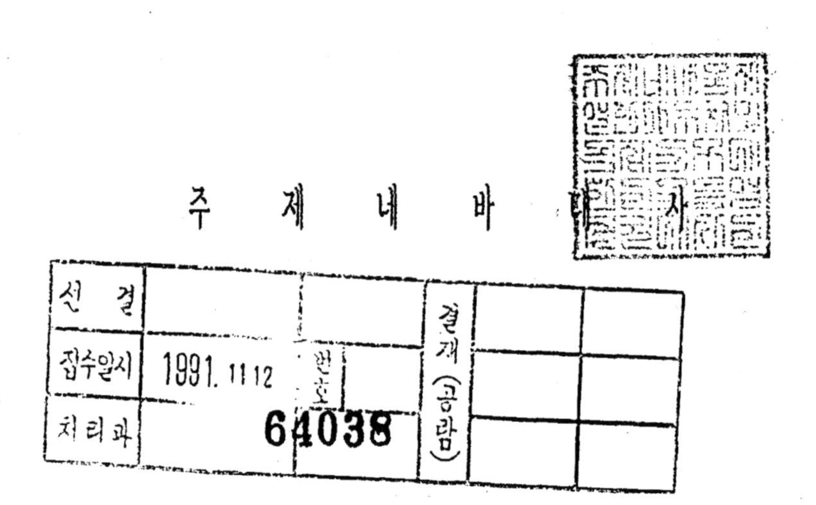

선 결			결재 (공람)		
접수일시	1991. 11 12	번호			
처리과	64038				

0180

SUBMISSION OF THE UNITED STATES

ANNEX A -- COUNTRY LIST (TRANSPARENCY)

POLICY/PROGRAM	1988 ESTIMATED VALUE	PURPOSE/ DESCRIPTION
NON-TARIFF MEASURES		
1. Tariff-rate quota on canned tuna in water		6% within quota; 12.5% out of quota. Quota based on previous year's pack.
2. Nicholson Act effect on transshipment		The Nicholson Act prohibits using foreign bottoms for landing fish caught on the high seas.
EXPORT SUBSIDIES		
None		
COMMODITY-SPECIFIC GOVERNMENT ASSISTANCE		
None		
OTHER GOVERNMENT ASSISTANCE		
1. Fishery Obligation Guarantee (FOG) Program	6.4 million	Loan guarantee program for construction or reconstruction of fishing vessels or shoreside facilities.
2. Capital Construction Fund (CCF)	7.1 million	Authorizes deposits of income on which taxes are deferred, and approved withdrawals for vessel construction or reconstruction. Deferred taxes are recouped by way of adjusted depreciation schedules.

0181

3.	Fishermen's Loan Fund (FLF)	0.2 million	An appropriated fund for loans to high-risk fishing ventures. The program has been terminated.
4.	Saltonstall-Kennedy Grants (S-K)	9.3 million	Funded by transfers of tariff revenues on marine products from USDA. Most of the transferred amount is used to finance Government operations. A variable amount, subject to appropriation, funds individual fishery management and development projects.
5.	National Seafood Promotional Council	2.6 million	The Council is authorized through calendar year 1991 only. Its function was to prepare and implement an annual (mainly domestic) seafood marketing promotion plan and budget.
6.	Fishing Vessel and Gear Damage Compensation Fund	0.9 million	Used to compensate U.S. fishermen whose vessels have been lost, damaged, or destroyed by foreign or domestic vessels, and to indemnify such fishermen against the commercially uninsurable loss of fishing gear caused by any vessel and a portion of the associated economic loss. Funds are provided from interest on foreign fishing fees collected prior to FY 84.
7.	Fishermen's Contingency Fund	0.7 million	Used to compensate fishermen for damage or loss of fishing gear and associated economic loss caused by obstructions related to oil and gas exploration, development, or production in any area of the Outer Continental Shelf. Funds are provided by the oil and gas industry.

8.	Fishermen's Guarantee Fund	0.9 million	Used to pay fines and economic losses in connection with the seizure by a foreign Government of a U.S. vessel under jurisdiction not recognized by the United States. Funds are provided from interest on fees collected from fishermen prior to FY 92.
9.	Generally-available programs of the U.S. Department of Agriculture	NA	Disaster assistance, loans, extension services, marketing assistance, food aid.

0183

ANNEX B -- COUNTRY PLAN

POLICY/PROGRAM	GOAL AND METHOD OF REDUCTION	TIME TO REACH GOAL	COMMENTS
TARIFFS (See attachment 2)			
NON-TARIFF MEASURES			
1. Tariff rate quota on canned tuna	No offer		Tuna products are excepted from the U.S. proposal.
EXPORT SUBSIDIES			
None			
COMMODITY-SPECIFIC GOVERNMENT ASSISTANCE			
None			
OTHER GOVERNMENT ASSISTANCE			
1. Fishery Obligation Guarantee (FOG) Program	We will seek no authority for <u>new</u> guarantees. (Authority to finance resale of acquired collateral may be sought.)	Done each budget cycle.	Existing portfolio of guarantees will continue to be serviced. Will require legislative action each FY.
2. Capital Construction Fund (CCF)	Seek repeal	Two years	To repeal the law requires legislative action. Existing accounts will continue to be serviced.

0184

3.	Fisherman's Loan Fund (?LF)	No action		Existing loans will continue to be serviced and eventually will reach zero balance.
4.	Saltonstall-Kennedy Grants (S-K)	Re-orient	Each budget cycle	Annual solicitation will not include grants aimed at direct industry assistance affecting competitiveness.
5.	National Seafood Promotional Council	Oppose extension	Immediate	Funding runs out at the end of calendar 1991.
6.	USDA programs	In accordance with agreement in the Agriculture Negotiating Group.		

0185

원 본

외 무 부

02

종 별 :

번 호 : GVW-2358 일 시 : 91 1118 1800

수 신 : 장관(통기,경기원,재무부,농림수산부,상공부)

발 신 : 주제네바대사

제 목 : UR/시장접근 비공식 협의

11.18(월) 당지에서 개최된 표제 논의 내용 아래보고함.(재무부 조건호국장, 엄재무관, 김재무관보 참석)

가. 의장은 향후 2주간 모든 참가국이 양자간, 다자간협의를 집중적으로 진행하여 협상 타결의 돌파구를 마련하기를 촉구하고 각 협상자들이 신축성을 가지고 임할것을 동시에 촉구하면서 특정 주요 참가국은 협상 담당자들로 하여금 TARIFF PEAK특정 부문에 대한 무관세 및관세조화 분야에 대한 합의도출을 추진토록 하였음을 상기시켰음.

나. 또한 의장은 이러한 노력의 일환으로

1) 11.22(금) 열대산품

2) 11.25(월) 분야별 무관세 및 관세 조화

3) 11.27(수) 천연산품

4) 11.28(목) 비관세 분야들의 협상진전 상황을점검하고

5) 11.29(금) 시장접근 그룹 공식회의 개최예정.끝

(대사 박수길-국장)

통상국	장관	차관	2차보	청와대	안기부	경기원	재무부	농수부
상공부								

PAGE 1

91.11.19 07:45 FE

외신 1과 통제관

0186

원 본

외 무 부

종 별 :

번 호 : GVW-2346 일 시 : 91 1115 1730

수 신 : 장 관(통기,경기원,재무부,농수부,상공부)

발 신 : 주 제네바대사

제 목 : UR/시장접근 비공식 협의표제 협상그룹

Copy: 3부

DENIS 의장은 향후 협상진행과 관련하여 협상 참여국들은 선진국 및수개 개도국그룹으로 나누어 협의를 진행하고 있음. 아국 은 11.15 아시아지역 개도국들과 함께초청되어 동 협의를 가졌는바, 요지 아래 보고 함.

(본직 및 엄재무관 참석)

1. 동 의장은 지난번 헤이그에서 주요국 정상간협의 이후 양국간에 실질적 논의가 진행중이며 시장접근 분야에서도 몬트리올 목표를 달성 또는 초과하는 PACKAGE 가가능하다고 당사국들로부터 전해들었다고 하면서 시장접근 분야도 향후 2주일간 다른 협상 분야와 병행하여 활발한 협상을 진행시킬 예정이라고 하였음.

- 11. 18(월)에는 비공식 회의를 소집하여 논의하고 다자간 또는 양자간 협상 진행을 위하여 갓트에 장소를 별도로 마련하겠음.

- TRANSPARENCY 를 위하여 협상의 진행을 면밀히 관찰하겠으며, 이를 위하여 11.27(수)에는 협상의 진전 및 장애를 점검하는 기회를 갖겠음.

2. 태국, 싱가폴, 인도, 필리핀, 홍콩등은 농업등 타분야 및 시장접근 내에서 분야별 협상등의 전망이 불명확한 것이 협상 진전을 가로막고 있다는 지적을 하였으며, 아측도 동 의장의 협상진행 계획을 지지하면서, 주요국이 새롭게 제시할 OFFER 가 MONTREAL TARGET 를 달성할 것이라는 소식은 바람직하나 이것이 종전과 같이 (분야별무관세 제안등) 조건부적인 것이어서는 곤란하다는 지적과 함께 가능한 한 조속히 이러한 협의 결과가 공표되어야 할것이라고 언급하였음.

3. 위 의장의 협상일정에 따라 당지에서는 다자간 협상에 참여하는 외에 19(화)오후 일본 및 20(수)오전 미국등과 양자 협상을 갖기로 하였으며, 기타국과도 양자협상 일정을 협의하고 있음. 끝

(대사 박수길-국장)

통상국 2차보 경기원 재무부 농수부 상공부

PAGE 1 91.11.16 08:23 WH

외신 1과 통제관

0187

원 본

외 무 부

종 별 :

번 호 : GVW-2241　　　　　　　　일 시 : 91 1104 1630

수 신 : 장 관 (통기,경기원,재무부,농림수산부,상공부)

발 신 : 주 제네바 대사

제 목 : UR/ 시장접근 양자협상(미국)

연: GVW-2194

11.1(금) 재개된 표제협상 토의 요지 아래보고함. (엄재무관,김재무관보 참석)

1. 아국의 무세화 입장 제시 91.9.25 에 대한 미국의 반응

가. 건설장비- 미국은 EC 와의 양자협상시 동 부문에 EC가 신축성 (NEW FLEXIBILITY)을 개고 일부 참여를 검토하고 있음을 전언하면서 아국의 참여가 특정부문에 한정 되어 있는데 의문을 표시하고 구체적으로

(1) H.S. 8409 중 부품 (PARTS) 에만 참여하고 디젤엔진 자체에는 참여하지 않는 이유

(2) H.S.8429 (특히 불도저 등) 가 제외되어있는점

(3) 농업용 기계에 대해서는 전연 언급이 없는점 등을 지적함

- 이에 아국은 아국의 참여가능 LIST 는 국내업계와의 협의결과로서 이에 제외되어 있는 품목은 국내업계에 민감품목임을 설명하고 미국과 EC 간의 협상 진행방식이 협상전체의 TRANSPARENCY 측면에서 문제점이있는바, 그 진전 상황을 그때 그때 알려주기를 요청하였음.

나. 전자, 비철금속,종이,목재

- 미국은 의료장비 부문에 EC 의 참여가 긍정적으로 논의되고 있음을 전언하면서

(1) 동 부문에의 아국참여

(2) 콤퓨터 장비 (COMPUTER EQUIPMENT) 에의 아국참여를 요청함

- 비철금속 분야에서는 일본의 동 (COPPER)부문에, 미국이 아연 (ZINC) 부문에EC 가 알루미늄 부문에 어려움이 있음을 전언하면서, 아국도 일부 참여를 재차 요청함.

- 종이, 목재분야에서는 미국의 업계가 섬유업계와는 달리 U.R. 진행을 가장 긍정적으로 지원해 주고 있음을 전언하면서 아국의 참여를 요청하고, 의약품에

통상국　2차보　경기원　재무부　농수부　상공부

PAGE 1　　　　　　　　91.11.05 09:16 WG

외신 1과 통제관

0188

대하여도 미국의 업계가 아국의 참여에 대해 관심을 갖고 있다고 하면서, 아국이 무세화 전체에 참여시 아국이 미국시장에서 받을수있는 교역 이익을 분석한 PAPER 를 제시함(별첨 참조)

- 아국은 종전입장에 따라 아국의 입장을 설명함

다. 수산물

- 미국은 아국도 수산물 수출이 많으므로 무세화시 상당한 이익이 있음을 언급하면서, 무세화에의 참여를 재차 요청하고 특히 다음사항을 지적함

(1) 0303.3900 (YELLOWFIN SOLE), 0306.1490 (OPILIO CRAB), 0304.9010 (SURIMI)의 수입제한 철폐 계획 및 조속철폐 요망

(2) 뱀장어 (EEL MEAT) 와 대구 (COD HEAD) 가 세관에서 각각 달리 품목분류되는 문제를 제기함.

- 이에 아국은 무세화 참여문제 수입제한 철폐계획등은 기존입장에 따라 설명하였고 기타문제는 본부에 전달하겠다 함.

2. 미국의 OFFER 제시

- 미국은 아국이 제시한 섬유, 신발등의 RUQUEST에 대하여 별첨 OFFER LIST 를 제시한바, 이는 아국은 이미 무세화 참여가능 품목 LIST 를 제시하였으나 미국은 아국의 관심품목인 섬유.신발류에 대한 미국의 OFFER 제시가 없는것을 그간 아국이 수차례에 걸쳐 지적한데 대하 1차적 반응으로 보여짐.

첨부: 1. 아국의 교역 이익 분석 PAPER

2. 미국의 OFFER LIST

(GVW(F)-0476). 끝

(대사 박수길-국장)

< 첨부 : 1 > GVW(F)-0476 11/04 1630

KOREA "GVW-2241 첨부"

OVERALL EFFECTS

The U.S. offer covers 68.7 percent of dutiable U.S. trade of $18.7 billions for 1989.

HS chapters	Dutiable Trade 1/ (thousands)	TWA Depth of cut	Base AVE	Offer AVE
Total	18,696,626	22.2	8.2	6.4
1-24	86,886	77.7	6.3	1.4
50-63	2,993,160	4.9	20.4	19.4
All other	15,616,580	33.3	5.9	3.9
25-99	18,609,740	22.0	8.2	6.4

1/ Trade includes "offers" and "no offers".

MAJOR SECTORS

-- a 64.9 percent tariff reduction on $5.4 billion in HS chapter 85 electrical machinery exports, with the average tariff falling from 4.4 to 1.6 percent, for potential duty savings of $144 million.

-- an 87.8 percent tariff reduction on $1.7 billion in HS chapter 84 machinery exports, with the average tariff falling from 3.8 to 0.5 percent (this does not include machine tools covered by the Voluntary Restraint Agreements (VRAs) with certain trading partners, for a potential duty savings of $57 million.

-- a 79.4 percent tariff reduction on $575 million in HS chapter 95 toy exports, with the average tariff falling from 6.6 to 1.4 percent, for potential duty savings of $30 million.

0190

5-1

Korea--page 2

MAJOR ITEMS

Zero-for-zero items

-- HTS number 8542.11.00 (digital monolithic integrated circuits): $1.5 billion in trade offered at a 100 percent reduction (from 4.2 percent to Free--note, applied at Free) saving $64.3 million in duties collected;

-- HTS number 8471.92.40 (other display units): $460.6 million in trade offered at a 100 percent reduction (from 3.7 percent to Free) saving $17.9 million in duties collected;

Outside zero-for-zero items

-- HTS number 8521.10.00 (magnetic tape-type reproducing apparatus): $551.5 million in trade offered at a 100 percent reduction (from 3.9 percent to Free percent) saving $21.5 million in duties collected;

ZERO-FOR-ZERO ANALYSIS

The sectoral initiatives represent a duty savings on Korean products in our market of $222.9 million, or 14.5 percent of all duties currently charged on U.S. imports from Korea in 1989.

Potential duty savings in other markets (based on 1988 data) include:

-- In the Japanese market, potential duty savings of $124.8 million;

-- In the EC market, of $86.3 million;

-- And assuming that they join in all nine initiatives, in Australia's market, of $16.8 million.

Korea--page 3

The following table presents more detail on the nine sectors in our market:

U.S. Imports from the country in the
Nine "Zero for zero" sectors and
U.S. Calculated Duties
($ million)
1989 U.S. Import Statistics

Sector	U.S. imports	Calculated duties collected	Average duty
Beer	0.7	0.0	1.9
Construction equipment	41.7	0.9	2.2
Electronics:			
ADP equipment	1,377.8	52.3	3.8
General electronics	471.9	18.6	3.9
Medical/scientific equip	251.7	13.0	9.0
Semiconductors	1,831.8	76.9	4.2
Semi. mfg. equip.*	19.4	1.0	5.3
Telecommunications equip.	427.1	27.7	6.5
Total	4,379.7	189.5	4.3
Fish	37.5	1.8	4.9
Non-ferrous metals	58.7	2.6	4.5
Pharmaceuticals[1]	0.6	0.0	3.7
Paper	58.3	2.3	3.9
Steel	668.5	25.3	3.8
Wood	6.5	0.4	5.9
Total	5,252.4	222.9	4.2

[1]Pharmaceuticals reflect trade in HS Chapter 30 only.

*Does not include trade in machine tools currently subject to voluntary restraint agreements (VRAs) with certain trading partners.

5-3

0192

Korea--page 4

ZERO-FOR-ZERO REQUESTS

The U.S. has requested that Korea sign on to the following sectoral initiatives:

Construction
Equipment
Electronics
Fish
Non-Ferrous
Paper
Steel
Wood

If Korea were to accept all of these initiatives, their offer would improve from a 32 percent depth of cut on industrial items to a 67 percent depth of cut. This 35 percentage point increase is broken out as follows:

Construction Equipment	1 point
Electronics	30 points
Fish	0 points
Non-Ferrous	0 points
Paper	2 points
Steel	0 points
Wood	2 points

Our offer currently (with 0/0 included) represents a depth of cut of 23 percent.

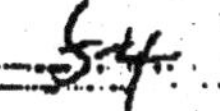

0193

<첨부 2>

U.S. Offer to Korea: improvements 10/91

HS item	Description	Oct.'91 Offer
5112.11.00.Y	woven fabrics	22
5112.11.00.Z	woven fabrics	32
5112.19.60.X	woven fabrics	22
5112.19.60.Y	woven fabrics	32
5407.92.10	woven fabrics	12
6115.92.10	cotten hosiery	16
6203.49.10	mens overalls	15.5
6204.61.00	women's trousers	15.5
6211.20.70	women's ski suits	15
6403.20.00	leather footwear	0.0
6912.00.47.X	misc. ceramics	0.0

5-5

0194

재 무 부

우 427-760 경기도 과천시 중앙동 1 / 전화 (02)503-9297 / 전송

문서번호 국관 22710-525
시행일자 1991. 11. 19. ( )

수신 외무부장관
참조 통상국장

선결			지시		
접수	일자 시간		결재·공람		
	번호	38638			
처리과					
담당자					

제목 수산물 무세화 협상 추진

1. GVW-2241('91.11.4) 관련입니다.

2. '91.11.1. UR 한·미 수산물 양자협의시 표제건과 관련하여 미측이 제기한 사항에 대하여는 동건이 한·미 통상문제 실무위원회에서 다루어지고 있는 사안인 바 UR 협상 차원이 아닌 동위원회에서 다루어지는 것이 타당하다는 기본입장을 피력하고 구체적인 사안에 대한 아국입장을 수산청의 의견을 받아 별첨과 같이 통보하오니 적절한 기회에 미측에 전달하도록 필요한 조치를 위하여 주시기 바랍니다.

첨부 : 1. 제네바 주재 대사에 대한 훈령(안) 1부
2. 관련 HS Explanatory Notes 1부. 끝.

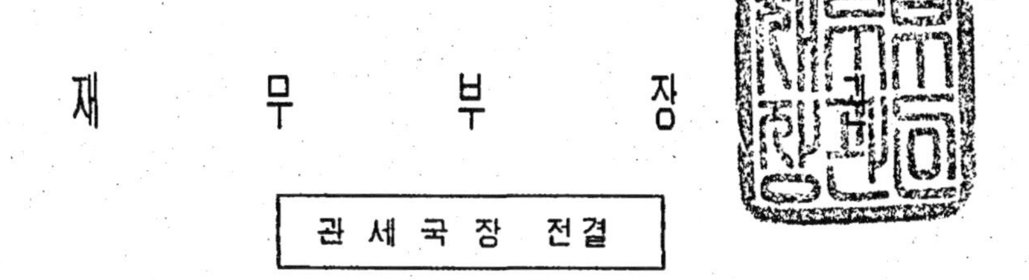

재 무 부 장

관 세 국 장 전결

0195

1. 수입제한 철폐계획 및 조속 철폐 요망

o 수입제한 해제요청 품목 내역 및 아국의 HS 분류

미국의 요청 내역		아 국 의 HS	
H S	품 명	H S	품 명
0303.39.00	Yellow fin Sole	0303.39.0000	기타 넙치류(냉동) - 93년 수입자유화
0306.14.90	Opilio Crab	0306.14.9000	기타 게 (냉동) - 94년 수입자유화
0304.90.10	Surimi	0304.90.1010	명태연육(냉동) - 95년 이후 수입자유화 검토
		1090	기타의 연육(냉동) - 92년 수입자유화

o 위 품목들에 대한 수입자유화 계획

- Yellow fin Sole에 해당하는 아국의 품목분류HS는 0303.39.0000으로서 '93년에,
- Opilio Crab에 해당하는 아국의 품목분류 HS는 0306.14.9000으로서 '94 년에 자유화할 계획이며
- 0304.30.10 SUrimi에 대해서는 아국에서는 0304.90.1010 명태연육 및 0304.90.1090 기타의 연육으로 2분화되어 이중 0304.90.1090 호는 '92년도에 수입자유화하게 됨
- 아국에서는 '89.10 GATT/BOP 합의에 따라 2차에 걸쳐 수입자유화계획을 GATT에 통보토록되어 있어 이에따라 제1차 수입자유화계획('92-'94년도분)을 확정 예시하고 이를 GATT에 통보한 바 있슴
- 이들 자유화계획은 GATT/BOP합의에 따라 일반적으로 균형되게 실시토록 되어 있으나 아국은 수산물에 대해서는 '92-'94년중에 107개 잔여제한품목중 과반수가 넘는 61개품목(57%)을 자유화 예시하였슴
- 이들 자유화품목은 국내의 어민 단체,관계 기관등과의 수차례에 걸친 회의 결과에 따라 도출된 합의사항으로 더 이상의 추가 또는 변경조치는 불가하며 더구나 아국의 GATT/BOP합의이행에 대해서는 각국이 자국의 요구나 권리를 자제토록 한 합의에 따라 행동하여야 할것임.

0196

2. 대구머리,먹장어 육 품목분류 문제

o 아국의 대구머리 품목분류는 관세협력위원회의 HS Explanatory Notes에 의한 것으로서 국제협약과 일치됨 (0.5.11)

o 캘리포니아 장어는 우리나라의 HS분류상 산것은 0301.99.7000 호에, 신선냉장품은 0302.69.9090호에, 냉동품은 0303.79.9090호에 해당되는 것으로서 산것은 '83년도에 수입자유화되었으며 신선냉장 및 냉동품에 대해서는 '95이후 자유화계획 검토시 자유화 연도 등을 검토하게 될 것임

3. 결 론

o 위 1,2항의 문제는 수차 한.미 통상문제 실무위원회에서 다루고 있는 사항으로서 UR 협상에서의 논의대상이 되지 못할뿐만 아니라 실익도 없으며 위 문제들에 대한 아국의 확고한 입장은 위와 같은 바, UR 협상에서는 물론 한.미 통상문제 실무협의회에서도 종결되기를 희망함

0197

(별첨)

CONSEIL DE COOPERATION DOUANIERE  CUSTOMS CO-OPERATION COUNCIL

Rue de l'Industrie, 26-38, B 1040 - Bruxelles - Brussels

Téléphone 513-99 00 · Telex 61597 CUSCO-B · Cable A... Cuscoopco · Brussels

HARMONIZED COMMODITY DESCRIPTION AND CODING SYSTEM

EXPLANATORY NOTES

VOLUME 1

Sections I to VI - Chapters 1 to 23

FIRST EDITION ...

0198

Cantharides are beetles used primarily for their vesicant or counter irritant properties. They are usually presented in dried or powdered form.

The heading also includes:

(1) Animal glands and other animal organs used in the preparation of organo therapeutic products and unfit, by reason of their nature or of the manner in which they are put up, for human consumption (pancreas, testes, ovaries, gall bags, thyroid glands, pituitary glands, etc.), fresh, chilled or frozen, or otherwise provisionally preserved for the purposes of transport or storage (e.g., in glycerol, acetone or alcohol). When dried or in the form of extract, these products are excluded (heading 30.01). (See however Note 1 (a) to this Chapter as regards edible products.)

(2) Bile, whether or not dried. (Bile extract is excluded heading 30.01).

The heading also excludes snake or bee venom put up in dried flakes in sealed ampoules (heading 30.01).

05.11 - ANIMAL PRODUCTS NOT ELSEWHERE SPECIFIED OR INCLUDED; DEAD ANIMALS OF CHAPTER 1 OR 3, UNFIT FOR HUMAN CONSUMPTION.

0511.10 - Bovine semen

- Other:

0511.91 -- Products of fish or crustaceans, molluscs or other aquatic invertebrates; dead animals of Chapter 3

0511.99 -- Other

This heading includes:

(1) Animal semen.

(2) Animal embryos, which are shipped frozen with the intended purpose of transplanting them into a recipient mother.

(3) Animal blood, liquid or dried, edible or not.

The heading excludes animal blood prepared for therapeutic, prophylactic or diagnostic uses (heading 30.02)

(4) Cochineal and similar insects. The cochineal is an insect which lives on certain cactus plants. There are three kinds of cochineal on the market - black, grey or silver, and reddish. The cochineal furnishes a red dye (cochineal extract) (heading 32.03) which is used in the preparation of carmine lake (heading 32.05).

Amongst the insects similar to the cochineal the most important is the animal kermes, which lives on a variety of dwarf oak tree. Kermes is used for the preparation of vivid and lasting red dyes which are classified in heading 32.03.

Animal kermes should not be confused with "kermes mineral" (heading 38.23).

Cochineal and kermes are presented dried and may be whole or powdered.

(5) Inedible fish eggs and roes.

These comprise:

(i) Fertile eggs for hatching, recognisable by the presence of black spots which are the embryonic eyes.

(ii) Salted roes (e.g., of cod or mackerel) used as fishing bait. These can be distinguished from caviar substitutes (heading 16.04) by their strong disagreeable odour and because they are usually packed in bulk.

The heading excludes edible roes (Chapter 3).

(6) **Waste of fish or crustaceans, molluscs or other aquatic invertebrates.**

This category covers, *inter alia*:

(i) Scales of whitebait or of similar fish, fresh or preserved (but not in solution); these are used for the preparation of pearl essence for the coating of imitation pearls.

(ii) Fish bladders, raw, dried or salted, used in the manufacture of isinglass and fish glues or fit for human consumption.

(iii) Fish guts and waste of skins used for glue manufacture, etc.

(iv) Fish heads and other fish waste.

The heading also excludes:

(a) Edible fish livers (Chapter 3).

(b) Shells of molluscs, crustaceans or echinoderms of heading 05.08.

(c) Inedible fish livers used in the preparation of pharmaceutical products (heading 05.10).

(7) Silkworm eggs. These have the appearance of small seeds, pale yellow turning gradually to ash grey or earthy yellow. They are usually presented in boxes (or cellular combs) or in cloth sachets.

(8) Ant eggs.

(9) Sinews and tendons used, like the waste cited in Items (10) and (11) below, mainly as raw materials for the manufacture of glue.

(10) Parings and similar waste, of raw hides or skins.

(11) Waste of raw furskins, clearly not capable of use by furriers.

(12) Dead animals of Chapter 1 or 3 and their meat or meat offals unfit for human consumption other than products of heading 02.09 or of one of the preceding headings of this Chapter.

The heading further excludes:

(a) Shellac, seed lac, stick lac and other lacs (heading 13.01).

(b) Animal fats of Chapter 15.

(c) Collections and collectors' pieces of zoological interest, consisting of stuffed or otherwise preserved animals, butterflies and other insects, eggs, etc. (heading 97.05).

41

0200

분류번호	보존기간

발 신 전 보

번 호 : WGV-1639 911119 1738 BE 종별 : 지급

수 신 : 주 제네바 대사. 총영사

발 신 : 장 관 (통 기)

제 목 : UR/시장접근 분야 협상

대 : GVW-2346, 2241

표제 관련, 11.1 한.미 양자협상시 미측이 제기한 수산물 ~~관련사항~~에 대한 아측 입장을 별첨(fax) 통보하니 명 11.20 한.미 양자협상시 미측에 적의 설명바람.

첨 부 : 상기 자료(5매). 끝. (통상국장 대리 최 혁)

WGVF-0322

보 안 통 제	代 송

앙 고 재	91년 11월 19일	통상기구과	기안자 성 명		과 장	심의관	국 장		차 관	장 관
			송영헌			대결	전결			대결

외신과통제

0201

1. 수입제한 철폐계획 및 조속 철폐 요망

o 수입제한 해제요청 품목 내역 및 아국의 HS 분류

미국의 요청 내역		아 국 의 HS	
H S	품 명	H S	품 명
0303.39.00	Yellow fin Sole	0303.39.0000	기타 넙치류(냉동) - 93년 수입자유화
0306.14.90	Opilio Crab	0306.14.9000	기타 게 (냉동) - 94년 수입자유화
0304.90.10	Surimi	0304.90.1010	명태연육(냉동) - 95년 이후 수입자유화 검토
		1090	기타의 연육(냉동) - 92년 수입자유화

o 위 품목들에 대한 수입자유화 계획

- Yellow fin Sole에 해당하는 아국의 품목분류HS는 0303.39.0000으로서 '93년에,
- Opilio Crab에 해당하는 아국의 품목분류 HS는 0306.14.9000으로서 '94 년에 자유화할 계획이며
- 0304.90.10 SUrimi에 대해서는 아국에서는 0304.90.1010 명태연육 및 0304.90.1090 기타의 연육으로 2분화되어 이중 0304.90.1090 호는 '92년도에 수입자유화하게 됨
- 아국에서는 '89.10 GATT/BOP 합의에 따라 2차에 걸쳐 수입자유화계획을 GATT에 통보토록되어 있어 이에따라 제1차 수입자유화계획('92-'94년도분)을 확정 예시하고 이를 GATT에 통보한 바 있슴
- 이들 자유화계획은 GATT/BOP합의에 따라 일반적으로 균형되게 실시토록 되어 있으나 아국은 수산물에 대해서는 '92-'94년중에 107개 잔여제한품목중 과반수가 넘는 61개품목(57%)을 자유화 예시하였슴
- 이들 자유화품목은 국내의 어민 단체,관계 기관등과의 수차례에 걸친 회의 결과에 따라 도출된 합의사항으로 더 이상의 추가 또는 변경조치는 불가하며 더구나 아국의 GATT/BOP합의이행에 대해서는 각국이 자국의 요구나 권리를 자제토록 한 합의에 따라 행동하여야 할것임.

0202

2. 대구머리,먹장어 육 품목분류 문제

o 아국의 대구머리 품목분류는 관세협력위원회의 HS Explanatory Notes에 의한 것으로서 국제협약과 일치됨 (0511)

o 캘리포니아 장어는 우리나라의 HS분류상 산것은 0301.99.7000 호에, 신선냉장품은 0302.69.9090호에, 냉동품은 0303.79.9090호에 해당되는 것으로서 산것은 '83년도에 수입자유화되었으며 신선냉장 및 냉동품에 대해서는 '95이후 자유화계획 검토시 자유화 연도 등을 검토하게 될 것임

3. 결 론

o 위 1,2항의 문제는 수차 한.미 통상문제 실무위원회에서 다루고 있는 사항으로서 UR 협상에서의 논의대상이 되지 못할뿐만 아니라 실익도 없으며 위 문제들에 대한 아국의 확고한 입장은 위와 같은 바,
UR 협상에서는 물론 한.미 통상문제 실무협의회에서도 종결되기를 희망함

0203

(별첨)

CONSEIL DE COOPERATION DOUANIERE CUSTOMS CO-OPERATION COUNCIL

Rue de l'Industrie, 26-38, B 1040 - Bruxelles - Brussels

Téléphone 513-99 00 · Telex 61597 CUSCO-B · Cable Address Cuscoopco · Brussels

HARMONIZED COMMODITY DESCRIPTION AND CODING SYSTEM

EXPLANATORY NOTES

VOLUME 1

Sections I to VI - Chapters 1 to 29

FIRST EDITION

0204

Cantharides are beetles used primarily for their vesicant or counter-irritant properties. They are usually presented in dried or powdered form.

The heading also includes:

(1) Animal glands and other animal organs used in the preparation of organo therapeutic products and unfit, by reason of their nature or of the manner in which they are put up, for human consumption (pancreas, testes, ovaries, gall bags, thyroid glands, pituitary glands, etc.), fresh, chilled or frozen, or otherwise provisionally preserved for the purposes of transport or storage (e.g., in glycerol, acetone or alcohol). When dried or in the form of extract, these products are excluded (heading 30.01). (See however Note 1 (a) to this Chapter as regards edible products.)

(2) Bile, whether or not dried. (Bile extract is excluded heading 30.01).

The heading also excludes snake or bee venom put up in dried flakes in sealed ampoules (heading 30.01).

05.11 - ANIMAL PRODUCTS NOT ELSEWHERE SPECIFIED OR INCLUDED; DEAD ANIMALS OF CHAPTER 1 OR 3, UNFIT FOR HUMAN CONSUMPTION.

0511.10 - Bovine semen

- Other:

0511.91 -- Products of fish or crustaceans, molluscs or other aquatic invertebrates; dead animals of Chapter 3

0511.99 -- Other

This heading includes:

(1) Animal semen.

(2) Animal embryos, which are shipped frozen with the intended purpose of transplanting them into a recipient mother.

(3) Animal blood, liquid or dried, edible or not.

The heading excludes animal blood prepared for therapeutic, prophylactic or diagnostic uses (heading 30.02)

(4) Cochineal and similar insects. The cochineal is an insect which lives on certain cactus plants. There are three kinds of cochineal on the market - black, grey or silver, and reddish. The cochineal furnishes a red dye (cochineal extract) (heading 32.03) which is used in the preparation of carmine lake (heading 32.05).

Amongst the insects similar to the cochineal the most important is the animal kermes, which lives on a variety of dwarf oak tree. Kermes is used for the preparation of vivid and lasting red dyes which are classified in heading 32.03.

Animal kermes should not be confused with "kermes mineral" (heading 38.23).

Cochineal and kermes are presented dried and may be whole or powdered.

(5) Inedible fish eggs and roes.

These comprise:

(i) Fertile eggs for hatching, recognisable by the presence of black spots which are the embryonic eyes.

(ii) Salted roes (e.g., of cod or mackerel) used as fishing bait. These can be distinguished from caviar substitutes (heading 16.04) by their strong disagreeable odour and because they are usually packed in bulk.

The heading excludes edible roes (Chapter 3).

(6) **Waste of fish or crustaceans, molluscs or other aquatic invertebrates.**

This category covers, *inter alia*:

(i) Scales of whitebait or of similar fish, fresh or preserved (but not in solution); these are used for the preparation of pearl essence for the coating of imitation pearls.

(ii) Fish bladders, raw, dried or salted, used in the manufacture of isinglass and fish glues or fit for human consumption.

(iii) Fish guts and waste of skins used for glue manufacture, etc.

(iv) Fish heads and other fish waste.

The heading also excludes:

(a) Edible fish livers (Chapter 3).

(b) Shells of molluscs, crustaceans or echinoderms of heading 05.08.

(c) Inedible fish livers used in the preparation of pharmaceutical products (heading 05.10).

(7) **Silkworm eggs.** These have the appearance of small seeds, pale yellow turning gradually to ash grey or earthy yellow. They are usually presented in boxes (or cellular combs) or in cloth sachets.

(8) **Ant eggs.**

(9) **Sinews and tendons** used, like the waste cited in Items (10) and (11) below, mainly as raw materials for the manufacture of glue.

(10) **Parings and similar waste, of raw hides or skins.**

(11) **Waste of raw furskins, clearly not capable of use by furriers.**

(12) **Dead animals of Chapter 1 or 3 and their meat or meat offals unfit for human consumption** other than products of heading 02.09 or of one of the preceding headings of this Chapter.

The heading further excludes:

(a) Shellac, seed lac, stick lac and other lacs (heading 13.01).

(b) Animal fats of Chapter 15.

(c) Collections and collectors' pieces of zoological interest, consisting of stuffed or otherwise preserved animals, butterflies and other insects, eggs, etc. (heading 97.05).

외 무 부

종 별 :

번 호 : GVW-2357 일 시 : 91 1118 1730

수 신 : 장관(통기,재무부,상공부)

발 신 : 주제네바대사

제 목 : 일본의 추가 REQUEST LIST 송부

일본으로 부터 추가로 제시된 관세인하 REQUEST LIST를 별첨 송부함.

첨부: 일본의 추가 REQUEST LIST 1부

(GVW(F)-0512).끝

(대사 박수길-국장)

통상국 재무부 상공부

PAGE 1

91.11.19 07:46 FE

외신 1과 통제관

0207

GVW(Fi)-0512 1118 1730 12.11.1991

"GVW-2357 첨부"

Priority Request List, Japan to Korea

NO.	HS HEADING	BASE	OFFER	REQ
1	2825901090	U 20.0	13.0	3.8
2	2825902090	U 20.0	13.0	3.8
3	2849909090	U 20.0	13.0	2.4
4	3901100000	U 25.0	13.0	*
5	3901201000	U 25.0	13.0	*
6	3901209000	U 25.0	13.0	*
7	3902100000	U 20.0	13.0	*
8	3903190000	U 25.0	13.0	*
9	3903300000	U 25.0	U 25.0	3.1
10	3907301000	U 10.0	U 10.0	3.1
11	3907309000	U 25.0	U 25.0	3.1
12	5403100000	30.0	30.0	18.6
13	5403310000	30.0	30.0	18.6
14	5403320000	30.0	30.0	18.6
15	5403330000	30.0	30.0	18.6
16	5502001000	U 20.0	U 20.0	12.8
17	5502002010	U 20.0	U 20.0	12.8
18	5502002020	U 20.0	U 20.0	12.8
19	5502009000	U 20.0	U 20.0	12.8
20	6815101000	U 20.0	U 20.0	12.8
21	7019100000	U 25.0	U 25.0	15.8
22	7019200000	U 25.0	U 25.0	15.8
23	7019310000	U 25.0	U 25.0	15.8
24	7019320000	U 25.0	U 25.0	15.8
25	7019390000	U 25.0	U 25.0	15.8
26	7019901000	U 25.0	U 25.0	15.8
27	7019909000	U 25.0	U 25.0	15.8
28	7409111000	U 10.0	10.0	4.3
29	7409119000	U 20.0	13.0	4.3
30	7409211000	U 10.0	10.0	4.0

0208

2-1

31	7409219000	U 20.0	13.0	4.0
32	7409311000	U 10.0	10.0	4.0
33	7409319000	U 20.0	13.0	4.0
34	7409391000	U 10.0	10.0	4.0
35	7409399000	U 20.0	13.0	4.0
36	7409401010	U 10.0	10.0	3.9
37	7409401090	U 20.0	13.0	3.9
38	7409402010	U 10.0	10.0	3.9
39	7409402090	U 20.0	13.0	3.9
40	7409901000	U 10.0	10.0	4.0
41	7409909000	U 20.0	13.0	4.0
42	7411100000	U 25.0	13.0	4.3
43	7411221000	U 25.0	13.0	4.3
44	7411222000	U 25.0	13.0	4.3
45	7603201000	U 25.0	13.0	3.9
46	7603202000	U 25.0	13.0	3.9
47	7604101000	U 25.0	13.0	7.6
48	7604102010	U 25.0	13.0	7.6
49	7604102090	U 25.0	13.0	7.6
50	7604291000	U 20.0	13.0	7.8
51	7605110000	20.0	13.0	7.6
52	7605190000	20.0	13.0	8.4
53	7606111000	U 20.0	13.0	2.0
54	7606119000	U 20.0	13.0	2.0
55	7606120000	U 20.0	13.0	2.0
56	7606911000	U 20.0	13.0	2.0
57	7606919000	U 20.0	13.0	2.0
58	7608100000	U 25.0	13.0	8.4
59	7608200000	U 25.0	13.0	8.4

* : UNDER CONSIDERATION

0209

2-2

외 무 부

종 별 :

번 호 : GVW-2383　　　　일 시 : 91 1120 1830

수 신 : 장 관(통기,통일,경기원,재무부,농수부,상공부)

발 신 : 주 제네바대사

제 목 : UR/시장접근 양자협상(일본)

11.19(화) 당지에서 개최된 표제 협상 토의 내용아래 보고함.

(재무부 조건호 국장, 엄재무관, 김재무관보 참석)

1. 협상 전반에 대한 일반적인 의견 교환

- 일본측은 미국과 EC 간에 그간 2-3 차례 LINEBY LINE 협상이 진행되어 약간의진전이 있었던 것으로 듣고 있으나 구체적 내용을 알지못한다 함.

- 아국은 미국과 EC 간에 이루어진 합의가 공개될 경우 미국 OFFER 의 개선 형태가 될것인가, 아니면 지금과 같이 주요 국가가 참여를 전제로 하는 조건부적인 형태가 될것인가에 대한 일본의 견해, 무세화 부문에 대하여 의약품, 화학품을 제외하고는 복수 국가간 협의 계획이 없는바 그 이유(여타 부문의 철회 여부),등을 문의함.

- 이에 일본은 미국과 EC 간의 합의는 미국이 여타국과 양자 협상 과정에서 당해국에 대한 OFFER 개선 형태로 제시될 가능성이 클 것이라 하고, 의약품, 화학품 이외의 부문도 무세화를 위해 계속 추진중이나 복수국가간 협의만이 최선이 아닐 것이라답변하고 미국이 섬유 부문에 대한 고관세 완화를 무기로 하여 EC 를 계속 설득중에있다고 전언함.

2. 양국간의 ISSUE

- 최근에 접수된 일본의 추가 REQUEST 에 대한 설명을 요청한바, 일본은 한국에수출을 많이 하거나 한국의 TARIFF PEAK가 있는 약 60개의 품목을 선정하였다 하고특 히 요청세율이 없는것은 화학제품 관세조화 제안에 포함된 품목으로서 동 제안에의 아국 참여를 요청함.

- 아국의 추가 REQUEST 에 대한 일본의 반응을 문의한바, 가죽제품, 신발등 매우 민감품목으로서 계속 검토중이라 답변함. 끝

(대사 박수길-국장)

통상국　2차보　통상국　경기원　재무부　농수부　상공부

0210

PAGE 1　　　　91.11.21　09:27 WH

외신 1과　통제관

외 무 부

종 별 :

번 호 : GVW-2392 일 시 : 91 1121 1130

수 신 : 장 관 (통기,통이,경기원,재무부,농수부,상공부)

발 신 : 주 제네바 대사

제 목 : UR/시장접근 양자 협상(미국)

11.20(수) 당지에서 개최된 표제 협상 토의 내용 아래 보고함.(재무부 조건호 국장, 엄재무관, 김재무관보,김상무관보 참석)

1. 시장접근 협상 전반에 대한 평가

- 아측은 UR 시장접근 분야에서의 각국의 기여는 각국의 발전 정도에 상응하여야 한다는 원칙하에서

1) 각국은 먼저 1/3 관세인하 목표를 달성하고

2) 일부 분야에 대한 무세화는 추진하되 여타 특정부문의 고관세가 그대로 유지되어서는 곤란하므로 반드시 개선이 이루어져야 하며

3) 동 부문별 접근 방법에 있어서도 대 상품목,참여국가등에 대한 기준이 설정되어야 함을 강조함.

- 미국은 미국과 EC 간에 10,000 여개 품목에 대한 LINE BY LINE 협상을 진행하여 상당한 진전이 있었음을 언급하고 내년 2월 까지의 종결을 낙관적으로 본다고 한바, 아국은 미국과 EC 간의 협상 내용이 아국을 비롯한 협상참가국의 추후 협상진행에매우 중요함을 언급하고 양국간 협상의 구체적 내용, 그 내용을 공개할 경우 제시 방법등을 문의함. 이에 미국은 분야별 접근 방법에 대하여는 의약품, 화학품은 업계간에 합의가 이루어졌으며, 건설장비,의료 장비에 대하여는 EC 가 긍정적 반응을 보이고 있으나 종이, 목재, 전자부문에는 명백 한 답변이 없는바 미국으로서는 동 3개 부문이 정치적으로 중요하고 미국 국내에서 UR 을 지지하는 부문이므로 EC 를 계속 설득하고 있다고 하면서 그 내용의 구체성, 제시형태등에 대해서는 답변할 입장에 있지 않다고 함.

- 또한 미국은 미국에 대하여 종이, 목재,비철금속에 대한 참여를 재차 요청하고부분적으로 참여하고 있는 전자, 건설장비에 대하여도 그 참여범위를 확대할

통상국 장관 차관 2차보 구주국 통상국 청와대 안기부 경기원
재무부 농수부 상공부

PAGE 1

91.11.21 21:24 FN

외신 1과 통제관

0211

것을 요 청함. 특히 전자 부문에 대하여는 ADP 장비에의 참여를, 건설장비 부문에 대하여는8429.30.32.33.74 에의 참여를 요청함.

- 이에 아국은 각 분야에 대한 아국입장이 변하지 않았음을 설명하고 화학제품에 대하여는 정부안으로 공식 제안되어야 고려 가능할 것이며,개발정도에 따른 상이한세율로의 조화가 바람직함을 언급하고 현 상태로서는 협상 전반에 대한 결과(PICTURE)를 알기 전에는 더이상의 OFFER 개선이 불가능함을 설명함.

- 미국은 화학제품에 대해서는 개도국 제품은 PARA 4 에서와 같이 다소 신축적으로 다루어질수 있을 것이며, 한국이 REQUEST 한 품목은 섬유,신발로서 주로 제 3국의 시장점유가 커지고 있는 부문이고 미국내에서도 매우 민감한 분야라 언급하고 현재제시 되어 있는 아국 OFFER 가 1991 년 시행세율 수준인바, 계속 인하되고 있으므로1993 년실행 세율 수준으로 OFFER 개선을 요청함.

2. 비관세 분야

- 미국은

1) 초코렛 검역 및 통관 절차 문제

2) 소프트 웨어 평가

3) 소나무 재선충 문제를 재차 언급한바, 구체적 논의를 위해 필요하다면 내주에 다시 만나기로 하였음.

- 비관세 분야 논의와 관련 특히 아측은 10.18 자 HILLS 대표의 아국 상공장관에 대한 서한을 인용하면서 모든 비관세 문제가 양국간에 진지하게 논의되고 있음을 상기 시킨바 미국은 양국이 모든 문제를 성실히 논의하고 있음을 다시 한번 확인함. 끝

(대사 박수길-국장)

0212

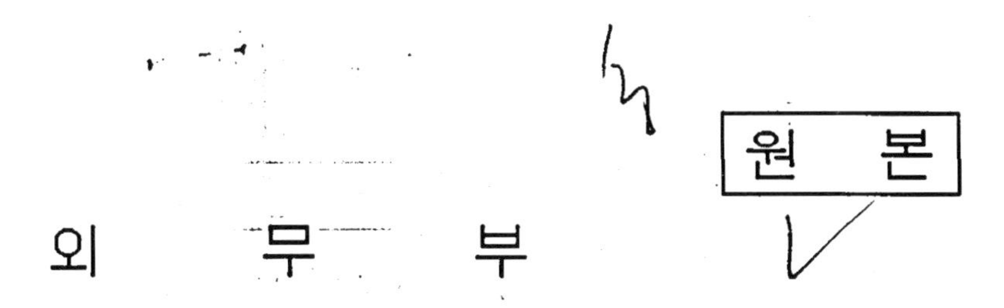

외 무 부

종 별 :

번 호 : GVW-2467 일 시 : 91 1127 1100

수 신 : 장 관(통기,경기원,재무부,농림수산부,상공부)

발 신 : 주 제네바대사

제 목 : UR/시장접근 양자협상(뉴질랜드)

11.26(화) 당지에서 개최된 표제협상 토의 자료 아래보고함.(엄재무관, 김재무관보참석)

1. 일반적 의견 교환

- 양측은 시장접근 분야 협상의 진전이 이루어지지못하고 있음에 동감. 주요국간타협이 이루어지지않을 경우 전체적인 협상전망에 대해 우려를표명함.

- 분야별 무관세 제안에 대하여는 뉴질랜드수산물.임산물에 많은 관심이 있음을언급함.

- 모든 참가국이 1차적으로 1/3 관세화를 달성한후분야별 무세화등을 통한 추가관세인하 협상이진행되어야 한다는데 의견을 같이함.

2. 양국간 현안문제

- 뉴질랜드는 별첨 추가 REQUEST LIST 를제시하면서 아국의 호의적 고려를 요청하고 아국에제시한 금번까지의 3개의 REQUEST LIST 는 계속동일 성격의 것임을 첨언함.

- 또한 금번 추가 REQUEST LIST 중 검역 부문에 대하여는 사과, 배, 복숭아, 자두,체리,딸기,토마도등에 아국이 검역을 이유로(예 딸기에는CODLINMOTH 라는 해충이 있 다는 이유로 아국이 수입금지하고 있으나 실제로는 뉴질랜드산딸기에는 이러한 해충이 없는바 필요하다면양국간 전문가 접촉을 주선할 수 있다 하였음)수입금지하고 있는 바, 이의 시정을 요청하면서자세한 내용은 서면으로 제시할 것이라 언급함.

- 이에 아국은 기존 OFFER 를 중심으로 양국간 양허균형을 비교할 경우 심한 불균형을 보이고있는바(아국의 뉴질랜드 관세 인하율 55.5퍼센트, 뉴질랜드의 대아국관세 인하율 30.8퍼센트) 동 불균형이 유지되는 한 추가적인 관세인하는 곤란함을 언급하고 아국의 REQUEST에 대한 뉴질랜드의 입장 진전을 문의함.

통상국 2차보 청와대 안기부 경기원 재무부 농수부 상공부

91.11.28 03:11 FL

외신 1과 통제관

0213

- 이에 뉴질랜드는 아국의 REQUEST 에 대해 다소융통성을 가질수 있으나 그 제시시기는 농산물을 포함한 전반적인 양허 균형의 비교가 가능한 시점에 결정될 것이라답변함.끝

(대사 박수길-국장)

첨부: 뉴질랜드의 추가 REQUEST LIST 1부

(GVW(F)-0546).끝

(대사 박수길-국장)

GVW-0546 11/27 1500
"GVW-2467 첨부"

26/16/19/Korea

NEW ZEALAND PERMANENT MISSION TO THE
OFFICE OF THE UNITED NATIONS IN GENEVA

28 A, CHEMIN DU PETIT-SACONNEX TEL. 734 95 30
P.O. BOX 334 — 1211 GENEVA 19 FAX 734 30 62

19 November 1991

H.E. Mr Soo Gil Park
Ambassador, Permanent Representative
Permanent Mission of the Republic
of Korea
rte de Pre-Bois 20
1216 Cointrin

Dear Ambassador

My authorities have recently completed a review of the requests submitted to the Republic of Korea in the Uruguay Round negotiations on market access.

In the context of that review, I have been asked to confirm our interest in negotiating tariff reductions and the removal of NTMs on the items contained in our original and supplementary requests lists on both tariffs and non-tariff measures.

I have also been instructed to convey to you the attached, which sets out additional requests sought by New Zealand in the market access negotiations:-

- A (second) supplementary list of tariff requests;
- A (second) supplementary list of requests on non-tariff protective measures;

New Zealand remains committed to negotiating a comprehensive bilateral agreement on market access with the Republic of Korea which addresses the access requests of both countries. We look forward to discussing our respective priorities with your negotiators in a forthcoming meeting.

546-5-1

0215

A copy of these additional lists is being provided to the GATT Secretariat as envisaged in the procedures for the negotiations.

Yours sincerely

Alastair Bisley

A M Bisley
Permanent Representative

Enc

cc Mr A Campeas
Director
Tariff Division
GATT

cc Mr H Opelz
Director
Non-Tariff Measures Division
GATT

546-5-2

0216

NEGOTIATING GROUP ON TARIFFS

REQUESTED BY NEW ZEALAND FROM THE REPUBLIC OF KOREA

(Second Supplementary List)

Tariff Line	Product Description	Base Rate	Offered Rate	Request/ Binding
020110/20/30 (All)	Beef, fresh or chilled	B20	-	Reduce and bind all items on this list
020410/21/22/23 (All)	Lamb, fresh or chilled	B25	-	
020450	Meat of goats, fresh or chilled, frozen	B25	-	
020610	Bovine offal, fresh chilled	-	-	
020721	Poultry (Gallus domest.), frozen	B20	-	
020890	Other edible deer meat	B20	-	
021020/90	Preserved bovine meat	-	-	
0301920000	Eels, live	U20	-	
0301999000	Snapper, live	U20	-	
0302660000	Eels, fresh or chilled	U20	-	
0302699090	Snapper, fresh or chilled	U20	-	
0303320000	Flounder, frozen	U20	B10	
0303760000	Eels, frozen	U20	B10	
0303799090	Snapper, frozen	U20	-	
030791	Geo Duck, fresh or chilled	U20	-	
030799	Geo Duck, frozen	U20	-	
0403 (All)	Buttermilk, powder, any form	U40	-	
040690	Cheese, other	U40	-	
0504000019	Lamb casings	U30	-	
0504000021	Mutton casings	U30	-	
0504003000	Edible sheep offals (inc. tripe)	U30	-	
070200	Tomato, fresh or chilled	U50	-	
070510	Lettuce, fresh	U50	-	
080710	Melons, (incl watermelons), fresh	U50	-	
080940	Plums, fresh	U50	-	
081090	Sweet persimmons, fresh	U50	-	
081310/30/40	Dried fruit	U50	-	
110810	Starch	U13	-	
16059010/20/90	Smoked squid	U30	-	
180620	Chocolate and chocolate confectionary	U16	-	
190190	Ice-cream powder (dairy based)	B80	-	
200850	Apricots, canned	U50	-	
200960	Grape juice	B60	-	
200980	Peach juice	U50	-	
210690	Prepared edible fats	U16	-	
220430	Other grape must	U50	-	
440710	Sawn timber	B20	B10	

5 46 - 5 - 3

0217

REQUEST LIST (SECOND) ADDITIONAL

REQUESTED BY NEW ZEALAND FROM THE REPUBLIC OF KOREA

NON-TARIFF PROTECTIVE MEASURES

Product & Tariff Classification	Measures on which Action is Requested	Action Requested
Meat of goats, fresh or chilled, frozen 020450	Legislation*	Progressively expanded MFN access culminating in removal of all NTMs and binding of tariff rates
Poultry (Gallus domest. sp.), frozen 020721	Banned	"
Other edible deer meat 020890	Legislation	"
Eels, live 030192	Banned	"
Snapper, live 030199	Banned	"
Eels, fresh or chilled 030266	Banned	"
Snapper, fresh or chilled 030269	Banned	"
Eels, frozen 030376	Banned	"
Snapper, frozen 030379	Banned	"
John dory 030379	Tariff Definition**	"
Geo Duck, Fresh or chilled 030791	Banned	"
Geo Duck, frozen 030799	Banned	"
Cheese, other 040690	Banned	"

546-5-4

0218

Product & Tariff Classification	Measures on which Action is Requested	Action Requested
Tomato, fresh/chilled 070200	Phytosanitary	Revise phytosanitary requirements
Plums, fresh 080940	Phytosanitary	"
Sweet persimmons, fresh 081090	Banned	Progressively expanded MFN access culminating in removal of all NTMs and binding of tariff rates
Starch 110810	Banned	"
Smoked Squid 160590	Banned	"
Ice-cream powder (dairy based) 190190	Banned	"
Grape Juice 200960	Banned	"
Peach juice 200980	Banned	"
Other grape must 220430	Banned	"
Furskins, raw (opossum) 430180	local tax	Remove local tax
Furskins, raw (sheep/lamb) 430180	local tax	"
Furskins, dressed (sheep/lamb) 430219	local tax	"
Furskin products (not mink) 430310	local tax	"

Notes

* Imports subject to local body approval under the Wild Life Protection A
** Tariff definition excludes black, smooth and oreo dory, species of interest to New Zealand

546-5-5

0219

원본

외 무 부

종 별 :

번 호 : GVW-2514 일 시 : 91 1129 2030

수 신 : 장 관(통기,경기원,재무부,농림수산부,상공부)

발 신 : 주 제네바대사

제 목 : UR/시장접근 협상

11.22(금)-29(금) 간 당지에서 개최된 표제협상 토의요지 아래 보고함.(엄재무관,김재무관보 참석)1. 각분야별 주요국 비공식 회의

- 11.22(금) 열대산품, 11.27(수) 천연 산품 및 분야별 접근방식, 11.28(목) 비관세 및 CREDIT부여 방안에 대하여 DENIS 의장 주재의 주요국비공식 협의가 있었음.-각 참가국은 공통적으로 그간 양자협상과,의 약품에 대한 복수국간 협의가 있었으나별다는 진전이 없었음을 언급하고 12.20 까지 향후 남은 몇주간, 집중적 협상을 진행하여주요쟁점에 대한 합의가 이루어지기를 희망하였음.

2. 공식회의- 11.29(금) 속개된 공식 회의에서는 엘살바도르가 라틴아메리카 및캐리비안 그룹을 대표하여 하기요지의 공동입장을 밝힘.(전문: 별첨 참조)

0 개도국관심 품목인 특정부문에의 OFFER부재, 자국에게만 유리한 분야별 무관세,특정부문에의 고관세 유지등의 주요장애 요인임

0 따라서 앞으로는

(1) 사무국 평가시 모든 품목을 포함시켜(OFFER 에제외된 분야도 포함) 개도국 교역이익 확보측면에서 각국 OFFER 재평가 되어야 하고

(2) 분야별 무관세 제안을 철회하여, 조건없는OFFER 의 개선이 있어야 하며

(3) 협상 결과에 고관세의 대폭인하, 열대산품 및 천연자원에의 무관세, 개도국관심 품목에 대한 관세인하 조기시행(3년)등의 내용이 포함되어야 함을 주장함

- 이에 멕시코, 칠레, 페루, 콜롬비아, 베네주엘라, 우루과이, 니콰라과, 나이제리아, 인도, 브라질등대부분의 개도국이 이를 지지함.

- 미국 및 EC 는 20여개국과 양자협상을 진행하였으며 의약품 부문에는 상당한 진전이 있었음을 언급함

- 아국은 엘살바도로의 입장에 부분적으로 동조하면서, 그간 수개국과 양자협상을

통상국 2차보 경기원 재무부 농수부 상공부 장관. 차관 1차보. 청와대 안기부

PAGE 1 91.11.30 11:01 WH

외신 1과 통제관

0220

진행하였으나 주요쟁점에 대한 주요국간 협상결과를 모르는 상태에서는 그 진전이곤란하였음을 상기시키고, 분야별 접근방식이 SUPPLEMENTARY METHOD 로서 이해되는한 모든 참가국이 먼저 1/3 관세인하 협상이 진행되어야 할것임을 강조하였으며, 현재의 시간상의 촉박으로 보아 이러한 조치가 조속히 이루어지지를 촉구하였음.

- 의장은 CREDIT 부여는 관심국가와 계속 협의중임을 언급하고 12.20 까지 협상담당자들이 당지에서 계속 체류하여 남은 2주간 집중적인 협상을 진행시켜 줄것을 재차 촉구함.

첨부: 엘살바도로의 공동입장

(GVW(F)-0566).끝

(대사 박수길-국장)

Gvw(3)-586 11.2pm
Gvw-251 결재

Job No. 2215
28 November 1991

COMMUNICATION FROM THE LATIN AMERICAN AND CARIBBEAN GROUP

MARKET ACCESS

1. Market access lies at the heart of the General Agreement on Tariffs and Trade (GATT) and hence of trade liberalization.

2. For the countries of the region, real improvements in access to their export markets are a sine qua non condition for the conclusion of the Round, especially now that many of them have adopted important measures of autonomous liberalization and structural adjustment which benefit the multilateral trading system and in particular the major trading partners.

3. Despite the importance of the market access negotiations for all participants in the Round and in particular for developing countries, there has been no progress in this negotiating area, in contrast with the advances made in other areas.

4. The main obstacles to progress on market access arise from the following problems, inter alia:

(a) the procedures used so far in the market access negotiations have allowed some participants unjustifiably to claim that the objectives of the Punta del Este Declaration and Mid-Term Review Decision have been fulfilled, without taking into account the trade interests of the other participants, in particular those of the great majority of developing countries;

(b) the compartmentalization of the negotiations and the terms of reference of the various negotiating groups have created a certain degree of confusion, and some participants have taken advantage of this in order not to present offers for certain kinds of product or to submit offers where liberalization is less necessary;

(c) the proposals relating to sectoral negotiations aimed at reducing tariffs to zero or their harmonization have created an insurmountable obstacle in the access negotiations. Apart from involving an imbalance in the scale of the required contributions, these proposals affect relative competitiveness, exclude sectors of interest to other parties and, within each sector, leave out products of interest to the majority of participants;

(d) the offers submitted so far do not correspond to the substantial reduction of elimination of high tariffs, tariff peaks and tariff escalation affecting products of export interest for countries of the region, nor to the fullest liberalization for tropical products or natural-resource-based products;

0222

511-4-1

(e) Owing to the degree of conditionality of the offers submitted, in particular those relating to sectoral negotiations for reducing tariffs to zero or their harmonization, and the linkage between access and other areas of the Round, it is impossible to know with the slightest degree of certainty which products are actually on the negotiating table and what offers are being made concerning them.

5. Consequently, to be able to advance and achieve the same degree of progress as in other areas of the Round, it is necessary:

(a) for the secretariat's evaluations to include the entire customs tariff regardless of which negotiating group is dealing with the products covered by the offer;

(b) to examine offers in such a way that they may be evaluated in the light of the trade interests of developing countries;

(c) to withdraw the proposals relating to sectoral negotiations aimed at reducing tariffs to zero or their harmonization, in order to unblock the access negotiations and set them on firmer and more realistic foundations which address the interests of participants in the Round;

(d) to submit multilateral offers that ensure the full attainment of all the objectives of the Punta del Este Declaration and Mid-Term Review Decision on behalf of the developing countries;

(e) to reduce the degree of conditionality of offers so that participants have a more clear and precise idea of the products actually on the negotiating table.

6. The result of all the foregoing should be that:

As regards tariffs:

(a) developed participants fulfil the Mid-Term Review objectives without excluding the products of export interest for countries of the region, i.e. products for which a participant of the region is the principal supplier or for which the participants of the region as a whole represent more than [x] per cent of the developed participant's total imports;

(b) participants of the region fulfil the Mid-Term Review objectives through offers that substantially increase the scope of bindings and/or contain tariff reductions calculated starting from the base rates for the negotiations;

(c) as a result of the Uruguay Round, in each of the developed countries the weighted average most-favoured-nation tariffs on imports from developing countries will be equal to or less than the weighted average most-favoured-nation tariffs for products imported from the other developed countries.

0223

(d) a reduction greater than that established in the objective of the Mid-Term Review Decision is applied for the products of export interest to countries of the region that are subject to high tariffs, tariff peaks or tariff escalation;

(e) duty-free treatment is afforded to the products to which the Punta del Este Declaration ascribes priority, namely tropical products, as well as the fullest liberalization for natural resource-based products;

(f) the results of the negotiations on tariff reductions relating to products of interest for developing countries are implemented gradually over a period of not more than three years on a preferential basis in favour of developing countries;

As regards non-tariff measures:

(g) all non-tariff measures and all measures not provided for in the General Agreement become subject to the GATT disciplines;

(h) In this connection, after a period to be agreed, no contracting party shall maintain any non-tariff measure not provided for in the General Agreement or in agreements or arrangements concluded under the auspices of the CONTRACTING PARTIES;

As regards credit and recognition:

(i) A specific, meaningful and operational multilateral approach is implemented for granting credit for bindings and recognition for autonomous liberalization measures.

7. For the final package of the Round to be acceptable the market access negotiations must fulfil the objectives set out in the Punta del Este Declaration and Mid-Term Review Decision. In this connection, the countries of the region reaffirm once again the importance that will be attached to this area of the Round in the evaluation to be conducted prior to the formal conclusion of the negotiations, in accordance with Section G of the Punta del Este Declaration.

8. For the countries of the region, achievement of positive results in the market access negotiations means that there should be new export opportunities for all products, including those under negotiation in the negotiating groups on agriculture and textiles. Furthermore, the results must be underpinned by strengthened rules and disciplines, in particular in the areas relating to the use of safeguards, anti-dumping duties and countervailing measures, which are critical for avoiding the nullification or impairment of benefits deriving from the General Agreement and the trade negotiations.

0224

171-4-1

9. These proposals are made in a constructive spirit and in the firm belief that their contents are essential for the successful conclusion of the Round as a whole.

0225

r// _" _"

New Zealand Embassy, Seoul

46/2/1

11 December 1991

Director General Kim Young-kyoo
International Trade Bureau
Ministry of Foreign Affairs
SEOUL

Dear Director General

As part of the GATT Uruguay Round negotiations on market access the New Zealand Permanent Mission to the United Nations in Geneva recently passed to the Republic of Korea Permanent Mission revised copies of the lists of New Zealand's requests of the Republic of Korea in respect of tariff and non-tariff measures.

Copies of these lists are attached for your information. All the items included in the lists are of significant trade interest to New Zealand. We hope that the Republic of Korea will give favourable consideration to New Zealand's requests.

Yours sincerely

Christopher Butler

Christopher Butler
Ambassador

POSTAL ADDRESS: C. P. O. BOX 1059, SEOUL. LOCATION: RMS. 1802-1805, KYOBO BUILDING, 1 CHONGNO 1-GA, CHONGNO-GU, SEOUL
TELEPHONE: 730-7794 /5, 736-0341, 736-0342, 737-2942. TELEGRAM: TAKAPU, SEOUL. TELEX: K27367 "TAKAPU", FAX: 737-4861

0226

REQUEST LIST (SECOND ADDITIONAL)

REQUESTED BY NEW ZEALAND FROM KOREA

NON-TARIFF PROTECTIVE MEASURES

Product and Tariff Classification		Measures on Which Action is Requested	Action Requested
020450	Meat of goats, fresh or chilled, frozen	Legislation *	Progressively expanded MFN access culminating in removal of all NTM's and binding of tariff rates
020721	Poultry (Gallas domest.sp), frozen	Banned **	Progressively expanded MFN access culminating in removal of all NTM's and binding of tariff rates
020890	Other Edible deer meat	Legislation	Progressively expanded MFN access culminating in removal of all NTM's and binding of tariff rates
030192	Eels, live	Banned	Progressively expanded MFN access culminating in removal of all NTM's and binding of tariff rates
030199	Snapper, live	Banned	Progressively expanded MFN access culminating in removal of all NTM's and binding of tariff rates
030266	Eels, fresh or chilled	Banned	Progressively expanded MFN access culminating in removal of all NTM's and binding of tariff rates

Notes:

* Imports subject to local body approval under the Wild Life Protection Act
** Classified as a restricted item and only permitted for importation on the recommendation of a specified Government agency.

0227

REQUEST LIST (SECOND ADDITIONAL)

REQUESTED BY NEW ZEALAND FROM KOREA

NON-TARIFF PROTECTIVE MEASURES

Product and Tariff Classification		Measures on Which Action is Requested	Action Requested
030269	Snapper, fresh or chilled	Banned	Progressively expanded MFN access culminating in removal of all NTM's and binding of tariff rates
030376	Eels, frozen	Banned	Progressively expanded MFN access culminating in removal of all NTM's and binding of tariff rates
030379	Snapper, frozen	Banned	Progressively expanded MFN access culminating in removal of all NTM's and binding of tariff rates
030379	John dory	Tariff definition ***	Progressively expanded MFN access culminating in removal of all NTM's and binding of tariff rates
030791	Geo Duck, fresh or chilled	Banned	Progressively expanded MFN access culminating in removal of all NTM's and binding of tariff rates
030799	Geo Duck, frozen	Banned	Progressively expanded MFN access culminating in removal of all NTM's and binding of tariff rates
040690	Cheese, other	Banned	Progressively expanded MFN access culminating in removal of all NTM's and binding of tariff rates
070200	Tomato, fresh/chilled	Phytosanitary	Revise phytosanitary requirements

*** Tariff definition excludes black, smooth and oreo dory, species of interest to New Zealand.

0228

REQUEST LIST (SECOND ADDITIONAL)

REQUESTED BY NEW ZEALAND FROM KOREA

NON-TARIFF PROTECTIVE MEASURES

Product and Tariff Classification		Measures on Which Action is Requested	Action Requested
080540	Plums, fresh	Phytosanitary	Revise phytosanitary requirements
081090	Sweet persimmons, fresh	Banned	Progressively expanded MFN access culminating in removal of all NTM's and binding of tariff rates
110810	Starch	Banned	Progressively expanded MFN access culminating in removal of all NTM's and binding of tariff rates
160590	Smoked squid	Banned	Progressively expanded MFN access culminating in removal of all NTM's and binding of tariff rates
190190	Ice-cream powder (dairy based)	Banned	Progressively expanded MFN access culminating in removal of all NTM's and binding of tariff rates
200960	Grape Juice	Banned	Progressively expanded MFN access culminating in removal of all NTM's and binding of tariff rates
200980	Peach Juice	Banned	Progressively expanded MFN access culminating in removal of all NTM's and binding of tariff rates
220430	Other grape must	Banned	Progressively expanded MFN access culminating in removal of all NTM's and binding of tariff rates

REQUEST LIST (SECOND ADDITIONAL)

REQUESTED BY NEW ZEALAND FROM KOREA

NON-TARIFF PROTECTIVE MEASURES

Product and Tariff Classification		Measures on Which Action is Requested	Action Requested
430180	Furskins, raw (opossum)	Local tax	Remove local tax
430180	Furskins, raw (sheep/lamb)	Local tax	Remove local tax
430219	Furskins, dressed (sheep/lamb)	Local tax	Remove local tax
430310	Furskin products (not mink)	Local tax	Remove local tax

NEGOTIATING GROUP ON TARIFFS

REQUESTED BY NEW ZEALAND FROM THE REPUBLIC OF KOREA

(Second Supplementary List)

Tariff Line	Product Description	Base Rate	Offered Rate	Request Binding
020110/20/30(All)	Beef, fresh or chilled	B20	-	Reduce and bind all items on this list
020410/21/22/23 (All)	Lamb, fresh or chilled	B25	-	
020450	Meat of goats, fresh or chilled, frozen	B25	-	
020610	Bovine offal, fresh chilled	B20	-	
020721	Poultry (Gallus domest), frozen	B20	-	
020890	Other edible deer meat	U30	-	
021020/90	Preserved bovine meat	U30	-	
0301920000	Eels, live	U15	-	
0301999000	Snapper, live	U15	-	
0302660000	Eels, fresh or chilled	U20	-	
0302699090	Snapper, fresh or chilled	U20	-	
0303320000	Flounder, frozen	U10	B10	
0303760000	Eels, frozen	U10	B10	
0303799090	Snapper, frozen	U10	-	
030791	Geo Duck, fresh or chilled	U20	-	
030799	Geo Duck, frozen	U20	-	
0403 (All)	Buttermilk, powder, any form	U40	-	
040690	Cheese, other	U40	-	
0504000019	Lamb casings	U30	-	
0504000021	Mutton casings	U30	-	
0504003000	Edible sheep offals(inc tripe)	U30	-	
070200	Tomato, fresh or chilled	U50	-	
070510	Lettuce, fresh	U50	-	
080710	Melons, (incl watermelons), fresh	U50	-	
080940	Plums, fresh	U50	-	
081090	Sweet persimmons, fresh	U50	-	
081310/30/40	Dried fruit	U50	-	
110810	Starch	U13	-	
16059010/20/90	Smoked squid	U20	-	

0231

Tariff Line	Product Description	Base Rate	Offered Rate	Request Binding
180620	Chocolate and chocolate confectionary	U16	-	
190190	Ice-cream powder (dairy based)	U20	-	
200850	Apricots, canned	50(B60)	-	
200960	Grape juice	B60	-	
200980	Peach juice	U50	-	
210690	Prepared edible fats	U16	-	
220430	Other grape must	U50	-	
440710	Sawn timber	10(B20)	B10	

0232

NEGOTIATING GROUP ON TARIFFS

REQUESTED BY NEW ZEALAND FROM THE REPUBLIC OF KOREA

(First Supplementary List)

Tariff Line	Product Description	Base Rate	* Offered Rate	Request/ Binding
25070000	Kaolin and other Kaolinic clays	U10	5	Free
29051100	Methanol	U2		Free
38030000	Tall oil	U20	5	Free
41011000	Raw hides and skins of bovine animals	5(B20)	5	Free
41039000	Raw hides and skins - other (eg deer)	U10	5	Free
41042200	Bovine leather, otherwise pre-tanned	U20	10	Free
41051100	Sheep or lambskin leather, - vegetable pretanned	10(B40)	10	Free
41051200	Sheep or lambskin leather, otherwise pretanned	10(B40)	10	Free
44031000	Wood in the rough etc	2(B10)	2	Free
44101000	Particle board of wood	11(B11)		Free
51012900	Wool, not carded or combed, other	U10	2	Free
51052100	Combed wool in fragments	U10	2	Free

Notes: U = Unbound B = Bound

* Korean Revised Proposal of Tariffs July 1990

0233

원 본

외 무 부

종 별 :

번 호 : GVW-2666 일 시 : 91 1216 1200

수 신 : 장 관(통기,재무부,상공부)

발 신 : 주 제네바 대사

제 목 : UR/시장접근 분야별 무관세

12.13(금) 일본과의 접촉에서 일본은 전자,비철금속, 화학제품 분야에서의 각국의 어려움을 감안한 관세조화방안(별첨 참조)을 제안하였음을 설명하고 특히 화학분야에서는 자국의 예외품목으로 주장하고 있는 3901.10,3901.20, 3902.10, 3903.19(별첨 4 참조) 4개 품목에 아국이 참여할 경우에만 자국도 포함 가능함을 언급하면서 동품목에 대하여는 이미 아국에 특혜세율인 무세를 적용하고 있음을 강조하였음.

첨부: 1. 비철금속 관세 조화 방안

2. 전자부문 관세 조화방안

3. 화학부문 관세 조화방안

4. 아국의 필수참여 품목. 끝

(GVW(F)-628)

(대사 박수길-국장)

통상국 2차보 구주국 청와대 안기부 재무부 상공부

PAGE 1

91.12.17 01:03 FN

외신 1과 통제관

0234

주 제 네 바 대 표 부

번 호 : GVW(F) - 0628 년월일 : 11216 시간 : 1200.

수 신 : 장 관 (통기. 재무부. 상공부)

발 신 : 주 제네바대사

제 목 : UR/시장접근 분야별 무관세

보 안	
통 제	김정일

총 P 매(표지포함)

외신과	
통 제	

628 - P - 1

0235

첨 1.

Japanese Harmonization Proposal in the Non-Ferrous Metals Sector

Japan submits the following proposal on the harmonization of customs duties on n on ferrous metals products. This list contains tariff items on which Japan is p repared to reduce or eliminate tariffs if the United States, Canada, the Europea n Community and other major producing countries agree to harmonize their tariff at or below the given level.

Product Coverage

	Harmonized Level
Chapter 26	0.0%
Chapter 74	
7403	3.5%
Other 4 digit headings	6.0%
Chapter 75	6.0%
Chapter 76	0.0%
Chapter 78	6.5%
Chapter 79	5.0%
Chapter 80	3.0%
Chapter 81	
8104	5.0%
Other 4 digit headings	4.0%

Note : The ad valorem duty equivalent of specific duties shall be calculated by using the trade figures for CY 1988. If the item was not traded in CY 1988, then reduction rate for similar items shall be applied.

Country Participation

Participation by the following countries is required.

Australia
Austria
Brazil

0236

128-P-2

Canada
Chile
European Community
Finland
Indonesia
Japan
Korea
Mexico
Malaysia
New Zealand
Norway
Peru
Philippines
Sweden
Switzerland
Thailand
United States
Venezuela

Staging of Concessions

The staging of concessions would conform to the general staging rules called for in the market access protocol.

Non Tariff Measures

Participants agree not to maintain or introduce non tariff measures on trade of the above products which are inconsistent with the General Agreement and various GATT codes.
It is anticipated that specific non-tariff measures of concern to participants will be addressed bilaterally between relevant countries.

628-P-3

0237

첨부2

Japanese Harmonization Proposal in the Electronics Sector
(Including Medical Equipment)

Japan submits the following proposal on the harmonization of customs duties on electronics products. This list contains tariff items on which Japan is prepared to reduce tariffs if the United States, Canada, the European Community and other major producing countries agree to harmonize their tariff at or below the given level.

Product Coverage

#:All or part of the H.S. heading is covered by the medical equipment 0-0 proposed by the U.S.

1) Medical Equipment

HS				
HS	# 8419.20 and 90	0%	# 9019	0%
	# 8421.19	0%	9020	0%
	# 8713	0%	# 9021	0%
	# 8714.20	0%	# 9022	0%
	# 9018	0%		

2) Measuring or Checking Equipment

HS				
HS	9010	3.5%	# 9025	3.5%
	9011	3.5%	# 9026	3.5%
	9012	3.5%	# 9027	3.5%
	9013	7%	# 9028	0%
	9014	3.5%	9029	7%
	9015	3.5%	# 9030	7%
	9016	3.5%	# 9031	3.5%
	9017	3.5%	# 9032	3.5%
	# 9023	0%	9033	3.5%
	# 9024	3.5%		

3) Electrical Machinery and Equipment

HS				
HS	8504	3.5%	8526	3.5%
	# 8505.20,30,90	0%	8527	7%
	8507	3.5%	8528	7%
	8508	0%	8529	3.5%
	8509	0%	8530	0%
	8510	0%	8531	0%
	8514	0%	8534	0%
	8517	3.5%	8536	0%
	8519	7%	8537	0%
	8520	3.5%	8540	7%
	8521	7%	8541	7%-
	8522	3.5%	8542	7%-
	8523	0%	# 8543	0%
	8524	0%	8544.41 and 51	3.5%
	8525	3.5%		

0238

4) Machinery and Mechanical Appliances

HS 8414	0%	8452	7%
8415	0%	8456	0%
8418	0%	8464	0%
8424	0%	8476	0%
8450	0%	8479(except 8479.10 and 20)	
8451	0%		0%

5) Office Machines

HS 8469	0%	8473	3.5%
8470	7%	9009	3.5%
8471	0%	9612.10	3.5%
8472	0%		

Country Participation

Participation by the following countries is required.

Australia
Austria
Canada
European Community
Finland
Japan
Korea
Malaysia
Norway
Singapore
Sweden
Switzerland
Thailand
United States

Staging of Concessions

The staging of concessions would conform to the general staging rules called for in the market access protocol.

Non Tariff Measures

Participants agree not to maintain or introduce non tariff measures on trade of the above products which are inconsistent with the General Agreement and various GATT codes.
It is anticipated that specific non-tariff measures of concern to participants will be addressed bilaterally between relevant countries.

0239

628-P-5

관리 3

MISSION PERMANENTE DU JAPON

AUPRÈS DES ORGANISATIONS INTERNATIONALES

GENÈVE-SUISSE

TELEFAX

NO:

DATE: 10 December 1991

TO: Mr Dong Jin KIM, Assistant Financial Attaché

ORGANISATION: Permanent Mission of Korea

FAX NO: - 791 05 25 -

FROM: Mr Jun AKITA, Second Secretary

PERMANENT MISSION OF JAPAN, GENEVA, SWITZERLAND
(FAX NO: 41-22-788 38 11)

NUMBER OF PAGES: - 3 - (including this sheet)

TITLE: JAPANESE HARMONIZED PROPOSAL IN THE CHEMICAL SECTOR

MESSAGE: Please find attached above-mentioned paper, as requested.

Sincerely.

0240

628-9-6

Country Participation

Participation by the following countries is required.

Argentina
Australia
Austria
Brazil
Canada
European Community
Finland
India
Indonesia
Japan
Korea
Malaysia
Mexico
New Zealand
Norway
Singapore
Sweden
Switzerland
Thailand
United States
Venezuela

Staging of Concessions

The staging of concessions would conform to the general staging rules called for in the market access protocol.

Non Tariff Measures

Participants agree not to maintain or introduce non tariff measures on trade of the above products which are inconsistent with the General Agreement and various GATT codes.
It is anticipated that specific non-tariff measures of concern to participants will be addressed bilaterally between relevant countries.

0241

628-9-7

Japanese Harmonization Proposal in the Chemical Sector

Japan submits the following proposal on the harmonization of customs duties on chemical products. This list contains tariff items on which Japan is prepared to reduce or eliminate tariffs if the United States, Canada, the European Community and other major producing countries agree to harmonize their tariff at or below the given level.

Product Coverage

	Harmonized Level	
Chapter 28	# 5.5%	
Chapter 29		
2901-2902	0%	Except 2902.50
2903-2915	# 5.5%	Except 2905.44, 2906.11
2916-2942	# 6.5%	Except 2918.14, 2922.42, 2923.20, 2940.00
Chapter 30	0%	
Chapter 31	0%	
Chapter 32	# 6.5%	
Chapter 33	# 6.5%	Except 3301.24, 3301.25
Chapter 34	# 6.5%	
Chapter 35	6.5%	Except 3501.10, 3501.90, 3502.10 3503.00, 3504.00, 3505.10 3505.20
Chapter 36	6.5%	
Chapter 37	0%	
Chapter 38	# 6.5%	~~Except 3809.10~~
Chapter 39	# 6.5%	Except 3901.10, 3901.20, 3902.10, 3903.19
Chapter 40	0%	

: We will seek lower rates including zero in these chapters.

Note : The ad valorem duty equivalent of specific duties shall be calculated by using the trade figures for CY 1988. If the item was not traded in CY 1988, then reduction rate for similar items shall be applied.

Country Participation

Participation by the following countries is required.

0242

128-P-8

첨부 4

Tariffs On Key Petrochemical Items
(Fact Sheet)

	Japan Base	Japan Offer	Preferential	Korea Base	Korea Offer	Proposed Harmonization
H.S. 3901.10 Low Density Polyethylene	22.0	U.C.	0	25.0	13.0	6.5
H.S. 3901.20 High Density Polyethylene	22.0	U.C.	0	25.0	13.0	6.5
H.S. 3902.10 Polypropylene	20.4	U.C.	0	20.0	13.0	6.5
H.S. 3903.19 Polystyrene	14.0	9.1	0	25.0	13.0	6.5

U.C.: Under Consideration

0243

628-P-P

외 무 부

원 본

종 별 :

번 호 : GVW-2724 일 시 : 91 1219 1500

수 신 : 장 관(통기,경기원,재무부,농수부,상공부)

발 신 : 주 제네바 대사

제 목 : UR/시장접근 협상

1. 공식 회의

- 12.18 DENIS 의장 주재의 표제 협상 그룹 공식회의에서 DENIS 의장은

0 FINAL ACT 에 포함될 LEGAL TEXT 는 PROTOCOL(별첨 1 참조)이 될것이며

0 CREDIT 부여문제에 대한 의장의 GUIDELINE(별첨 2 참조)은 LEGAL TEXT 가 아닌양자협상등에서의 참고자료가 될것임을 언급하고 현재까지의 시장접근 분야 협상 전반에 관한자신의 평가 및 향후 협상 계획등을 다음과 같이밝힘.

1) 협상 결과는 균형된 PACKAGE 가 되어야 하며,이러기 위해서는 개도국 우대가실질적으로 보장되어 최대다수가 참여 가능하도록 되어야 함. 특히 천연산품, 열대산품등 개도국 관심품목에 대하여는 실질적 시장개선이 이루어져야 하며,고관세의 인하, 부문별 접근 방식등도 균형되게 반영되어야 함.

2) 향후 협상일정은 1992. 3.1 까지 참가국간 실질적인 협상을 마무리 짓고 1992.3.15 까지 이를 사무국에 통보하여 일부 기술적인 부문에 대한수정이 가능하게 하고1992.3.31 까지 확인 작업을거쳐 협상을 종결함.

- 이에 대해 멕시코, 태국, 말레이지아등 개도국은 CREDIT 부여 방안이 다자간 약속형태로 되지 못한데 불만을 표시하고 방글라데쉬는 최빈개도국에 대한 우대를 재차 강조함.

2. 한.EC 양자 협상

- 12.18 개최된 표제 협상에서 EC 측은

1) 농산물의 비관세 조치에 대한 REQUEST LIST(별첨 3 참조)를 제시하면서

0 농산물의 비관세 문제도 시장접근 양자협상에서 논의되어야 하고

0 동 비관세 협상 결과를 양허표에 게기할것을 요청함.

2) 또한 EC 측은 아국의 관세 OFFER 에 19퍼센트 정도가 여전히 BINDING 안된

통상국	2차보	구주국	청와대	안기부	경기원	재무부	농수부	상공부

PAGE 1 91.12.20 02:59 FB

외신 1과 통제관

0244

상태에있고, TARIFF PEAK 가 상당수 존재하며 자국의 REQUEST 에 대해 아무런 회신이없다는데 실망을 표시함.

3) EC 측은 석유화학 및 섬유등에 대한 아국의입장을 문의함.

- 이에 아국은

1) 농산물은 농산물 협상그룹에서 논의되어야함을 분명히 하고, 동 LIST 를 본부에 전달할것이나, 양허표 게기문제는 비관세 조치의 정의도 설정되지 않은 단계에서 양자 협상에서 논의하기는 부적절함을 설명하고 의정서 제 6조와 관련하여 어떤 N.T.B 가 게기 대상이 될수 있을지 주의 깊은 검토가 있어야 할 것임을 언급함.

2) 또한 아국은 미국과 EC 간의 관세협상결과를 알지 못하고는 아국의 추가관세 OFFER 개선이 어렵다고 설명

3) 석유화학 부문에의 EC 의 관세조화방안은 정부의 공식 제안으로 제시되어야 검토 가능할것이나 그 목표 세율 수준이 선.개도국 구별없이 단일 세율인 불합리성을지적하고 섬유의 관세조화 방안에는 이를 지지한다는 아국의입장을 전달함.

- 향후 N.T.B 논의와 관련하여 의정서 제6조에서, 양허표에 게기된 N.T.B 의 수정시에는GATT 28 조가 적용됨을 감안하여 동 양허표에게기 가능한 N.T.B 와 게기 할수없는 N.T.B를 구분하여 게기 가능한 N.T.B 만 UR시장접근 분야에서 협상 하도록 하는 방안을검토 바람, 또한 앞으로 미국, EC 등과의 양자협상 과정에서 자국이 요구한 N.T.B REQUEST사항의 아국 반영내용을 양허표에 게기토록 주장할것이 예상되는바, 불가한 사항에 대하여는그 사유등을 설명할수 있도록 대비가 요망됨.

3. 기타- 12.19 카나다 주관으로 개최예정인 수산물에 대한관세조화 방안을 별첨4와 같이 송부함.

첨부: 1. PROTOCOL

2. CREDIT 부여를 위한 의장 GUIDELINE

3. EC 의 N.T.B 추가 REQUEST LIST

4. 카나다의 수산물 관세 조화 방안. 끝

(GVW(F)-656)

(대사 박수길-국장)

주 제 네 바 대 표 부

번 호 : GVW(F) - 656 년월일 : 11210 시간 : 1800.

수 신 : 장 관 (통기, 경기원, 재무부, 농림수산부, 상공부)

발 신 : 주 제네바대사

제 목 : GVW-2724 첨부

보 안 통 제	

총 매(표지포함)

외신과 통 제	

656-15-1

0246

첨부 1.

URUGUAY ROUND (1992) PROTOCOL TO THE GENERAL AGREEMENT ON TARIFFS AND TRADE

The contracting parties to the General Agreement on Tariffs and Trade and the European Communities which participated in the Uruguay Round of Multilateral Trade Negotiations 1986-1992 (hereinafter referred to as "participants"),

HAVING carried out negotiations pursuant to Article XXVIII bis and other relevant provisions of the General Agreement on Tariffs and Trade (hereinafter referred to as "the General Agreement"),

HAVE, through their representatives, agreed as follows:

1. The schedule of concessions annexed to this Protocol relating to a participant shall become a Schedule to the General Agreement relating to that participant on the day on which this Protocol enters into force for that participant pursuant to paragraph 7.

2. The tariff reductions agreed upon by each participant shall, except as may be otherwise specified in a participant's schedule, be implemented in equal annual rate reductions beginning on 1 January 1993, and the total reduction shall become effective not later than 1 January 1997. A participant which begins rate reductions on 1 July 1993 or on a date between 1 January and 1 July 1993 shall, unless otherwise specified in that participant's schedule, make effective two-fifths of the total reduction to the final rate on that date, followed by three equal instalments beginning 1 January 1995. The reduced rate should in each stage be rounded off to the first decimal. The provisions of this paragraph shall not prevent participants from implementing reductions in fewer stages or at earlier dates than indicated above.

3. The implementation of the concessions contained in the annexed schedules shall, upon request, be subject to multilateral examination by the participants having accepted this Protocol. This would be without prejudice to the rights and obligations of contracting parties under the General Agreement.

4. After the schedule of concessions annexed to this Protocol relating to a participant has become a Schedule to the General Agreement pursuant to the provisions of paragraph 1, such participant shall be free at any time to withhold or to withdraw in whole or in part the concession in such schedule with respect to any product for which the principal supplier is any other participant the schedule of which, as established in these negotiations, has not yet become a Schedule to the General Agreement. Such action can, however, only be taken after written notice of any such withholding or withdrawal of a concession has been given to the CONTRACTING PARTIES and after consultations have been held, upon request, with any participant, the relevant schedule of concessions relating to which has

0247

656-15-2

become a Schedule to the General Agreement and which has a substantial interest in the product involved. Any concessions so withheld or withdrawn shall be applied on and after the day on which the schedule of the participant which has the principal supplying interest becomes a Schedule to the General Agreement.

5. (a) For the purpose of the reference in Article II:1(b) and (c) of the General Agreement to the date of that Agreement, the applicable date in respect of each product which is the subject of a concession provided for in a schedule of concessions annexed to this Protocol shall be the date of this Protocol.

(b) For the purpose of the reference in Article II:6(a) of the General Agreement to the date of that Agreement, the applicable date in respect of a schedule of concessions annexed to this Protocol shall be the date of this Protocol.

6. In cases of modification or withdrawal of concessions relating to non-tariff measures as contained in Appendix III of the schedules, the provisions of Article XXVIII of the General Agreement and the Procedures for Negotiations under Article XXVIII (BISD 27S/26) shall apply. This would be without prejudice to the rights and obligations of contracting parties under the General Agreement.

7. (a) This Protocol shall be open for acceptance by participants, by signature or otherwise, until 30 June 1993.

(b) This Protocol shall enter into force on 1 January 1993 for those participants which have accepted it on or before that date, and for participants accepting it after that date, it shall enter into force on the dates of acceptance.

8. This Protocol shall be deposited with the Director-General to the CONTRACTING PARTIES who shall promptly furnish a certified copy thereof and a notification of each acceptance thereof, pursuant to paragraph 7, to each contracting party to the General Agreement and to the European Communities.

9. This Protocol shall be registered in accordance with the provisions of Article 102 of the Charter of the United Nations.

DONE at Geneva this [date of the Final Act], in a single copy, in the English, French and Spanish languages, each text being authentic. The Schedules annexed hereto are authentic in the English, French and Spanish language as specified in each Schedule.

0248

Appendix I

SCHEDULE ... - (NAME OF PARTICIPANT)

This schedule is authentic only in the [English] [French] [Spanish] language.

PART I

Most-Favoured-Nation Tariff

Tariff item number	Description of products	Base rate of duty (U/B)	Bound rate of duty	Initial negotiating right	Other duties and charges
1	2	3	4	5	6
00.00.00 (at appropriate level)	Manufactured etc. ...	24% [U] [B]	12%	CA	

0249

Appendix II

SCHEDULE ... - (NAME OF PARTICIPANT)

PART II

Preferential Tariff

(If applicable)

Appendix III

0251

SCHEDULE ... - (NAME OF PARTICIPANT)

PART III

Non-Tariff Concessions

Tariff item number	Description of products	Concessions

Uruguay Round Market Access Negotiations and Developing Countries

Chairman's guidelines on:

(a) Credit for tariff bindings and the liberalization of NTMs

(b) Recognition for autonomous liberalization measures

1. At the Mid-Term Review Meeting in Montreal, it was agreed that there should be "a substantial increase in the scope of bindings, including bindings at ceiling levels, so as to provide greater security and predictability in international trade". It was also recognized "that the reduction or elimination of non-tariff measures by all participants is a central element of a successful outcome of the Uruguay Round".

2. In the light of discussions in the Market Access Negotiating Group it appears that some practical guidelines for assessing the scope and levels of tariff bindings and for liberalization of NTMs by developing countries would facilitate the successful conclusion of the market access negotiations.

3. The guidelines below are, therefore, aimed at supplementing the traditional GATT approach to assessing the value of specific tariff bindings by individual developing countries within the Uruguay Round. The guidelines would be applied in accordance with the relevant provisions of the Punta del Este Declaration and the Mid-Term Review on Market Access, including the principle of differential and more favourable treatment.

4. These guidelines would provide a minimum level of credit which should be given practical effect in the negotiations where each participant can make a qualitative assessment of tariff bindings and reductions, including on what constitutes a meaningful rate of ceiling bindings. This could take into account the trade coverage of the tariff

a:k2-mak

bindings, and have regard to particular developing countries' trade and economic development stage. Tariff bindings at free would be assessed in accordance with Article XXVIII bis. Developing countries which reduce substantially or eliminate totally NTMs should be given additional credit towards achieving the Montreal target.

5. (a) Where bound ceiling rates are introduced, credit would be assessed by reference to a level of 40 per cent. For each 10 per cent of imports bound at this level there would be 1 per cent credit. Tariff bindings above this level may earn a credit in accordance with paragraphs 3 and 4 above.

(b) For every 10 per cent of imports bound at ceiling rates below 40 per cent, additional credit would be given in the proportion of 1 per cent credit for every 10 percentage points at which duties are bound below 40 per cent.

(c) Additional credit would be given for substantial bindings at or below 40 per cent, as follows: 1 percentage point for bindings of 90 per cent of imports or above; and 2 percentage points for bindings of 95 per cent of imports or above.

Attached is a table showing the results of this approach.

6. For developing countries which have acceded to the GATT since the beginning of the Uruguay Round, the guidelines at paragraphs 4 and 5 would apply.

7. For developing countries which have already bound 95 per cent or more of their tariff lines and which bind the same proportion of tariff lines at a lower level, the guidelines at paragraphs 4 and 5, as appropriate, may apply in addition to credit assessed under the traditional GATT approach.

a:k2-mak

0253

656-15-8

8. Developing countries which bind 100 per cent of their tariff lines at a rate in accordance with paragraph 4 above but below 40 per cent, and without applying NTMs not in conformity with GATT and related instruments, may achieve the Montreal target of tariff reductions.

9. Developing countries which have autonomously liberalized tariffs or NTMs since 1 June 1986, will be given appropriate recognition by other individual participants in the context of achieving the Uruguay Round trade liberalization objectives. Longer term approaches to this issue need to be determined.

a:kZ-mak

656-15-p

0254

40 + 3

CREDIT FOR CEILING BINDING ACCORDING TO THE BOUND LEVEL OF TARIFF OFFERED AND THE PERCENTAGE OF IMPORTS OFFERED TO BIND

% of imports offered	Bound level of tariff offered (percentages)																																							
	40	39	38	37	36	35	34	33	32	31	30	29	28	27	26	25	24	23	22	21	20	19	18	17	16	15	14	13	12	11	10	9	8	7	6	5	4	3	2	1	0
95/100	12	13	14	15	16	17	18	19	20	21	22	23	24	25	26	27	28	29	30	31	32	33	34	35	36	37	38	39	40	41	42	43	44	45	46	47	48	49	50	51	52
90	10	11	12	13	14	15	15	16	17	18	19	20	21	22	23	24	24	25	26	27	28	29	30	31	32	33	33	34	35	36	37	38	39	40	41	42	42	43	44	45	46
80	8	9	10	10	11	12	13	14	14	15	16	17	18	18	19	20	21	22	22	23	24	25	26	26	27	28	29	30	30	31	32	33	34	34	35	36	37	38	38	39	40
70	7	8	8	9	10	11	11	12	13	13	14	15	15	16	17	18	18	19	20	20	21	22	22	23	24	25	25	26	27	27	28	29	29	30	31	32	32	33	34	34	35
60	6	7	7	8	8	9	10	10	11	11	12	13	13	14	14	15	16	16	17	17	18	19	19	20	20	21	22	22	23	23	24	25	25	26	26	27	28	28	29	29	30
50	5	6	6	7	7	8	8	9	9	10	10	11	11	12	12	13	13	14	14	15	15	16	16	17	17	18	18	19	19	20	20	21	21	22	22	23	23	24	24	25	25
40	4	4	5	5	6	6	6	7	7	8	8	8	9	9	10	10	10	11	11	12	12	12	13	13	14	14	14	15	15	16	16	16	17	17	18	18	18	19	19	20	20
30	3	3	4	4	4	5	5	5	5	6	6	6	7	7	7	8	8	8	8	9	9	9	10	10	10	11	11	11	11	12	12	12	13	13	13	14	14	14	14	15	
20	2	2	2	3	3	3	3	3	4	4	4	4	4	5	5	5	5	5	6	6	6	6	6	7	7	7	7	7	8	8	8	8	8	9	9	9	9	9	10	10	10
10	1	1	1	1	1	2	2	2	2	2	2	2	2	2	2	3	3	3	3	3	3	3	3	3	3	4	4	4	4	4	4	4	4	4	4	5	5	5	5	5	5

SAHNA BOLD: Offer to bind tariffs at 40%: credit = percentage of imports bound divided by 10
Offer to bind tariffs below 40%: credit = (% of imports bound divided by 10) + (40% minus level offered × % of imports bound divided by 100)
Additional credit: 1 percentage point for binding of 90 to 94% of imports
2 percentage points for binding of 95% of imports or above

0255

첨부 3.

DG VI/H-1

SOUTH KOREA NON TARIFF BARRIERS. EEC REQUESTS

Page No. 1
08/12/91

NUM	CODE	PRODUCTS	MEASURES	GATTCODE
58	17040000	Confectionery products	PRIOR REGISTRATION	3D
59	17040000	Confectionery	LABELLING	4E
60	18060000	Chocolate products	INGREDIENTS AND LABELLING REGULATIONS	3D
61	19050000	Pastry	INGREDIENTS AND LABELLING REGULATIONS	3D
62	22000000	Alcoholic beverages	DOMESTIC DISCRIMINATORY TAXATION	5A

0256

156-15-11

DG VI/H-1

SOUTH KOREA NON TARIFF BARRIERS. EEC REQUESTS

Page No. 1
08/12/91

NUM	CODE	COMMENTS
58	17040000	All products to be imported are subject to prior registration requiring: a) a complete ingredient listing (this is not regarded as a problem by the European producers and exporters); b) ingredients percentages; c) a complete process description has to be provided with relevant specifications (eg. cooking temperatures, degree of fineness of particles, etc.). This information is unnecessary either as regarding health or sanitary reasons or the consumer's information and raises problems of disclosure of confidential recipes. Another obstacle to normal trade is the complexity of the legislation, which is available in Korean language only.
59	17040000	All products imported into Korea must indicate on the label, or by means of an sticker, the date of import. Complaints against this measure are based on different arguments: a) During the manufacturing and packaging of any product there is not any possibility of knowing the final market where a particular parcel will be distributed. Therefore, any additional information has to be added using an sticker, which involves a new manipulation of the product and its re-packaging. b) The effective date of import is only known when the goods arrive to Korea. c) The import date is in no way related to the expiry date for the perishable products; its inclusion on the label does not add any valuable information and could confuse the consumers. d) For small items (confectionery, chocolates, etc.) this rules are an effective import ban, due to the lack of space to place the sticker without superposing it to other pre-printed information.

0257

156-15-12

Page No. 2
08/12/91

NUM	CODE	COMMENTS
60	18060000	See comments on items 58 and 59.
61	19050000	See comments on items 58 and 59.
62	22000000	A revised Liquor Tax Law, in force since January 1991, brought a general improvement of the situation in South Korea, but discrimination still persists and it has been particularly exhacerbated in what concerns to the Education Tax. The Korean system of taxation is based on two premises which are intrinsically discriminatory: a) The basis on which taxes are applied is the CIF value plus import duties. This means that internal tax are paid not only on the imported product as such (FOB value), but also on international marine freights and insurances and import duties. None of the last three elements is included in the basis for taxation of domestic similar products. b) An "ad valorem" system penalises high quality products, more expensive and therefore with a minor share of the market. Domestic produce, which accounts for about 98% of the market, is favored not only for the lower rates applying to it but also for its lower value. Locally produced spirits and admixtures that the Community considers as "like products" or "directly competitive or substitutable" in the sense of GATT Art. III.2, are subject to lower ad valoren liquor tax rates and exempt of Education tax, which is not justified by objective factors as different alcohol contents. The new rates have eliminate the discriminatory rates that applied for Whyskey and Cognac by fixing now the same Liquor Tax for both spirits. However, it seems incongruous that the rate applying for Beer is at the same level than for Whiskey and Cognac (150%), almost twice than for Gin, Vodka and Rum (80%) and five times the rate for wines (30%), beer being a product of a much lower alcohol content than any other. The combined effects of import duties and national taxes applying to alcoholic drinks is to multiply CIF prices by four when the goods are at the stage

0258

116-15-13

NUM	CODE	COMMENTS

of "customs cleared", and this before charges such as inland handling and transport, profit margins or promotion and advertising costs are applied. A step-by-step example is shown below:

	(Whiskey)	(Soju)
A)- CIF price..................	100	100
B)- Import duty	40	00
C)- Liquor Tax (A+B x rate).....	210	35
D)- Education Tax (C x rate)....	63	00
E)- VAT (A+B+C x 10%)...........	35	13.5
- TOTAL (Won)..................	448	148.5

For a better clarification of the example the price of diluted soju'has been equalized to a CIF imported whiskey, which is never the case although they are directly competitive products.

With the reform on January/91, the Education tax, which applies to imported products only, became more discriminatory than it was before. Instead of one single rate, the new system fixes an Education Tax of 10% for those products applied a Liquor tax of less than 80%, and 30% when Liquor tax equals or exceed 80%.

VAT is also discriminatory against imported products, because it taxes also import duties and higher liquor tax.

0259

656-15-14

TOTAL P.15

UNCLAS NONCLA.
UZTD
PAGE OF/DE

첨부4.

Canadian Delegation
December 13, 1991

MTN: Market Access
Proposal on Fisheries Products

Recognizing the desirability of achieving substantial liberalization in international trade in fisheries products, participants agree to the following in respect of fish and fish products covered by HS Chapter 03 and HS Headings 05.09, 15.04, 16.03, 16.04, 16.05 and 23.01:

1. The base rate under each tariff item will be reduced by one third, subject to greater reductions being negotiated on a bilateral basis;

2. Final concession rates will not exceed the following harmonized schedule:

GOODS	RATE
Live	Free
Fresh, chilled, frozen, salted or dried	5.0%
Smoked or pickled	7.5%
Processed or prepared	10.0%;

3. Developed countries will phase in tariff concessions of one third or less in five equal annual steps beginning on (January/July 1, 1993); concessions greater than one third, may be phased in in ten equal annual steps. Developing countries will, to the extent consistent with their developmental needs, phase in their tariff concessions in line with the above;

4. Quantitative restrictions and discretionary import licensing will be eliminated by (January/July 1, 1997), but no later than otherwise agreed in bilateral undertakings.

0260

656-15-1,5

원 본

외 무 부

종 별 :

번 호 : GVW-2757 일 시 : 91 1220 1650

수 신 : 장관(통기,재무부,농림수산부,상공부)

발 신 : 주 제네바 대사

제 목 : UR/시장접근

연: GVW-2724

1. 카나다 제안의 수산물 관세 조화 방안

- 연호 송부한 카나다 제안에 대한 각국의 반응은 다음과 같음.

0 일본은 각국마다, 또는 각 품목마다 다양하고 복잡한 특징이 있으므로 수산물은 R/O BASIS 로 다루어져야 하는 자국입장을 되풀이 하고 특히 제4항과 관련 이는 자원보호 정책과 동시에 논의되어야 함.

0 EC 는 수산물 교역에 영향을 미치는 부문이 관세, 비관세도 있으나 오히려 특정국의 입어권(ACCESS TO RESOURCES) 제한이 더 큰 영향을미치므로 두 부문이 동시에논의되어야 함.

0 아국은 아국의 기본입장을 반복 설명함.

0 미국은 업계와의 협의 필요성을 노르웨이,아이슬랜드는 이를 지지하면서 입어권과의 연계논의 불가를, 멕시코, 스웨덴, 핀랜드 등은원칙적으로 지지한다고 함.

2. 한.미 양자 협상

- 12.19 개최된 한.미 양자 협상에서 미국은 새로운 REQUEST LIST (별첨 1 참조)를 제시함.

0 동 LIST 는 종전의 LIST 를 대체하는것이며, 무세화 분야인 전자, 건설장비, 수산물,비철금속등은 제외되어 있다함.

- 또한 미국은 별도협의에서 자국의 섬유관세조화 방안(별첨 3 참조)에 대한 지지를 재차요청함.

3. 기타

- 일본은 N.T.B REQUEST LIST (별첨 2참조)를 추가제시함.

첨부: 1. 미국의 REQUEST LIST

통상국 2차보 청와대 안기부 재무부 농수부 상공부

91.12.21 08:52 BX

외신 1과 통제관

0261

2. 일본의 N.T.B REQUEST LIST
3. 미국의 섬유 관세 조화 방안
(GVW(F)-668)
(대사 박수길-국장)

첨부물 필요시 원본부서에 요청 바람

PAGE 2

0262

주 제 네 바 대 표 부

번 호 : GVW(F) - 0668 년월일 : 11220 시간 : 1640

수 신 : 장 관 (통기, 재무부, 농림수산부, 상공부)

발 신 : 주 제네바대사

제 목 : GVW-2757 첨부

보 안 통 제	

총 40 매(표지포함)

외신과 통 제	

0263

1991-12-21 01:37 KOREAN MISSION GENEVA 2 022 791 0525 P.02

UNITED STATES TRADE REPRESENTATIVE
1-3 AVENUE DE LA PAIX
1202 GENEVA, SWITZERLAND
TELEPHONE: 732 09 70

December 19, 1991

Mr. Uhm
Permanent Mission of the
Republic of Korea
Route de Pre-Bois 20
1216 Cointrin

Dear Mr. Uhm,

According to the agreement reached to exchange lists, please find enclosed a revised United States tariff request list. This new list is presented in an effort aimed at advancing our bilateral discussions by clarifying our interests. Some explanations concerning the revisions made to our list follow:

1. In revising our list, we have withdrawn some of our requests (see attachment for details). The bulk of these withdrawals concern tariff lines that were formerly covered by those zero for zero sectoral proposals (i.e., bicycle parts, furniture and toys) which we dropped last year.

2. All items covered by our current sectoral proposals (beer, chemicals, construction equipment, electronics, fish, medical equipment, non-ferrous metals, paper, pharmaceuticals, steel and wood) have also been removed from our list, as Korea has been made aware of our interests in these areas.

3. Finally, in reviewing our trade interests we have added additional requests of Korea.

We look forward to meeting with you again at an early date to continue this process.

Sincerely,

P. Lance Graef

P. Lance Graef
Market Access Coordinator

0264

U.S. Request of Korea, Republic of

RESTRICTED - BUSINESS CONFIDENTIAL

UNITED STATES URUGUAY ROUND INITIAL MARKET ACCESS REQUEST
FOR: Korea, Republic of

DATE: 12-18-91
PAGE: 1

CN # CR HS #	PRODUCT DESCRIPTION	TARIFF CURRENT	BINDING STATUS	BOUND RATE	TARIFF REQUEST	BINDING REQUEST	NTM DESCRIPTION	NTM REQUEST
04.90.10.00	SUGAR CONFECTIONARY (INCLUDING WHITE CHOCOLATE), NOT CONTAINING COCOA, NESOI	AVE= 20.000	U	AVE= 20.000	Reduce TO 4.00 %	B	- Restrictive health and sanitary requirement: unnecessary 5-day quarantine period	Eliminate
04.90.20.10	SUGAR CONFECTIONARY (INCLUDING WHITE CHOCOLATE), NOT CONTAINING COCOA, NESOI	AVE= 20.000	U	AVE= 20.000	Reduce TO 4.00 %	B	- Restrictive health and sanitary requirement: unnecessary 5-day quarantine period	Eliminate
04.90.[illegible]	SUGAR CONFECTIONARY (INCLUDING WHITE CHOCOLATE), NOT CONTAINING COCOA, NESOI	AVE= 20.000	U	AVE= 20.000	Reduce TO 4.00 %	B	- Restrictive health and sanitary requirement: unnecessary 5-day quarantine period	Eliminate
04.90.20.90	SUGAR CONFECTIONARY (INCLUDING WHITE CHOCOLATE), NOT CONTAINING COCOA, NESOI	AVE= 20.000	U	AVE= 20.000	Reduce TO 4.00 %	B	- Restrictive health and sanitary requirement: unnecessary 5-day quarantine period	Eliminate
04.90.90.00	SUGAR CONFECTIONARY (INCLUDING WHITE CHOCOLATE), NOT CONTAINING COCOA, NESOI	AVE= 20.000	U	AVE= 20.000	Reduce TO 4.00 %	B	- Restrictive health and sanitary requirement: unnecessary 5-day quarantine period	Eliminate
806.20.10.00	CHOCOLATE AND OTHER FOOD PREPARATIONS CONTAINING COCOA NESOI, IN BARS, BLOCKS, SLABS OR OTHER BULK FORM IN CONTAINERS ETC. OF A CONTENT EXCE	AVE= 30.000	U	AVE= 30.000	Reduce TO 4.00 %	B		
806.20.90.00	CHOCOLATE AND OTHER FOOD PREPARATIONS CONTAINING COCOA NESOI, IN BARS, BLOCKS, SLABS OR OTHER BULK FORM IN CONTAINERS ETC. OF A CONTENT EXCE	AVE= 20.000	U	AVE= 20.000	Reduce TO 4.00 %	B		
806.31.10.00	CHOCOLATE AND OTHER COCOA PREPARATIONS IN BLOCKS, SLABS OR BARS, WEIGHING 2 KG OR LESS, FILLED	AVE= 30.000	U	AVE= 30.000	Reduce TO 4.00 %	B	- Restrictive health and sanitary requirement: unnecessary 5-day quarantine period	Eliminate
806.31.90.00	CHOCOLATE AND OTHER COCOA PREPARATIONS IN BLOCKS, SLABS OR BARS, WEIGHING 2 KG OR LESS, FILLED	AVE= 20.000	U	AVE= 20.000	Reduce TO 4.00 %	B	- Restrictive health and sanitary requirement: unnecessary 5-day quarantine period	Eliminate
806.32.10.00	CHOCOLATE AND OTHER COCOA PREPARATIONS IN BLOCKS, SLABS OR BARS, WEIGHING 2 KG OR LESS, NOT FILLED	AVE= 30.000	U	AVE= 30.000	Reduce TO 4.00 %	B	- Restrictive health and sanitary requirement: unnecessary 5-day quarantine period	Eliminate
806.32.90.00	CHOCOLATE AND OTHER COCOA PREPARATIONS IN BLOCKS, SLABS OR BARS, WEIGHING 2 KG OR LESS, NOT FILLED	AVE= 20.000	U	AVE= 20.000	Reduce TO 4.00 %	B	- Restrictive health and sanitary requirement: unnecessary 5-day quarantine period	Eliminate
806.90.10.00	COCOA PREPARATIONS, NOT IN BULK FORM, NESOI	AVE= 30.000	U	AVE= 30.000	Reduce TO 4.00 %	B	- Restrictive health and sanitary requirement: unnecessary 5-day quarantine period	Eliminate
007.99.10.00	JAMS, FRUIT JELLIES, MARMALADES AND COOKED PUREES OR PASTES, OTHER THAN CITRUS FRUIT, NESOI, AND COOKED NUT PUREES OR PASTES, NESOI	AVE= 50.000	U	AVE= 50.000	Reduce TO 15.00 %	B		

RESTRICTED - BUSINESS CONFIDENTIAL

118-40-3

0265

U.S. Request of Korea, Republic of

RESTRICTED - BUSINESS CONFIDENTIAL

UNITED STATES URUGUAY ROUND INITIAL MARKET ACCESS REQUEST
FOR: Korea, Republic of

DATE: 12-18-91
PAGE: 2

CCN # OR HS #	PRODUCT DESCRIPTION	TARIFF CURRENT	BINDING STATUS	BOUND RATE	TARIFF REQUEST	BINDING REQUEST	NTM DESCRIPTION	NTM REQUEST
2007.99.90.00	JAMS, FRUIT JELLIES, MARMALADES AND COOKED PUREES OR PASTES, OTHER THAN CITRUS FRUIT, NESOI, AND COOKED NUT PUREES OR PASTES, NESOI	AVE= 50.000	U	AVE= 50.000	Reduce TO 15.00 %	B		
2009.30.10.00	CITRUS FRUIT JUICE FROM A SINGLE CITRUS FRUIT, NESOI (OTHER THAN ORANGE OR GRAPEFRUIT JUICES), WHETHER OR NOT SWEETENED	AVE= 50.000	C	AVE= 60.000	Reduce TO 25.00 %	B	- Restrictive licensing	Eliminate
2009.30.20.00	CITRUS FRUIT JUICE FROM A SINGLE CITRUS FRUIT, NESOI (OTHER THAN ORANGE OR GRAPEFRUIT JUICES), WHETHER OR NOT SWEETENED	AVE= 50.000	C	AVE= 60.000	Reduce TO 25.00 %	B	- Restrictive licensing	Eliminate
2009.30.90.00	CITRUS FRUIT JUICE FROM A SINGLE CITRUS FRUIT, NESOI (OTHER THAN ORANGE OR GRAPEFRUIT JUICES), WHETHER OR NOT SWEETENED	AVE= 50.000	C	AVE= 60.000	Reduce TO 25.00 %	B	- Restrictive licensing	Eliminate
2009.60.00.00	GRAPEJUICE (INCLUDING GRAPE MUST), UNFERMENTED AND NOT CONTAINING ADDED SPIRIT, WHETHER OR NOT SWEETENED	AVE= 50.000	C	AVE= 60.000	Reduce TO 25.00 %	B		
2009.80.10.10	JUICE OF ANY OTHER SINGLE FRUIT OR VEGETABLE, UNFERMENTED AND NOT CONTAINING ADDED SPIRIT, WHETHER OR NOT SWEETENED, NESOI	AVE= 50.000	C	AVE= 60.000	Reduce TO 15.00 %	B		
2009.80.10.20	JUICE OF ANY OTHER SINGLE FRUIT OR VEGETABLE, UNFERMENTED AND NOT CONTAINING ADDED SPIRIT, WHETHER OR NOT SWEETENED, NESOI	AVE= 50.000	C	AVE= 60.000	Reduce TO 15.00 %	B		
2009.8[illegible]	JUICE OF ANY OTHER SINGLE FRUIT OR VEGETABLE, UNFERMENTED AND NOT CONTAINING ADDED SPIRIT, WHETHER OR NOT SWEETENED, NESOI	AVE= 50.000	C	AVE= 60.000	Reduce TO 15.00 %	B		
2009.80.20.00	JUICE OF ANY OTHER SINGLE FRUIT OR VEGETABLE, UNFERMENTED AND NOT CONTAINING ADDED SPIRIT, WHETHER OR NOT SWEETENED, NESOI	AVE= 30.000	C	AVE= 60.000	Reduce TO 15.00 %	B		
2009.90.10.00	MIXTURES OF JUICES, FRUIT AND/OR VEGETABLE, UNFERMENTED AND NOT CONTAINING ADDED SPIRIT, WHETHER OR NOT SWEETENED	AVE= 50.000	C	AVE= 60.000	Reduce TO 25.00 %	B		

RESTRICTED - BUSINESS CONFIDENTIAL

168-40-4

0266

U.S. Request of Korea, Republic of

RESTRICTED - BUSINESS CONFIDENTIAL

UNITED STATES URUGUAY ROUND INITIAL MARKET ACCESS REQUEST
FOR: Korea, Republic of

DATE: 12-18-91
PAGE: 3

CCN # OR HS #	PRODUCT DESCRIPTION	TARIFF CURRENT	BINDING STATUS	BOUND RATE	TARIFF REQUEST	BINDING REQUEST	NTM DESCRIPTION	NTM REQUEST
009.90.20.00	MIXTURES OF JUICES, FRUIT AND/OR VEGETABLE, UNFERMENTED AND NOT CONTAINING ADDED SPIRIT, WHETHER OR NOT SWEETENED	AVE= 30.000	C	AVE= 60.000	Reduce TO 25.00 %	B		
009.90.90.00	MIXTURES OF JUICES, FRUIT AND/OR VEGETABLE, UNFERMENTED AND NOT CONTAINING ADDED SPIRIT, WHETHER OR NOT SWEETENED	AVE= 50.000	C	AVE= 60.000	Reduce TO 25.00 %	B		
102.10.10.00	YEASTS, ACTIVE	AVE= 20.000	U	AVE= 20.000	Reduce TO 4.00 %	B		
102.10.20.00	YEASTS, ACTIVE	AVE= 20.000	U	AVE= 20.000	Reduce TO 4.00 %	B		
102.10.40.00	YEASTS, ACTIVE	AVE= 20.000	U	AVE= 20.000	Reduce TO 4.00 %	B		
102.10.90.00	YEASTS, ACTIVE	AVE= 20.000	U	AVE= 20.000	Reduce TO 4.00 %	B		
102.20.10.00	YEASTS, INACTIVE; OTHER SINGLE-CELL MICRO-ORGANISMS, DEAD	AVE= 20.000	U	AVE= 20.000	Reduce TO 4.00 %	B		
106.90.10.10	Bases for beverage, non-alcoholic: Cola base	13.0%	C	40.0%	Reduce TO 0.00 %	B		
106.90.10.20	Bases for beverages, non-alcoholic: Beverage base of perfumed fruits	13.0%	C	50.0%	Reduce TO 0.00 %	B		
204.10.00.00	SPARKLING WINE OF FRESH GRAPES	AVE= 100.000	U	AVE= 100.000	Reduce TO 15.00 %	B		
206.00.10.90	FERMENTED BEVERAGES, NESOI (INCLUDING CIDER, PERRY AND MEAD)	AVE= 100.000	U	AVE= 100.000	Reduce TO 15.00 %	B		
207.10.10.00	ETHYL ALCOHOL, UNDENATURED, OF AN ALCOHOLIC STRENGTH BY VOLUME OF 80% VOL. OR HIGHER	AVE= 50.000	U	AVE= 50.000		B	- Restrictive licensing	Eliminate
207.2[illegible]0	ETHYL ALCOHOL AND OTHER SPIRITS, DENATURED, OF ANY STRENGTH	AVE= 20.000	U	AVE= 20.000		B	- Restrictive licensing	Eliminate
208.30.20.00	WHISKIES	AVE= 100.000	U	AVE= 100.000	Reduce TO 15.00 %	B		
208.90.10.00	SPIRITUOUS BEVERAGES, NESOI, INCLUDING CORDIALS, LIQUEURS, KIRSHWASSER, RATAFIA AND VODKA	AVE= 100.000	U	AVE= 100.000	Reduce TO 15.00 %	B	- Restrictive licensing	Eliminate
208.90.20.00	SPIRITUOUS BEVERAGES, NESOI, INCLUDING CORDIALS, LIQUEURS, KIRSHWASSER, RATAFIA AND VODKA	AVE= 100.000	U	AVE= 100.000		B	- Restrictive licensing	Eliminate

RESTRICTED - BUSINESS CONFIDENTIAL

668-40-5

0267

U.S. Request of Korea, Republic of

RESTRICTED - BUSINESS CONFIDENTIAL

UNITED STATES URUGUAY ROUND INITIAL MARKET ACCESS REQUEST
FOR: Korea, Republic of

DATE: 12-18-91
PAGE: 4

CCCN # CR HS #	PRODUCT DESCRIPTION	TARIFF CURRENT	BINDING STATUS	BOUND RATE	TARIFF REQUEST	BINDING REQUEST	NTM DESCRIPTION	NTM REQUEST
2208.90.30.00	SPIRITUOUS BEVERAGES, NESOI, INCLUDING CORDIALS, LIQUEURS, KIRSHWASSER, RATAFIA AND VODKA	AVE= 100.000	U	AVE= 100.000	Reduce TO 15.00 %	B	- Restrictive licensing	Eliminate
2208.90.40.00	SPIRITUOUS BEVERAGES, NESOI, INCLUDING CORDIALS, LIQUEURS, KIRSHWASSER, RATAFIA AND VODKA	AVE= 100.000	U	AVE= 100.000		B	- Restrictive licensing	Eliminate
2208.9[illegible]	SPIRITUOUS BEVERAGES, NESOI, INCLUDING CORDIALS, LIQUEURS, KIRSHWASSER, RATAFIA AND VODKA	AVE= 100.000	U	AVE= 100.000		B	- Restrictive licensing	Eliminate
2208.90.60.00	SPIRITUOUS BEVERAGES, NESOI, INCLUDING CORDIALS, LIQUEURS, KIRSHWASSER, RATAFIA AND VODKA	AVE= 100.000	U	AVE= 100.000		B	- Restrictive licensing	Eliminate
2208.90.70.00	SPIRITUOUS BEVERAGES, NESOI, INCLUDING CORDIALS, LIQUEURS, KIRSHWASSER, RATAFIA AND VODKA	AVE= 100.000	U	AVE= 100.000		B	- Restrictive licensing	Eliminate
2401.20.10.00	TOBACCO, PARTLY OR WHOLLY STEMMED/STRIPPED	AVE= 50.000	C	AVE= 60.000	Reduce TO 10.00 %	B		
2401.20.20.00	TOBACCO, PARTLY OR WHOLLY STEMMED/STRIPPED	AVE= 50.000	C	AVE= 60.000	Reduce TO 10.00 %	B		
2401.20.30.00	TOBACCO, PARTLY OR WHOLLY STEMMED/STRIPPED	AVE= 50.000	C	AVE= 60.000	Reduce TO 10.00 %	B		
2401.20.90.00	TOBACCO, PARTLY OR WHOLLY STEMMED/STRIPPED	AVE= 50.000	C	AVE= 60.000	Reduce TO 10.00 %	B		
2402.10.10.00	CIGARS, CHEROOTS AND CIGARILLOS, CONTAINING TOBACCO	AVE= 100.000	U	AVE= 100.000	Reduce TO 20.00 %	B		
2402.1 0	CIGARS, CHEROOTS AND CIGARILLOS, CONTAINING TOBACCO	AVE= 100.000	U	AVE= 100.000	Reduce TO 20.00 %	B		
2402.10.30.00	CIGARS, CHEROOTS AND CIGARILLOS, CONTAINING TOBACCO	AVE= 100.000	U	AVE= 100.000	Reduce TO 20.00 %	B		
2403.10.10.00	SMOKING TOBACCO, WHETHER OR NOT CONTAINING TOBACCO SUBSTITUTES IN ANY PROPORTION	AVE= 100.000	U	AVE= 100.000	Reduce TO 20.00 %	B		
2403.10.90.00	SMOKING TOBACCO, WHETHER OR NOT CONTAINING TOBACCO SUBSTITUTES IN ANY PROPORTION	AVE= 100.000	U	AVE= 100.000	Reduce TO 20.00 %	B		

RESTRICTED - BUSINESS CONFIDENTIAL

668-40-6

0268

U.S. Request of Korea, Republic of

RESTRICTED - BUSINESS CONFIDENTIAL

UNITED STATES URUGUAY ROUND INITIAL MARKET ACCESS REQUEST
FOR: Korea, Republic of

DATE: 12-18-91
PAGE: 5

CCCN # OR HS #	PRODUCT DESCRIPTION	TARIFF CURRENT	BINDING STATUS	BOUND RATE	TARIFF REQUEST	BINDING REQUEST	NTM DESCRIPTION	NTM REQUEST
2513.29.30.00	EMERY, NATURAL CORUNDUM, NATURAL GARNET AND OTHER NATURAL ABRASIVES (EXCEPT PUMICE), OTHER THAN CRUDE OR IN IRREGULAR PIECES	AVE= 10.000	U	AVE= 10.000	Reduce TO 0.00 %	B		

RESTRICTED - BUSINESS CONFIDENTIAL

668-40-7

0269

1991-12-20 19:04 KOREAN MISSION GENEVA 2 022 791 0525 P.08

0270

RESTRICTED - BUSINESS CONFIDENTIAL

U.S. Request of Korea, Republic of

RESTRICTED - BUSINESS CONFIDENTIAL

UNITED STATES URUGUAY ROUND INITIAL MARKET ACCESS REQUEST
FOR: Korea, Republic of

DATE: 12-18-91
PAGE: 6

CCN # OR HS #	PRODUCT DESCRIPTION	TARIFF CURRENT	BINDING STATUS	BOUND RATE	TARIFF REQUEST	BINDING REQUEST	NTM DESCRIPTION	NTM REQUEST
002.11.00.00	Latex of Styrene-Butadiene Rubber	20.0%	B	AVE= 17.500	Reduce TO 4.00 %	B		
002.49.00.00	Chloroprene (Chlorobutadiene)	AVE= 17.500	B	AVE= 17.500	Reduce TO 4.00 %	B		
002.70.10.00	ETHYLENE-PROPYLENE-NONCONJUGATED DIENE RUBBER (EPDM) IN PRIMARY FORMS OR IN PLATES, SHEETS OR STRIP	AVE= 17.500	B	AVE= 17.500	Reduce TO 4.00 %	B		
002.7[illegible]0	ETHYLENE-PROPYLENE-NONCONJUGATED DIENE RUBBER (EPDM) IN PRIMARY FORMS OR IN PLATES, SHEETS OR STRIP	AVE= 17.500	B	AVE= 17.500	Reduce TO 4.00 %	B		
002.99.10.00	SYNTHETIC RUBBER AND FACTICE DERIVED FROM OILS, IN PRIMARY FORMS OR IN PLATES, SHEETS OR STRIP, NESOI	AVE= 17.500	B	AVE= 17.500	Reduce TO 4.00 %	B		
002.99.20.00	SYNTHETIC RUBBER AND FACTICE DERIVED FROM OILS, IN PRIMARY FORMS OR IN PLATES, SHEETS OR STRIP, NESOI	AVE= 17.500	B	AVE= 17.500	Reduce TO 4.00 %	B		
002.99.30.00	SYNTHETIC RUBBER AND FACTICE DERIVED FROM OILS, IN PRIMARY FORMS OR IN PLATES, SHEETS OR STRIP, NESOI	AVE= 17.500	B	AVE= 17.500	Reduce TO 4.00 %	B		
002.99.90.00	SYNTHETIC RUBBER AND FACTICE DERIVED FROM OILS, IN PRIMARY FORMS OR IN PLATES, SHEETS OR STRIP, NESOI	AVE= 17.500	B	AVE= 17.500	Reduce TO 4.00 %	B		
009.10.00.00	X-OUT: Rubber hoses, not reinforced, for motor vehicles	AVE= 20.000	U	AVE= 30.000	Reduce TO 0.00 %	B		
009.20.00.00	X-OUT: Rubber hoses, reinforced with metal, for autos	AVE= 20.000	U	AVE= 30.000	Reduce TO 0.00 %	B		
009.3[illegible]00	X-OUT: Rubber hoses, reinforced with textiles, for autos	AVE= 20.000	U	AVE= 30.000	Reduce TO 0.00 %	B		
009.40.00.00	X-OUT: Rubber hoses, reinforced w/other mtrls, for autos	AVE= 20.000	U	AVE= 30.000	Reduce TO 0.00 %	B		
009.50.10.00	X-OUT: Rubber hoses with fittings, for autos	AVE= 20.000	U	AVE= 30.000	Reduce TO 0.00 %	B		
009.50.20.00	X-OUT: Rubber hoses with fittings, for autos	AVE= 20.000	U	AVE= 30.000	Reduce TO 0.00 %	B		
009.50.30.00	X-OUT: Rubber hoses with fittings, for autos	AVE= 20.000	U	AVE= 30.000	Reduce TO 0.00 %	B		

RESTRICTED - BUSINESS CONFIDENTIAL

668-40-1

0271

U.S. Request of Korea, Republic of

RESTRICTED - BUSINESS CONFIDENTIAL

UNITED STATES URUGUAY ROUND INITIAL MARKET ACCESS REQUEST
FOR: Korea, Republic of

DATE: 12-18-91
PAGE: 7

CN # OR HS #	PRODUCT DESCRIPTION	TARIFF CURRENT	BINDING STATUS	BOUND RATE	TARIFF REQUEST		BINDING REQUEST	NTM DESCRIPTION	NTM REQUEST
39.50.40.00	X-OUT: Rubber hoses with fittings, for autos	AVE= 20.000	U	AVE= 30.000	Reduce TO	0.00 %	B		
10.10.00.00	X-OUT: Auto V-type belts & belting	AVE= 20.000	U	AVE= 25.000	Reduce TO	0.00 %	B		
10.91.90.00	CONVEYOR OR TRANSMISSION BELTS OR BELTING, OF VULCANIZED RUBBER, NESOI, EXCEEDING 20 CM (8 INCH) IN WIDTH	AVE= 20.000	U	AVE= 25.000	Reduce TO	4.00 %	B		
11.10.10.00	NEW PNEUMATIC TIRES, OF RUBBER, OF A KIND USED ON MOTOR CARS (INCLUDING STATION WAGONS AND RACING CARS)	AVE= 20.000	U	AVE= 30.000	Reduce TO	0.00 %	B		
11.50.00.00	NEW PNEUMATIC TIRES, OF RUBBER, OF A KIND USED ON BICYCLES	AVE= 20.000	U	AVE= 30.000	Reduce TO	0.00 %	B		
16.93.00.00	X-OUT: Automotive gaskets	AVE= 25.000	U	AVE= 25.000	Reduce TO	0.00 %	B		
03.10.00.00	CARPETS AND OTHER TEXTILE FLOOR COVERINGS, TUFTED (WHETHER OR NOT MADE-UP), OF WOOL OR FINE ANIMAL HAIR	AVE= 30.000	U	AVE= 35.000	Reduce TO	4.00 %	B		
03.20.00.00	CARPETS AND OTHER TEXTILE FLOOR COVERINGS, TUFTED (WHETHER OR NOT MADE-UP), OF NYLON OR OTHER POLYAMIDES	AVE= 30.000	U	AVE= 35.000	Reduce TO	4.00 %	B		
09.11.00.00	X-OUT: Ceramic substrates for catalytic converters	AVE= 20.000	U	AVE= 20.000	Reduce TO	0.00 %	B		
11.90.20.00	CERAMIC HOUSEHOLD AND TOILET ARTICLES NESOI, OF PORCELAIN OR CHINA	AVE= 30.000	U	AVE= 35.000	Reduce TO	4.00 %	B		
07.11.00.00	TOUGHENED (TEMPERED) SAFETY GLASS, OF SIZE AND SHAPE SUITABLE FOR INCORPORATION IN VEHICLES, AIRCRAFT, SPACECRAFT OR VESSELS	AVE= 20.000	U	AVE= 30.000	Reduce TO	0.00 %	B		
07.19.00.00	TOUGHENED (TEMPERED) SAFETY GLASS, NOT SUITABLE FOR INCORPORATION IN VEHICLES, AIRCRAFT, SPACECRAFT OR VESSELS	AVE= 20.000	U	AVE= 30.000	Reduce TO	4.00 %	B		
07.21.00.00	LAMINATED SAFETY GLASS, OF SIZE AND SHAPE SUITABLE FOR INCORPORATION IN VEHICLES, AIRCRAFT, SPACECRAFT OR VESSELS	AVE= 20.000	U	AVE= 30.000	Reduce TO	0.00 %	B		
07.29.00.00	LAMINATED SAFETY GLASS, NOT SUITABLE FOR INCORPORATION IN VEHICLES, AIRCRAFT, SPACECRAFT OR VESSELS	AVE= 20.000	U	AVE= 30.000	Reduce TO	4.00 %	B		

RESTRICTED - BUSINESS CONFIDENTIAL

668-40-10

0272

418 P10 WOI '91-12-21 02:01 TOTAL P.10

UNITED STATES URUGUAY ROUND INITIAL MARKET ACCESS REQUEST
FOR: Korea, Republic of

#	PRODUCT DESCRIPTION	TARIFF CURRENT	BINDING STATUS	BOUND RATE	TARIFF REQUEST	BINDING REQUEST	NTM DESCRIPTION	NTM REQUEST
.00.00.00	MULTIPLE-WALLED INSULATING UNITS OF GLASS	AVE= 20.000	U	AVE= 30.000	Reduce TO 4.00 %	B		
.39.00.00	TABLE OR KITCHEN GLASSWARE NESOI	AVE= 30.000	U	AVE= 35.000	Reduce TO 4.00 %	B		
.10.00.00	GLASS SLIVERS, ROVINGS, YARN AND CHOPPED STRANDS	AVE= 20.000	U	AVE= 25.000	Reduce TO 4.00 %	B		
.10.10.00	DIAMOND DUST AND POWDER, NATURAL AND SYNTHETIC	AVE= 10.000	U	AVE= 10.000	Reduce TO 5.00 %	B		
.10.93.00	IRON OR STEEL GRANULES	AVE= 10.000	U	AVE= 10.000	Reduce TO 0.00 %	B		
.21.00.00	ALLOY STEEL POWDERS	AVE= 10.000	U	AVE= 10.000	Reduce TO 0.00 %	B		
.11.00.00	PIPE OR TUBE FITTINGS, CAST, OF NONMALLEABLE IRON	AVE= 20.000	U	AVE= 20.000	Reduce BY 50.00 %	B		
.19.00.00	PIPE OR TUBE FITTINGS, CAST, OF IRON NESOI OR STEEL	AVE= 20.000	U	AVE= 20.000	Reduce BY 50.00 %	B		
.21.00.00	PIPE OR TUBE FITTINGS, NESOI, STAINLESS STEEL FLANGES	AVE= 20.000	U	AVE= 20.000	Reduce BY 50.00 %	B		
.22	PIPE OR TUBE FITTINGS, NESOI, STAINLESS STEEL THREADED ELBOWS, BENDS AND SLEEVES	15/8%	U	AVE= 0.000		B	- Korea restricts exports of certain steel products	Eliminate
.22.00.00	X-OUT: Except sleeves (couplings)	AVE= 20.000	U	AVE= 20.000	Reduce BY 50.00 %	B		
.29.00.00	PIPE OR TUBE FITTINGS, NESOI, STAINLESS STEEL FITTINGS NESOI	AVE= 20.000	U	AVE= 20.000	Reduce BY 50.00 %	B		
7.91.00	PIPE OR TUBE FITTINGS, NESOI, IRON OR NONSTAINLESS STEEL FLANGES	AVE= 20.000	U	AVE= 20.000	Reduce BY 50.00 %	B		
7.92	PIPE OR TUBE FITTINGS, NESOI, IRON OR NONSTAINLESS STEEL THREADED ELBOWS, BENDS AND SLEEVES	15/8%	U	AVE= 0.000		B	- Korea restricts exports of certain steel products	Eliminate
7.92.00.00	X-OUT: Except sleeves (couplings)	AVE= 20.000	U	AVE= 20.000	Reduce BY 50.00 %	B		
7.93.00.00	PIPE OR TUBE FITTINGS, NESOI, IRON OR NONSTAINLESS STEEL BUTT WELDING FITTINGS	AVE= 20.000	U	AVE= 20.000	Reduce BY 50.00 %	B		
7.99.00.00	PIPE OR TUBE FITTINGS, NESOI, IRON OR NONSTAINLESS STEEL FITTINGS NESOI	AVE= 20.000	U	AVE= 20.000	Reduce BY 50.00 %	B		

168-40-11

U.S. Request of Korea, Republic of

RESTRICTED - BUSINESS CONFIDENTIAL

UNITED STATES URUGUAY ROUND INITIAL MARKET ACCESS REQUEST
FOR: Korea, Republic of

DATE: 12-18-91
PAGE: 9

CN # OR HS #	PRODUCT DESCRIPTION	TARIFF CURRENT	BINDING STATUS	BOUND RATE	TARIFF REQUEST	BINDING REQUEST	NTM DESCRIPTION	NTM REQUEST
15.11.00.00	K-OUT: Bicycle chains	AVE= 20.000	U	AVE= 25.000	Reduce TO 0.00 %	B		
21.11.00.00	COOKING APPLIANCES AND PLATE WARMERS, FOR GAS FUEL OR FOR BOTH GAS AND OTHER FUELS, OF IRON OR STEEL	AVE= 30.000	U	AVE= 35.000	Reduce TO 4.00 %	B		
07.11.[illegible]	ROCK DRILLING OR EARTH BORING TOOLS, WITH WORKING PART OF SINTERED METAL CARBIDE OR CERMETS, AND BASE METAL PARTS THEREOF	AVE= 20.000	C	AVE= 30.000	Reduce TO 4.00 %	B		
02.10.00.00	HINGES, AND PARTS THEREOF, OF BASE METAL	AVE= 20.000	U	AVE= 25.000	Reduce TO 4.00 %	B		
11.10.10.00	COATED ELECTRODES OF BASE METAL, FOR ELECTRIC ARC-WELDING	AVE= 10.000	U	AVE= 10.000	Reduce TO 4.00 %	B		
11.10.90.00	COATED ELECTRODES OF BASE METAL, FOR ELECTRIC ARC-WELDING	AVE= 20.000	U	AVE= 25.000	Reduce TO 4.00 %	B		
	NUCLEAR REACTORS, BOILERS, MACHINERY AND MECHANICAL APPLIANCES; PARTS THEREOF	N/A	U	N/A		B	- Korea does not allow the use of step-down transformers in imported appliances.	Eliminate
05.90.20.00	PARTS FOR PRODUCER GAS AND WATER GAS GENERATORS, ACTYLENE GAS AND SIMILAR PROCESS GAS GENERATORS	AVE= 20.000	U	AVE= 20.000	Reduce TO 4.00 %	B		
05.90.90.00	PARTS FOR PRODUCER GAS AND WATER GAS GENERATORS, ACTYLENE GAS AND SIMILAR PROCESS GAS GENERATORS	AVE= 20.000	U	AVE= 20.000	Reduce TO 4.00 %	B		
07.90.90.00	SPARK-IGNITION RECIPROCATING OR ROTARY INTERNAL COMBUSTION PISTON ENGINES, NESOI	AVE= 25.000	U	AVE= 25.000	Reduce TO 10.00 %	B		
08.10.10.00	MARINE COMPRESSION-IGNITION INTERNAL COMBUSTION PISTON ENGINES (DIESEL OR SEMI-DIESEL ENGINES)	AVE= 20.000	U	AVE= 25.000	Reduce TO 0.00 %	B		
09.91.90.00	PARTS FOR USE WITH SPARK-IGNITION INTERNAL COMBUSTION PISTON ENGINES (INCLUDING ROTARY ENGINES), NESOI	AVE= 25.000	U	AVE= 25.000	Reduce TO 0.00 %	B		
09.99.10.00	PARTS FOR USE WITH COMPRESSION-IGNITION INTERNAL COMBUSTION PISTON ENGINES, NESOI	AVE= 5.000	U	AVE= 5.000	Reduce TO 0.00 %	B		

RESTRICTED - BUSINESS CONFIDENTIAL

618-40-12

0274

U.S. Request of Korea, Republic of

RESTRICTED - BUSINESS CONFIDENTIAL

UNITED STATES URUGUAY ROUND INITIAL MARKET ACCESS REQUEST
FOR: Korea, Republic of

DATE: 12-18-91
PAGE: 10

H S #	PRODUCT DESCRIPTION	TARIFF CURRENT	BINDING STATUS	BOUND RATE	TARIFF REQUEST		BINDING REQUEST	NTM DESCRIPTION	NTM REQUEST
9.99.90.00	PARTS FOR USE WITH COMPRESSION-IGNITION INTERNAL COMBUSTION PISTON ENGINES, NESOI	AVE= 20.000	U	AVE= 25.000	Reduce TO	0.00 %	B		
14.10.00.00	VACUUM PUMPS	AVE= 15.000	U	AVE= 15.000	Reduce TO	4.00 %	B		
14.20.00.00	HAND- OR FOOT-OPERATED AIR PUMPS	AVE= 15.000	U	AVE= 15.000	Reduce TO	4.00 %	B		
14.40.0[illegible]	AIR COMPRESSORS MOUNTED ON A WHEELED CHASSIS FOR TOWING	AVE= 15.000	U	AVE= 15.000	Reduce TO	4.00 %	B		
14.51.00.00	FANS, TABLE, FLOOR, WALL, WINDOW, CEILING OR ROOF, WITH SELF-CONTAINED ELECTRIC MOTOR OF AN OUTPUT NOT EXCEEDING 125 W	AVE= 30.000	C	AVE= 50.000	Reduce TO	4.00 %	B		
14.60.00.00	VENTILATING OR RECYCLING HOODS INCORPORATING A FAN, HAVING A MAXIMUM HORIZINTAL SIDE NOT EXCEEDING 120 CM	AVE= 60.000	U	AVE= 15.000	Reduce TO	4.00 %	B		
14.80.10.00	AIR PUMPS AND AIR OR OTHER GAS COMPRESSORS, NESOI; VENTILATING OR RECYCLING HOODS INCORPORATING A FAN, NESOI	AVE= 20.000	U	AVE= 35.000	Reduce TO	4.00 %	B		
14.80.91.00	AIR PUMPS AND AIR OR OTHER GAS COMPRESSORS, NESOI; VENTILATING OR RECYCLING HOODS INCORPORATING A FAN, NESOI	AVE= 15.000	U	AVE= 15.000	Reduce TO	4.00 %	B		
14.80.92.10	AIR PUMPS AND AIR OR OTHER GAS COMPRESSORS, NESOI; VENTILATING OR RECYCLING HOODS INCORPORATING A FAN, NESOI	AVE= 15.000	U	AVE= 15.000	Reduce TO	4.00 %	B		
14.80.9[illegible]	AIR PUMPS AND AIR OR OTHER GAS COMPRESSORS, NESOI; VENTILATING OR RECYCLING HOODS INCORPORATING A FAN, NESOI	AVE= 15.000	U	AVE= 15.000	Reduce TO	4.00 %	B		
14.80.92.30	AIR PUMPS AND AIR OR OTHER GAS COMPRESSORS, NESOI; VENTILATING OR RECYCLING HOODS INCORPORATING A FAN, NESOI	AVE= 15.000	U	AVE= 15.000	Reduce TO	4.00 %	B		
14.80.99.00	AIR PUMPS AND AIR OR OTHER GAS COMPRESSORS, NESOI; VENTILATING OR RECYCLING HOODS INCORPORATING A FAN, NESOI	AVE= 15.000	U	AVE= 35.000	Reduce TO	4.00 %	B		

RESTRICTED - BUSINESS CONFIDENTIAL

668-40-13

0275

U.S. Request of Korea, Republic of

RESTRICTED - BUSINESS CONFIDENTIAL

UNITED STATES URUGUAY ROUND INITIAL MARKET ACCESS REQUEST
FOR: Korea, Republic of

DATE: 12-18-91
PAGE: 11

N # / R / S #	PRODUCT DESCRIPTION	TARIFF CURRENT	BINDING STATUS	BOUND RATE	TARIFF REQUEST		BINDING REQUEST	NTM DESCRIPTION	NTM REQUEST
5.81.00.00	AIR CONDITIONING MACHINES NESOI, INCORPORATING A REFRIGERATING UNIT AND VALVE FOR REVERSAL OF THE COOLING/HEAT CYCLE	AVE= 30.000	U	AVE= 35.000	Reduce TO	4.00 %	B		
5.82.00.[illegible]	AIR CONDITIONING MACHINES NESOI, INCORPORATING A REFRIGERATING UNIT, NESOI	AVE= 30.000	U	AVE= 35.000	Reduce TO	4.00 %	B		
5.83.00.00	X-OUT: Auto air cond (without refrig unit)	AVE= 30.000	U	AVE= 35.000	Reduce TO	0.00 %	B		
5.83.00.00	AIR CONDITIONING MACHINES NESOI, NOT INCORPORATING A REFRIGERATING UNIT	AVE= 30.000	U	AVE= 35.000	Reduce TO	4.00 %	B		
5.90.00.00	PARTS, NESOI, OF AIR CONDITIONING MACHINES	AVE= 20.000	U	AVE= 25.000	Reduce TO	0.00 %	B		
8.22.00.00	REFRIGERATORS, HOUSEHOLD, ABSORPTION TYPE, ELECTRICAL	AVE= 30.000	U	AVE= 35.000	Reduce TO	4.00 %	B		
8.29.00.00	REFRIGERATORS, HOUSEHOLD TYPE, NESOI	AVE= 30.000	U	AVE= 35.000	Reduce TO	4.00 %	B		
8.30.00.00	FREEZERS, CHEST TYPE, CAPACITY NOT EXCEEDING 800 LITERS	AVE= 20.000	U	AVE= 30.000	Reduce TO	4.00 %	B		
8.40.00.00	FREEZERS, UPRIGHT TYPE, CAPACITY NOT EXCEEDING 900 LITERS	AVE= 20.000	U	AVE= 30.000	Reduce TO	4.00 %	B		
18.50.20.00	REFRIGERATING OR FREEZING CHESTS, DISPLAY COUNTERS, CABINETS, SHOWCASES AND SIMILAR EQUIPMENT, NESOI	AVE= 20.000	U	AVE= 25.000	Reduce TO	4.00 %	B		
18.50.3[illegible]	REFRIGERATING OR FREEZING CHESTS, DISPLAY COUNTERS, CABINETS, SHOWCASES AND SIMILAR EQUIPMENT, NESOI	AVE= 20.000	U	AVE= 25.000	Reduce TO	4.00 %	B		
18.50.40.00	REFRIGERATING OR FREEZING CHESTS, DISPLAY COUNTERS, CABINETS, SHOWCASES AND SIMILAR EQUIPMENT, NESOI	AVE= 20.000	U	AVE= 25.000	Reduce TO	4.00 %	B		
18.50.90.00	REFRIGERATING OR FREEZING CHESTS, DISPLAY COUNTERS, CABINETS, SHOWCASES AND SIMILAR EQUIPMENT, NESOI	AVE= 20.000	U	AVE= 25.000	Reduce TO	4.00 %	B		
18.61.00.00	COMPRESSION TYPE HEAT PUMP UNITS WHOSE CONDENSERS ARE HEAT EXCHANGERS (EXCLUDING REVERSIBLE HEAT PUMPS	AVE= 20.000	U	AVE= 25.000	Reduce TO	4.00 %	B		

RESTRICTED - BUSINESS CONFIDENTIAL

668-40-14

0276

RESTRICTED - BUSINESS CONFIDENTIAL

UNITED STATES URUGUAY ROUND INITIAL MARKET ACCESS REQUEST
FOR: Korea, Republic of

CN # OR HS #	PRODUCT DESCRIPTION	TARIFF CURRENT	BINDING STATUS	BOUND RATE	TARIFF REQUEST	BINDING REQUEST	NTM DESCRIPTION	NTM REQUEST
	CAPABLE OF CHANGING TEMPERATURE AND H							
18.69.10.00	REFRIGERATING OR FREEZING EQUIPMENT, NESOI	AVE= 20.000	U	AVE= 20.000	Reduce TO 4.00 %	B		
18.69.20.00	REFRIGERATING OR FREEZING EQUIPMENT, NESOI	AVE= 25.000	U	AVE= 25.000	Reduce TO 4.00 %	B		
18.69.3[illegible]	REFRIGERATING OR FREEZING EQUIPMENT, NESOI	AVE= 20.000	U	AVE= 25.000	Reduce TO 4.00 %	B		
18.99.10.00	PARTS OF REFRIGERATION OR FREEZING EQUIPMENT AND HEAT PUMPS, NESOI	AVE= 20.000	U	AVE= 25.000	Reduce TO 4.00 %	B		
18.99.90.00	PARTS OF REFRIGERATION OR FREEZING EQUIPMENT AND HEAT PUMPS, NESOI	AVE= 20.000	U	AVE= 25.000	Reduce TO 4.00 %	B		
19.40.00.00	DISTILLING OR RECTIFYING PLANT	AVE= 20.000	U	AVE= 20.000	Reduce TO 4.00 %	B		
19.89.10.00	MACHINERY, PLANT OR LABORATORY EQUIPMENT FOR THE TREATMENT OF MATERIAL INVOLVING TEMPERATURE CHANGE (EXCEPT DOMESTIC MACHINERY), NESOI	AVE= 20.000	U	AVE= 25.000	Reduce TO 4.00 %	B		
19.89.90.10	MACHINERY, PLANT OR LABORATORY EQUIPMENT FOR THE TREATMENT OF MATERIAL INVOLVING TEMPERATURE CHANGE (EXCEPT DOMESTIC MACHINERY), NESOI	AVE= 20.000	U	AVE= 20.000	Reduce TO 4.00 %	B		
19.89.90.30	MACHINERY, PLANT OR LABORATORY EQUIPMENT FOR THE TREATMENT OF MATERIAL INVOLVING TEMPERATURE CHANGE (EXCEPT DOMESTIC MACHINERY), NESOI	AVE= 20.000	U	AVE= 20.000	Reduce TO 4.00 %	B		
19.89.[illegible]	MACHINERY, PLANT OR LABORATORY EQUIPMENT FOR THE TREATMENT OF MATERIAL INVOLVING TEMPERATURE CHANGE (EXCEPT DOMESTIC MACHINERY), NESOI	AVE= 20.000	U	AVE= 20.000	Reduce TO 4.00 %	B		
19.89.90.50	MACHINERY, PLANT OR LABORATORY EQUIPMENT FOR THE TREATMENT OF MATERIAL INVOLVING TEMPERATURE CHANGE (EXCEPT DOMESTIC MACHINERY), NESOI	AVE= 20.000	U	AVE= 20.000	Reduce TO 4.00 %	B		
19.89.90.60	MACHINERY, PLANT OR LABORATORY EQUIPMENT FOR THE TREATMENT OF MATERIAL INVOLVING TEMPERATURE CHANGE (EXCEPT DOMESTIC MACHINERY), NESOI	AVE= 20.000	U	AVE= 20.000	Reduce TO 4.00 %	B		

RESTRICTED - BUSINESS CONFIDENTIAL

668-40-15

0277

U.S. Request of Korea, Republic of

RESTRICTED - BUSINESS CONFIDENTIAL

UNITED STATES URUGUAY ROUND INITIAL MARKET ACCESS REQUEST
FOR: Korea, Republic of

DATE: 12-18-91
PAGE: 13

CCN # OR HS #	PRODUCT DESCRIPTION	TARIFF CURRENT	BINDING STATUS	BOUND RATE	TARIFF REQUEST	BINDING REQUEST	NTM DESCRIPTION	NTM REQUEST
3419.89.90.70	MACHINERY, PLANT OR LABORATORY EQUIPMENT FOR THE TREATMENT OF MATERIAL INVOLVING TEMPERATURE CHANGE (EXCEPT DOMESTIC MACHINERY), NESOI	AVE= 20.000	U	AVE= 20.000	Reduce TO 4.00 %	B		
3419.89.90.90	MACHINERY, PLANT OR LABORATORY EQUIPMENT FOR THE TREATMENT OF MATERIAL INVOLVING TEMPERATURE CHANGE (EXCEPT DOMESTIC MACHINERY), NESOI	AVE= 20.000	U	AVE= 20.000	Reduce TO 4.00 %	B		
3420.10.10.00	CALENDERING OR OTHER ROLLING MACHINES, OTHER THAN FOR METALS OR GLASS	AVE= 20.000	U	AVE= 20.000	Reduce TO 4.00 %	B		
3420.10.20.00	CALENDERING OR OTHER ROLLING MACHINES, OTHER THAN FOR METALS OR GLASS	AVE= 20.000	U	AVE= 20.000	Reduce TO 4.00 %	B		
3420.10.30.00	CALENDERING OR OTHER ROLLING MACHINES, OTHER THAN FOR METALS OR GLASS	AVE= 20.000	U	AVE= 20.000	Reduce TO 4.00 %	B		
3420.10.40.00	CALENDERING OR OTHER ROLLING MACHINES, OTHER THAN FOR METALS OR GLASS	AVE= 20.000	U	AVE= 20.000	Reduce TO 4.00 %	B		
3420.10.50.00	CALENDERING OR OTHER ROLLING MACHINES, OTHER THAN FOR METALS OR GLASS	AVE= 20.000	U	AVE= 20.000	Reduce TO 4.00 %	B		
3420.10.90.00	CALENDERING OR OTHER ROLLING MACHINES, OTHER THAN FOR METALS OR GLASS	AVE= 20.000	U	AVE= 20.000	Reduce TO 4.00 %	B		
3421.21.10.00	WATER FILTERING OR PURIFYING MACHINERY AND APPARATUS	AVE= 30.000	U	AVE= 35.000	Reduce TO 0.00 %	B		
3421.21.90.00	WATER FILTERING OR PURIFYING MACHINERY AND APPARATUS	AVE= 20.000	U	AVE= 20.000	Reduce TO 0.00 %	B		
3421.31	INTAKE AIR FILTERS FOR INTERNAL COMBUSTION ENGINES	AVE= 20.000	U	AVE= 25.000	Reduce TO 0.00 %	B		
3422.11.00.00	DISHWASHING MACHINES, HOUSEHOLD TYPE	AVE= 30.000	U	AVE= 35.000	Reduce TO 4.00 %	B		
3422.30.10.00	MACHINERY FOR FILLING, CLOSING, SEALING, CAPSULING OR LABELING BOTTLES, CANS, BOXES OR OTHER CONTAINERS; MACHINERY FOR AERATING BEVERAGES	AVE= 20.000	U	AVE= 20.000	Reduce TO 4.00 %	B		
3422.30.20.00	MACHINERY FOR FILLING, CLOSING, SEALING, CAPSULING OR LABELING BOTTLES, CANS, BOXES OR OTHER CONTAINERS; MACHINERY FOR AERATING BEVERAGES	AVE= 20.000	U	AVE= 20.000	Reduce TO 4.00 %	B		

RESTRICTED - BUSINESS CONFIDENTIAL

668-40-16

0278

UNITED STATES URUGUAY ROUND INITIAL MARKET ACCESS REQUEST
FOR: Korea, Republic of

CCN # OR HS #	PRODUCT DESCRIPTION	TARIFF CURRENT	BINDING STATUS	BOUND RATE	TARIFF REQUEST		BINDING REQUEST	NTM DESCRIPTION	NTM REQUEST
422.30.30.00	MACHINERY FOR FILLING, CLOSING, SEALING, CAPSULING OR LABELING BOTTLES, CANS, BOXES OR OTHER CONTAINERS; MACHINERY FOR AERATING BEVERAGES	AVE= 20.000	U	AVE= 20.000	Reduce TO	4.00 %	B		
422.30.40.00	MACHINERY FOR FILLING, CLOSING, SEALING, CAPSULING OR LABELING BOTTLES, CANS, BOXES OR OTHER CONTAINERS; MACHINERY FOR AERATING BEVERAGES	AVE= 20.000	U	AVE= 20.000	Reduce TO	4.00 %	B		
422.30.90.00	MACHINERY FOR FILLING, CLOSING, SEALING, CAPSULING OR LABELING BOTTLES, CANS, BOXES OR OTHER CONTAINERS; MACHINERY FOR AERATING BEVERAGES	AVE= 20.000	U	AVE= 20.000	Reduce TO	4.00 %	B		
448.42.00.00	REEDS FOR LOOMS, HEALDS AND HEALD-FRAMES	AVE= 20.000	U	AVE= 20.000	Reduce TO	4.00 %	B		
450.20.00.00	HOUSEHOLD- OR LAUNDRY-TYPE WASHING MACHINES, WITH A DRY LINEN CAPACITY EXCEEDING 10 KG	AVE= 20.000	U	AVE= 20.000	Reduce TO	3.00 %	B		
450.90.00.00	PARTS OF HOUSEHOLD- OR LAUNDRY-TYPE WASHING MACHINES, INCLUDING PARTS OF MACHINES WHICH BOTH WASH AND DRY	AVE= 20.000	U	AVE= 20.000	Reduce TO	3.00 %	B		
451.21.00.00	DRYING MACHINES (EXCEPT CENTRIFUGAL TYPE) FOR TEXTILE YARNS, FABRICS OR MADE UP TEXTILE ARTICLES, WITH A DRY LINEN CAPACITY NOT EXCEEDING 10	AVE= 20.000	U	AVE= 20.000	Reduce TO	3.00 %	B		
451.50.20.00	MACHINES FOR REELING, UNREELING, FOLDING, CUTTING OR PINKING TEXTILE FABRICS	AVE= 20.000	U	AVE= 20.000	Reduce TO	4.00 %	B		
451.9[illegible]0	PARTS FOR MACHINERY FOR WASHING, CLEANING, WRINGING ETC. TEXTILE YARNS AND FABRICS, APPLYING PASTE TO BASE FABRIC ETC. AND REELING ETC. TEXT	AVE= 20.000	U	AVE= 20.000	Reduce TO	3.00 %	B		
460.19.00.00	FLAT-SURFACE GRINDING MACHINES FOR REMOVING METAL, AXIS ACCURACY OF 0.01 MM OR MORE, NOT NUMERICALLY CONTROLLED	AVE= 20.000	U	AVE= 20.000	Reduce TO	4.00 %	B		
460.29.90.00	GRINDING MACHINES FOR REMOVING METAL, EXCEPT FLAT-SURFACE, AXIS ACCURACY OF 0.01 MM OR MORE, NOT NUMERICALLY CONTROLLED	AVE= 20.000	U	AVE= 20.000	Reduce TO	4.00 %	B		

618-40-17

0279

U.S. Request of Korea, Republic of

RESTRICTED - BUSINESS CONFIDENTIAL

UNITED STATES URUGUAY ROUND INITIAL MARKET ACCESS REQUEST
FOR: Korea, Republic of

DATE: 12-18-91
PAGE: 15

CCN # OR HS #	PRODUCT DESCRIPTION	TARIFF CURRENT	BINDING STATUS	BOUND RATE	TARIFF REQUEST	BINDING REQUEST	NTM DESCRIPTION	NTM REQUEST
460.40.10.00	HONING OR LAPPING MACHINES FOR REMOVING METAL	AVE= 20.000	U	AVE= 20.000	Reduce TO 4.00 %	B		
460.40.20.00	HONING OR LAPPING MACHINES FOR REMOVING METAL	AVE= 20.000	U	AVE= 20.000	Reduce TO 4.00 %	B		
462.10.90.00	FORGING OR DIE-STAMPING MACHINES (INCLUDING PRESSES) AND HAMMERS FOR WORKING METAL	AVE= 20.000	U	AVE= 20.000	Reduce TO 4.00 %	B		
463.10.00.00	DRAW-BENCHES FOR BARS, TUBES, PROFILES, WIRE OR THE LIKE FOR WORKING METAL WITHOUT REMOVING MATERIAL	AVE= 20.000	U	AVE= 20.000	Reduce TO 4.00 %	B		
463.20.00.00	THREAD ROLLING MACHINES FOR WORKING METAL WITHOUT REMOVING MATERIAL	AVE= 20.000	U	AVE= 20.000	Reduce TO 4.00 %	B		
463.30.00.00	MACHINES FOR WORKING WIRE WITHOUT REMOVING MATERIAL	AVE= 20.000	U	AVE= 20.000	Reduce TO 4.00 %	B		
463.90.00.00	MACHINE TOOLS FOR WORKING METAL, SINTERED METAL CARBIDES OR CERMETS, WITHOUT REMOVING MATERIAL, NESOI	AVE= 20.000	U	AVE= 20.000	Reduce TO 4.00 %	B		
466.10.00.00	TOOL HOLDERS AND SELF-OPENING DIEHEADS FOR MACHINES OR ANY TYPE OF TOOL FOR WORKING IN THE HAND	AVE= 20.000	U	AVE= 20.000	Reduce TO 4.00 %	B		
466.20.00.00	WORK HOLDERS FOR MACHINE TOOLS	AVE= 20.000	U	AVE= 20.000	Reduce TO 4.00 %	B		
466.30.00.00	DIVIDING HEADS AND OTHER SPECIAL ATTACHMENTS FOR MACHINE TOOLS	AVE= 20.000	U	AVE= 20.000	Reduce TO 4.00 %	B		
466.91.00.00	PARTS FOR MACHINE TOOLS FOR WORKING STONE, CERAMICS, CONCRETE, ASBESTOS-CEMENT OR LIKE MINERAL MATERIALS OR FOR COLD WORKING GLASS	AVE= 20.000	U	AVE= 20.000	Reduce TO 4.00 %	B		
466.92.00.00	PARTS FOR MACHINE TOOLS FOR WORKING WOOD, CORK, BONE, HARD RUBBER, HARD PLASTICS OR SIMILAR HARD MATERIALS	AVE= 20.000	U	AVE= 20.000	Reduce TO 4.00 %	B		
466.93.00.00	PARTS AND ACCESSORIES FOR MACHINE TOOLS, FOR LASER OPERATION, METALWORKING MACHINING CENTERS, LATHES AND DRILLING MACHINES, ETC., NESOI	AVE= 20.000	U	AVE= 20.000	Reduce TO 4.00 %	B		
466.94.00.00	PARTS FOR MACHINES /FOR FORGING, DIE-STAMPING, SHEARING, PUNCHING ETC.	AVE= 20.000	U	AVE= 20.000	Reduce TO 4.00 %	B		

RESTRICTED - BUSINESS CONFIDENTIAL

668-40-18

0280

U.S. Request of Korea, Republic of

RESTRICTED - BUSINESS CONFIDENTIAL

UNITED STATES URUGUAY ROUND INITIAL MARKET ACCESS REQUEST
FOR: Korea, Republic of

DATE: 12-18-91
PAGE: 16

ICN # OR HS #	PRODUCT DESCRIPTION	TARIFF CURRENT	BINDING STATUS	BOUND RATE	TARIFF REQUEST		BINDING REQUEST	NTM DESCRIPTION	NTM REQUEST
	METAL; PARTS OF MACHINE TOOLS FOR WORKING METAL WITHOUT REMOVING MATE								
.67.11.20.00	PNEUMATIC TOOLS FOR WORKING IN THE HAND, ROTARY TYPE (INCLUDING COMBINED ROTARY-PERCUSSION)	AVE= 20.000	U	AVE= 20.000	Reduce TO	4.00 %	B		
.67.11[illegible]	PNEUMATIC TOOLS FOR WORKING IN THE HAND, ROTARY TYPE (INCLUDING COMBINED ROTARY-PERCUSSION)	AVE= 20.000	U	AVE= 20.000	Reduce TO	4.00 %	B		
.67.11.40.00	PNEUMATIC TOOLS FOR WORKING IN THE HAND, ROTARY TYPE (INCLUDING COMBINED ROTARY-PERCUSSION)	AVE= 20.000	U	AVE= 20.000	Reduce TO	4.00 %	B		
.67.11.50.20	PNEUMATIC TOOLS FOR WORKING IN THE HAND, ROTARY TYPE (INCLUDING COMBINED ROTARY-PERCUSSION)	AVE= 20.000	U	AVE= 20.000	Reduce TO	4.00 %	B		
.67.11.90.00	PNEUMATIC TOOLS FOR WORKING IN THE HAND, ROTARY TYPE (INCLUDING COMBINED ROTARY-PERCUSSION)	AVE= 20.000	U	AVE= 20.000	Reduce TO	4.00 %	B		
.67.19.10.00	PNEUMATIC TOOLS FOR WORKING IN THE HAND, EXCEPT ROTARY TYPE	AVE= 20.000	U	AVE= 20.000	Reduce TO	4.00 %	B		
.67.19.90.00	PNEUMATIC TOOLS FOR WORKING IN THE HAND, EXCEPT ROTARY TYPE	AVE= 20.000	U	AVE= 20.000	Reduce TO	4.00 %	B		
.67.89.00.00	TOOLS FOR WORKING IN THE HAND, WITH SELF-CONTAINED NONELECTRIC MOTOR, NESOI	AVE= 20.000	U	AVE= 20.000	Reduce TO	4.00 %	B		
.67.92.00.00	PARTS OF PNEUMATIC TOOLS FOR WORKING IN THE HAND	AVE= 20.000	U	AVE= 20.000	Reduce TO	4.00 %	B		
.67.99[illegible]	PARTS OF TOOLS WITH SELF-CONTAINED NONELECTRIC MOTOR, FOR WORKING IN THE HAND, NESOI	AVE= 20.000	U	AVE= 20.000	Reduce TO	4.00 %	B		
.75.20.90.00	MACHINES FOR MANUFACTURING OR HOT WORKING GLASS OR GLASSWARE	AVE= 20.000	U	AVE= 20.000	Reduce TO	4.00 %	B		
.79.90.10.10	PARTS OF MACHINES AND MECHANICAL APPLIANCES HAVING INDIVIDUAL FUNCTIONS, NESOI	AVE= 20.000	U	AVE= 20.000	Reduce TO	4.00 %	B		
.79.90.10.20	PARTS OF MACHINES AND MECHANICAL APPLIANCES HAVING INDIVIDUAL FUNCTIONS, NESOI	AVE= 20.000	U	AVE= 20.000	Reduce TO	4.00 %	B		

RESTRICTED - BUSINESS CONFIDENTIAL

668-40-1P

0281

U.S. Request of Korea, Republic of

RESTRICTED - BUSINESS CONFIDENTIAL

UNITED STATES URUGUAY ROUND INITIAL MARKET ACCESS REQUEST
FOR: Korea, Republic of

DATE: 12-18-91
PAGE: 17

CCN # / CR / HS #	PRODUCT DESCRIPTION	TARIFF CURRENT	BINDING STATUS	BOUND RATE	TARIFF REQUEST		BINDING REQUEST	NTM DESCRIPTION	NTM REQUEST
479.90.10.30	PARTS OF MACHINES AND MECHANICAL APPLIANCES HAVING INDIVIDUAL FUNCTIONS, NESOI	AVE= 20.000	U	AVE= 20.000	Reduce TO	4.00 %	B		
479.90.20.00	PARTS OF MACHINES AND MECHANICAL APPLIANCES HAVING INDIVIDUAL FUNCTIONS, NESOI	AVE= 20.000	U	AVE= 20.000	Reduce TO	4.00 %	B		
479.90[illegible]	PARTS OF MACHINES AND MECHANICAL APPLIANCES HAVING INDIVIDUAL FUNCTIONS, NESOI	AVE= 20.000	U	AVE= 20.000	Reduce TO	4.00 %	B		
479.90.90.10	PARTS OF MACHINES AND MECHANICAL APPLIANCES HAVING INDIVIDUAL FUNCTIONS, NESOI	AVE= 20.000	U	AVE= 20.000	Reduce TO	4.00 %	B		
479.90.90.30	PARTS OF MACHINES AND MECHANICAL APPLIANCES HAVING INDIVIDUAL FUNCTIONS, NESOI	AVE= 20.000	U	AVE= 20.000	Reduce TO	4.00 %	B		
479.90.90.40	PARTS OF MACHINES AND MECHANICAL APPLIANCES HAVING INDIVIDUAL FUNCTIONS, NESOI	AVE= 20.000	U	AVE= 20.000	Reduce TO	4.00 %	B		
479.90.90.50	PARTS OF MACHINES AND MECHANICAL APPLIANCES HAVING INDIVIDUAL FUNCTIONS, NESOI	AVE= 20.000	U	AVE= 20.000	Reduce TO	4.00 %	B		
479.90.90.60	PARTS OF MACHINES AND MECHANICAL APPLIANCES HAVING INDIVIDUAL FUNCTIONS, NESOI	AVE= 20.000	U	AVE= 20.000	Reduce TO	4.00 %	B		
479.90.90.70	PARTS OF MACHINES AND MECHANICAL APPLIANCES HAVING INDIVIDUAL FUNCTIONS, NESOI	AVE= 20.000	U	AVE= 20.000	Reduce TO	4.00 %	B		
479.90.90.90	PARTS OF MACHINES AND MECHANICAL APPLIANCES HAVING INDIVIDUAL FUNCTIONS, NESOI	AVE= 20.000	U	AVE= 20.000	Reduce TO	4.00 %	B		
480.79.00.00	MOLDS FOR RUBBER OR PLASTICS, OTHER THAN INJECTION OR COMPRESSION TYPES	AVE= 20.000	U	AVE= 20.000	Reduce TO	4.00 %	B		
481.90.00.00	PARTS FOR TAPS, COCKS, VALVES AND SIMILAR APPLIANCES FOR PIPES, VATS OR THE LIKE, INCLUDING PRESSURE REDUCING AND THERMOSTATICALLY CONTROLLE	AVE= 20.000	U	AVE= 20.000	Reduce TO	4.00 %	B		

RESTRICTED - BUSINESS CONFIDENTIAL

168-40-20

0282

U.S. Request of Korea, Republic of

RESTRICTED - BUSINESS CONFIDENTIAL

UNITED STATES URUGUAY ROUND INITIAL MARKET ACCESS REQUEST
FOR: Korea, Republic of

DATE: 12-18-91
PAGE: 18

CN # CR HS #	PRODUCT DESCRIPTION	TARIFF CURRENT	BINDING STATUS	BOUND RATE	TARIFF REQUEST		BINDING REQUEST	NTM DESCRIPTION	NTM REQUEST
82.20.00.00	TAPERED ROLLER BEARINGS, INCLUDING CONE AND TAPERED ROLLER ASSEMBLIES	AVE= 20.000	U	AVE= 25.000	Reduce TO	4.00 %	B		
82.40.00.00	NEEDLE ROLLER BEARINGS	AVE= 20.000	U	AVE= 25.000	Reduce TO	4.00 %	B		
82.50.00.00	CYLINDRICAL ROLLER BEARINGS NESOI	AVE= 20.000	U	AVE= 25.000	Reduce TO	4.00 %	B		
82.80___	BALL OR ROLLER BEARING NESOI, INCLUDING COMBINED BALL/ROLLER BEARING	AVE= 20.000	U	AVE= 25.000	Reduce TO	4.00 %	B		
82.91.00.00	BALLS, NEEDLES AND ROLLERS FOR BALL OR ROLLER BEARINGS	AVE= 20.000	U	AVE= 25.000	Reduce TO	4.00 %	B		
82.99.00.00	PARTS OF BALL OR ROLLER BEARINGS, NESOI	AVE= 20.000	U	AVE= 25.000	Reduce TO	4.00 %	B		
83.10.90.00	TRANSMISSION SHAFTS (INCLUDING CAMSHAFTS AND CRANKSHAFTS) AND CRANKS	AVE= 20.000	U	AVE= 25.000	Reduce TO	0.00 %	B		
83.20.10.00	HOUSED BEARINGS, INCORPORATING BALL OR ROLLER BEARINGS	AVE= 5.000	U	AVE= 5.000	Reduce TO	0.00 %	B		
83.20.90.00	HOUSED BEARINGS, INCORPORATING BALL OR ROLLER BEARINGS	AVE= 20.000	U	AVE= 25.000	Reduce TO	0.00 %	B		
83.30.10.00	BEARING HOUSINGS; PLAIN SHAFT BEARINGS	AVE= 5.000	U	AVE= 5.000	Reduce TO	0.00 %	B		
83.30.90.00	BEARING HOUSINGS; PLAIN SHAFT BEARINGS	AVE= 20.000	U	AVE= 25.000	Reduce TO	0.00 %	B		
83.90.10.00	PARTS FOR TRANSMISSION SHAFTS, BEARINGS (HOUSED ETC.), GEARS, GEAR BOXES ETC., SPEED CHANGERS, FLYWHEELS, PULLEYS, CLUTCHES AND SHAFT COUPLI	AVE= 5.000	U	AVE= 5.000	Reduce TO	0.00 %	B		
83.90.90.00	PARTS FOR TRANSMISSION SHAFTS, BEARINGS (HOUSED ETC.), GEARS, GEAR BOXES ETC., SPEED CHANGERS, FLYWHEELS, PULLEYS, CLUTCHES AND SHAFT COUPLI	AVE= 20.000	U	AVE= 25.000	Reduce TO	0.00 %	B		
84.90.00.00	X-OUT: Automotive gasket sets	AVE= 20.000	U	AVE= 25.000	Reduce TO	0.00 %	B		
85.90.90.10	MACHINERY PARTS, NOT CONTAINING ELECTRICAL CONNECTORS, INSULATORS, COILS, CONTACTS OR OTHER ELECTRICAL FEATURES, NESOI	AVE= 25.000	U	AVE= 25.000	Reduce TO	4.00 %	B		
85.90.90.20	MACHINERY PARTS, NOT CONTAINING ELECTRICAL CONNECTORS, INSULATORS, COILS, CONTACTS OR OTHER ELECTRICAL FEATURES, NESOI	AVE= 25.000	U	AVE= 25.000	Reduce TO	4.00 %	B		

RESTRICTED - BUSINESS CONFIDENTIAL

668-40-21

0283

U.S. Request of Korea, Republic of

RESTRICTED - BUSINESS CONFIDENTIAL

UNITED STATES URUGUAY ROUND INITIAL MARKET ACCESS REQUEST
FOR: Korea, Republic of

DATE: 12-18-91
PAGE: 19

CCN # OR HS #	PRODUCT DESCRIPTION	TARIFF CURRENT	BINDING STATUS	BOUND RATE	TARIFF REQUEST	BINDING REQUEST	NTM DESCRIPTION	NTM REQUEST
.90.90.90	MACHINERY PARTS, NOT CONTAINING ELECTRICAL CONNECTORS, INSULATORS, COILS, CONTACTS OR OTHER ELECTRICAL FEATURES, NESOI	AVE= 25.000	U	AVE= 25.000	Reduce TO 4.00 %	B		
	ELECTRICAL MACHINERY AND EQUIPMENT AND PARTS THEREOF; SOUND RECORDERS AND REPRODUCERS, TELEVISION RECORDERS AND REPRODUCERS, PARTS AND ACCES	N/A	U	N/A		B	- Korea does not allow the use of step-down transformers in imported appliances.	Eliminate
01.10.10.00	ELECTRIC MOTORS OF AN OUTPUT NOT EXCEEDING 37.5 W	AVE= 20.000	U	AVE= 25.000	Reduce TO 0.00 %	B		
01.10.20.00	ELECTRIC MOTORS OF AN OUTPUT NOT EXCEEDING 37.5 W	AVE= 20.000	U	AVE= 25.000	Reduce TO 4.00 %	B		
01.10.20.00	X-OUT: ELECTRIC MOTORS (USED IN PRINTERS)	AVE= 20.000	U	AVE= 25.000	Reduce TO 0.00 %	B		
01.10.30.00	ELECTRIC MOTORS OF AN OUTPUT NOT EXCEEDING 37.5 W	AVE= 20.000	U	AVE= 25.000	Reduce TO 4.00 %	B		
01.10.30.00	X-OUT: ELECTRIC MOTORS (USED IN PRINTERS)	AVE= 20.000	U	AVE= 25.000	Reduce TO 0.00 %	B		
01.20.10.00	UNIVERSAL AC/DC MOTORS OF AN OUTPUT EXCEEDING 37.5 W	AVE= 20.000	U	AVE= 25.000	Reduce TO 4.00 %	B		
.20.20.00	UNIVERSAL AC/DC MOTORS OF AN OUTPUT EXCEEDING 37.5 W	AVE= 20.000	U	AVE= 25.000	Reduce TO 4.00 %	B		
01.20.30.00	UNIVERSAL AC/DC MOTORS OF AN OUTPUT EXCEEDING 37.5 W	AVE= 20.000	U	AVE= 25.000	Reduce TO 4.00 %	B		
01.31.10.90	DC MOTORS NESOI AND GENERATORS OF AN OUTPUT EXCEEDING 37.5 W BUT NOT EXCEEDING 750 W	AVE= 20.000	U	AVE= 25.000	Reduce TO 4.00 %	B		
11.31.20.00	DC MOTORS NESOI AND GENERATORS OF AN OUTPUT EXCEEDING 37.5 W BUT NOT EXCEEDING 750 W	AVE= 20.000	U	AVE= 25.000	Reduce TO 4.00 %	B		
11.32.10.00	DC MOTORS NESOI AND GENERATORS OF AN OUTPUT EXCEEDING 750 W BUT NOT EXCEEDING 75 KW	AVE= 20.000	U	AVE= 25.000	Reduce TO 4.00 %	B		
11.32.20.00	DC MOTORS NESOI AND GENERATORS OF AN OUTPUT EXCEEDING 750 W BUT NOT	AVE= 20.000	U	AVE= 25.000	Reduce TO 4.00 %	B		

RESTRICTED - BUSINESS CONFIDENTIAL

668-40-22

0284

U.S. Request of Korea, Republic of

RESTRICTED - BUSINESS CONFIDENTIAL

UNITED STATES URUGUAY ROUND INITIAL MARKET ACCESS REQUEST
FOR: Korea, Republic of

DATE: 12-18-91
PAGE: 20

CCN # OR HS #	PRODUCT DESCRIPTION	TARIFF CURRENT	BINDING STATUS	BOUND RATE	TARIFF REQUEST	BINDING REQUEST	NTM DESCRIPTION	NTM REQUEST
	EXCEEDING 75 KW							
501.33.10.00	DC MOTORS NESOI AND GENERATORS OF AN OUTPUT EXCEEDING 75 KW BUT NOT EXCEEDING 375 KW	AVE= 20.000	U	AVE= 25.000	Reduce TO 4.00 %	B		
501.33.20.00	DC MOTORS NESOI AND GENERATORS OF AN OUTPUT EXCEEDING 75 KW BUT NOT EXCEEDING 375 KW	AVE= 20.000	U	AVE= 25.000	Reduce TO 4.00 %	B		
501.34.10.90	DC MOTORS NESOI AND GENERATORS OF AN OUTPUT EXCEEDING 375 KW	AVE= 20.000	U	AVE= 25.000	Reduce TO 4.00 %	B		
501.34.20.00	DC MOTORS NESOI AND GENERATORS OF AN OUTPUT EXCEEDING 375 KW	AVE= 10.000	B	AVE= 10.000	Reduce TO 4.00 %	B		
501.40.20.00	AC MOTORS NESOI, SINGLE-PHASE	AVE= 20.000	U	AVE= 25.000	Reduce TO 4.00 %	B		
01.40.30.00	AC MOTORS NESOI, SINGLE-PHASE	AVE= 20.000	U	AVE= 25.000	Reduce TO 4.00 %	B		
01.53.10.00	AC MOTORS NESOI, MULTI-PHASE, OF AN OUTPUT EXCEEDING 75 KW	AVE= 20.000	U	AVE= 25.000	Reduce TO 4.00 %	B		
01.53.20.00	AC MOTORS NESOI, MULTI-PHASE, OF AN OUTPUT EXCEEDING 75 KW	AVE= 20.000	U	AVE= 25.000	Reduce TO 4.00 %	B		
01.53.50.00	AC MOTORS NESOI, MULTI-PHASE, OF AN OUTPUT EXCEEDING 75 KW	AVE= 20.000	U	AVE= 25.000	Reduce TO 4.00 %	B		
01.61.10.00	AC GENERATORS (ALTERNATORS), OF AN OUTPUT NOT EXCEEDING 75 KVA	AVE= 20.000	U	AVE= 25.000	Reduce TO 4.00 %	B		
61.20.00	AC GENERATORS (ALTERNATORS), OF AN OUTPUT NOT EXCEEDING 75 KVA	AVE= 20.000	U	AVE= 25.000	Reduce TO 4.00 %	B		
01.62.00.00	AC GENERATORS (ALTERNATORS), OF AN OUTPUT EXCEEDING 75 KVA BUT NOT EXCEEDING 375 KVA	AVE= 20.000	U	AVE= 25.000	Reduce TO 4.00 %	B		
01.64.00.00	AC GENERATORS (ALTERNATORS), OF AN OUTPUT EXCEEDING 750 KVA	AVE= 0.000	B	AVE= 0.000	Reduce TO 4.00 %	B		
07.10.00.00	LEAD-ACID STORAGE BATTERIES OF A KIND USED FOR STARTING PISTON ENGINES	AVE= 20.000	U	AVE= 25.000	Reduce TO 0.00 %	B		
07.90.10.00	PARTS OF ELECTRIC STORAGE BATTERIES, INCLUDING SEPARATORS THEREFOR	AVE= 20.000	U	AVE= 25.000	Reduce TO 4.00 %	B		
07.90.90.00	PARTS OF ELECTRIC STORAGE BATTERIES,	AVE= 20.000	U	AVE= 25.000	Reduce TO 4.00 %	B		

RESTRICTED - BUSINESS CONFIDENTIAL

668-4D-23

0285

1991-12-20, 20:10 N MISSION GENEVA 2 022 791 0525 P.02

.S. Request of Korea, Republic of

RESTRICTED - BUSINESS CONFIDENTIAL

UNITED STATES URUGUAY ROUND INITIAL MARKET ACCESS REQUEST
FOR: Korea, Republic of

DATE: 12-18-91
PAGE: 21

	PRODUCT DESCRIPTION	TARIFF CURRENT	BINDING STATUS	BOUND RATE	TARIFF REQUEST	BINDING REQUEST	NTM DESCRIPTION	NTM REQUEST
	INCLUDING SEPARATORS THEREFOR							
.00	ELECTROMECHANICAL DRILLS OF ALL KINDS FOR WORKING IN THE HAND, WITH SELF-CONTAINED ELECTRIC MOTOR	AVE= 20.000	U	AVE= 20.000	Reduce TO 4.00 %	B		
90.00	ELECTROMECHANICAL DRILLS OF ALL KINDS FOR WORKING IN THE HAND, WITH SELF-CONTAINED ELECTRIC MOTOR	AVE= 20.000	U	AVE= 20.000	Reduce TO 4.00 %	B		
00.00	ELECTROMECHANICAL SAWS FOR WORKING IN THE HAND, WITH SELF-CONTAINED ELECTRIC MOTOR	AVE= 20.000	U	AVE= 20.000	Reduce TO 4.00 %	B		
10.00	ELECTROMECHANICAL TOOLS FOR WORKING IN THE HAND, WITH SELF CONTAINED ELECTRIC MOTOR, NESOI	AVE= 20.000	U	AVE= 20.000	Reduce TO 4.00 %	B		
20.00	ELECTROMECHANICAL TOOLS FOR WORKING IN THE HAND, WITH SELF CONTAINED ELECTRIC MOTOR, NESOI	AVE= 20.000	U	AVE= 20.000	Reduce TO 4.00 %	B		
30.00	ELECTROMECHANICAL TOOLS FOR WORKING IN THE HAND, WITH SELF CONTAINED ELECTRIC MOTOR, NESOI	AVE= 20.000	U	AVE= 20.000	Reduce TO 4.00 %	B		
50.00	ELECTROMECHANICAL TOOLS FOR WORKING IN THE HAND, WITH SELF CONTAINED ELECTRIC MOTOR, NESOI	AVE= 20.000	U	AVE= 20.000	Reduce TO 4.00 %	B		
.00	ELECTROMECHANICAL DOMESTIC FOOD GRINDERS, PROCESSORS AND MIXERS, AND FRUIT OR VEGETABLE JUICE EXTRACTORS, WITH SELF-CONTAINED ELECTRIC MOTOR	AVE= 30.000	C	AVE= 50.000	Reduce TO 4.00 %	B		
10.00	INTERNAL COMBUSTION ENGINE SPARK PLUGS	AVE= 5.000	U	AVE= 5.000	Reduce TO 4.00 %	B		
20.00	INTERNAL COMBUSTION ENGINE SPARK PLUGS	AVE= 20.000	U	AVE= 25.000	Reduce TO 4.00 %	B		
10.00	INTERNAL COMBUSTION ENGINE MAGNETOS, MAGNETO-DYNAMOS, MAGNETIC FLYWHEELS	AVE= 5.000	U	AVE= 5.000	Reduce TO 4.00 %	B		
0.00	INTERNAL COMBUSTION ENGINE DISTRIBUTORS AND IGNITION COILS	AVE= 5.000	U	AVE= 5.000	Reduce TO 0.00 %	B		
0.00	INTERNAL COMBUSTION ENGINE STARTER MOTORS AND DUAL PURPOSE STARTER-GENERATORS	AVE= 5.000	U	AVE= 5.000	Reduce TO 0.00 %	B		

RESTRICTED - BUSINESS CONFIDENTIAL

16-20-24

0286

U.S. Request of Korea, Republic of

RESTRICTED - BUSINESS CONFIDENTIAL

UNITED STATES URUGUAY ROUND INITIAL MARKET ACCESS REQUEST
FOR: Korea, Republic of

DATE: 12-18-91
PAGE: 22

CN # OR HS #	PRODUCT DESCRIPTION	TARIFF CURRENT	BINDING STATUS	BOUND RATE	TARIFF REQUEST	BINDING REQUEST	NTM DESCRIPTION	NTM REQUEST
11.50.10.00	INTERNAL COMBUSTION ENGINE GENERATORS, NESOI	AVE= 5.000	U	AVE= 5.000	Reduce TO 0.00 %	B		
11.80.10.00	ELECTRICAL IGNITION OR STARTING EQUIPMENT USED FOR INTERNAL COMBUSTION ENGINES, NESOI, AND EQUIPMENT USED IN CONJUNCTION WITH SUCH ENGINES,	AVE= 5.000	U	AVE= 5.000	Reduce TO 0.00 %	B		
11.90.10.00	PARTS FOR ELECTRICAL IGNITION OR STARTING EQUIPMENT USED FOR INTERNAL COMBUSTION ENGINES; PARTS FOR GENERATORS AND CUT-OUTS USED WITH SUCH	AVE= 5.000	U	AVE= 5.000	Reduce TO 0.00 %	B		
11.90.90.00	PARTS FOR ELECTRICAL IGNITION OR STARTING EQUIPMENT USED FOR INTERNAL COMBUSTION ENGINES; PARTS FOR GENERATORS AND CUT-OUTS USED WITH SUCH	AVE= 20.000	U	AVE= 25.000	Reduce TO 0.00 %	B		
12.10.00.00	ELECTRICAL LIGHTING OR VISUAL SIGNALING EQUIPMENT FOR USE ON BICYCLES	AVE= 20.000	U	AVE= 25.000	Reduce TO 0.00 %	B		
2.20.10.00	ELECTRICAL LIGHTING OR VISUAL SIGNALING EQUIPMENT, FOR USE ON CYCLES OR MOTOR VEHICLES, EXCEPT FOR USE ON BICYCLES	AVE= 25.000	U	AVE= 25.000	Reduce TO 4.00 %	B		
2.20.20.00	ELECTRICAL LIGHTING OR VISUAL SIGNALING EQUIPMENT, FOR USE ON CYCLES OR MOTOR VEHICLES, EXCEPT FOR USE ON BICYCLES	AVE= 20.000	U	AVE= 25.000	Reduce TO 4.00 %	B		
00.00	ELECTRICAL SOUND SIGNALING EQUIPMENT USED FOR CYCLES OR MOTOR VEHICLES	AVE= 20.000	U	AVE= 25.000	Reduce TO 4.00 %	B		
2.40.00.00	ELECTRICAL WINDSHIELD WIPERS, DEFROSTERS AND DEMISTERS USED FOR CYCLES OR MOTOR VEHICLES	AVE= 20.000	U	AVE= 25.000	Reduce TO 4.00 %	B		
2.90.00.00	PARTS OF ELECTRICAL LIGHTING OR SIGNALING EQUIPMENT, WINDSHIELD WIPERS, DEFROSTERS AND DEMISTERS, USED FOR CYCLES OR MOTOR VEHICLES	AVE= 20.000	U	AVE= 25.000	Reduce TO 0.00 %	B		
.10.10.00	INDUSTRIAL OR LABORATORY ELECTRIC FURNACES AND OVENS, RESISTANCE TYPE	AVE= 20.000	U	AVE= 20.000	Reduce TO 4.00 %	B		
.10.20.00	INDUSTRIAL OR LABORATORY ELECTRIC FURNACES AND OVENS, RESISTANCE TYPE	AVE= 20.000	U	AVE= 20.000	Reduce TO 4.00 %	B		
.10.30.00	INDUSTRIAL OR LABORATORY ELECTRIC FURNACES AND OVENS, RESISTANCE TYPE	AVE= 20.000	U	AVE= 20.000	Reduce TO 4.00 %	B		

RESTRICTED - BUSINESS CONFIDENTIAL

0287

U.S. Request of Korea, Republic of

RESTRICTED - BUSINESS CONFIDENTIAL

UNITED STATES URUGUAY ROUND INITIAL MARKET ACCESS REQUEST
FOR: Korea, Republic of

DATE: 12-18-91
PAGE: 23

CCN # OR HS #	PRODUCT DESCRIPTION	TARIFF CURRENT	BINDING STATUS	BOUND RATE	TARIFF REQUEST	BINDING REQUEST	NTM DESCRIPTION	NTM REQUEST
0.90.00	INDUSTRIAL OR LABORATORY ELECTRIC FURNACES AND OVENS, RESISTANCE TYPE	AVE= 20.000	U	AVE= 20.000	Reduce TO 4.00 %	B		
14.90.00.00	PARTS FOR INDUSTRIAL OR LABORATORY ELECTRIC FURNACES AND OVENS ; PARTS FOR INDUSTRIAL OR LABORATORY INDUCTION OR DIELECTRIC HEATING EQUIPMEN	AVE= 20.000	U	AVE= 20.000	Reduce TO 4.00 %	B		
15.80.10.00	ELECTRIC, LASER, ULTRASONIC ETC. BRAZING OR WELDING MACHINES NESOI; ELECTRIC MACHINES FOR HOT SPRAYING OF METALS OR SINTERED METAL CARBIDES,	AVE= 20.000	B	AVE= 20.000	Reduce TO 4.00 %	B		
15.80.90.00	ELECTRIC, LASER, ULTRASONIC ETC. BRAZING OR WELDING MACHINES NESOI; ELECTRIC MACHINES FOR HOT SPRAYING OF METALS OR SINTERED METAL CARBIDES,	AVE= 20.000	U	AVE= 20.000	Reduce TO 4.00 %	B		
15.90.10.00	PARTS FOR ELECTRIC LASER, ULTRASONIC ETC. WELDING ETC. MACHINES; PARTS FOR ELECTRIC MACHINES FOR HOT SPRAYING OF METALS OR SINTERED METAL CA	AVE= 20.000	U	AVE= 20.000	Reduce TO 4.00 %	B		
15.90.90.00	PARTS FOR ELECTRIC LASER, ULTRASONIC ETC. WELDING ETC. MACHINES; PARTS FOR ELECTRIC MACHINES FOR HOT SPRAYING OF METALS OR SINTERED METAL CA	AVE= 20.000	U	AVE= 20.000	Reduce TO 4.00 %	B		
[illegible].00.00	MICROWAVE OVENS	AVE= 35.000	C	AVE= 50.000	Reduce TO 4.00 %	B		
6.60.20.00	ELECTRIC OVENS, COOKING STOVES, RANGES, COOKING PLATES, BOILING RINGS, GRILLERS AND ROASTERS, NESOI	AVE= 30.000	C	AVE= 50.000	Reduce TO 4.00 %	B		
6.60.90.00	ELECTRIC OVENS, COOKING STOVES, RANGES, COOKING PLATES, BOILING RINGS, GRILLERS AND ROASTERS, NESOI	AVE= 30.000	C	AVE= 50.000	Reduce TO 4.00 %	B		
6.90.10.00	PARTS FOR ELECTRIC WATER HEATERS, SPACE HEATERS, HAIRDRESSING APPARATUS, FLAT IRONS, STOVES, OVENS, COFFEE OR TEA MAKERS, TOASTERS, ETC.	AVE= 20.000	U	AVE= 35.000	Reduce TO 4.00 %	B		
7.90.10.00	RECEPTION APPARATUS FOR RADIOTELEPHONY AND RADIOTELEGRAPHY, NESOI	AVE= 20.000	U	AVE= 20.000	Reduce TO 0.00 %	B		
7.90.20.00	RECEPTION APPARATUS FOR RADIOTELEPHONY AND RADIOTELEGRAPHY, NESOI	AVE= 20.000	B	AVE= 20.000	Reduce TO 4.00 %	B		

RESTRICTED - BUSINESS CONFIDENTIAL

0288

U.S. Request of Korea, Republic of

RESTRICTED - BUSINESS CONFIDENTIAL

UNITED STATES URUGUAY ROUND INITIAL MARKET ACCESS REQUEST
FOR: Korea, Republic of

DATE: 12-18-91
PAGE: 24

CCN # OR HS #	PRODUCT DESCRIPTION	TARIFF CURRENT	BINDING STATUS	BOUND RATE	TARIFF REQUEST	BINDING REQUEST	NTM DESCRIPTION	NTM REQUEST
527.90.90.00	RECEPTION APPARATUS FOR RADIOTELEPHONY AND RADIOTELEGRAPHY, NESOI	AVE= 20.000	B	AVE= 20.000	Reduce TO 4.00 %	B		
529.90.10.00	PARTS (EXCEPT ANTENNAS AND REFLECTORS) FOR USE WITH RADIO TRANSMISSION, RADAR, RADIO NAVIGATIONAL AID, RECEPTION AND TELEVISION APPARATUS, N	AVE= 10.000	U	AVE= 10.000	Reduce TO 0.00 %	B		
529.90.91.00	PARTS (EXCEPT ANTENNAS AND REFLECTORS) FOR USE WITH RADIO TRANSMISSION, RADAR, RADIO NAVIGATIONAL AID, RECEPTION AND TELEVISION APPARATUS, N	AVE= 20.000	B	AVE= 20.000	Reduce TO 0.00 %	B		
529.90.92.00	PARTS (EXCEPT ANTENNAS AND REFLECTORS) FOR USE WITH RADIO TRANSMISSION, RADAR, RADIO NAVIGATIONAL AID, RECEPTION AND TELEVISION APPARATUS, N	AVE= 20.000	U	AVE= 20.000	Reduce TO 0.00 %	B		
529.90.93.00	PARTS (EXCEPT ANTENNAS AND REFLECTORS) FOR USE WITH RADIO TRANSMISSION, RADAR, RADIO NAVIGATIONAL AID, RECEPTION AND TELEVISION APPARATUS, N	AVE= 20.000	U	AVE= 20.000	Reduce TO 0.00 %	B		
529.90.95.00	PARTS (EXCEPT ANTENNAS AND REFLECTORS) FOR USE WITH RADIO TRANSMISSION, RADAR, RADIO NAVIGATIONAL AID, RECEPTION AND TELEVISION APPARATUS, N	AVE= 20.000	U	AVE= 20.000	Reduce TO 0.00 %	B		
529.90.99.00	PARTS (EXCEPT ANTENNAS AND REFLECTORS) FOR USE WITH RADIO TRANSMISSION, RADAR, RADIO NAVIGATIONAL AID, RECEPTION AND TELEVISION APPARATUS, N	AVE= 20.000	U	AVE= 20.000	Reduce TO 0.00 %	B		
539.1[illegible]	SEALED BEAM ELECTRIC LAMP UNITS	AVE= 20.000	U	AVE= 25.000	Reduce TO 0.00 %	B		
539.21.00.00	X-OUT: Tungsten halogen electric lamps, for autos	AVE= 20.000	U	AVE= 25.000	Reduce TO 0.00 %	B		
543.30.00.00	ELECTRICAL MACHINES AND APPARATUS FOR ELECTROPLATING, ELECTROLYSIS OR ELECTROPHORESIS	AVE= 20.000	U	AVE= 20.000	Reduce TO 4.00 %	B		
543.80.10.30	ELECTRICAL MACHINES AND APPARATUS, HAVING INDIVIDUAL FUNCTIONS, NESOI	AVE= 30.000	U	AVE= 35.000	Reduce TO 4.00 %	B		
543.80.10.40	ELECTRICAL MACHINES AND APPARATUS, HAVING INDIVIDUAL FUNCTIONS, NESOI	AVE= 30.000	U	AVE= 35.000	Reduce TO 4.00 %	B		

RESTRICTED - BUSINESS CONFIDENTIAL

668-~~AD~~-27

0289

U.S. Request of Korea, Republic of

RESTRICTED - BUSINESS CONFIDENTIAL

UNITED STATES URUGUAY ROUND INITIAL MARKET ACCESS REQUEST
FOR: Korea, Republic of

DATE: 12-18-91
PAGE: 25

ICN # CR HS #	PRODUCT DESCRIPTION	TARIFF CURRENT	BINDING STATUS	BOUND RATE	TARIFF REQUEST		BINDING REQUEST	NTM DESCRIPTION	NTM REQUEST
543.80.10.90	ELECTRICAL MACHINES AND APPARATUS, HAVING INDIVIDUAL FUNCTIONS, NESOI	AVE= 30.000	U	AVE= 35.000	Reduce TO	4.00 %	B		
543.80.90.10	ELECTRICAL MACHINES AND APPARATUS, HAVING INDIVIDUAL FUNCTIONS, NESOI	AVE= 20.000	U	AVE= 20.000	Reduce TO	4.00 %	B		
543.8[illegible]	ELECTRICAL MACHINES AND APPARATUS, HAVING INDIVIDUAL FUNCTIONS, NESOI	AVE= 20.000	U	AVE= 20.000	Reduce TO	4.00 %	B		
543.90.00.00	PARTS FOR ELECTRICAL MACHINES AND APPARATUS HAVING INDIVIDUAL FUNCTIONS, NESOI	AVE= 20.000	U	AVE= 20.000	Reduce TO	4.00 %	B		
544.41.10.00	INSULATED ELECTRIC CONDUCTORS, FOR A VOLTAGE NOT EXCEEDING 80 V, FITTED WITH CONNECTORS	AVE= 20.000	U	AVE= 25.000	Reduce TO	0.00 %	B		
544.51.90.00	INSULATED ELECTRIC CONDUCTORS, FOR A VOLTAGE EXCEEDING 80 V BUT NOT EXCEEDING 1,000 V, FITTED WITH CONNECTORS	AVE= 20.000	U	AVE= 25.000	Reduce TO	0.00 %	B		
544.70.00.00	INSULATED OPTICAL FIBER CABLES, MADE UP OF INDIVIDUALLY SHEATHED FIBERS	AVE= 20.000	U	AVE= 25.000	Reduce TO	4.00 %	B		
609.00.10.00	CONTAINERS (INCLUDING CONTAINERS FOR THE TRANSPORT OF FLUIDS) SPECIALLY DESIGNED AND EQUIPPED FOR CARRIAGE BY ONE OR MORE MODES OF TRANSPORT	AVE= 20.000	U	AVE= 20.000	Reduce TO	0.00 %	B		
609.00.20.00	CONTAINERS (INCLUDING CONTAINERS FOR THE TRANSPORT OF FLUIDS) SPECIALLY DESIGNED AND EQUIPPED FOR CARRIAGE BY ONE OR MORE MODES OF TRANSPORT	AVE= 20.000	U	AVE= 20.000	Reduce TO	0.00 %	B		
609.00.30.00	CONTAINERS (INCLUDING CONTAINERS FOR THE TRANSPORT OF FLUIDS) SPECIALLY DESIGNED AND EQUIPPED FOR CARRIAGE BY ONE OR MORE MODES OF TRANSPORT	AVE= 20.000	U	AVE= 20.000	Reduce TO	0.00 %	B		
609.00.40.00	CONTAINERS (INCLUDING CONTAINERS FOR THE TRANSPORT OF FLUIDS) SPECIALLY DESIGNED AND EQUIPPED FOR CARRIAGE BY ONE OR MORE MODES OF TRANSPORT	AVE= 20.000	U	AVE= 20.000	Reduce TO	0.00 %	B		
609.00.50.00	CONTAINERS (INCLUDING CONTAINERS FOR THE TRANSPORT OF FLUIDS) SPECIALLY DESIGNED AND EQUIPPED FOR CARRIAGE BY ONE OR MORE MODES OF TRANSPORT	AVE= 20.000	U	AVE= 20.000	Reduce TO	0.00 %	B		

RESTRICTED - BUSINESS CONFIDENTIAL

168-40-24

0290

U.S. Request of Korea, Republic of

RESTRICTED - BUSINESS CONFIDENTIAL

UNITED STATES URUGUAY ROUND INITIAL MARKET ACCESS REQUEST
FOR: Korea, Republic of

DATE: 12-18-91
PAGE: 26

CCCN # OR HS #	PRODUCT DESCRIPTION	TARIFF CURRENT	BINDING STATUS	BOUND RATE	TARIFF REQUEST	BINDING REQUEST	NTM DESCRIPTION	NTM REQUEST
3609.00.90.00	CONTAINERS (INCLUDING CONTAINERS FOR THE TRANSPORT OF FLUIDS) SPECIALLY DESIGNED AND EQUIPPED FOR CARRIAGE BY ONE OR MORE MODES OF TRANSPORT	AVE= 20.000	U	AVE= 20.000	Reduce TO 0.00 %	B		
170[illegible].00	ROAD TRACTORS FOR SEMI-TRAILERS	AVE= 30.000	U	AVE= 40.000	Reduce TO 4.00 %	B		
1702.[illegible].00	PUBLIC-TRANSPORT TYPE PASSENGER MOTOR VEHICLES WITH A COMPRESSION-IGNITION INTERNAL COMBUSTION PISTON ENGINE (DIESEL OR SEMI-DIESEL)	AVE= 30.000	U	AVE= 40.000	Reduce TO 5.00 %	B		
1702.10.90.00	PUBLIC-TRANSPORT TYPE PASSENGER MOTOR VEHICLES WITH A COMPRESSION-IGNITION INTERNAL COMBUSTION PISTON ENGINE (DIESEL OR SEMI-DIESEL)	AVE= 30.000	U	AVE= 40.000	Reduce TO 5.00 %	B		
703.22.10.00	PASSENGER MOTOR VEHICLES WITH SPARK-IGNITION INTERNAL COMBUSTION RECIPROCATING PISTON ENGINE, CYLINDER CAPACITY OVER 1,000 CC BUT NOT OVER 1	AVE= 70.000	U	AVE= 70.000	Reduce TO 5.00 %	B		
703.22.20.00	PASSENGER MOTOR VEHICLES WITH SPARK-IGNITION INTERNAL COMBUSTION RECIPROCATING PISTON ENGINE, CYLINDER CAPACITY OVER 1,000 CC BUT NOT OVER 1	AVE= 50.000	C	AVE= 80.000	Reduce TO 5.00 %	B		
703.22.30.00	PASSENGER MOTOR VEHICLES WITH SPARK-IGNITION INTERNAL COMBUSTION RECIPROCATING PISTON ENGINE, CYLINDER CAPACITY OVER 1,000 CC BUT NOT OVER 1	AVE= 50.000	C	AVE= 80.000	Reduce TO 5.00 %	B		
703.__ .00	PASSENGER MOTOR VEHICLES WITH SPARK-IGNITION INTERNAL COMBUSTION RECIPROCATING PISTON ENGINE, CYLINDER CAPACITY OVER 1,000 CC BUT NOT OVER 1	AVE= 70.000	U	AVE= 70.000	Reduce TO 5.00 %	B		
703.22.50.00	PASSENGER MOTOR VEHICLES WITH SPARK-IGNITION INTERNAL COMBUSTION RECIPROCATING PISTON ENGINE, CYLINDER CAPACITY OVER 1,000 CC BUT NOT OVER 1	AVE= 40.000	U	AVE= 40.000	Reduce TO 5.00 %	B		
703.22.60.00	PASSENGER MOTOR VEHICLES WITH SPARK-IGNITION INTERNAL COMBUSTION RECIPROCATING PISTON ENGINE, CYLINDER CAPACITY OVER 1,000 CC BUT NOT OVER 1	AVE= 70.000	U	AVE= 70.000	Reduce TO 5.00 %	B		
703.22.90.00	PASSENGER MOTOR VEHICLES WITH	AVE= 70.000	U	AVE= 70.000	Reduce TO 5.00 %	B		

RESTRICTED - BUSINESS CONFIDENTIAL

1[illegible]-[illegible]-2-1

0291

U.S. Request of Korea, Republic of

RESTRICTED - BUSINESS CONFIDENTIAL

UNITED STATES URUGUAY ROUND INITIAL MARKET ACCESS REQUEST
FOR: Korea, Republic of

DATE: 12-18-91
PAGE: 27

CCN # / CR / HS #	PRODUCT DESCRIPTION	TARIFF CURRENT	BINDING STATUS	BOUND RATE	TARIFF REQUEST	BINDING REQUEST	NTM DESCRIPTION	NTM REQUEST
	SPARK-IGNITION INTERNAL COMBUSTION RECIPROCATING PISTON ENGINE, CYLINDER CAPACITY OVER 1,000 CC BUT NOT OVER 1							
703.23.10.00	PASSENGER MOTOR VEHICLES WITH SPARK-IGNITION INTERNAL COMBUSTION RECIPROCATING PISTON ENGINE, CYLINDER CAPACITY OVER 1,500 CC BUT NOT OVER 3	AVE= 70.000	U	AVE= 70.000	Reduce TO 0.00 %	B		
703.23.20.00	PASSENGER MOTOR VEHICLES WITH SPARK-IGNITION INTERNAL COMBUSTION RECIPROCATING PISTON ENGINE, CYLINDER CAPACITY OVER 1,500 CC BUT NOT OVER 3	AVE= 50.000	C	AVE= 80.000	Reduce TO 0.00 %	B		
703.23.30.00	PASSENGER MOTOR VEHICLES WITH SPARK-IGNITION INTERNAL COMBUSTION RECIPROCATING PISTON ENGINE, CYLINDER CAPACITY OVER 1,500 CC BUT NOT OVER 3	AVE= 50.000	C	AVE= 80.000	Reduce TO 0.00 %	B		
703.23.40.00	PASSENGER MOTOR VEHICLES WITH SPARK-IGNITION INTERNAL COMBUSTION RECIPROCATING PISTON ENGINE, CYLINDER CAPACITY OVER 1,500 CC BUT NOT OVER 3	AVE= 70.000	U	AVE= 70.000	Reduce TO 0.00 %	B		
703.23.50.00	PASSENGER MOTOR VEHICLES WITH SPARK-IGNITION INTERNAL COMBUSTION RECIPROCATING PISTON ENGINE, CYLINDER CAPACITY OVER 1,500 CC BUT NOT OVER 3	AVE= 40.000	U	AVE= 40.000	Reduce TO 0.00 %	B		
703.23.60.00	PASSENGER MOTOR VEHICLES WITH SPARK-IGNITION INTERNAL COMBUSTION RECIPROCATING PISTON ENGINE, CYLINDER CAPACITY OVER 1,500 CC BUT NOT OVER 3	AVE= 70.000	U	AVE= 70.000	Reduce TO 0.00 %	B		
703.2[illegible]0	PASSENGER MOTOR VEHICLES WITH SPARK-IGNITION INTERNAL COMBUSTION RECIPROCATING PISTON ENGINE, CYLINDER CAPACITY OVER 1,500 CC BUT NOT OVER 3	AVE= 70.000	U	AVE= 70.000	Reduce TO 0.00 %	B		
703.24.10.00	PASSENGER MOTOR VEHICLES WITH SPARK-IGNITION INTERNAL COMBUSTION RECIPROCATING PISTON ENGINE, CYCLINDER CAPACITY OVER 3,000 CC	AVE= 70.000	U	AVE= 70.000	Reduce TO 0.00 %	B		
703.24.20.00	PASSENGER MOTOR VEHICLES WITH SPARK-IGNITION INTERNAL COMBUSTION RECIPROCATING PISTON ENGINE, CYCLINDER CAPACITY OVER 3,000 CC	AVE= 50.000	C	AVE= 80.000	Reduce TO 0.00 %	B		

RESTRICTED - BUSINESS CONFIDENTIAL

168-40-30

0292

U.S. Request of Korea, Republic of

RESTRICTED - BUSINESS CONFIDENTIAL

UNITED STATES URUGUAY ROUND INITIAL MARKET ACCESS REQUEST
FOR: Korea, Republic of

DATE: 12-18-91
PAGE: 28

CCN # OR HS #	PRODUCT DESCRIPTION	TARIFF CURRENT	BINDING STATUS	BOUND RATE	TARIFF REQUEST	BINDING REQUEST	NTM DESCRIPTION	NTM REQUEST
703.24.30.00	PASSENGER MOTOR VEHICLES WITH SPARK-IGNITION INTERNAL COMBUSTION RECIPROCATING PISTON ENGINE, CYCLINDER CAPACITY OVER 3,000 CC	AVE= 50.000	C	AVE= 80.000	Reduce TO 0.00 %	B		
703.24.40.00	PASSENGER MOTOR VEHICLES WITH SPARK-IGNITION INTERNAL COMBUSTION RECIPROCATING PISTON ENGINE, CYCLINDER CAPACITY OVER 3,000 CC	AVE= 70.000	U	AVE= 70.000	Reduce TO 0.00 %	B		
3.24.50.00	PASSENGER MOTOR VEHICLES WITH SPARK-IGNITION INTERNAL COMBUSTION RECIPROCATING PISTON ENGINE, CYCLINDER CAPACITY OVER 3,000 CC	AVE= 40.000	U	AVE= 40.000	Reduce TO 0.00 %	B		
3.24.60.00	PASSENGER MOTOR VEHICLES WITH SPARK-IGNITION INTERNAL COMBUSTION RECIPROCATING PISTON ENGINE, CYCLINDER CAPACITY OVER 3,000 CC	AVE= 70.000	U	AVE= 70.000	Reduce TO 0.00 %	B		
3.24.90.00	PASSENGER MOTOR VEHICLES WITH SPARK-IGNITION INTERNAL COMBUSTION RECIPROCATING PISTON ENGINE, CYCLINDER CAPACITY OVER 3,000 CC	AVE= 70.000	U	AVE= 70.000	Reduce TO 0.00 %	B		
04.22.10.00	MOTOR VEHICLES FOR GOODS TRANSPORT NESOI, WITH COMPRESSION-IGNITION INTERNAL COMBUSTION PISTON ENGINE (DIESEL), GVW OVER 5 BUT NOT OVER 20 M	AVE= 30.000	U	AVE= 40.000	Reduce TO 5.00 %	B		
04.22[illegible]	MOTOR VEHICLES FOR GOODS TRANSPORT NESOI, WITH COMPRESSION-IGNITION INTERNAL COMBUSTION PISTON ENGINE (DIESEL), GVW OVER 5 BUT NOT OVER 20 M	AVE= 30.000	U	AVE= 40.000	Reduce TO 5.00 %	B		
.22.90.20	MOTOR VEHICLES FOR GOODS TRANSPORT NESOI, WITH COMPRESSION-IGNITION INTERNAL COMBUSTION PISTON ENGINE (DIESEL), GVW OVER 5 BUT NOT OVER 20 M	AVE= 30.000	U	AVE= 40.000	Reduce TO 5.00 %	B		
04.22.90.90	MOTOR VEHICLES FOR GOODS TRANSPORT NESOI, WITH COMPRESSION-IGNITION INTERNAL COMBUSTION PISTON ENGINE (DIESEL), GVW OVER 5 BUT NOT OVER 20 M	AVE= 30.000	U	AVE= 40.000	Reduce TO 5.00 %	B		
08.10.00.00	BUMPERS AND PARTS THEREOF FOR MOTOR VEHICLES	AVE= 20.000	U	AVE= 25.000	Reduce TO 0.00 %	B		
08.21.00.00	SAFETY SEAT BELTS FOR MOTOR VEHICLES	AVE= 20.000	U	AVE= 25.000	Reduce TO 0.00 %	B		

RESTRICTED - BUSINESS CONFIDENTIAL

668-~~40~~-31

0293

U.S. Request of Korea, Republic of

RESTRICTED - BUSINESS CONFIDENTIAL

UNITED STATES URUGUAY ROUND INITIAL MARKET ACCESS REQUEST
FOR: Korea, Republic of

DATE: 12-18-91
PAGE: 29

CN # OR HS #	PRODUCT DESCRIPTION	TARIFF CURRENT	BINDING STATUS	BOUND RATE	TARIFF REQUEST	BINDING REQUEST	NTM DESCRIPTION	NTM REQUEST
38.31.[illegible]	MOUNTED BRAKE LININGS FOR MOTOR VEHICLES	AVE= 20.000	U	AVE= 25.000	Reduce TO 0.00 %	B		
38.39.00.00	BRAKES AND SERVO-BRAKES AND PARTS THEREOF NESOI, FOR MOTOR VEHICLES	AVE= 20.000	U	AVE= 25.000	Reduce TO 0.00 %	B		
.40.00.00	GEAR BOXES FOR MOTOR VEHICLES	AVE= 20.900	U	AVE= 25.000	Reduce TO 0.00 %	B		
8.50.00.00	DRIVE AXLES WITH DIFFERENTIAL FOR MOTOR VEHICLES	AVE= 20.000	U	AVE= 25.000	Reduce TO 0.00 %	B		
.60.00.00	NON-DRIVING AXLES AND PARTS THEREOF FOR MOTOR VEHICLES	AVE= 20.000	U	AVE= 25.000	Reduce TO 0.00 %	B		
8.70.00.00	ROAD WHEELS AND PARTS AND ACCESSORIES THEREOF FOR MOTOR VEHICLES	AVE= 20.000	U	AVE= 25.000	Reduce TO 0.00 %	B		
.80.00.00	SUSPENSION SHOCK ABSORBERS FOR MOTOR VEHICLES	AVE= 20.000	U	AVE= 25.000	Reduce TO 0.00 %	B		
.91.00.00	RADIATORS FOR MOTOR VEHICLES	AVE= 20.000	U	AVE= 25.000	Reduce TO 0.00 %	B		
3.93.00.00	CLUTCHES AND PARTS THEREOF FOR MOTOR VEHICLES	AVE= 20.000	U	AVE= 25.000	Reduce TO 0.00 %	B		
.94.[illegible]	STEERING WHEELS, STEERING COLUMNS AND STEERING BOXES FOR MOTOR VEHICLES	AVE= 20.000	U	AVE= 25.000	Reduce TO 0.00 %	B		
2.99.10.10	PARTS AND ACCESSORIES FOR MOTOR VEHICLES, NESOI	AVE= 20.000	U	AVE= 25.000	Reduce TO 0.00 %	B		
.99.10.20	PARTS AND ACCESSORIES FOR MOTOR VEHICLES, NESOI	AVE= 20.000	U	AVE= 25.000	Reduce TO 0.00 %	B		
8.99.10.30	PARTS AND ACCESSORIES FOR MOTOR VEHICLES, NESOI	AVE= 20.000	U	AVE= 25.000	Reduce TO 0.00 %	B		
.99.10.40	PARTS AND ACCESSORIES FOR MOTOR VEHICLES, NESOI	AVE= 20.000	U	AVE= 25.000	Reduce TO 0.00 %	B		
8.99.10.50	PARTS AND ACCESSORIES FOR MOTOR VEHICLES, NESOI	AVE= 20.000	U	AVE= 25.000	Reduce TO 0.00 %	B		
.99.90.00	PARTS AND ACCESSORIES FOR MOTOR VEHICLES, NESOI	AVE= 20.000	U	AVE= 25.000	Reduce TO 0.00 %	B		
6.90.10.00	PARTS OF TRAILERS, SEMI-TRAILERS AND OTHER VEHICLES, NOT MECHANICALLY	AVE= 20.000	U	AVE= 25.000	Reduce TO 4.00 %	B		

RESTRICTED - BUSINESS CONFIDENTIAL

0294

RESTRICTED - BUSINESS CONFIDENTIAL

UNITED STATES URUGUAY ROUND INITIAL MARKET ACCESS REQUEST
FOR: Korea, Republic of

CCN # OR HS #	PRODUCT DESCRIPTION	TARIFF CURRENT	BINDING STATUS	BOUND RATE	TARIFF REQUEST	BINDING REQUEST	NTM DESCRIPTION	NTM REQUEST
	PROPELLED							
0.90.00	PARTS OF TRAILERS, SEMI-TRAILERS AND OTHER VEHICLES, NOT MECHANICALLY PROPELLED	AVE= 20.000	U	AVE= 25.000	Reduce TO 4.00 %	B		
001.10.10.00	OPTICAL FIBERS, OPTICAL FIBER BUNDLES AND CABLES, OTHER THAN OPTICAL FIBER CABLES MADE UP OF INDIVIDUALLY SHEATHED FIBERS	AVE= 20.000	U	AVE= 20.000	Reduce TO 4.00 %	B		
001.10.20.00	OPTICAL FIBERS, OPTICAL FIBER BUNDLES AND CABLES, OTHER THAN OPTICAL FIBER CABLES MADE UP OF INDIVIDUALLY SHEATHED FIBERS	AVE= 20.000	U	AVE= 20.000	Reduce TO 4.00 %	B		
001.10.30.00	OPTICAL FIBERS, OPTICAL FIBER BUNDLES AND CABLES, OTHER THAN OPTICAL FIBER CABLES MADE UP OF INDIVIDUALLY SHEATHED FIBERS	AVE= 20.000	U	AVE= 20.000	Reduce TO 4.00 %	B		
006.40.00.00	INSTANT PRINT CAMERAS	AVE= 30.000	U	AVE= 35.000	Reduce TO 4.00 %	B		
014.20.00.00	INSTRUMENTS AND APPLIANCES FOR AERONAUTICAL OR SPACE NAVIGATION (OTHER THAN COMPASSES)	AVE= 20.000	U	AVE= 20.000	Reduce TO 4.00 %	B		
014.80.00.00	NAVIGATIONAL INSTRUMENTS AND APPLIANCES, NESOI	AVE= 20.000	U	AVE= 20.000	Reduce TO 4.00 %	B		
0.00.00	PARTS AND ACCESSORIES FOR DIRECTION FINDING COMPASSES AND OTHER NAVIGATIONAL INSTRUMENTS AND APPLIANCES	AVE= 20.000	U	AVE= 20.000	Reduce TO 4.00 %	B		
015.80.20.00	SURVEYING INSTRUMENTS AND APPLIANCES, NESOI, HYDROGRAPHIC, OCEANOGRAPHIC, HYDROLOGICAL, METEOROLOGICAL OR GEOPHYSICAL INSTRUMENTS AND APPLIA	AVE= 20.000	U	AVE= 20.000	Reduce TO 4.00 %	B		
015.80.30.00	SURVEYING INSTRUMENTS AND APPLIANCES, NESOI, HYDROGRAPHIC, OCEANOGRAPHIC, HYDROLOGICAL, METEOROLOGICAL OR GEOPHYSICAL INSTRUMENTS AND APPLIA	AVE= 20.000	U	AVE= 20.000	Reduce TO 4.00 %	B		
015.80.50.00	SURVEYING INSTRUMENTS AND APPLIANCES, NESOI, HYDROGRAPHIC, OCEANOGRAPHIC, HYDROLOGICAL, METEOROLOGICAL OR GEOPHYSICAL INSTRUMENTS AND APPLIA	AVE= 20.000	U	AVE= 20.000	Reduce TO 4.00 %	B		

RESTRICTED - BUSINESS CONFIDENTIAL

668-40-33

0295

U.S. Request of Korea, Republic of

RESTRICTED - BUSINESS CONFIDENTIAL

UNITED STATES URUGUAY ROUND INITIAL MARKET ACCESS REQUEST
FOR: Korea, Republic of

DATE: 12-18-91
PAGE: 31

CN # CR HS #	PRODUCT DESCRIPTION	TARIFF CURRENT	BINDING STATUS	BOUND RATE	TARIFF REQUEST		BINDING REQUEST	NTM DESCRIPTION	NTM REQUEST
15.80.90.00	SURVEYING INSTRUMENTS AND APPLIANCES, NESOI, HYDROGRAPHIC, OCEANOGRAPHIC, HYDROLOGICAL, METEOROLOGICAL OR GEOPHYSICAL INSTRUMENTS AND APPLIA	AVE= 20.000	U	AVE= 20.000	Reduce TO	4.00 %	B		
31.10.10.00	UPRIGHT PIANOS	AVE= 20.000	U	AVE= 30.000	Reduce TO	4.00 %	B		
31.10.90.00	UPRIGHT PIANOS	AVE= 20.000	U	AVE= 30.000	Reduce TO	4.00 %	B		
31.20.00.00	GRAND PIANOS	AVE= 20.000	U	AVE= 30.000	Reduce TO	4.00 %	B		
36.00.10.00	PERCUSSION MUSICAL INSTRUMENTS (FOR EXAMPLE, DRUMS, XYLOPHONES, CYMBALS, CASTANETS, MARACAS)	AVE= 20.000	U	AVE= 30.000	Reduce TO	4.00 %	B		
36.00.20.00	PERCUSSION MUSICAL INSTRUMENTS (FOR EXAMPLE, DRUMS, XYLOPHONES, CYMBALS, CASTANETS, MARACAS)	AVE= 20.000	U	AVE= 30.000	Reduce TO	4.00 %	B		
36.00.30.00	PERCUSSION MUSICAL INSTRUMENTS (FOR EXAMPLE, DRUMS, XYLOPHONES, CYMBALS, CASTANETS, MARACAS)	AVE= 20.000	U	AVE= 30.000	Reduce TO	4.00 %	B		
6.00.40.00	PERCUSSION MUSICAL INSTRUMENTS (FOR EXAMPLE, DRUMS, XYLOPHONES, CYMBALS, CASTANETS, MARACAS)	AVE= 20.000	U	AVE= 30.000	Reduce TO	4.00 %	B		
6.00.50.00	PERCUSSION MUSICAL INSTRUMENTS (FOR EXAMPLE, DRUMS, XYLOPHONES, CYMBALS, CASTANETS, MARACAS)	AVE= 20.000	U	AVE= 30.000	Reduce TO	4.00 %	B		
.60.00	PERCUSSION MUSICAL INSTRUMENTS (FOR EXAMPLE, DRUMS, XYLOPHONES, CYMBALS, CASTANETS, MARACAS)	AVE= 20.000	U	AVE= 30.000	Reduce TO	4.00 %	B		
5.00.90.00	PERCUSSION MUSICAL INSTRUMENTS (FOR EXAMPLE, DRUMS, XYLOPHONES, CYMBALS, CASTANETS, MARACAS)	AVE= 20.000	U	AVE= 30.000	Reduce TO	4.00 %	B		
7.10.10.00	KEYBOARD INSTRUMENTS, OTHER THAN ACCORDIANS, THE SOUND OF WHICH IS PRODUCED OR MUST BE AMPLIFIED ELECTRICALLY	AVE= 30.000	U	AVE= 35.000	Reduce TO	4.00 %	B		
7.10.20.00	KEYBOARD INSTRUMENTS, OTHER THAN ACCORDIANS, THE SOUND OF WHICH IS PRODUCED OR MUST BE AMPLIFIED ELECTRICALLY	AVE= 30.000	U	AVE= 35.000	Reduce TO	4.00 %	B		

RESTRICTED - BUSINESS CONFIDENTIAL

668-40-34

0296

U.S. Request of Korea, Republic of

RESTRICTED - BUSINESS CONFIDENTIAL

UNITED STATES URUGUAY ROUND INITIAL MARKET ACCESS REQUEST
FOR: Korea, Republic of

CCN # CR HS #	PRODUCT DESCRIPTION	TARIFF CURRENT	BINDING STATUS	BOUND RATE	TARIFF REQUEST		BINDING REQUEST	NTM DESCRIPTION	NTM REQUEST
207.9[illegible].10.00	MUSICAL INSTRUMENTS, THE SOUND OF WHICH IS PRODUCED OR MUST BE AMPLIFIED ELECTRICALLY (FOR EXAMPLE, BANJOS, GUITARS, ACCORDIANS), NESOI	AVE= 30.000	U	AVE= 35.000	Reduce TO	4.00 %	B		
207.90.20.00	MUSICAL INSTRUMENTS, THE SOUND OF WHICH IS PRODUCED OR MUST BE AMPLIFIED ELECTRICALLY (FOR EXAMPLE, BANJOS, GUITARS, ACCORDIANS), NESOI	AVE= 30.000	U	AVE= 35.000	Reduce TO	4.00 %	B		
209.30.10.00	MUSICAL INSTRUMENTS STRINGS	AVE= 20.000	U	AVE= 25.000	Reduce TO	4.00 %	B		
209.30.90.00	MUSICAL INSTRUMENTS STRINGS	AVE= 20.000	U	AVE= 20.000	Reduce TO	4.00 %	B		
401.61.00.00	SEATS WITH WOODEN FRAMES, UPHOLSTERED, NESOI	AVE= 20.000	U	AVE= 20.000	Reduce TO	4.00 %	B		
401.69.00.00	SEATS WITH WOODEN FRAMES, NOT UPHOLSTERED, NESOI	AVE= 20.000	U	AVE= 20.000	Reduce TO	4.00 %	B		
401.71.00.00	SEATS WITH METAL FRAMES, UPHOLSTERED, NESOI	AVE= 20.000	U	AVE= 20.000	Reduce TO	4.00 %	B		
401.79.00.00	SEATS WITH METAL FRAMES, NOT UPHOLSTERED, NESOI	AVE= 20.000	U	AVE= 20.000	Reduce TO	4.00 %	B		
401.80.00.00	SEATS OTHER THAN OF METAL OR WOODEN FRAMES, NESOI	AVE= 20.000	U	AVE= 30.000	Reduce TO	4.00 %	B		
[illegible].00.00	METAL FURNITURE (EXCEPT SEATS) OF A KIND USED IN OFFICES	AVE= 20.000	C	AVE= 40.000	Reduce TO	4.00 %	B		
403.20.10.00	METAL FURNITURE, NESOI	AVE= 30.000	U	AVE= 30.000	Reduce TO	4.00 %	B		
403.20.90.00	METAL FURNITURE, NESOI	AVE= 20.000	C	AVE= 40.000	Reduce TO	4.00 %	B		
403.30.10.00	WOODEN FURNITURE (EXCEPT SEATS) OF A KIND USED IN OFFICES	AVE= 20.000	U	AVE= 30.000	Reduce TO	4.00 %	B		
403.30.90.00	WOODEN FURNITURE (EXCEPT SEATS) OF A KIND USED IN OFFICES	AVE= 20.000	U	AVE= 30.000	Reduce TO	4.00 %	B		
403.40.90.00	WOODEN FURNITURE (EXCEPT SEATS) OF A KIND USED IN THE KITCHEN	AVE= 30.000	U	AVE= 30.000	Reduce TO	4.00 %	B		
403.50.10.00	WOODEN FURNITURE (EXCEPT SEATS) OF A KIND USED IN THE BEDROOM	AVE= 30.000	U	AVE= 30.000	Reduce TO	4.00 %	B		
403.50.90.00	WOODEN FURNITURE (EXCEPT SEATS) OF A	AVE= 30.000	U	AVE= 30.000	Reduce TO	4.00 %	B		

RESTRICTED - BUSINESS CONFIDENTIAL

0297

668-40-35

U.S. Request of Korea, Republic of

RESTRICTED - BUSINESS CONFIDENTIAL

UNITED STATES URUGUAY ROUND INITIAL MARKET ACCESS REQUEST
FOR: Korea, Republic of

DATE: 12-18-91
PAGE: 33

CCCN # OR HS #	PRODUCT DESCRIPTION	TARIFF CURRENT	BINDING STATUS	BOUND RATE	TARIFF REQUEST	BINDING REQUEST	NTM DESCRIPTION	NTM REQUEST
	KIND USED IN THE BEDROOM							
403.6[illegible]0	WOODEN FURNITURE, NESOI	AVE= 30.000	U	AVE= 30.000	Reduce TO 4.00 %	B		
403.70.00.00	FURNITURE OF PLASTICS, NESOI	AVE= 30.000	U	AVE= 30.000	Reduce TO 4.00 %	B		
403.90.00.00	PARTS OF FURNITURE, NESOI	AVE= 20.000	U	AVE= 30.000	Reduce TO 4.00 %	B		
404.10.00.00	MATTRESS SUPPORTS	AVE= 20.000	U	AVE= 30.000	Reduce TO 4.00 %	B		
404.30.00.00	SLEEPING BAGS	AVE= 20.000	U	AVE= 30.000	Reduce TO 4.00 %	B		
404.90.00.00	ARTICLES OF BEDDING AND SIMILAR FURNISHINGS (EXCEPT MATTRESSES AND SLEEPING BAGS), FITTED OR STUFFED ETC., INCLUDING QUILTS, PILLOWS AND CUS	AVE= 20.000	U	AVE= 30.000	Reduce TO 4.00 %	B		
405.20.20.00	ELECTRIC TABLE, DESK, BEDSIDE OR FLOOR-STANDING LAMPS	AVE= 20.000	C	AVE= 45.000	Reduce TO 4.00 %	B		
405.20.90.00	ELECTRIC TABLE, DESK, BEDSIDE OR FLOOR-STANDING LAMPS	AVE= 20.000	C	AVE= 45.000	Reduce TO 4.00 %	B		
501.00.60.00	X-OUT: Chain driven	AVE= 30.000	U	AVE= 30.000	Reduce TO 4.00 %	B		
503.10.10.00	ELECTRIC TRAINS, INCLUDING TRACKS, SIGNALS AND OTHER ACCESSORIES THEREFOR; PARTS THEREOF	AVE= 20.000	U	AVE= 30.000	Reduce TO 4.00 %	B		
503.4[illegible]0	STUFFED TOYS, REPRESENTING ANIMALS OR NON-HUMAN CREATURES, AND PARTS AND ACCESSORIES THEREOF	AVE= 20.000	U	AVE= 30.000	Reduce TO 4.00 %	B		
503.41.90.00	STUFFED TOYS, REPRESENTING ANIMALS OR NON-HUMAN CREATURES, AND PARTS AND ACCESSORIES THEREOF	AVE= 20.000	U	AVE= 30.000	Reduce TO 4.00 %	B		
503.49.40.00	TOYS (EXCEPT STUFFED) REPRESENTING ANIMALS OR NON-HUMAN CREATURES (FOR EXAMPLE, ROBOTS AND MONSTERS) AND PARTS AND ACCESSORIES THEREOF	AVE= 20.000	U	AVE= 30.000	Reduce TO 4.00 %	B		
503.49.50.00	TOYS (EXCEPT STUFFED) REPRESENTING ANIMALS OR NON-HUMAN CREATURES (FOR EXAMPLE, ROBOTS AND MONSTERS) AND PARTS AND ACCESSORIES THEREOF	AVE= 20.000	U	AVE= 30.000	Reduce TO 4.00 %	B		
503.70.00.00	TOYS, PUT UP IN SETS OR OUTFITS, AND PARTS AND ACCESSORIES THEREOF, NESOI	AVE= 30.000	U	AVE= 30.000	Reduce TO 4.00 %	B		

RESTRICTED - BUSINESS CONFIDENTIAL

66P-~~40~~-36

0298

U.S. Request of Korea, Republic of

RESTRICTED - BUSINESS CONFIDENTIAL

UNITED STATES URUGUAY ROUND INITIAL MARKET ACCESS REQUEST
FOR: Korea, Republic of

DATE: 12-18-91
PAGE: 34

CCN # OR HS #	PRODUCT DESCRIPTION	TARIFF CURRENT	BINDING STATUS	BOUND RATE	TARIFF REQUEST	BINDING REQUEST	NTM DESCRIPTION	NTM REQUEST
03.50.00.00	TOYS AND MODELS, INCORPORATING A MOTOR, AND PARTS AND ACCESSORIES THEREOF, AESO1	AVE= 30.000	U	AVE= 30.000	Reduce TO 4.00 %	B		
03.10.10.00	TOYS AND PARTS AND ACCESSORIES THEREOF, NESOI	AVE= 20.000	U	AVE= 30.000	Reduce TO 4.00 %	B		
04.90.10.10	GAME MACHINES EXCEPT COIN- OR TOKEN-OPERATED; GAMES PLAYED ON BOARDS; MAH-JONG AND DOMINOES; POKER CHIPS AND DICE; BOWLING EQUIPMENT; GAMES	AVE= 30.000	U	AVE= 35.000	Reduce TO 4.00 %	B		
04.90.10.20	GAME MACHINES EXCEPT COIN- OR TOKEN-OPERATED; GAMES PLAYED ON BOARDS; MAH-JONG AND DOMINOES; POKER CHIPS AND DICE; BOWLING EQUIPMENT; GAMES	AVE= 30.000	U	AVE= 35.000	Reduce TO 4.00 %	B		
4.90.10.30	GAME MACHINES EXCEPT COIN- OR TOKEN-OPERATED; GAMES PLAYED ON BOARDS; MAH-JONG AND DOMINOES; POKER CHIPS AND DICE; BOWLING EQUIPMENT; GAMES	AVE= 30.000	U	AVE= 35.000	Reduce TO 4.00 %	B		
4.90.10.40	GAME MACHINES EXCEPT COIN- OR TOKEN-OPERATED; GAMES PLAYED ON BOARDS; MAH-JONG AND DOMINOES; POKER CHIPS AND DICE; BOWLING EQUIPMENT; GAMES	AVE= 30.000	U	AVE= 35.000	Reduce TO 4.00 %	B		
.90.10.90	GAME MACHINES EXCEPT COIN- OR TOKEN-OPERATED; GAMES PLAYED ON BOARDS; MAH-JONG AND DOMINOES; POKER CHIPS AND DICE; BOWLING EQUIPMENT; GAMES	AVE= 30.000	U	AVE= 35.000	Reduce TO 4.00 %	B		
.31.00.00	GOLF CLUBS, COMPLETE	AVE= 35.000	U	AVE= 35.000	Reduce TO 4.00 %	B		
.32.00.00	GOLF BALLS	AVE= 35.000	U	AVE= 35.000	Reduce TO 4.00 %	B		
.39.00.00	GOLF EQUIPMENT EXCEPT CLUBS AND BALLS; PARTS AND ACCESSORIES OF GOLF EQUIPMENT, INCLUDING PARTS OF GOLF CLUBS	AVE= 35.000	U	AVE= 35.000	Reduce TO 4.00 %	B		
.62.90.00	X-OUT: Bowling balls	AVE= 35.000	U	AVE= 35.000	Reduce TO 4.00 %	B		

RESTRICTED - BUSINESS CONFIDENTIAL

668-40-31

0299

MISSION PERMANENTE DU JAPON
AUPRÈS DES ORGANISATIONS INTERNATIONALES
GENÈVE-SUISSE

JA/se/D.289 Geneva, 17 December, 1991

Dear Mr Uhm,

Upon instructions from my authorities, I herewith have pleasure in submitting to you the attached non-tariff measures request lists by Japan.

The submission of this list is made without prejudice to Japan's position, i.e. that agricultural, forestry and fishery products should be treated in the context of the Agricultural Negotiations.

Yours sincerely,

Jun Akita

Jun AKITA

Mr Rak Yong UHM
Attaché (Financial Affairs)
Permanent Mission of the Republic
of Korea
20 route ~~de~~ Pré-Bois
Case postale 566

1215 GENEVA 15

0300

668-40-38

REQUEST LIST

Requested by Japan from Korea

Tariff line (if possible)	Product description	Non-tariff measures: Measures on which action is requested	Non-tariff measures: Action requested	Remarks
1	2	3	4	5
0805.20	Satsumas Mandarins	It is highly difficult to get import approval of the the Minister for Agriculture, Forestry and Fisheries because of the restrictive import licensing system.	Elimination of the restrictive import licensing system	This system is used as an instrument to restrict import. Accordingly this system shall be abolished as soon as possible, even though the proposal was made by Korea to withdraw it by 1997.
	(for consumption)	(vintual import prohibition)		
	(for processing)	(Import Quota)		
0806.10	Grapes	Restrictive Import Licensing System (virtual import prohibition)	Elimination of the system	ditto
0808.10	Apples	ditto	Elimination of the system	ditto
0808.20	Pears	ditto	Elimination of the system	ditto
0809.30	Peaches	ditto	Elimination of the system	ditto
0810.90-020	Japanese persimons (Kaki)	ditto	Elimination of the system	ditto

668-40-3P

0301

첨부3.

TARIFFS

(1) The United States is offering tariff reductions on specific items as outlined in the attached paper.

(2) In addition, the United States proposes/requests that all participants limit to the highest bound tariff on any specific item to the percentage specified below:

Sector		For LLDC's
Man-made fibers	7.5	12.5
Yarns	15.0	20.0
Apparel, Made-ups & Fabrics	32.0	35.0

The offer on textile tariff peaks proposed by the United States is conditioned on its acceptance by all participants in the negotiations. The United States continues to stress that offers in the market access negotiating group on tariffs on textile and apparel products are related to work in the negotiating group on textiles and clothing, especially to the strengthening of GATT rules and disciplines and the achievement of meaningful market access opportunities.

168-40-40

0302

MULTILATERAL T[illegible] E
NEGOTIATIONS
THE URUGUAY ROUND

MTN.TNC/W/93
20 December 1991

Special Distribution

Original: English

Trade Negotiations Committee

ASSESSMENT OF THE SITUATION IN THE
MARKET ACCESS NEGOTIATIONS
AND MODALITIES FOR THEIR COMPLETION

Statement by the Chairman of the Negotiating Group on Market Access

1. Intensive negotiations in recent weeks have significantly improved the prospects of achieving a substantial and broad-based Uruguay Round package of trade liberalization results, dealing with both tariff and non-tariff measures. Real improvements in access to export markets through the achievement of the mutual trade liberalization objectives envisaged in the Punta del Este Declaration and the Mid-Term Review remain critical for a satisfactory Uruguay Round outcome overall. This will reinforce important autonomous liberalization and structural adjustment measures being adopted domestically by many participants, including developing countries.

2. Further efforts are required to arrive at a balanced package of trade liberalization of both tariffs and non-tariff measures at the highest possible level among all participants. This will need to take into account the principles governing the conduct of the Uruguay Round negotiations overall, in particular the differential and more favourable treatment to be afforded to developing countries, especially to least-developed countries, as in Part I.B, paragraphs (iv) to (vii) of the Punta del Este Declaration. In this context, when the market access negotiations resume in early January, there would be a need to decide on the earliest implementation of concessions or, where necessary, minimum staging in relation to products of export interest to developing countries.

3. It is clear that good results are emerging between many participants towards meeting the Uruguay Round objectives, specifically:

- Some major participants have indicated their expectation, on the basis of mutual advantages, of being able to significantly exceed an overall reduction of tariffs by one-third. The substantial reductions would cover high tariffs, tariff peaks and tariff escalation situations.

- For a number of major product areas, including some resource-based sectors, the bargaining is now focused on meeting each others conditions so as to achieve tariff reductions going beyond one-third. This includes tariff elimination or harmonization at low rates.

GATT SECRETARIAT
UR-91-0189

0303

- Many developing countries are negotiating important liberalization commitments, including in the form of a substantial increase in the scope of tariff bindings at meaningful rates and the reduction and elimination of non-tariff measures.

- Negotiations towards the total elimination of tariffs on unprocessed tropical products and elimination and substantial reduction of tariffs and tariff escalation on semi-processed and processed tropical products and on non-tariff measures are actively being pursued. In respect of tropical agricultural products, this negotiation seems to be facilitated by the approach to the market access issues in the Agriculture Negotiating Group, as regards both tariffs and tariffication. In addition, participants are confirming their willingness to implement, on a definitive basis, preliminary barrier reductions obtained at the Mid-Term Review in this area.

- Positive results in sight in the areas of agriculture, textiles and trade rules are contributing to achieving satisfactory solutions to non-tariff measures. At the end of these market access negotiations all non-tariff measures should be fully subject to the new GATT rules and disciplines.

- The elimination of product-specific non-tariff measures continues to be an important part of the bargaining process between particular participants.

4. In order to assist the market access negotiations between developed and developing countries, a set of "Chairman's guidelines (a) on credit for tariff bindings and the liberalization of non-tariff measures and (b) on recognition for autonomous liberalization measures" is available for use as appropriate.

5. The text of a Protocol, related to the schedules of market access concessions of individual participants in respect of individual products, and incorporating the agreements between participants relating to the implementation of the market access liberalization results, has been completed. This text, however, may need to be reviewed in the light of the agreements reached in the areas of agriculture and textiles.

6. In accordance with Section I G of the Punta del Este Declaration regarding the conduct of an evaluation of the results of the negotiations by the GNG, aimed at the effective application of differential and more favourable treatment for developing countries, modalities for carrying out this evaluation in the market access area will be necessary.

7. In order to finalize the market access negotiations, the following next steps are envisaged:

- the submission to the secretariat, for circulation among participants having submitted offers, of revised consolidated tariff and non-tariff offers by 1 March 1992;

- the final balancing of concessions, their evaluation and the circulation of final draft schedules, subject to verification, by 15 March 1992;

- the submission of final schedules for annexation to the Protocol by 31 March 1992.

0305

	분류번호	보존기간

발 신 전 보

번 호 : WGV-1906 911227 1820 FL 종별 :

수 신 : 주 제네바 대사. ~~총영사~~

발 신 : 장 관 (통 기)

제 목 : UR/시장 접근

대 : GVW-2757

대호 미국의 섬유 관세조화 제안 (별첨 참조) 내용중 (1)항에서 적시한 attached paper 가 누락되었으니 송부 바람.

첨 부 : 상기제안 1매. 끝. (통상국장 김 용 규)

WGVF-407

보 안 통 제	

앙 고 재	91년 12월 27일	통상기구과	기안자 성 명		과 장		국 장		차 관	장 관

외신과통제

0306

WGVF-407

첨부3.

TARIFFS

(1) The United States is offering tariff reductions on specific items as outlined in the attached paper.

(2) In addition, the United States proposes/requests that all participants limit to the highest bound tariff on any specific item to the percentage specified below:

Sector		For LLDC's
Man-made fibers	7.5	12.5
Yarns	15.0	20.0
Apparel, Made-ups & Fabrics	32.0	35.0

The offer on textile tariff peaks proposed by the United States is conditioned on its acceptance by all participants in the negotiations. The United States continues to stress that offers in the market access negotiating group on tariffs on textile and apparel products are related to work in the negotiating group on textiles and clothing, especially to the strengthening of GATT rules and disciplines and the achievement of meaningful market access opportunities.

0307

168-40-40

외교문서 비밀해제: 우루과이라운드2 26

우루과이라운드 시장 접근 그룹 회의

초판인쇄 2024년 03월 15일
초판발행 2024년 03월 15일

지은이 한국학술정보(주)
펴낸이 채종준
펴낸곳 한국학술정보(주)
주 소 경기도 파주시 회동길 230(문발동)
전 화 031-908-3181(대표)
팩 스 031-908-3189
홈페이지 http://ebook.kstudy.com
E-mail 출판사업부 publish@kstudy.com
등 록 제일산-115호(2000. 6. 19)

ISBN 979-11-7217-128-5 94340
979-11-7217-102-5 94340 (set)